HARRY POTTER
E O ENIGMA
DO PRÍNCIPE

J.K. ROWLING é a autora da eternamente aclamada série Harry Potter.

Depois que a ideia de Harry Potter surgiu em uma demorada viagem de trem em 1990, a autora planejou e começou a escrever os sete livros, cujo primeiro volume, *Harry Potter e a Pedra Filosofal*, foi publicado no Reino Unido em 1997. A série, que levou dez anos para ser escrita, foi concluída em 2007 com a publicação de *Harry Potter e as Relíquias da Morte*. Os livros já venderam mais de 600 milhões de exemplares em 85 idiomas, foram ouvidos em audiolivro ao longo de mais de 80 milhões de horas e transformados em oito filmes campeões de bilheteria.

Para acompanhar a série, a autora escreveu três pequenos livros: *Quadribol através dos séculos*, *Animais fantásticos e onde habitam* (em prol da Comic Relief e da Lumos) e *Os contos de Beedle, o Bardo* (em prol da Lumos). *Animais fantásticos e onde habitam* inspirou uma nova série cinematográfica protagonizada pelo magizoologista Newt Scamander.

A história de Harry Potter quando adulto foi contada na peça teatral *Harry Potter e a Criança Amaldiçoada*, que Rowling escreveu com o dramaturgo Jack Thorne e o diretor John Tiffany, e vem sendo exibida em várias cidades pelo mundo.

Rowling é autora também de uma série policial, sob o pseudônimo de Robert Galbraith, e de dois livros infantis independentes, *O Ickabog* e *Jack e o Porquinho de Natal*.

J.K. Rowling recebeu muitos prêmios e honrarias pelo seu trabalho literário, incluindo a Ordem do Império Britânico (OBE), a Companion of Honour e o distintivo de ouro Blue Peter.

Ela apoia um grande número de causas humanitárias por intermédio de seu fundo filantrópico, Volant, e é a fundadora das organizações sem fins lucrativos Lumos, que trabalha pelo fim da institucionalização infantil, e Beira's Place, um centro de apoio para mulheres vítimas de assédio sexual.

J.K. Rowling mora na Escócia com a família.

Para saber mais sobre J.K. Rowling, visite:
jkrowlingstories.com

J.K. ROWLING

HARRY POTTER
E O ENIGMA DO PRÍNCIPE

ILUSTRAÇÕES DE MARY GRANDPRÉ

TRADUÇÃO DE LIA WYLER

Título original
HARRY POTTER
and the Half-Blood Prince

Copyright do texto © 2005 by J.K. Rowling
Direitos de publicação e teatral © J.K. Rowling

Copyright das ilustrações de miolo, de Mary GrandPré © 2005 by Warner Bros.

Copyright ilustração de capa, de Kazu Kibuishi © 2013 by Scholastic Inc.
Reproduzida com autorização.

Todos os personagens e símbolos correlatos
são marcas registradas e © Warner Bros. Entertainment Inc.
Todos os direitos reservados.

Todos os personagens e acontecimentos nesta publicação, com exceção
dos claramente em domínio publico, são fictícios e qualquer semelhança
com pessoas reais, vivas ou não, é mera coincidência.

Nenhuma parte desta obra pode ser reproduzida, armazenada em sistema,
ou transmitida, sob qualquer forma ou meio, sem a autorização prévia, por escrito,
do editor, não podendo, de outro modo, circular em qualquer formato de impressão
ou capa diferente daquela que foi publicada; sem as condições similares, que inclusive,
deverão ser impostas ao comprador subsequente.

Direitos para a língua portuguesa reservados
com exclusividade para o Brasil à
EDITORA ROCCO LTDA.
Rua Evaristo da Veiga, 65 –11º andar
Passeio Corporate – Torre 1
20031-040 – Rio de Janeiro, RJ
Tel.: (21) 3525-2000 – Fax: (21) 3525-2001
rocco@rocco.com.br / www.rocco.com.br

Printed in Brazil/Impresso no Brasil

Preparação de originais
MÔNICA MARTINS FIGUEIREDO

CIP-Brasil. Catalogação na fonte.
Sindicato Nacional dos Editores de Livros, RJ.

R778h	Rowling, J.K. (Joanne K.), 1967- Harry Potter e o Enigma do Príncipe / J.K. Rowling; ilustrações de Mary GrandPré; tradução de Lia Wyler. – 1ª ed. – Rio de Janeiro: Rocco, 2015. il. Tradução de: Harry Potter and the Half-Blood Prince ISBN 978-85-325-3000-4 1. Literatura infantojuvenil inglesa. I. GrandPré, Mary, 1954-. II. Wyler, Lia, 1934-. III. Título.
15-22830	CDD-028.5 CDU-087.5

O texto deste livro obedece às normas
do Acordo Ortográfico da Língua Portuguesa

Impressão e Acabamento: GEOGRÁFICA

A MAKENZIE,
MINHA LINDA FILHA,
DEDICO O SEU GÊMEO
DE TINTA E PAPEL.

1

O OUTRO
MINISTRO

E ra quase meia-noite e o primeiro-ministro estava sentado sozinho em seu gabinete, lendo um longo memorando que resvalava pelo seu cérebro sem deixar o menor registro. Aguardava um telefonema do presidente de um país longínquo e, entre a preocupação se o infeliz iria telefonar e a tentativa de reprimir lembranças do que fora uma semana difícil, longa e cansativa, não sobrava muito espaço em sua mente. Quanto mais tentava focalizar as palavras na página diante dele, tanto mais claramente via o rosto triunfante de um dos seus adversários políticos. O homem aparecera no telejornal daquele dia não somente para enumerar os terríveis acontecimentos da semana anterior (como se alguém precisasse de lembretes) como também para explicar que a culpa de cada um deles e de todos, sem exceção, cabia ao governo.

O pulso do primeiro-ministro acelerou só de pensar nessas acusações, porque não eram justas nem verdadeiras. Como é que o seu governo poderia ter impedido aquela ponte de ruir? Era um absurdo insinuarem que não estava gastando o suficiente na conservação de pontes. Essa tinha menos de dez anos, e os maiores especialistas não sabiam explicar por que rachara exatamente ao meio, projetando dezenas de carros nas profundezas do rio. E como ousavam sugerir que aqueles dois homicídios bárbaros divulgados com estardalhaço eram consequência da falta de policiamento? Ou que o governo deveria ter previsto o furacão inesperado que ocorrera no oeste do país e causara tantos prejuízos a pessoas e propriedades? E seria culpa *sua* que um dos ministros de segundo escalão, Herberto Chorley, tivesse escolhido logo esta semana para agir tão bizarramente que agora iria passar um bom tempo em casa?

"Uma sensação de perigo se apoderou do país", concluíra seu adversário, ocultando a custo um largo sorriso.

E, infelizmente, era a pura verdade. O próprio ministro sentia isso; o povo realmente parecia mais infeliz do que de costume. Até o tempo estava lúgubre; toda essa névoa gélida em pleno verão... não era certo, não era normal...

Ele virou a segunda página do memorando, verificou o quanto ainda faltava e achou que seria inútil se esforçar. Espreguiçando-se, contemplou pesaroso o seu gabinete. Era uma bela sala, com uma elegante lareira de mármore defronte às janelas de guilhotina, muito bem fechadas para evitar o frio atípico da estação. Com um leve arrepio, o primeiro-ministro se levantou, foi até a janela e contemplou a névoa fina que colava nos vidros. Foi então, quando estava de costas para a sala, que ouviu um leve pigarro.

Ele congelou, encarando o próprio rosto apavorado refletido na vidraça escura. Conhecia aquele pigarro. Já o ouvira antes. Virou-se, muito lentamente, e confrontou a sala vazia.

– Alôô! – disse, tentando aparentar mais coragem do que sentia.

Por um breve momento permitiu-se a esperança impossível de que ninguém lhe respondesse. Mas ouviu imediatamente uma voz seca e decidida que parecia estar lendo um texto pronto. Vinha – e o primeiro-ministro soube assim que ouviu o primeiro pigarro – do homenzinho bufonídeo de longa peruca prateada, retratado em um pequeno quadro a óleo encardido do outro lado da sala.

– Para o primeiro-ministro dos trouxas. É urgente que nos encontremos. Favor responder imediatamente. Atenciosamente, Fudge. – O homem no quadro lançou um olhar de indagação ao primeiro-ministro.

– Ehh – começou o primeiro-ministro –, ouça... não é um bom momento... estou esperando um telefonema, sabe... do presidente do...

– Isto pode ser remarcado – respondeu logo o quadro. O primeiro-ministro desanimou. Era o que receava.

– Mas eu realmente tinha esperanças de falar...

– Faremos com que o presidente esqueça o telefonema. Ele não ligará hoje, ligará amanhã à noite – disse o homenzinho. – Tenha a bondade de responder imediatamente ao sr. Fudge.

– Eu... ah... está bem – disse o primeiro-ministro vencido. – Receberei Fudge.

Voltou, então, depressa à sua escrivaninha, endireitando a gravata. Mal se sentara e se recompusera para aparentar uma expressão descontraída e impassível, ou assim esperava, um clarão de chamas muito verdes apareceu na abertura sob o console da lareira de mármore. Ele observou, tentando não demonstrar surpresa nem preocupação, um homem corpulento emergir das chamas, rodopiando rápido como um pião. Segundos depois, ele engatinhava da lareira para um bonito tapete antigo, sacudindo as cinzas das mangas de sua longa capa listrada, segurando um chapéu-coco verde-limão.

– Ah... primeiro-ministro – disse Cornélio Fudge, adiantando-se em largos passos, com a mão estendida. – Que bom revê-lo!

O primeiro-ministro não poderia retribuir o cumprimento com sinceridade, então nada respondeu. Não sentia o mais remoto prazer de ver Fudge, cujas raras aparições, além de serem em si decididamente alarmantes, em geral significavam que ele estava prestes a ouvir notícias muito ruins. Além do mais, Fudge parecia inegavelmente aflito. Estava mais magro, mais calvo, mais grisalho, e seu rosto parecia amarrotado. O primeiro-ministro já vira políticos com essa aparência antes, e nunca tinha sido um bom augúrio.

– Em que posso servi-lo? – perguntou, apertando brevemente a mão de Fudge e indicando a cadeira mais dura diante da escrivaninha.

– É difícil saber por onde começar – murmurou Fudge, puxando a cadeira, sentando-se e apoiando o chapéu sobre os joelhos. – Que semana, que semana...

– Também teve uma semana ruim? – perguntou o primeiro-ministro secamente, esperando, assim, deixar implícito que já tinha um prato cheio nas mãos sem precisar de mais colheradas de Fudge.

– É claro que tive – respondeu o bruxo, esfregando os olhos num gesto cansado e olhando mal-humorado para o primeiro-ministro. – Tive a mesma semana que o senhor, primeiro-ministro. A ponte de Brockdale... os assassinatos de Bones e Vance... sem falar nas confusões no oeste...

– O senhor... ehh... sua... o senhor está querendo me dizer que gente do seu mundo esteve... esteve envolvida... nesses acontecimentos, é isso?

Fudge fixou no primeiro-ministro um olhar severo.

– Claro que esteve. Certamente o senhor percebeu o que está acontecendo, não?

– Eu... – hesitou o primeiro-ministro.

Era exatamente esse tipo de atitude que o fazia detestar as visitas de Fudge. Afinal de contas, era o primeiro-ministro e não gostava que ninguém o fizesse sentir-se como um escolar ignorante. Mas sempre fora assim desde o primeiro encontro com Fudge, em sua primeiríssima noite como primeiro-ministro. Lembrava como se fosse ontem, e sabia que isto o atormentaria até morrer.

Encontrava-se sozinho neste mesmo gabinete, saboreando o seu triunfo depois de tantos anos de sonho e armações, quando ouvira um pigarro às suas costas, exatamente como hoje à noite, e, ao se virar, dera de cara com aquele feio quadrinho que se dirigia a ele, anunciando que o ministro da Magia estava a caminho para vir se apresentar.

Naturalmente, pensara que a longa campanha e a tensão da eleição o tivessem enlouquecido. Ficara absolutamente aterrorizado ao ver um quadro falando com ele, embora isso não fosse nada comparado ao que sentira quando um homem que anunciou ser bruxo projetou-se da lareira e lhe apertou a mão. Permaneceu mudo enquanto Fudge cortesmente explicava que ainda havia bruxos e bruxas vivendo em segredo no mundo inteiro, e reafirmava que ele não precisava se preocupar, pois o ministro da Magia responsabilizava-se por toda a comunidade bruxa e impedia que a população não bruxa soubesse de sua existência. Era, dissera Fudge, uma tarefa difícil que abrangia tudo, desde leis sobre o uso responsável de vassouras à manutenção da população de dragões sob controle (o primeiro-ministro se lembrava de ter procurado se agarrar na escrivaninha ao ouvir isso). Fudge, então, paternalmente, dera uns tapinhas no ombro do atônito primeiro-ministro.

– Não se preocupe – dissera –, provavelmente o senhor não tornará a me ver. Só o incomodarei se houver alguma coisa realmente grave ocorrendo do nosso lado, alguma coisa que possa afetar os trouxas... a população não bruxa, melhor dizendo. Não ocorrendo nada, é viver e deixar viver. E devo dizer, o senhor está aceitando a notícia bem melhor do que o seu antecessor. *Aquele* tentou me atirar pela janela, achou que eu era uma peça pregada pela oposição.

Ao ouvir isso, o primeiro-ministro recuperou finalmente a voz.

– Então, o senhor *não* é uma peça?

Fora a sua última e desesperada esperança.

– Não – respondeu Fudge gentilmente. – Receio que não. Olhe.

E transformou a xícara de chá do primeiro-ministro em um gerbo.

– Mas – ofegou o primeiro-ministro, ao ver a xícara começar a roer o canto do seu próximo discurso –, mas por que... por que ninguém me disse nada...?

– O ministro da Magia só aparece para o primeiro-ministro dos trouxas em exercício – respondeu Fudge, repondo a varinha no bolso interno do paletó. – Achamos que é melhor assim, para resguardar o sigilo.

– Mas, então – baliu o primeiro-ministro –, por que o primeiro-ministro anterior não me avisou?

Ao ouvir isso, Fudge deu uma gargalhada.

— Meu caro primeiro-ministro, será que o senhor algum dia contará a alguém?

Ainda rindo, Fudge lançara um pó na lareira, entrara nas chamas verde-esmeralda e desaparecera com um barulhinho surdo. O primeiro-ministro ficara ali parado, imóvel, e percebeu que jamais enquanto vivesse se atreveria a mencionar tal encontro a alguém, porque, afinal, quem iria acreditar?

Ele levara algum tempo para se recuperar do choque. A princípio, tentara se convencer de que Fudge fora de fato uma alucinação provocada pelas noites em claro durante a exaustiva campanha eleitoral. Na inútil tentativa de se livrar de todos os vestígios desse desagradável encontro, ele dera o gerbo a uma sobrinha, que adorou o presente, e instruiu o seu secretário particular para retirar o quadro do feio homenzinho que anunciara a chegada de Fudge. Para sua grande aflição, no entanto, o quadro se mostrou impossível de remover. Depois que vários marceneiros, uns dois construtores, um historiador de arte e o ministro da Fazenda tentaram inutilmente arrancá-lo da parede, o primeiro-ministro desistira e simplesmente se conformara em torcer para que o quadro permanecesse imóvel e silencioso pelo resto do seu mandato. Ocasionalmente, ele poderia jurar que vislumbrava pelo canto do olho o ocupante do quadro bocejar ou, então, coçar o nariz; e, uma ou duas vezes, saíra da moldura sem nada deixar além de um pedaço de tela encardida. No entanto, ele havia se condicionado a não olhar muito para o quadro e sempre repetir para si mesmo, com firmeza, que os seus olhos o iludiam quando via uma coisa dessas.

Então, havia três anos, em uma noite muito semelhante a de hoje, o primeiro-ministro estava sozinho em seu gabinete quando o quadro mais uma vez anunciara a chegada iminente de Fudge, que irrompera da lareira com as roupas encharcadas e tomado de intenso pânico. Antes que o primeiro-ministro pudesse perguntar por que estava pingando água em cima do tapete, Fudge começara um discurso sobre uma prisão de que o primeiro-ministro jamais ouvira falar, um tal "Sério" Black, alguma coisa cuja pronúncia lembrava Hogwarts e um menino chamado Harry Potter, coisas que para ele não faziam o menor sentido.

— ... Acabei de chegar de Azkaban — ofegara Fudge, deixando cair da aba do chapéu-coco para o bolso uma quantidade de água. — Meio do mar do Norte, sabe, um voo horrível... os dementadores estão furiosos — estremeceu —, nunca tiveram uma fuga antes. Seja como for, eu precisava vir procurá-lo, primeiro-ministro. Black é um conhecido assassino de trouxas e pode estar planejando se reunir a Você-Sabe-Quem... mas, naturalmente, o senhor nem sabe quem é Você-Sabe-Quem! — Por um momento Fudge olhou desamparado para o primeiro-ministro, depois acrescentou: — Bem, sente-se, sente-se, é melhor eu lhe explicar... tome um uísque...

O primeiro-ministro não gostou nem um pouco que o mandassem sentar em seu próprio gabinete, e menos ainda que lhe oferecessem o seu próprio uísque, mesmo assim sentou-se. Fudge puxara a varinha, conjurara dois enormes copos cheios de um líquido âmbar, empurrara um deles na mão do primeiro-ministro e puxara uma cadeira.

Fudge falara mais de uma hora. Num determinado momento, recusara-se a pronunciar um certo nome em voz alta e, em vez disso, escrevera-o em um pedaço de pergaminho, que enfiara na mão livre do primeiro-ministro. Quando finalmente Fudge fez menção de se retirar, o primeiro-ministro também se levantou.

— Então o senhor acha que... — e apertara os olhos para ler o nome que segurava na mão esquerda — o tal Lorde Vol...

— Aquele-Que-Não-Deve-Ser-Nomeado! — rosnou Fudge.

— Desculpe... Então o senhor acha que Aquele-Que-Não-Deve-Ser-Nomeado continua vivo?

— Bem, Dumbledore diz que sim — respondeu ele, abotoando o colarinho de sua capa listrada —, mas nunca o encontramos. Se quer saber, ele não é perigoso a não ser que consiga apoio, por isso é que devemos nos preocupar com Black. Então, o senhor divulgará aquele aviso? Excelente. Bem, espero que não tornemos a nos ver, primeiro-ministro! Boa noite.

Mas eles tornaram a se ver. Menos de um ano depois, um Fudge atormentado se materializara na sala do gabinete ministerial para informar ao primeiro-ministro que tinha havido um probleminha na Copa do Mundo de Catrebol (ou pelo menos fora isso que entendera), em que vários trouxas tinham sido "envolvidos", mas que o primeiro-ministro não se preocupasse, o fato de que Você-Sabe-Quem fora mais uma vez avistado nada significava. Fudge estava seguro de que era um incidente isolado, e a Seção de Ligação com os Trouxas já estava fazendo as alterações de memória necessárias naquele mesmo instante.

— Ah, e ia quase me esquecendo — acrescentou Fudge. — Estamos importando três dragões estrangeiros e uma esfinge para o Torneio Tribruxo, uma operação rotineira, mas o Departamento para Regulamentação e Controle das Criaturas Mágicas diz que, segundo as normas, temos de informá-los quando trazemos animais perigosos do exterior.

— Eu... que... *dragões?* — gaguejou o primeiro-ministro.
— É, três — disse Fudge. — E uma esfinge. Bem, um bom dia para o senhor.

O primeiro-ministro tivera a inútil esperança de que os dragões e a esfinge fossem o pior, mas não. Menos de dois anos depois, Fudge irrompera pela lareira, dessa vez, com a notícia de que houvera uma fuga em massa de Azkaban.

— Uma fuga *em massa?* — repetira o primeiro-ministro roucamente.
— Não precisa se preocupar, não precisa se preocupar! — bradara Fudge, já com um pé nas chamas. — Vamos recapturá-los sem perda de tempo... só achei que o senhor devia saber!

E, antes que o primeiro-ministro tivesse tempo de gritar: "Espere um instante!", Fudge se fora em uma chuva de fagulhas verdes.

Seja o que for que a imprensa e a oposição pudessem dizer, o primeiro-ministro não era tolo. Não escapara à sua atenção que, apesar das palavras tranquilizadoras de Fudge no primeiro encontro, ultimamente andavam se vendo bastante, e a cada visita Fudge parecia mais atrapalhado. Por menos que gostasse de pensar no ministro da Magia (ou como sempre o chamava mentalmente, o *outro* ministro), o primeiro-ministro não podia deixar de temer que a próxima vez que ele aparecesse as notícias seriam bem mais preocupantes. A visão de Fudge emergindo novamente da lareira, desalinhado, apreensivo e muito surpreso que o primeiro-ministro não soubesse exatamente por que viera, era o pior acontecimento de uma semana extremamente frustrante.

— Como iria saber o que está acontecendo na comunidade... eh... bruxa? — retorquiu o primeiro-ministro. — Tenho um país para governar e preocupações suficientes neste momento sem...

— Temos as mesmas preocupações — interrompeu-o Fudge. — A ponte de Brockdale não ruiu por desgaste natural. Aquilo não foi realmente um furacão. Os homicídios não foram obra de trouxas. E a família de Herberto Chorley estaria mais segura sem ele. Neste momento, estamos providenciando sua remoção para o Hospital St. Mungus para Doenças e Acidentes Mágicos. Será removido hoje à noite.

— Que é que o senhor... receio... quê? — engrolou o primeiro-ministro.

Fudge inspirou profundamente e disse:

— Primeiro-ministro, sinto muito ter de lhe informar que ele voltou. Aquele-Que-Não-Deve-Ser-Nomeado voltou.

— Voltou? Quando o senhor diz "voltou"... significa que está vivo? Quero dizer...

O primeiro-ministro vasculhou a memória procurando detalhes da terrível conversa que tinham tido três anos antes, quando Fudge lhe falara do bruxo a quem todos mais temiam, o bruxo que cometera centenas de crimes pavorosos antes de desaparecer misteriosamente há quinze anos.

— Exatamente, vivo. Isto é... não sei... será que está vivo um homem que não pode ser morto? Não compreendo muito bem, e Dumbledore não quer me explicar direito... mas, enfim, sem dúvida ele tem um corpo e está andando e falando e matando, então suponho, para os efeitos desta conversa, que, sim, está vivo.

O primeiro-ministro não sabia o que dizer, mas o hábito arraigado de querer parecer bem informado qualquer que fosse o assunto que alguém abordasse o fez rebuscar na memória detalhes das conversas que tinham tido anteriormente.

— O Sério Black está com... eh... Aquele-Que-Não-Deve-Ser-Nomeado?

— Black? Black? — repetiu Fudge, desatento, girando velozmente o chapéu-coco nos dedos.

— O senhor quer dizer o Sirius Black? Pelas barbas de Merlim, não. Black morreu. Afinal, estávamos... eh... enganados a respeito de Black. Era inocente. E tampouco estava mancomunado com Aquele-Que-Não-Deve-Ser-Nomeado. Quero dizer — acrescentou, em sua defesa, girando o chapéu ainda mais rápido —, todas as pistas apontavam para ele, tínhamos mais de cinquenta testemunhas oculares, mas, de qualquer forma, como disse, ele morreu. Aliás, foi assassinado. Dentro do Ministério da Magia. Mandei instaurar um inquérito...

Para sua grande surpresa, ao ouvir isto, o primeiro-ministro sentiu momentânea compaixão por Fudge. Mas o sentimento foi logo ofuscado por um lampejo de presunção ao lembrar que, por maior que fosse sua incapacidade de se materializar em lareiras, nunca tinha havido nenhum homicídio em nenhum dos departamentos do governo sob sua responsabilidade... pelo menos até agora...

Enquanto o primeiro-ministro disfarçadamente batia três vezes na madeira de sua escrivaninha, Fudge continuou:

— Mas Black agora é passado. A questão é que estamos em guerra, primeiro-ministro, e é preciso tomar algumas medidas.

— Em guerra? — repetiu o primeiro-ministro, nervoso. — Sem dúvida, o senhor está exagerando um pouco, não?

— Aquele-Que-Não-Deve-Ser-Nomeado agora recebeu reforços dos seus seguidores que fugiram de Azkaban em janeiro — informou Fudge, falando cada vez mais rápido e girando o chapéu com tal fúria que em seu lugar só se via um borrão verde-limão. — Desde que saíram da clandestinidade, eles estão provocando o caos. A ponte de Brockdale: foi ele, primeiro-ministro, ameaçou fazer um massacre de trouxas se eu não lhe entregasse o meu cargo e...

— Céus, então a morte daquelas pessoas é culpa sua, e sou eu que estou tendo de responder por treliças enferrujadas e juntas de expansão corroídas, e sabe-se lá o que mais! — exclamou o primeiro-ministro, furioso.

— Minha culpa! — exclamou Fudge corando. — O senhor está me dizendo que teria cedido a uma chantagem dessas?

— Talvez não — respondeu o primeiro-ministro, levantando-se e caminhando pela sala —, mas eu teria envidado todos os esforços para prender o chantagista antes que ele cometesse uma atrocidade igual!

— O senhor realmente acha que eu não me esforcei? — perguntou Fudge encolerizado. — Todos os aurores do Ministério estavam, e estão, tentando encontrar Você-Sabe-Quem e capturar seus seguidores, mas acontece que estamos falando de um dos bruxos mais poderosos de todos os tempos, um bruxo que nos escapa há quase trinta anos!

— Então suponho que o senhor vá me dizer que ele também provocou o furacão no oeste do país? — perguntou o primeiro-ministro, sentindo sua irritação crescer a cada passo que dava. Enfurecia-o descobrir a razão de todos esses terríveis acidentes e não poder revelar nada publicamente; isto era quase pior do que levar a culpa de tudo.

— Aquilo não foi um furacão — confirmou Fudge, infeliz.

— Faça-me o favor! — vociferou o primeiro-ministro, agora decididamente pisando forte pela sala. — Árvores arrancadas, telhados destruídos, postes vergados, ferimentos pavorosos...

— Foram os Comensais da Morte — disse Fudge. — Os seguidores d'Aquele-Que-Não-Deve-Ser-Nomeado. E suspeitamos da participação dos gigantes.

O primeiro-ministro estacou como se tivesse batido em um muro invisível.

— Participação do quê?

Fudge fez uma careta.

— Ele usou os gigantes da última vez, queria causar uma grande impressão. A Seção de Contrainformação tem trabalhado vinte e quatro horas por dia, equipes de obliviadores estão em campo tentando alterar a memória de todos os trouxas que viram o que realmente aconteceu, a maior parte do Departamento para Regulamentação e Controle das Criaturas Mágicas está percorrendo Somerset, mas não conseguimos encontrar gigantes, tem sido um fracasso.

— Não me diga! — exclamou o primeiro-ministro furioso.

— Não negarei que o moral está muito baixo no Ministério. Com tudo isso acontecendo, e ainda por cima perdemos Amélia Bones.

— Perderam quem?

— Amélia Bones. A chefe do Departamento de Execução das Leis da Magia. Achamos que Aquele-Que-Não-Deve-Ser-Nomeado pode ter sido o assassino, porque era uma bruxa muito talentosa e... e tudo indica que resistiu o máximo.

Fudge pigarreou e, aparentemente com esforço, parou de girar o chapéu-coco.

— Mas este homicídio saiu nos jornais — disse o primeiro-ministro, momentaneamente distraído de sua raiva. — Nossos jornais. Amélia Bones... disseram apenas que era uma mulher de meia-idade que morava sozinha. Foi um... um homicídio bárbaro, não? Muito divulgado. A polícia está tonta, sabe.

Fudge suspirou.

— Claro que está. Ela foi encontrada morta em um aposento trancado por dentro, não foi? Mas nós sabemos exatamente quem foi, não que isso adiante muito para sua captura. E teve também o da Emelina Vance, talvez o senhor não tenha ouvido falar deste...

— Ouvi, sim! — respondeu o primeiro-ministro. — Aliás, aconteceu aqui perto. Os jornais deitaram e rolaram: *Nem no quintal do primeiro-ministro vigoram a lei e a ordem...*

— E, como se tudo isso não bastasse — continuou Fudge, mal ouvindo o que dizia o primeiro-ministro —, os dementadores estão por toda parte, atacando as pessoas a torto e a direito...

Em um passado mais feliz, a frase teria sido ininteligível ao primeiro-ministro, mas, agora, estava mais bem informado.

— Pensei que os dementadores guardassem prisioneiros em Azkaban — arriscou cauteloso.

— Guardavam — confirmou Fudge, cansado. — Não mais. Desertaram e se juntaram a Aquele-Que-Não-Deve-Ser-Nomeado. Não vou fingir que não foi um sério revés.

— Mas — contrapôs o primeiro-ministro, com uma crescente sensação de horror — o senhor não me contou que eles são criaturas que roubam a esperança e a felicidade das pessoas?

– Certo. E estão se reproduzindo. É isto que está provocando a névoa. O primeiro-ministro, sentindo os joelhos amolecerem, largou-se na cadeira mais próxima. A ideia de criaturas invisíveis voando pelas cidades e pelos campos, espalhando o desespero e a desolação entre seus eleitores, fez com que se sentisse muito fraco.

– Escute aqui, Fudge: você tem de tomar uma providência! É sua responsabilidade como ministro da Magia!

– Meu caro primeiro-ministro, o senhor não pode realmente pensar que ainda sou ministro da Magia depois de tudo que aconteceu! Fui exonerado há três dias. Toda a comunidade bruxa vinha exigindo a minha renúncia nas últimas duas semanas. Nunca a vi tão unida durante todo o meu mandato!

– disse Fudge, fazendo uma corajosa tentativa de sorrir.

O primeiro-ministro ficou mudo por uns instantes. Apesar de sua revolta pela posição em que fora colocado, ainda simpatizava com o homem envelhecido que estava à sua frente.

– Lamento muito – disse por fim. – Tem alguma coisa que eu possa fazer?

– É muita gentileza sua, primeiro-ministro, mas não há. Fui mandado aqui hoje à noite para colocá-lo a par dos acontecimentos recentes e lhe apresentar o meu sucessor. Pensei até que já estivesse aqui, mas naturalmente anda muito ocupado no momento com tantos problemas.

Fudge se virou para o retrato do homenzinho feio, com sua longa peruca de cachos prateados, e naquele momento cutucando o ouvido com a ponta de uma pena.

Ao encontrar o olhar de Fudge, o quadro falou:

– Ele não tardará a chegar, está só terminando uma carta para Dumbledore.

– Desejo-lhe boa sorte – disse Fudge, pela primeira vez em tom amargurado. – Tenho escrito a Dumbledore duas vezes por dia nos últimos quinze dias, mas ele não quer se mexer. Se ao menos quisesse persuadir o garoto, eu talvez ainda fosse... bem, talvez Scrimgeour tenha mais sucesso. – Fudge deixou-se cair em um silêncio visivelmente ofendido, que foi quebrado quase em seguida pela voz seca e formal do retrato.

– Ao primeiro-ministro dos trouxas. Solicito uma entrevista. Urgente. Favor responder imediatamente. Rufo Scrimgeour, ministro da Magia.

– Sim, sim, ótimo – respondeu o primeiro-ministro, desatento, e, mal piscou, as chamas na lareira tornaram a se esverdear e cresceram, revelando um segundo bruxo aos rodopios e projetando-o instantes depois no tapete antigo. Fudge se ergueu e, após breve hesitação, o primeiro-ministro acompanhou-o, observando o recém-chegado se endireitar, sacudir a poeira de suas longas vestes pretas e olhar ao redor.

O primeiro pensamento do primeiro-ministro, uma tolice, foi que Rufo Scrimgeour parecia um leão velho. Havia fios grisalhos em sua juba alourada e nas sobrancelhas espessas; tinha olhos amarelados e argutos por trás de óculos de arame e uma certa graça em sua magreza, embora mancasse um pouco ao andar. Transmitiu uma imediata impressão de sagacidade e firmeza; o primeiro-ministro julgou compreender por que a comunidade bruxa preferia a liderança de Scrimgeour nestes tempos perigosos.

— Como está? — cumprimentou o primeiro-ministro, educadamente, estendendo a mão.

Scrimgeour apertou-a brevemente, os olhos esquadrinhando o aposento, e em seguida puxou a varinha de dentro das vestes.

— Fudge contou-lhe tudo? — perguntou, indo até a porta e tocando-a com a varinha. O primeiro-ministro ouviu a fechadura trancar.

— Eh... sim — respondeu o primeiro-ministro. — Mas, se o senhor não se importar, eu preferia que a porta continuasse destrancada.

— E eu preferia não ser interrompido — retorquiu secamente Scrimgeour — nem observado — acrescentou, apontando a varinha para as janelas e fechando as cortinas. — Muito bem. Sou um homem ocupado, então vamos direto ao nosso assunto. Em primeiro lugar, precisamos discutir a sua segurança.

O primeiro-ministro empertigou-se todo e respondeu:

— Estou perfeitamente satisfeito com a segurança que tenho, muito obr...

— Mas nós não estamos — interrompeu-o Scrimgeour. — Será uma péssima perspectiva para os trouxas se o seu primeiro-ministro for dominado por uma Maldição Imperius. O novo secretário em sua antessala...

— Não vou despedir Kingsley Shacklebolt, se é o que está sugerindo! — disse o primeiro-ministro indignado. — Ele é muitíssimo eficiente, trabalha duas vezes mais que os outros...

— Porque é um bruxo — disse Scrimgeour, sem sequer sorrir. — Um auror de grande experiência que destacamos para protegê-lo.

— Espere aí! — exclamou o primeiro-ministro. — O senhor não pode simplesmente colocar gente sua no meu gabinete. Eu decido quem trabalha para mim...

— Pensei que o senhor estivesse satisfeito com Shacklebolt — contrapôs Scrimgeour friamente.

– Estou... quero dizer, estava...
– Então, não há problema, há?
– Eu... bem, enquanto o trabalho de Shacklebolt continuar... eh... excelente – disse o primeiro-ministro sem argumento, mas o bruxo mal pareceu ouvi-lo.
– Agora, quanto a Herberto Chorley, seu ministro de segundo escalão. Esse que tem divertido o público imitando um pato.
– Que tem ele? – perguntou o primeiro-ministro.
– É claro que está reagindo a uma Maldição Imperius mal executada – afirmou Scrimgeour. – Baralhou o seu cérebro, mas ele ainda oferece perigo.
– Ele só faz grasnar! – disse o primeiro-ministro, sem convicção. – Com certeza uns dias de descanso... talvez menos bebida...
– Uma equipe do Hospital St. Mungus para Doenças e Acidentes Mágicos está examinando-o neste exato momento. E ele já tentou estrangular três bruxos. Acho melhor retirá-lo da sociedade dos trouxas por uns tempos.
– Eu... bem... ele vai ficar bom, não vai? – perguntou o primeiro-ministro ansioso. Scrimgeour simplesmente encolheu os ombros, já recuando em direção à lareira.
– Bem, era realmente o que eu tinha a dizer. Manterei o senhor informado dos desdobramentos, primeiro-ministro... ou, caso eu esteja demasiado ocupado para vir, mandarei o Fudge. Ele concordou em continuar trabalhando como meu assessor.

Fudge tentou sorrir, mas não conseguiu; sua expressão era a de alguém com dor de dente. Scrimgeour começou a procurar no bolso o misterioso pó que esverdeava as chamas. O primeiro-ministro observou desalentado os dois bruxos por um momento, então as palavras que lutara para reprimir a noite toda finalmente saíram de sua boca.

– Mas pelo amor de Deus... vocês são *bruxos*! Podem fazer *bruxarias*! Com certeza são capazes de resolver... bem... *qualquer coisa*!

Scrimgeour girou nos calcanhares lentamente e trocou um olhar incrédulo com Fudge, que desta vez conseguiu sorrir ao dizer com bondade:

– O problema é que o outro lado também sabe fazer bruxarias, primeiro-ministro.

E, dizendo isso, os dois entraram, um após outro, nas chamas muito verdes e desapareceram.

2

A RUA
DA FIAÇÃO

A muitos quilômetros de distância, a névoa gelada que comprimia as vidraças do primeiro-ministro flutuava sobre um rio sujo que serpeava entre barrancos cobertos de mato e lixo. Uma enorme chaminé, relíquia de uma fábrica fechada, erguia-se sombria e agourenta. O silêncio total era quebrado apenas pelo rumorejo da água escura, e não havia vestígio de vida exceto por uma raposa esquelética que descera até o barranco na esperança de farejar um saco de peixe com fritas descartado no capim alto.

Então, com um leve estalo, uma figura magra e encapuzada se materializou na margem do rio. A raposa congelou, fixando os olhos assustados no estranho fenômeno. A figura pareceu se orientar por alguns instantes, então saiu andando com passos leves e ligeiros, sua longa capa farfalhando no capim.

Com um segundo estalo mais forte, outra figura encapuzada materializou-se.

— Espere!

O grito rouco alarmou a raposa, agora quase achatada no mato. Saltou do seu esconderijo e subiu o barranco. Houve um lampejo verde, um ganido, e o animal caiu ao chão, morto.

A segunda figura virou o corpo do animal com a ponta do pé.

— É só uma raposa — disse sumariamente uma voz feminina por baixo do capuz. — Pensei que fosse um auror... Ciça, espere!

Mas a outra, que parara para olhar para trás ao perceber o lampejo, já estava subindo pelo barranco em que a raposa acabara de tombar.

— Ciça... Narcisa... escute...

A segunda mulher alcançou a primeira e agarrou-a pelo braço, mas esta se desvencilhou.

— Volte, Bela!

— Você precisa me escutar!

— Já escutei. Já me decidi. Me deixe em paz!

A mulher chamada Narcisa chegou ao alto do barranco, onde um gradil velho separava o rio de uma rua estreita calçada com pedras. A outra, Bela, continuou seguindo-a. Lado a lado, elas pararam, examinando na escuridão as fileiras de casas de tijolos aparentes, em ruínas, as janelas opacas e sem luz.

— Ele mora aqui? — perguntou Bela com desprezo na voz. — *Aqui?* Neste monturo dos trouxas? Devemos ser os primeiros da nossa raça a pisar...

Mas Narcisa não estava escutando; passara por uma abertura no gradil enferrujado e já atravessava a rua, apressada.

— Ciça, *espere*!

Bela acompanhou-a, sua capa enfunando às costas, e viu Narcisa embarafustar por um beco em meio ao casario e sair em outra rua quase idêntica. Alguns dos lampiões estavam quebrados, e as duas mulheres percorriam alternadamente trechos de luz e sombra profunda. Bela alcançou Narcisa quando virava mais uma esquina, conseguindo desta vez segurá-la e virá-la de modo a ficarem frente a frente.

— Ciça, você não deve fazer isso, não pode confiar nele...

— O Lorde das Trevas confia nele, não é?

— O Lorde das Trevas está... acho... enganado — ofegou Bela, e seus olhos brilharam momentaneamente sob o capuz quando correu um olhar a toda volta para verificar se estavam de fato sozinhas. — Seja como for, recebemos ordens para não discutir o plano com ninguém. Isto é uma traição à diretriz...

— Me largue, Bela! — bradou Narcisa, puxando uma varinha de dentro da capa e apontando-a ameaçadoramente para o rosto da outra. Bela apenas sorriu.

— Ciça, sua própria irmã? Você não faria...

— Não há mais nada que eu não faça! — sussurrou Narcisa, com uma nota de histeria na voz, e, quando baixou a varinha como se fosse uma faca, houve mais um lampejo. Bela soltou o braço da irmã como se houvesse recebido uma queimadura.

— Narcisa!

Narcisa, contudo, prosseguira seu caminho, apressada. Esfregando a mão, a irmã perseguiu-a, mantendo distância enquanto se aprofundavam no labirinto deserto de casas de tijolos aparentes. Por fim, Narcisa precipitou-se pela rua da Fiação, sobre a qual pairava a alta chaminé fabril como um gigantesco dedo em riste. Seus passos ecoaram nas pedras do calçamento ao passar por janelas partidas e fechadas com tábuas, até chegar à última casa, onde uma luz fraca se filtrava pelas cortinas de um aposento térreo.

Ela batera na porta antes que Bela, xingando baixinho, a alcançasse. Juntas, esperaram ligeiramente ofegantes, respirando o mau cheiro do rio sujo que a brisa noturna trazia às suas narinas. Passados alguns segundos, ouviram um movimento do lado de dentro da porta que se entreabriu. Viram um homem mirrado espiando-as, um homem com longos cabelos pretos repartidos ao meio que formavam cortinas emoldurando-lhe o rosto emaciado e os olhos pretos.

Narcisa baixou o capuz. Era tão pálida que parecia refulgir na escuridão; a cabeleira loura descia pelas costas, dando-lhe a aparência de uma mulher afogada.

— Narcisa! — exclamou o homem, abrindo um pouco mais a porta, de modo que a luz incidisse sobre ela e a irmã. — Que surpresa agradável!

— Severo — ela sussurrou tensa. — Posso falar com você? É urgente.

— Mas é claro.

Ele recuou para deixá-la entrar. A irmã, ainda encapuzada, acompanhou-a mesmo sem convite.

— Snape — cumprimentou secamente ao passar.

— Belatriz — respondeu ele, os lábios finos encrespando-se em um sorriso ligeiramente zombeteiro, ao fechar a porta, depois que as mulheres passaram.

Tinham entrado diretamente em uma pequena sala de visitas, que dava a impressão de uma cela acolchoada e escura. As paredes eram inteiramente cobertas de livros, a maioria encadernada em couro preto ou castanho; um sofá puído, uma poltrona velha e uma mesa bamba estavam agrupados no círculo de luz projetado por um candeeiro preso no teto. O lugar tinha um ar de abandono, como se não fosse normalmente habitado.

Snape indicou o sofá a Narcisa. Ela despiu a capa, atirou-a para um lado e se sentou, olhando para as mãos brancas e trêmulas que cruzara ao colo. Belatriz baixou o capuz mais lentamente. Tão morena quanto a irmã era clara, as pálpebras pesadas e o maxilar pronunciado, ela não desviou os olhos de Snape quando foi se postar atrás de Narcisa.

— Então, em que posso lhe ser útil? — perguntou Snape, acomodando-se na poltrona defronte às duas irmãs.

— Nós... nós estamos sozinhos? — perguntou Narcisa em voz baixa.

— Claro que sim. Bem, Rabicho está aqui, mas não estamos contando os vermes, não é mesmo?

Ele apontou a varinha para a parede revestida de livros às suas costas e, com um estampido, uma porta oculta se escancarou, revelando uma escada estreita onde estava parado um homem pequeno.

— Como você já percebeu claramente, Rabicho, temos visitas — disse Snape sem pressa.

O homem desceu encurvado os últimos degraus e entrou na sala. Tinha olhos miúdos e lacrimosos, um nariz arrebitado e um sorrisinho incômodo. Sua mão esquerda acariciava a direita, que parecia estar calçada com uma reluzente luva prateada.

— Narcisa! — cumprimentou com uma vozinha aguda. — E Belatriz! Que prazer...

— Rabicho vai nos servir uma bebida, se aceitarem — disse Snape. — Depois voltará para o quarto.

Rabicho fez uma careta, como se Snape tivesse atirado alguma coisa nele.

— Não sou seu empregado! — guinchou, evitando olhar para o outro.

— Sério? Tive a impressão de que o Lorde das Trevas colocou-o aqui para me ajudar.

— Ajudar, sim, mas não preparar bebidas nem limpar sua casa!

— Eu não fazia ideia, Rabicho, que você sonhasse com tarefas mais arriscadas — respondeu Snape melosamente. — Podemos providenciar isso sem demora: falarei com o Lorde das Trevas...

— Posso falar com ele eu mesmo, se quiser!

— Claro que pode — debochou Snape. — Mas enquanto não faz isso, traga as bebidas. Bastará um pouco de vinho dos elfos.

Rabicho hesitou um momento, como se fosse protestar, mas, então, virou-se e entrou por outra porta oculta. Ouviram-se algumas batidas e o tilintar de copos. Segundos depois ele retornava, trazendo em uma bandeja uma garrafa empoeirada e três copos. Depositou-os na mesa bamba e se retirou depressa, batendo a porta recoberta de livros ao passar.

Snape serviu o vinho vermelho-sangue nos três copos e entregou dois às irmãs. Narcisa murmurou um agradecimento e Belatriz nada disse, mas continuou a encarar Snape mal-humorada. Isto não pareceu perturbá-lo; muito ao contrário, dava a impressão de diverti-lo.

— Ao Lorde das Trevas — brindou ele, erguendo o copo e esvaziando-o de um gole.

As irmãs o imitaram. Snape tornou a encher os copos.

Quando Narcisa recebeu o dela, falou ansiosa:

— Severo, me desculpe vir aqui dessa maneira, mas precisava ver você. Acho que é o único que pode me ajudar...

Snape ergueu a mão para interrompê-la, então tornou a apontar a varinha para a porta oculta que abria para a escada. Ouviu-se um estampido forte e um guincho, seguido do ruído dos passos apressados de Rabicho subindo a escada.

— Peço desculpas — disse Snape. — Ultimamente ele deu para ficar escutando às portas. Não sei o que pretende... mas o que era que você ia dizendo, Narcisa?

— Severo, sei que não devia estar aqui, recebi ordens para não comentar nada com ninguém, mas...

— Então deveria segurar sua língua! — vociferou Belatriz. — Principalmente diante de quem estamos!

— De quem estamos? — repetiu Snape em tom de zombaria. — E que devo entender por essa ressalva, Belatriz?

— Que eu não confio em você, Snape, e você sabe muito bem disso!

Narcisa deixou escapar um som que poderia ser um soluço seco e cobriu o rosto com as mãos. Snape descansou seu copo na mesa e tornou a se acomodar, as mãos nos braços da poltrona, sorrindo para o rosto zangado de Belatriz.

— Narcisa, acho que devíamos escutar o que Belatriz está doida para dizer; assim pouparemos monótonas interrupções. Bem, continue, Belatriz — incentivou Snape. — Por que não confia em mim?

— Por centenas de razões! — respondeu a mulher em voz alta, saindo de trás do sofá e batendo o copo na mesa. — Por onde devo começar? Onde é que você estava quando o Lorde das Trevas caiu? Por que não fez o menor esforço para encontrá-lo quando desapareceu? Que esteve fazendo todos esses anos em que viveu no bolso de Dumbledore? Por que impediu o Lorde das Trevas de obter a Pedra Filosofal? Por que não voltou imediatamente quando ele ressuscitou? Onde estava há umas semanas, quando travamos uma batalha para recuperar a profecia para o Lorde das Trevas? E, Snape, por que Harry Potter continua vivo, quando você o tem nas mãos há cinco anos?

A mulher fez uma pausa, o rosto muito vermelho, o peito arfando em movimentos rápidos. Atrás dela, Narcisa sentava-se imóvel, o rosto ainda escondido nas mãos.

Snape sorriu.

— Antes de lhe responder... ah, sim, vou lhe responder, Belatriz! E você pode repetir minhas palavras para os outros que cochicham às minhas costas e levam ao Lorde das Trevas histórias mentirosas sobre a minha traição! Mas, antes de responder, me permita uma pergunta. Você realmente acredita que o Lorde das Trevas já não me fez cada uma dessas perguntas? E realmente acredita que, se eu não as tivesse respondido satisfatoriamente, estaria aqui falando com você?

A mulher hesitou.

— Eu sei que ele acredita em você, mas...
— Você acha que ele está enganado? Ou que consegui cegá-lo de alguma maneira? Que iludi o Lorde das Trevas, o maior bruxo do mundo, o Legilimens mais talentoso que o mundo já viu?

Belatriz não respondeu, mas pareceu, pela primeira vez, um pouco desconcertada. Snape não insistiu. Tornou a apanhar sua bebida, tomou um golinho e continuou:

— Você me pergunta onde eu estava quando o Lorde das Trevas caiu. Eu estava onde ele tinha me mandado ficar, na Escola de Magia e Bruxaria de Hogwarts, porque queria que eu espionasse Alvo Dumbledore. Sabe, eu suponho que tenha sido por ordem do Lorde das Trevas que eu assumi esse posto, não?

Belatriz fez um aceno quase imperceptível com a cabeça e abriu a boca para falar, mas Snape antecipou-se.

— Você pergunta por que não tentei encontrá-lo quando ele desapareceu. Pela mesma razão que Avery, Yaxley, os Carrow, Greyback, Lúcio — ele indicou Narcisa com um curto aceno de cabeça — e muitos outros não tentaram encontrá-lo. Acreditamos que tivesse sido liquidado. Não me orgulho disso, errei, mas veja como são as coisas... se ele não tivesse perdoado aos que perderam a fé nele, teriam lhe restado muito poucos seguidores.

— Ele teria a mim! — exclamou Belatriz apaixonadamente. — Eu, que passei tantos anos em Azkaban por causa dele!

— De fato, é admirável — disse Snape entediado. — Naturalmente você não teve muita utilidade para ele na prisão, mas foi sem dúvida um belo gesto...

— Gesto! — guinchou ela, que parecia enlouquecida de fúria. — Enquanto eu suportava os dementadores, você continuava em Hogwarts confortavelmente, brincando de bichinho de estimação de Dumbledore.

— Não foi bem assim — retorquiu Snape calmamente. — Ele não quis me dar o cargo de professor de Defesa Contra as Artes das Trevas, sabe. Deve ter pensado que isso pudesse provocar em mim uma, ah, recaída... me seduzisse a retomar minhas crenças anteriores.

— Foi esse o seu sacrifício pelo Lorde das Trevas, ser privado de ensinar a sua disciplina favorita? — zombou Belatriz. — E por que você permaneceu em Hogwarts todo esse tempo? Continuou espionando Dumbledore para um senhor que você acreditava morto?

— É pouco provável, mas o Lorde das Trevas se mostrou satisfeito que eu nunca tenha desertado o meu posto: acumulei dezesseis anos de informação sobre Dumbledore para lhe passar quando voltou, um presente de boas-vindas bem mais útil do que as infindáveis lembranças sobre Azkaban e tudo que tinha de desagradável...

— Mas você ficou...

— Sim, Belatriz, fiquei — confirmou Snape, pela primeira vez traindo um quê de impaciência. — Recebi uma tarefa confortável que achei preferível a uma temporada em Azkaban. Estavam capturando os Comensais da Morte, sabe. A proteção de Dumbledore me manteve fora da prisão, foi muito conveniente e me aproveitei disso. Repito: o Lorde das Trevas não reclama de eu ter ficado, portanto não vejo por que você há de se queixar.

"E acho que você também queria saber", continuou ele, alteando a voz porque Belatriz fazia menção de interrompê-lo, "por que me interpus ao Lorde das Trevas e à Pedra Filosofal. É fácil responder. Ele não sabia se podia confiar em mim. Achou, como você, que de fiel Comensal da Morte eu me transformara em espião de Dumbledore. Ele estava em condição deplorável, muito fraco, compartilhava o corpo de um bruxo medíocre. Não ousou se mostrar a um antigo aliado, temendo que esse aliado pudesse entregá-lo a Dumbledore ou ao Ministério. Lamento profundamente que não confiasse em mim. Ele teria recuperado o poder três anos antes. Do jeito que foi, vi apenas o ambicioso e indigno Quirrell tentando roubar a Pedra e, admito, fiz tudo que pude para impedir."

Belatriz entortou a boca como se tivesse tomado um remédio de gosto ruim.

— Mas você não foi ao encontro dele quando ele voltou, não se reuniu a ele imediatamente quando sentiu a Marca Negra arder...

— Verdade. Fui duas horas depois. E por ordem de Dumbledore.

— Por ordem de Dum...? — começou ela em tom indignado.

— Pense! — disse Snape, impacientando-se de novo. — Pense! Esperando duas horas, apenas duas horas, garanti minha permanência em Hogwarts como espião! Deixando Dumbledore pensar que eu só estava retornando para o lado do Lorde das Trevas por ordem dele, pude passar informações sobre Dumbledore e a Ordem da Fênix desde então! Reflita Belatriz: a Marca Negra foi se acentuando durante meses, eu sabia que a volta do Lorde era iminente, todos os Comensais da Morte sabiam disso! Tive muito tempo para pensar no que queria fazer, planejar o meu lance seguinte, me safar como fez Karkaroff, não?

"Posso lhe garantir que o desagrado inicial do Lorde das Trevas com o meu atraso desapareceu completamente, quando lhe expliquei que eu ainda era fiel, e Dumbledore continuou achando que eu era o seu homem de confiança. O Lorde das Trevas de fato pensou que eu o tivesse abandonado para sempre, mas viu que estava errado."

– Mas no que é que você tem sido útil? – desdenhou Belatriz. – Que informações úteis você tem nos passado?

– Minhas informações têm sido transmitidas diretamente ao Lorde das Trevas. Se ele prefere não dividi-las com você...

– Ele divide tudo comigo! – disse Belatriz, inflamando-se. – Diz que sou a mais leal, mais fiel...

– Diz? – perguntou Snape, a voz subindo levemente para insinuar sua descrença. – E ainda divide, depois do fiasco no Ministério da Magia?

– Aquilo não foi minha culpa! – protestou Belatriz corando. – No passado, o Lorde das Trevas me confiou seu mais precioso... se Lúcio não tivesse...

– Não se atreva... não se atreva a culpar meu marido! – disse Narcisa em tom baixo e letal, erguendo os olhos para a irmã.

– Não vale a pena atribuir culpas – disse Snape com suavidade. – O que foi feito está feito.

– Mas não por você! – bradou Belatriz furiosa. – Não, você esteve mais uma vez ausente enquanto nós corríamos riscos, não é mesmo, Snape?

– Recebi ordens para permanecer na retaguarda. Quem sabe você discorda do Lorde das Trevas, quem sabe você acha que Dumbledore não teria reparado se eu fosse me reunir aos Comensais da Morte para combater a Ordem da Fênix? E... me desculpe... mas você fala de riscos... você esteve enfrentando seis adolescentes, não?

– Aos quais foi se juntar, logo em seguida, e não finja que não sabe, metade da Ordem! – rosnou Belatriz. – E, por falar nisso, você continua a insistir que não pode revelar onde é o quartel-general da Ordem, não é mesmo?

– Não sou o fiel do segredo, não posso dizer o nome do lugar. Acho que você sabe como funcionam os feitiços, não? O Lorde das Trevas está satisfeito com as informações que lhe passei sobre a Ordem. Permitiram, como você talvez tenha imaginado, a captura recente de Emelina Vance, e, sem sombra de dúvida, a eliminação de Sirius Black, embora eu dê a você todo o crédito pela execução dele.

Snape inclinou a cabeça e fez um brinde à Belatriz. A expressão da mulher não se abrandou.

– Você está evitando a minha última pergunta, Snape. Harry Potter. Você poderia ter matado o garoto em qualquer momento nos últimos cinco anos. Mas não matou. Por quê?

— Você já discutiu este assunto com o Lorde das Trevas?
— Ele... ultimamente... estou perguntando a *você*, Snape.
— Se eu tivesse matado Harry Potter, o Lorde das Trevas não poderia ter usado o sangue dele para se regenerar e se tornar invencível...
— Você está afirmando que previu o uso que ele faria do garoto? — caçoou Belatriz.
— Não estou afirmando; eu não tinha a menor ideia dos planos dele; já confessei que julgava o Lorde das Trevas morto. Estou meramente tentando explicar por que o Lorde das Trevas não lamentou que Potter tenha sobrevivido, pelo menos até um ano atrás...
— Mas por que você o deixou vivo?
— Você ainda não me entendeu? Foi a proteção de Dumbledore que me manteve fora de Azkaban. Você discorda que se eu tivesse matado seu aluno favorito ele teria se voltado contra mim? Mas havia outras razões. Devo lembrar-lhe que quando Potter chegou a Hogwarts ainda circulavam muitas histórias a respeito dele, boatos de que era um grande bruxo das trevas, e por isso tinha sobrevivido ao ataque do Lorde das Trevas. De fato, muitos dos antigos seguidores do Lorde das Trevas pensavam que talvez fosse uma bandeira em torno da qual poderíamos nos reagrupar. Admito que fiquei curioso e nada inclinado a matá-lo quando desembarcou no castelo.

"É claro que rapidamente percebi que ele não possuía nenhum talento extraordinário. Conseguiu sair de muitos apertos graças a uma simples combinação de pura sorte e a ajuda de amigos mais talentosos. Ele é medíocre ao extremo, e detestável e presunçoso como foi o pai. Fiz tudo para que fosse expulso de Hogwarts, onde acredito não ser o seu lugar, mas matá-lo ou permitir que o matassem na minha frente? Eu teria sido idiota de me arriscar com o Dumbledore por perto."

— E dizendo isso você quer nos fazer acreditar que Dumbledore nunca suspeitou de você? Não faz a menor ideia de sua verdadeira lealdade; continua a confiar irrestritamente em você?

— Representei bem o meu papel — afirmou Snape. — E você está se esquecendo da maior fraqueza de Dumbledore: acreditar no melhor das pessoas. Contei-lhe uma história de profundo remorso quando entrei para o seu quadro docente, recém-saído dos meus dias de Comensal da Morte, e ele me recebeu de braços abertos... embora, como disse, sem deixar que eu me aproximasse das artes das trevas até onde pôde impedir. Dumbledore foi um grande bruxo, ah, sim, foi — (porque Belatriz deixara escapar um ruído sarcástico) —, e o próprio Lorde das Trevas reconhece isso. Mas fico feliz de poder afirmar que está envelhecendo. O duelo com o Lorde das Trevas no mês passado abalou-o. Deve ter sofrido um grave ferimento porque suas reações estão mais lentas do que no passado. Mas, durante todos esses anos, ele nunca deixou de confiar em Severo Snape e nisto reside o meu grande valor para o Lorde das Trevas.

Belatriz continuava insatisfeita, embora insegura quanto à melhor maneira de continuar atacando Snape. Aproveitando-se do seu silêncio, o bruxo se dirigiu à irmã.

– Agora... você veio me pedir ajuda, Narcisa?

A bruxa ergueu os olhos para ele, seu rosto eloquente de desespero.

– Vim, Severo. Acho... acho que você é o único que pode me ajudar. Não tenho mais ninguém a quem recorrer. Lúcio está preso e...

Ela fechou os olhos e duas grandes lágrimas escorreram por baixo de suas pálpebras.

– O Lorde das Trevas me proibiu de falar nisso – continuou, com os olhos ainda fechados. – Não quer que ninguém saiba do plano. É... muito secreto. Mas...

– Se ele proibiu, você não deve falar – disse Snape imediatamente. – A palavra do Lorde das Trevas é lei.

Narcisa ofegou como se tivesse recebido um esguicho de água fria. Belatriz pareceu satisfeita pela primeira vez desde que entrara na casa.

– Ouviu? – disse triunfante à irmã. – Até Snape diz isso: você recebeu ordem de não falar, então fique calada!

Snape, porém, tinha se levantado e ido até a pequena janela. Espiou a rua deserta entre as cortinas e tornou a fechá-las com um puxão. Virou-se, então, para encarar Narcisa muito sério.

– Por acaso, eu conheço o plano – disse em voz baixa. – Sou um dos poucos a quem o Lorde das Trevas o contou. Mas, se eu não estivesse a par do segredo, Narcisa, você teria cometido uma grande traição.

– Achei que você devia conhecer! – exclamou Narcisa, respirando mais aliviada. – Ele confia tanto em você, Severo...

– Você conhece o plano? – admirou-se Belatriz, sua momentânea expressão de prazer substituída pela mais pura indignação. – *Você* conhece?

– Com certeza – afirmou Snape. – Mas qual é a ajuda de que você precisa, Narcisa? Se está imaginando que posso persuadir o Lorde das Trevas a mudar de ideia, receio que não haja a menor esperança.

– Severo – sussurrou ela, as lágrimas deslizando pelo rosto pálido. – Meu filho... meu único filho...

— Draco devia se orgulhar — disse Belatriz com indiferença. — O Lorde das Trevas está lhe concedendo uma grande honra. E direi uma coisa em favor do seu filho: ele não está fugindo ao dever, parece contente com a oportunidade de ser posto à prova, animado com a perspectiva...

Narcisa começou a chorar com vontade, sem tirar os olhos suplicantes de Snape.

— É porque ele tem apenas dezesseis anos e não faz ideia do que o espera! Por que, Severo? Por que o meu filho? É perigoso demais! É vingança pelo erro de Lúcio, eu sei que é!

Snape não respondeu. Desviou o olhar das lágrimas da mulher como se fossem indecentes, mas não pôde fingir que não a ouvia.

— Foi por isso que ele escolheu o Draco, não foi? — insistiu. — Para punir Lúcio?

— Se Draco for bem-sucedido — respondeu Snape, ainda sem olhar para Narcisa —, será mais prestigiado que todos os outros.

— Mas ele não será bem-sucedido! — soluçou Narcisa. — Como pode ser quando o próprio Lorde das Trevas...?

Belatriz soltou uma exclamação; Narcisa pareceu perder a coragem.

— Só quis dizer... que ninguém teve êxito até agora... Severo... por favor... você é, e sempre foi, o professor favorito de Draco... você é um velho amigo de Lúcio... eu lhe suplico... você é o favorito do Lorde, o conselheiro em quem ele mais confia... quer falar com ele, persuadi-lo...?

— O Lorde das Trevas não se deixa persuadir, e não sou bastante tolo para tentar — disse Snape sem emoção. — Não posso fingir que ele não esteja aborrecido com Lúcio. Seu marido controlava a operação. Ele se deixou capturar juntamente com os demais e, ainda por cima, não conseguiu recuperar a profecia. Com certeza o Lorde das Trevas está irritado, Narcisa, muito irritado mesmo.

— Então tenho razão, ele escolheu Draco para se vingar! — disse Narcisa com a voz sufocada. — Não quer que ele seja bem-sucedido, quer que ele morra tentando.

Não ouvindo resposta de Snape, Narcisa pareceu perder o pouco controle que lhe restava. Levantando-se, cambaleou até Snape e agarrou-o pelas vestes. Com o rosto muito próximo ao dele, as lágrimas caindo no peito do bruxo, ela exclamou:

— Você poderia fazer isso. *Você* em vez de Draco, Severo. Você teria sucesso, e ele o recompensaria mais do que a qualquer um...

Snape segurou-a pelos pulsos e afastou as mãos que agarravam suas vestes. Baixando os olhos para o rosto manchado de lágrimas, disse lentamente:

– Acho que a intenção dele é me mandar tentar depois. Mas decidiu que Draco deve tentar primeiro. Sabe, no improvável acaso de Draco se sair bem, eu poderei permanecer em Hogwarts por mais algum tempo, desempenhando o meu proveitoso papel de espião.

– Em outras palavras, não faz diferença para ele se Draco morrer!

– O Lorde das Trevas está muito irritado – repetiu Snape em voz baixa.

– Não conseguiu ouvir a profecia. Você sabe tão bem quanto eu que ele não perdoa facilmente.

Ela desmoronou aos pés dele, soluçando e gemendo.

– Meu único filho... meu único filho...

– Você devia se orgulhar! – exclamou Belatriz sem se apiedar. – Se eu tivesse filhos, eu os daria para servir o Lorde das Trevas!

Narcisa soltou um grito de desespero e agarrou os próprios cabelos com força. Snape se curvou, segurou a mulher pelos braços, levantou-a e sentou-a no sofá. Serviu mais um pouco de vinho e empurrou o copo na mão dela.

– Narcisa, chega. Beba isso. E me escute.

Ela se acalmou um pouco; deixando cair vinho nas vestes, tomou um golinho, trêmula.

– Talvez seja possível... ajudar o Draco.

Ela se empertigou, o rosto branco como uma folha de papel, os olhos arregalados.

– Severo... ah, Severo... você o ajudaria? Você o protegeria, cuidaria para que não sofresse nenhum mal?

– Posso tentar.

Ela largou o copo, que deslizou pelo tampo da mesa, ao mesmo tempo que, escorregando do sofá e se ajoelhando aos pés de Snape, segurou suas mãos e levou-as aos lábios.

– Se você estiver lá para protegê-lo... Severo, você jura? Você fará o Voto Perpétuo?

– O Voto Perpétuo? – O rosto de Snape se tornou impassível, impenetrável. Belatriz, porém, soltou uma gargalhada vitoriosa.

– Você ouviu bem, Narcisa? Ah, ele *tentará*, com certeza... as palavras vazias de sempre de quem tira o corpo fora... ah, e por ordem do Lorde das Trevas, é claro!

Snape não olhou para Belatriz. Seus olhos pretos estavam fixos nos olhos azuis marejados de lágrimas de Narcisa, que ainda lhe apertava as mãos.

– Certamente, Narcisa, farei o Voto Perpétuo – disse baixinho. – Talvez, sua irmã aceite ser a nossa Avalista.

O queixo de Belatriz caiu. Snape se ajoelhou à frente de Narcisa. Diante do olhar assombrado de Belatriz, eles uniram as mãos direitas.

– Você vai precisar de sua varinha, Belatriz – disse Snape friamente.

A bruxa, ainda espantada, puxou a varinha.

– E vai precisar chegar um pouco mais perto – acrescentou ele.

Belatriz se aproximou dos dois, e colocou a ponta da varinha sobre as mãos unidas.

Narcisa falou:

– Você, Severo, cuidará do meu filho Draco quando ele estiver tentando realizar o desejo do Lorde das Trevas?

– Cuidarei.

Uma fina língua de fogo vivo saiu da varinha e envolveu as mãos como um arame em brasa.

– E fará todo o possível para protegê-lo do mal?

– Farei.

Uma segunda língua de fogo saiu da varinha e se entrelaçou com a primeira, formando uma fina corrente luminosa.

– E se necessário for... se parecer que Draco falhará – sussurrou Narcisa (a mão de Snape estremeceu, mas ele não a soltou) –, você terminará a tarefa que o Lorde das Trevas incumbiu Draco de realizar?

Houve um momento de silêncio. Com a varinha sobre as mãos unidas dos dois, Belatriz observava de olhos arregalados.

– Terminarei – jurou Snape.

O rosto estarrecido de Belatriz se avermelhou, refletindo o clarão da terceira língua de fogo que saiu da varinha, enrolou-se nas outras e se fechou em torno das mãos, grossa como uma corda, como uma serpente de fogo.

3

QUERER É PODER

Harry Potter roncava sonoramente. Estivera sentado em uma poltrona à janela do seu quarto durante quase quatro horas, contemplando a rua que escurecia, e acabara adormecendo com um lado do rosto encostado na vidraça fria, os óculos tortos e a boca aberta. O bafo que ele exalava refulgia à claridade alaranjada do lampião da rua, e a luz artificial absorvia todo o colorido do seu rosto, fazendo-o parecer fantasmagórico sob seus cabelos pretos e rebeldes.

O quarto estava juncado com seus pertences e uma boa quantidade de lixo. Penas de coruja, miolos de maçãs e papéis de bala amontoavam-se pelo soalho, vários livros de feitiços estavam embolados com as vestes sobre sua cama, e havia uma confusão de jornais no círculo iluminado sobre sua escrivaninha. A manchete de um deles indagava:

HARRY POTTER: SERÁ ELE O ELEITO?

Continua a boataria sobre acontecimentos recentes e misteriosos no Ministério da Magia, durante os quais Aquele-Que-Não-Deve-Ser-Nomeado foi mais uma vez avistado.

"Não podemos comentar, não me pergunte nada", disse um agitado obliviador que se recusou a informar o seu nome quando saía ontem à noite do Ministério.

Ainda assim, fontes ministeriais confirmam que o foco do distúrbio foi a famosa Sala da Profecia.

Embora os porta-vozes oficiais continuem a se recusar sequer a confirmar a existência de tal sala, um número cada vez maior de pessoas na comunidade bruxa acredita que os Comensais da Morte, ora cumprindo pena em Azkaban por invasão e tentativa de roubo, tentaram se apoderar da profecia, cujo teor é desconhecido. Especula-se abertamente, no entanto, que deve dizer respeito

a Harry Potter, a única pessoa que sabidamente sobreviveu à Maldição da Morte, e dizem ter estado no Ministério na noite em questão. Há quem se aventure a chamar Potter de "O Eleito", acreditando que a profecia o nomeie como o único que poderá nos livrar de Aquele-Que-Não-Deve-Ser-Nomeado.
Não se conhece o atual paradeiro da profecia, se é que de fato existe, embora (cont. p. 2, coluna 5)

Havia um segundo jornal ao lado do primeiro. A manchete era:

SCRIMGEOUR SUBSTITUI FUDGE

A maior parte da primeira página estava tomada por uma grande foto em preto e branco de um homem com uma juba leonina e um rosto maltratado. A foto era comovente — ele estava acenando para o teto.

Rufo Scrimgeour, ex-chefe da Seção de Aurores, no Departamento de Execução das Leis da Magia, substitui Cornélio Fudge no Ministério da Magia. A nomeação foi recebida com entusiasmo pela maioria na comunidade bruxa, embora corram boatos de um sério desentendimento entre o novo ministro e Alvo Dumbledore — reconduzido ao cargo de bruxo-presidente da Suprema Corte dos Bruxos — ocorrido algumas horas depois de Scrimgeour ter assumido o Ministério.
Os representantes de Scrimgeour admitem que o ministro se encontrou com Dumbledore logo depois de sua posse no mais alto cargo da comunidade, mas recusaram-se a comentar a pauta da reunião. Sabe-se que Alvo Dumbledore (cont. p. 3, coluna 2)

Mais à esquerda deste jornal, havia outro, dobrado de modo a deixar visível o título da notícia: MINISTRO GARANTE A SEGURANÇA DOS ESTUDANTES.

O recém-nomeado ministro da Magia, Rufo Scrimgeour, falou hoje sobre as rigorosas medidas tomadas pelo seu Ministério para garantir a segurança dos estudantes que retornam agora, no outono, à Escola de Magia e Bruxaria de Hogwarts.
"Por motivos óbvios, o Ministério não poderá entrar em detalhes sobre seu rigoroso projeto de segurança", disse o ministro, embora um funcionário bem informado confirme que as medidas incluem feitiços e encantamentos defensivos, um complexo conjunto de contrafeitiços e uma pequena força-tarefa de aurores, dedicados unicamente à proteção da Escola de Hogwarts.

A maioria dos cidadãos parece tranquilizada pela firme atitude do ministro com relação à segurança estudantil. Comentou a sra. Augusta Longbottom: "Meu neto Neville, por sinal um grande amigo de Harry Potter, que lutou ao lado dele em junho no Ministério contra os Comensais da Morte e..."

Mas o resto desta história ficou sombreada por uma enorme gaiola deixada em cima do jornal, dentro da qual havia uma magnífica coruja de penas muito brancas. Seus olhos cor de âmbar examinavam o quarto autoritariamente, a cabeça virando de vez em quando para olhar o dono que roncava. Uma ou duas vezes, ela abriu e fechou o bico com estalos, impaciente, mas Harry estava dormindo profundamente demais para ouvi-la.

Havia, ainda, um malão bem no meio do quarto, com a tampa aberta, parecendo aguardar alguma coisa. Estava quase vazio, exceto por umas cuecas velhas, balas, tinteiros vazios e penas quebradas que forravam o seu fundo. No chão, à pequena distância, via-se caído um folheto roxo com um brasão em que se lia:

Por ordem do Ministério da Magia
PARA PROTEGER SUA CASA E SUA FAMÍLIA
DAS FORÇAS DAS TREVAS

Atualmente a comunidade bruxa está sendo ameaçada por uma organização que se autodenomina Comensais da Morte. Observando simples diretrizes de segurança, você poderá proteger a si mesmo, a sua família e a sua casa de qualquer ataque.

1. *Recomendamos que você não saia de casa sozinho.*
2. *Tome especial cuidado durante a noite. Sempre que possível, programe suas viagens para começarem e terminarem antes do anoitecer.*
3. *Repasse as medidas de segurança que cercam a sua casa, cuidando para que todos os membros de sua família conheçam os procedimentos de emergência, tais como os feitiços Escudo e da Desilusão e, em caso de familiares de menor idade, a Aparatação Acompanhada.*
4. *Combine senhas com seus familiares e amigos íntimos para detectar Comensais da Morte que se façam passar por outras pessoas após a ingestão da Poção Polissuco (veja p. 2).*
5. *Se você sentir que um familiar, colega, amigo ou vizinho está agindo de modo estranho, entre imediatamente em contato com o Esquadrão de Execução das*

Leis da Magia. Ele ou ela talvez esteja dominado/a pela Maldição Imperius (veja p. 4).

6. Se a Marca Negra aparecer pairando sobre qualquer prédio, NÃO ENTRE. Contate imediatamente a Seção de Aurores.

7. A visão de objetos não identificados sugere que os Comensais da Morte talvez estejam usando Inferi (veja p. 10). Se avistar ou encontrar algum, reporte ao Ministério IMEDIATAMENTE.

Harry resmungou enquanto dormia, e seu rosto escorregou uns centímetros pela vidraça, deixando os óculos ainda mais tortos, mas nem assim ele acordou. Um despertador, consertado por ele mesmo, há tempos, tiquetaqueava sonoramente no parapeito da janela, indicando que faltava um minuto para as onze horas. Ao lado do despertador, segura na mão frouxa de Harry, havia uma folha de pergaminho escrita com uma caligrafia fina e inclinada. Harry lera esta carta tantas vezes desde que chegara havia três dias que, embora fosse um pergaminho bem enrolado, ficara completamente esticado.

Caro Harry,

Se for conveniente para você, farei uma visita à rua dos Alfeneiros, número 4, na próxima sexta-feira, às onze horas da noite, para acompanhá-lo À Toca, onde você está convidado a passar o resto de suas férias escolares.

Se concordar, eu gostaria também de poder contar com sua ajuda em um assunto que espero tratar a caminho d'A Toca. Explicarei melhor quando nos virmos.

Por favor, mande sua resposta pela mesma coruja. Espero vê-lo na sexta-feira.

Muito atenciosamente,
Alvo Dumbledore

Embora já a soubesse de cor, Harry não parava de relancear a carta desde as sete horas daquela noite, quando se instalara junto à janela do quarto, porque esta lhe oferecia uma visão razoável dos dois lados da rua dos Alfeneiros. Ele sabia que não adiantava ficar relendo as palavras de Dumbledore; mandara o seu "sim" pela coruja, conforme pedido, e agora só lhe restava esperar: ou ele viria ou não.

Mas Harry ainda não aprontara o malão. Parecia-lhe bom demais para ser verdade que fossem tirá-lo da casa dos Dursley após quinze dias em companhia da família. Não conseguia se livrar da sensação de que alguma coisa ia desandar – a resposta à carta de Dumbledore poderia ter se extraviado; o bruxo poderia ser impedido de vir buscá-lo; a carta poderia não ser de Dumbledore e não passar de um truque, uma piada ou uma arapuca. Harry não teve coragem de aprontar o malão e depois ficar na mão e precisar desfazer tudo. A única concessão que fizera à possibilidade de viajar fora fechar Edwiges na gaiola.

O ponteiro menor do relógio chegou ao número doze e, neste exato momento, o lampião da rua apagou. Harry acordou como se a repentina escuridão fosse um despertador. Endireitou, apressado, os óculos e, descolando a bochecha da vidraça para, em seu lugar, encostar o nariz, apertou os olhos para enxergar a calçada. Um vulto alto com uma longa capa esvoaçante estava entrando pelo jardim.

Harry levantou-se de um pulo como se tivesse levado um choque elétrico, derrubou a cadeira e começou a pegar todas as coisas ao seu alcance e jogá-las no malão. Na hora em que arremessava as vestes, dois livros de feitiços e uma embalagem de salgadinhos para o outro lado do quarto, a campainha tocou.

Lá embaixo, na sala de estar, seu tio Válter exclamou com impaciência:

– Quem será que está tocando a uma hora dessas?!

Harry congelou, com um telescópio de latão em uma das mãos e um par de tênis na outra. Esquecera-se completamente de avisar os Dursley de que Dumbledore talvez viesse. Sentindo ao mesmo tempo pânico e vontade de rir, saltou por cima do malão e escancarou a porta do quarto, em tempo de ouvir uma voz grave cumprimentar:

– Boa noite. O senhor deve ser o sr. Dursley. Será que Harry não o preveniu que eu viria buscá-lo?

Harry desceu a escada de dois em dois degraus e parou abruptamente a alguns passos do hall, pois a longa experiência o ensinara a ficar longe do alcance do tio sempre que possível. Parado à porta, estava um homem alto e magro, com barbas e cabelos prateados até a cintura. Usava oclinhos de meia-lua encarrapitados no nariz torto, uma longa capa de viagem e um chapéu cônico. Vestido com um roupão cor de vinho, Válter Dursley, cujo bigode era preto mas tão farto quanto o de Dumbledore, encarava o visitante como se não pudesse acreditar nos seus olhinhos miúdos.

– A julgar pelo seu ar aturdido e descrente, Harry não o avisou da minha vinda – disse Dumbledore em tom amável. – Mas vamos presumir que o senhor tenha me convidado, cordialmente, a entrar. Não é sensato demorar demais à soleira das portas nestes tempos perturbados.

O bruxo cruzou o portal com elegância e fechou a porta ao passar.

— Faz muito tempo desde a minha última visita — falou Dumbledore, olhando por cima dos óculos para o tio Válter. — Devo dizer que os seus agapantos estão bem floridos.

Válter continuou calado. Harry não duvidou que o tio logo recuperasse a fala — a veia que latejava em sua têmpora estava quase explodindo. Mas alguma coisa em Dumbledore parecia ter-lhe roubado temporariamente o fôlego. Talvez fosse a sua inegável aparência bruxa ou o fato de que mesmo o tio Válter podia perceber que ali estava um homem muito difícil de intimidar.

— Ah, boa noite, Harry — cumprimentou Dumbledore, erguendo a cabeça para olhá-lo através dos óculos com ar de satisfação. — Ótimo, ótimo.

Tais palavras pareceram despertar o tio Válter. Em sua opinião, era óbvio que qualquer homem que pudesse olhar para Harry e dizer "ótimo" era alguém com quem ele jamais concordaria.

— Não quero ser grosseiro... — começou ele, em um tom que ameaçava se tornar grosseiro a cada sílaba.

— ... contudo, a grosseria acidental ocorre com alarmante frequência — Dumbledore terminou a frase sério. — É melhor não dizer nada, meu caro. Ah, e esta deve ser Petúnia.

A porta da cozinha se abrira, revelando a tia de Harry, de luvas de borracha e um robe por cima da camisola, visivelmente interrompendo sua costumeira limpeza das superfícies da cozinha antes de ir se deitar. Seu rosto cavalar expressava apenas choque.

— Alvo Dumbledore — informou o bruxo, já que o tio Válter não o apresentara. — Temos nos correspondido, é claro. — Harry achou que era um modo esquisito do diretor lembrar à tia Petúnia que certa vez lhe enviara uma carta explosiva, mas ela não protestou. — E esse deve ser o seu filho Duda, não?

Naquele instante, Duda espiara à porta da sala de estar. Sua cabeça grande e loura, emergindo da gola listrada do pijama, parecia estranhamente separada do corpo, a boca aberta de espanto e medo. Dumbledore esperou um momento, aparentemente para ver se os Dursley iam dizer alguma coisa, mas, como o silêncio se prolongasse, ele sorriu.

— Posso presumir que os senhores tenham me convidado a sentar em sua sala de estar?

Duda afastou-se depressa do caminho quando Dumbledore passou. Harry, ainda segurando o telescópio e os tênis, saltou os últimos degraus e acompanhou Dumbledore, que se acomodou na poltrona mais próxima da lareira e se deteve a reconhecer o ambiente com uma expressão de educado interesse. Parecia extraordinariamente deslocado.

— Não vamos embora, professor? — perguntou Harry ansioso.

— Certamente, mas primeiro há umas questões que precisamos discutir. E preferia não fazer isto ao ar livre. Por isso, vamos abusar da hospitalidade do seus tios por mais uns minutinhos.

— E como vão!

Válter Dursley entrara na sala, Petúnia ao seu lado e Duda, mal-humorado, atrás deles.

— É — disse Dumbledore com simplicidade. — Abusaremos.

E sacou a varinha com tanta rapidez que Harry mal chegou a vê-la; a um gesto displicente, o sofá arremessou-se para a frente, atingiu os joelhos dos Dursley e os fez perder o equilíbrio e desmontar nele. A um segundo gesto com a varinha, o sofá voltou rapidamente à posição inicial.

— E é melhor fazermos isso com conforto — disse o bruxo cordialmente.

Quando Dumbledore guardou a varinha no bolso, Harry notou que sua mão estava escura e enrugada; a pele parecia ter sido destruída por uma queimadura.

— Professor... que aconteceu com sua...?

— Mais tarde, Harry. Sente-se, por favor.

O garoto ocupou a poltrona que sobrara, fazendo questão de não olhar para os Dursley, todos mudos de espanto.

— Presumi que fossem me oferecer uma bebida — disse Dumbledore ao tio Válter —, mas, pelo visto, tanto otimismo seria tolice.

Um terceiro gesto com a varinha fez aparecer no ar uma garrafa empoeirada e cinco copos. A garrafa se inclinou e serviu uma generosa dose de um líquido cor de mel em cada copo, que, então, flutuou até cada uma das pessoas na sala.

— É o melhor hidromel envelhecido em barris de carvalho por Madame Rosmerta — explicou Dumbledore, fazendo um brinde a Harry, que apanhou o copo e bebeu. Nunca provara nada parecido antes, mas gostou imensamente. Os Dursley, depois de trocarem olhares rápidos e apavorados, tentaram fingir que não viam seus copos, o que era difícil porque eles davam pancadinhas em suas cabeças. Harry não conseguiu afastar a suspeita de que Dumbledore estava se divertindo.

— Bom, Harry — disse o bruxo dirigindo-se a ele —, surgiu uma dificuldade que espero que você possa resolver para nós. Por nós, eu me refiro à Ordem da Fênix. Antes de mais nada, porém, preciso lhe dizer que encontraram o testamento de Sirius há uma semana, e ele deixou todos os seus bens para você.

No sofá, tio Válter se virara, mas Harry não olhou para ele nem conseguiu pensar em nada para dizer, exceto:

— Certo.

— No geral, é um testamento bem simples. Você acrescenta uma boa quantidade de ouro à sua conta no Gringotes e herda todos os bens pessoais de Sirius. A parte ligeiramente problemática do documento...

— O padrinho dele morreu? — perguntou tio Válter, em voz alta, lá do sofá. Dumbledore e Harry se viraram para olhá-lo. O copo de hidromel agora batia insistentemente em sua cabeça; ele tentava afastá-lo. — Morreu? O padrinho dele?

— Morreu — confirmou Dumbledore, sem perguntar a Harry por que não contara aos tios. — Nosso problema — continuou falando com Harry, como se não tivesse havido interrupção — é que Sirius também deixou para você a casa número doze do largo Grimmauld.

— Deixou uma casa para ele? — perguntou tio Válter, ganancioso, apertando os olhos miúdos, mas ninguém lhe respondeu.

— Podem continuar a usar a casa como quartel-general — disse Harry. — Não me importo. Podem ficar com ela. Não a quero. — Se dependesse dele, não queria nunca mais pisar na casa do largo Grimmauld. Achava que a lembrança de Sirius, vagando solitário pelos aposentos escuros e mofados, prisioneiro de um lugar que tinha tentado desesperadamente abandonar, o atormentaria para sempre.

— É um gesto generoso. Mas desocupamos o imóvel temporariamente.

— Por quê?

— Bem — respondeu Dumbledore, não dando atenção aos resmungos do tio Válter, que agora levava na cabeça batidas dolorosas do insistente copo de hidromel —, segundo a tradição da família Black, a casa passa ao descendente masculino mais próximo, em linha direta que tenha o nome Black. Sirius foi o último da linhagem, porque seu irmão mais novo, Régulo, faleceu antes, e nenhum dos dois teve filhos. Embora o testamento deixe perfeitamente claro que Sirius desejava que a casa fosse sua, é possível que tenham lançado nela algum encantamento ou feitiço para garantir que não pertença a alguém de sangue impuro.

A imagem nítida do quadro da mãe de Sirius berrando e cuspindo, no corredor da casa número doze no largo Grimmauld, passou pela cabeça de Harry.

— Aposto que lançaram.
— Sem dúvida — disse Dumbledore. — E, se tal encantamento existir, é muito provável que a propriedade da casa passe ao parente vivo mais velho de Sirius, ou seja, sua prima Belatriz Lestrange.

Sem perceber o que fazia, Harry levantou-se de um pulo; o telescópio e os tênis em seu colo rolaram pelo chão. Belatriz Lestrange, a assassina de Sirius, herdar a casa dele?

— Não — protestou ele.

— Bem, é óbvio que também preferimos que ela não herde — respondeu Dumbledore calmamente. — A situação é bem complicada. Por exemplo, não sabemos se os encantamentos que nós mesmos lançamos sobre a casa, para impossibilitar sua localização, persistirão, agora que deixou de pertencer a Sirius. Belatriz pode aparecer à porta a qualquer momento. É claro que fomos obrigados a nos mudar até termos esclarecido a nossa posição.

— Mas como é que vamos descobrir se tenho direito a casa?

— Felizmente há um teste bem simples. — Dumbledore depositou o copo em cima de uma mesinha ao lado de sua poltrona, mas, antes que pudesse fazer qualquer outra coisa, o tio Válter berrou:

— Quer tirar essas porcarias de cima da gente?

Harry se virou; os três Dursley estavam encolhidos com os braços para o alto enquanto os copos batiam em suas cabeças, fazendo voar hidromel para todo lado.

— Ah, sinto muito — disse Dumbledore, atencioso, e tornou a erguer sua varinha. Os três copos desapareceram. — Mas, sabem, teria sido mais educado aceitarem a bebida.

Pelo jeito, tio Válter estava explodindo de vontade de dar várias respostas malcriadas, mas apenas voltou a se afundar nas almofadas com tia Petúnia e Duda, sem dizer nada, nem tirar seus olhinhos de porco da varinha de Dumbledore.

— Entende — continuou Dumbledore, voltando sua atenção para Harry, como se o tio Válter não tivesse se manifestado —, se você tiver de fato herdado a casa, também terá herdado...

Ele acenou com a varinha pela quinta vez. Ouviu-se um forte estalo e apareceu, agachado no tapete peludo dos Dursley, um elfo doméstico, com um nariz focinhudo, grandes orelhas de morcego e enormes olhos avermelhados, vestido de trapos encardidos. Tia Petúnia soltou um urro de arrepiar os cabelos: não havia lembrança de nada imundo assim ter algum dia entrado em sua casa; Duda tirou do chão os enormes pés rosados e descalços

e levantou-os quase acima da cabeça, como se imaginasse que a criatura pudesse subir pelas calças do seu pijama, e tio Válter berrou:
— Que *diabo* é isso?
— ... o Monstro — apresentou Dumbledore.
— Monstro não quer, Monstro não quer. Monstro não quer — grasnou o elfo doméstico, berrando quase tão alto quanto o tio Válter, batendo no chão os pés nodosos e puxando as orelhas. — Monstro é da senhorita Belatriz, ah, sim, Monstro é dos Black. Monstro quer sua nova dona, Monstro não quer o pirralho Potter, Monstro não quer, não quer, não quer...
— Como você está vendo, Harry — disse Dumbledore alteando a voz acima dos grasnidos ininterruptos do Monstro de "não quer, não quer, não quer" —, Monstro está demonstrando uma certa relutância em passar às suas mãos.
— Eu não me importo — repetiu Harry, olhando enojado para o elfo, que se contorcia e batia os pés. — Eu não o quero.
— *Não quer, não quer, não quer...*
— Você prefere que passe às mãos de Belatriz Lestrange? Mesmo lembrando que ele morou todo o último ano no quartel-general da Ordem da Fênix?
— *Não quer, não quer, não quer...*
Harry encarou Dumbledore. Sabia que não poderia deixar o Monstro ir morar com Belatriz Lestrange, mas a ideia de ser dono dele, de assumir responsabilidade pela criatura que traíra Sirius, era repugnante.
— Dê-lhe uma ordem — disse Dumbledore. — Se ele for seu, terá de obedecer. Se não, teremos de pensar em outros meios de mantê-lo longe de sua legítima dona.
— Não quer, não quer, não quer, NÃO QUER!
Monstro agora urrava. Harry não conseguiu pensar no que dizer, exceto:
— Monstro, cala a boca!
Por um instante pareceu que o Monstro fosse engasgar. Levou as mãos à garganta, a boca ainda mexendo furiosamente, os olhos saltando das órbitas. Passados alguns segundos de engolidas em seco, ele se atirou de cara no tapete (tia Petúnia gemeu) e bateu no chão com as mãos e os pés, entregando-se a um violento, mas silencioso, acesso de raiva.
— Bem, isto simplifica a questão — disse Dumbledore animado. — Parece que Sirius sabia o que estava fazendo. Você é o legítimo proprietário da casa número doze no largo Grimmauld e de Monstro.

– Será que tenho de... de ficar com ele? – perguntou Harry, horrorizado, enquanto Monstro continuava a se debater a seus pés.
– Não, se não quiser – disse Dumbledore. – Se aceita uma sugestão, você poderia mandá-lo trabalhar na cozinha de Hogwarts. Desta maneira, os outros elfos domésticos poderiam vigiá-lo.
– É – exclamou Harry aliviado –, é o que vou fazer. Ãa... Monstro... quero que vá para as cozinhas de Hogwarts trabalhar com os outros elfos.

Monstro, que agora estava com as costas achatadas contra o chão, e os pés e as pernas no ar, lançou a Harry, de baixo para cima, um olhar do mais profundo desprezo e, com outro forte estalo, desapareceu.

– Bom – disse Dumbledore. – Temos também o problema do hipogrifo. Hagrid tem cuidado dele desde que Sirius morreu, mas o Bicuço agora é seu, por isso, se preferir tomar outras providências...

– Não – respondeu Harry imediatamente –, ele pode continuar com Hagrid. Bicuço gostaria mais assim.

– Hagrid vai adorar – disse Dumbledore sorrindo. – Ficou contente de rever Bicuço. Por falar nisso, para garantir a segurança dele, decidimos, por ora, rebatizá-lo de Asafugaz, embora eu duvide que o Ministério possa concluir que é o mesmo hipogrifo condenado à morte. Agora, Harry, o malão está pronto?

– Ãââ...

– Duvidou que eu apareceria? – insinuou Dumbledore astutamente.

– Num minuto... eh... eu termino – apressou-se Harry a dizer, catando o telescópio e os tênis que tinham caído.

Ele gastou pouco mais de dez minutos para encontrar tudo de que precisava; por fim, conseguiu tirar a Capa da Invisibilidade debaixo da cama, vedou o frasco de Tinta Muda-Cor e forçou a tampa do malão a fechar sobre seu caldeirão. Depois, arrastando o malão com uma das mãos e segurando a gaiola de Edwiges com a outra, desceu.

Harry ficou desapontado ao descobrir que Dumbledore não o esperava no hall, o que significava que teria de voltar à sala de estar.

Ninguém conversava. Dumbledore cantarolava de boca fechada, aparentemente muito à vontade, mas a atmosfera estava densa e gelada, e Harry não se atreveu a olhar para os Dursley quando anunciou:

– Professor... estou pronto.

– Bom – disse Dumbledore. – Uma última coisa, então. – E se virou para falar com os Dursley. – Como os senhores sem dúvida sabem, dentro de um ano Harry atinge a maioridade...

— Não — interrompeu-o a tia Petúnia, falando pela primeira vez desde a chegada de Dumbledore.

— Perdão? — disse o bruxo, educadamente.

— Não. Ele é um mês mais novo que o Duda, e meu filho só vai fazer dezoito anos daqui a dois anos.

— Ah! — exclamou Dumbledore cordialmente —, mas, no mundo dos bruxos, atingimos a maioridade aos dezessete.

Tio Válter resmungou "que absurdo", mas Dumbledore não lhe deu atenção.

— Então, como os senhores sabem, o bruxo chamado Lorde Voldemort voltou ao país. Atualmente a nossa comunidade está em guerra declarada. Harry, a quem Lorde Voldemort já tentou matar em várias ocasiões, está passando por um perigo muito maior do que no dia em que o deixei à sua porta, há quinze anos, com uma carta explicando que seus pais tinham sido assassinados e manifestando a esperança de que os senhores cuidassem dele como se fosse um filho.

Dumbledore fez uma pausa, e, embora sua voz continuasse leve e calma, e não deixasse transparecer sua raiva, Harry sentiu que emanava uma certa frieza. Notou também que os Dursley se aconchegaram uns aos outros quase imperceptivelmente.

— Os senhores não fizeram o que pedi. Nunca trataram Harry como um filho. Nas suas mãos, ele só conheceu o descaso e muitas vezes a crueldade. O máximo que se pode dizer a seu favor é que ele escapou do enorme dano que os senhores causaram a esse pobre menino sentado entre os dois.

Tio Válter e tia Petúnia se viraram instintivamente, como se esperassem ver mais alguém além de Duda espremido entre eles.

— Nós... tratamos mal o Dudoca? Que conversa...? — começou tio Válter furioso, mas Dumbledore ergueu um dedo mandando-o silenciar, e o silêncio sobreveio como se o bruxo o tivesse emudecido.

— A mágica que invoquei há quinze anos significa que Harry contará com uma forte proteção enquanto puder considerar esta casa dele. Por mais infeliz que tenha sido aqui, por mais mal recebido, por mais destratado, os senhores lhe concederam pelo menos abrigo, ainda que de má vontade. A mágica cessará no momento em que Harry fizer dezessete anos; em outras palavras, no momento em que se tornar homem. Então só peço uma coisa: que os senhores deixem Harry voltar mais uma vez a esta casa, antes do seu aniversário de dezessete anos, o que garantirá que a proteção se manterá em vigor até aquela data.

Nenhum dos Dursley disse coisa alguma. Duda tinha a testa ligeiramente enrugada, como se ainda tentasse entender quando fora maltratado. Tio Válter parecia ter alguma coisa entalada na garganta. Tia Petúnia, no entanto, parecia estranhamente corada.

— Bem, Harry... está na hora de irmos andando — falou, por fim, Dumbledore, levantando-se e acertando a longa capa preta. — Até a próxima — disse aos Dursley, que, pelo jeito, pareciam desejar que a próxima não chegasse nunca. E, cumprimentando-os com um aceno do chapéu, saiu teatralmente da sala.

— Tchau — despediu-se Harry, apressado, e acompanhou Dumbledore, que parou junto ao malão com a gaiola em cima.

— Não queremos nos sobrecarregar com isso agora — disse, puxando mais uma vez a varinha. — Vou despachar esta bagagem para A Toca. Mas gostaria que você levasse sua Capa da Invisibilidade... caso precise.

A muito custo, Harry tirou a capa do malão, tentando esconder do diretor a bagunça que havia lá dentro. Depois que a enfiou de qualquer jeito em um bolso interno do blusão, Dumbledore acenou com a varinha, e o malão, a gaiola e Edwiges desapareceram. Fez um novo aceno, e a porta da casa se abriu para a escuridão fresca e enevoada.

— E agora, Harry, vamos sair para a noite em busca dessa sedutora volúvel, a aventura.

4

HORÁCIO SLUGHORN

Ainda que, nos últimos dias, tivesse passado todos os momentos de vigília desejando desesperadamente que Dumbledore viesse buscá-lo, Harry se sentiu pouco à vontade quando partiram juntos da rua dos Alfeneiros. Nunca tivera uma conversa para valer com o diretor, fora de Hogwarts; lá havia sempre uma escrivaninha entre os dois. Além disso, a lembrança do seu último encontro não parava de lhe ocorrer, e aumentava o seu constrangimento; gritara muito naquela ocasião, isto sem falar em seus esforços para destruir vários objetos de estimação de Dumbledore.

O diretor, porém, parecia completamente descontraído.

— Mantenha sua varinha à mão, Harry — disse, animado.

— Mas pensei que não tinha licença para usar a magia fora da escola, professor.

— Se houver um ataque, eu lhe darei permissão para usar qualquer contra-feitiço ou contramaldição que lhe ocorra. Mas acho que hoje à noite não vai precisar se preocupar com ataques.

— Por que não, professor?

— Porque você está comigo — respondeu Dumbledore com simplicidade. — Aqui já está bom, Harry.

O bruxo parou bruscamente ao fim da rua dos Alfeneiros.

— Naturalmente, você ainda não passou no teste de Aparatação, não é?

— Não. Pensei que precisava ter dezessete anos.

— Precisa. Então, segure com força no meu braço. No esquerdo, se não se importar... você deve ter reparado que o braço com que seguro a varinha está um pouco sensível no momento.

Harry agarrou o braço oferecido por Dumbledore.

— Bem, então vamos.

Harry sentiu o braço do bruxo torcer e fugir-lhe, e redobrou o seu aperto; no momento seguinte tudo escureceu; teve a impressão de estar sendo fortemente puxado em todas as direções; não conseguia respirar, tiras de ferro envolviam seu peito, comprimindo-o; suas órbitas estavam sendo empurradas para o fundo da cabeça; seus tímpanos entravam crânio adentro; então...

Ele aspirou grandes golfadas do ar frio da noite e abriu os olhos lacrimejantes. Teve a sensação de que o enfiavam por uma mangueira de borracha apertada. Passaram-se alguns segundos até ele entender que a rua dos Alfeneiros desaparecera. Viu que ele e Dumbledore estavam, agora, parados na praça deserta de algum povoado, no centro da qual havia um memorial de guerra e alguns bancos. O entendimento finalmente alcançou os seus sentidos, e Harry percebeu que acabara de aparatar pela primeira vez na vida.

– Você está bem? – perguntou Dumbledore, olhando-o, solícito. – Leva algum tempo para acostumar com a sensação.

– Estou ótimo – respondeu Harry, esfregando as orelhas, que pareciam ter deixado a rua dos Alfeneiros com uma certa relutância. – Mas acho que prefiro as vassouras.

Dumbledore sorriu, aconchegou melhor a capa em torno do pescoço e disse:

– Vamos por aqui.

E, andando rapidamente, passou por uma estalagem vazia e algumas casas. Segundo o relógio de uma igreja vizinha, era quase meia-noite.

– Agora me diga, Harry, a sua cicatriz... tem doído?

Harry levou a mão à testa inconscientemente e esfregou a marca em forma de raio.

– Não, e tenho me perguntado o porquê. Pensei que iria arder o tempo todo, agora que Voldemort está recuperando o poder.

Ele olhou para Dumbledore e notou que tinha uma expressão satisfeita.

– Já eu pensei o contrário – disse Dumbledore. – Lorde Voldemort finalmente percebeu como é perigoso o acesso que você tem tido aos pensamentos e emoções dele. Imagino que agora esteja usando a Oclumência contra você.

– Por mim, tudo bem – comentou Harry, que não sentia falta dos sonhos perturbadores nem dos vislumbres intuitivos da mente de Voldemort.

Eles viraram uma esquina, passaram por uma cabine telefônica e uma parada de ônibus. Harry tornou a olhar Dumbledore pelo canto dos olhos.

– Professor?

– Harry?

– Ãã... onde é que nós estamos exatamente?

— No encantador povoado de Budleigh Babberton.
— E que estamos fazendo aqui?
— Ah sim, claro. Não lhe contei. Já perdi a conta do número de vezes que repeti isso nos últimos anos, mas estamos novamente desfalcados de um funcionário nos nossos quadros. Estamos aqui para convencer um velho colega meu a suspender a aposentadoria e voltar a Hogwarts.
— E como vou ajudar o senhor?
— Ah, acho que encontraremos uma maneira — respondeu o diretor vagamente. — À esquerda aqui, Harry.

Eles tomaram uma rua íngreme e estreita ladeada de casas. Todas as janelas estavam escuras. A friagem estranha que pairara sobre a rua dos Alfeneiros nessas duas semanas persistia ali. Lembrando-se dos dementadores, Harry deu uma espiada por cima do ombro e segurou a varinha em seu bolso com firmeza.

— Professor, por que não aparatamos diretamente na casa do seu ex-colega?

— Porque seria tão grosseiro quanto derrubar a porta da casa a pontapés. A cortesia exige que demos aos colegas bruxos a oportunidade de nos negar entrada. Em todo caso, a maioria das casas bruxas são magicamente protegidas de pessoas indesejáveis que aparatem. Em Hogwarts, por exemplo...

— ... não se pode aparatar nos prédios nem nos terrenos — completou Harry depressa. — Foi a Hermione Granger quem me disse.

— E está certa. Viramos à esquerda outra vez.

Às suas costas, o relógio da igreja bateu meia-noite. Harry se perguntou se Dumbledore não considerava falta de educação visitar um colega tão tarde, mas, agora que a conversa começara a fluir, ele tinha perguntas mais urgentes a fazer.

— Professor, li no *Profeta Diário* que Fudge foi demitido...

— É verdade — confirmou Dumbledore, agora virando para uma ladeira secundária. — Foi substituído, e tenho certeza que você também leu isso, por Rufo Scrimgeour, que costumava chefiar a Seção de Aurores.

— Ele é... o senhor acha que ele é bom? — perguntou Harry.

— Uma pergunta interessante. Sem dúvida, ele é competente. Mais decidido e enérgico do que Cornélio.

— Sei, mas eu quis dizer...

— Entendi o que você quis dizer. Rufo é um homem de ação e, tendo combatido bruxos das trevas a maior parte da sua vida profissional, não subestima Lorde Voldemort.

Harry esperou, mas Dumbledore não mencionou o desentendimento que o *Profeta Diário* noticiara, e, como não teve coragem de insistir, mudou de assunto.

– E... senhor... e Madame Bones?

– É – disse Dumbledore baixinho. – Uma perda funesta. Era uma grande bruxa. É logo aqui, acho... aí!

Apontara com a mão machucada.

– Professor, que aconteceu com a sua...?

– Não tenho tempo para explicar agora. É uma história eletrizante, e quero contá-la como merece ser contada.

Ele sorriu para Harry, que compreendeu que aquilo não era uma negativa e que tinha permissão para continuar com as perguntas.

– Senhor... recebi um folheto do ministro da Magia por correio-coruja, sobre as medidas de segurança que devemos tomar para nos proteger dos Comensais da Morte...

– Eu também recebi – continuou Dumbledore, ainda sorrindo. – Você achou o folheto útil?

– Não muito.

– Não, eu achei que não. Você não me perguntou, por exemplo, qual é o sabor de geleia que prefiro, para verificar se sou realmente o professor Dumbledore, e não um impostor.

– Não perguntei... – começou Harry, um pouco inseguro quanto a estar ou não sendo repreendido.

– Para sua referência futura, é amora... embora, é claro, se eu fosse um Comensal da Morte, teria tido o cuidado de pesquisar minhas geleias preferidas antes de me fazer passar por mim mesmo.

– Ãa... certo. Bem, o folheto dizia alguma coisa sobre Inferi. Que vem a ser isso? Não ficou muito claro.

– São defuntos – respondeu Dumbledore calmamente. – Defuntos enfeitiçados para cumprir ordens de um bruxo das trevas. Mas não vemos Inferi há muito tempo, pelo menos desde a última vez que Voldemort teve o poder... ele matou gente suficiente para formar um exército deles, é claro. É aqui, Harry, bem aqui...

Aproximavam-se de uma casinha de pedra, bem cuidada, no meio do jardim. Harry estava ocupado demais, digerindo a pavorosa ideia de mortos-vivos, para dar atenção a qualquer outra coisa, mas, quando alcançaram o portão da casa, Dumbledore estacou e Harry colidiu com ele.

– Que lástima! Que lástima!

O garoto acompanhou o olhar do diretor pela entrada bem conservada e sentiu um aperto no coração. A porta da casa fora arrancada das dobradiças. Dumbledore olhou para cima e para baixo da rua. Parecia deserta.

— Pegue a varinha e me siga, Harry — disse em voz baixa.

Abriu o portão e entrou pelo jardim, rápida e silenciosamente, o garoto em seus calcanhares, então empurrou a porta da casa bem devagar, com a varinha erguida e pronta.

— Lumus.

A ponta da varinha do diretor acendeu, iluminando um corredor estreito. À esquerda, havia outra porta aberta. Empunhando a varinha acesa, Dumbledore entrou na sala de estar com Harry logo atrás.

Depararam com uma cena de total devastação. Um relógio de carrilhão jazia aos seus pés, o mostrador estilhaçado, o pêndulo, mais adiante, como uma espada abandonada. O piano estava virado de lado, as teclas espalhadas pelo chão. Os destroços de um lustre caído brilhavam à pequena distância. Almofadas murchas, as penas do enchimento saindo pelos rasgos laterais; cacos de vidro e louça cobriam tudo como se fossem pó. Dumbledore ergueu a varinha mais alto, para a luz clarear as paredes, cujo papel tinha manchas vermelho-escuras e gelatinosas. O ruído da inspiração de Harry fez Dumbledore virar a cabeça.

— Nada bonito, não é — disse oprimido. — Alguma coisa terrível aconteceu aqui.

O diretor avançou cuidadosamente até o meio da sala, examinando os destroços pelo chão. Harry acompanhou-o, olhando para os lados, meio apavorado com o que poderia ver escondido sob o piano ou o sofá virados e destruídos, mas não viu sinal de cadáver.

— Talvez tenha havido uma luta... e o levaram embora, professor? — sugeriu Harry, tentando não imaginar a gravidade dos ferimentos de um homem que pudesse deixar aquelas manchas espalhadas até a metade das paredes.

— Acho que não — respondeu Dumbledore em voz baixa, espiando atrás de uma poltrona excessivamente estofada e tombada de lado.

— O senhor quer dizer que ele...

— Ainda está por aqui? Isto mesmo.

E, inesperadamente, Dumbledore se curvou, e enfiou a ponta da varinha no assento da poltrona, que gritou:

— Ai!

— Boa noite, Horácio — cumprimentou Dumbledore, tornando a se erguer.

O queixo de Harry caiu. Onde, uma fração de segundo antes, havia uma poltrona, agora via-se encolhido um velho imensamente gordo e careca que massageava o baixo-ventre e apertava os olhos para enxergar Dumbledore com um olhar lacrimejante e ofendido.

– Não precisava enfiar a varinha com tanta força – reclamou mal-humorado, pondo-se de pé. – Doeu.

A luz da varinha cintilou em sua careca, seus olhos protuberantes, sua bigodeira prateada que lembrava a de um leão-marinho e os botões muito polidos do roupão cor de vinho que usava sobre o pijama de seda lilás. Sua cabeça mal alcançava o queixo de Dumbledore.

– Que foi que me denunciou? – resmungou, erguendo-se com dificuldade e ainda esfregando o baixo-ventre. Parecia excepcionalmente descarado para um homem que acabara de ser descoberto fingindo-se de poltrona.

– Meu caro Horácio – respondeu Dumbledore, parecendo divertir-se –, se realmente os Comensais da Morte lhe tivessem feito uma visita, a Marca Negra teria sido deixada sobre sua casa.

O bruxo deu um tapinha na enorme testa.

– A Marca Negra – murmurou. – Eu sabia que havia uma coisa... ah, bem. Seja como for, eu não teria tido tempo. Tinha acabado de dar os últimos retoques no estofamento quando você entrou na sala.

E deu um profundo suspiro que fez as pontas dos seus bigodes esvoaçarem.

– Quer minha ajuda para arrumar a sala? – perguntou Dumbledore educadamente.

– Por favor – disse o outro.

Eles se postaram de costas um para o outro, o bruxo alto e magro e o baixo e gordo, e acenaram com as varinhas, num gesto amplo e idêntico.

Os móveis voltaram instantaneamente aos seus lugares; os enfeites se recompuseram no ar; as penas flutuaram para dentro das almofadas; os livros rasgados se emendaram e tomaram seus lugares nas prateleiras; os candeeiros a óleo voaram para as mesinhas e reacenderam; uma vasta coleção de molduras de prata quebradas deslocara-se, refulgindo pela sala, e pousara, intacta e polida, com seus respectivos retratos, sobre uma escrivaninha; rasgos, rachaduras e buracos se consertaram por toda parte e as paredes se limparam.

– A propósito, que tipo de sangue era aquele? – perguntou Dumbledore em voz alta, para abafar o carrilhão do relógio recém-consertado.

– Nas paredes? Dragão – gritou o bruxo chamado Horácio enquanto o lustre tornava a se prender ao teto, com ensurdecedores ruídos metálicos.

O piano tocou uma nota final, e tudo silenciou.

— É, de dragão — repetiu o bruxo, dando seguimento à conversa. — Meu último vidro, e os preços andam na estratosfera. Mas quem sabe ainda consiga usá-lo?

Ele se dirigiu aborrecido ao móvel em que estava uma garrafinha de cristal e ergueu-a à luz, examinando o líquido espesso que continha.

— Hum. Um pouco de borra.

Repôs a garrafa sobre o móvel e suspirou. Foi então que seu olhar recaiu sobre Harry.

— Oho! — exclamou, os grandes olhos redondos fixando a testa de Harry e a cicatriz em forma de raio. — *Oho!*

— Este — disse Dumbledore, adiantando-se para fazer as apresentações — é Harry Potter. Harry, este é um velho amigo e colega, Horácio Slughorn.

O bruxo virou-se para Dumbledore, com uma expressão astuta no olhar.

— Então foi assim que você pensou que ia me convencer? Pois bem, a resposta é não, Alvo.

Ele passou por Harry, com o rosto resolutamente virado e o ar de um homem que tenta resistir à tentação.

— Suponho que pelo menos possamos tomar uma bebida? — perguntou Dumbledore. — Para lembrar os velhos tempos?

Slughorn hesitou.

— Tudo bem, então, um drinque — concedeu de má vontade.

Dumbledore sorriu para Harry e conduziu-o a uma poltrona parecida com a que Slughorn tão recentemente encarnara, que ficava ao lado da lareira recém-acesa e da luz forte de um candeeiro a óleo. Harry sentou com a nítida impressão de que o diretor, por alguma razão, queria que ele ficasse bem visível. E acertou. Quando Slughorn, que estivera ocupado com garrafas e copos, se virou de frente para a sala, seus olhos bateram imediatamente em Harry.

— Hum — resmungou, desviando os olhos como se tivesse medo de feri-los. — Tome... — Entregou a bebida a Dumbledore, que sentara sem convite, empurrou a bandeja para o garoto e, em seguida, afundou nas almofadas do sofá restaurado, em um silêncio contrariado. Suas pernas eram tão curtas que não tocavam o chão.

— Bem, e como tem andado, Horácio? — perguntou Dumbledore.

— Não muito bem — respondeu Slughorn imediatamente. — Fraqueza no peito. Asma. E reumatismo também. Não consigo me mexer como antigamente. Bem, é o normal. Velhice. Cansaço.

— Contudo, você deve ter se mexido bem rápido para improvisar aquela recepção para nós. Não deve ter tido mais de três minutos de aviso, não é?

Slughorn respondeu, entre irritado e orgulhoso:

— Dois. Não ouvi o meu Feitiço contra Intrusos disparar, estava tomando banho. Ainda assim — acrescentou circunspecto, parecendo se controlar —, o fato é que estou velho, Alvo. Um velho cansado que conquistou o direito a uma vida tranquila e a alguns confortos materiais.

E esses não faltavam, pensou Harry, percorrendo a sala com o olhar. Era abafada e excessivamente atravancada. Ninguém, porém, poderia dizer que fosse desconfortável; havia poltronas macias e descansos para os pés, bebidas e livros, caixas de bombons e almofadas fofas. Se Harry não soubesse quem morava ali, teria pensado que era uma velhota rica e exigente.

— Você ainda não tem a minha idade, Horácio — replicou Dumbledore.

— Bem, então você também deveria pensar em se aposentar — disse Slughorn sem rodeios. Seus olhos verde-claros tinham registrado a mão machucada de Dumbledore. — Estou vendo que as reações já não são o que eram.

— Você tem toda a razão — respondeu o diretor tranquilamente, jogando a manga para trás e revelando as pontas dos dedos queimados e empretecidos; a visão fez os pelos da nuca de Harry se eriçarem desagradavelmente. — Sem dúvida, estou mais lento. Mas por outro lado...

Ele sacudiu os ombros e espalmou as mãos, como se dissesse que a idade trazia compensações, e Harry notou um anel, na mão machucada, que nunca vira Dumbledore usar: era grande e incômodo, aparentemente de ouro, engastado com uma pesada pedra preta que parecia rachada ao meio. O olhar de Slughorn se demorou um momento na pedra também, e Harry percebeu uma pequena ruga marcar momentaneamente a larga testa.

— Então, todas essas precauções contra intrusos, Horácio... são para segurar os Comensais da Morte ou a mim? — perguntou Dumbledore.

— Que é que os Comensais da Morte iriam querer com um velhote incompetente e alquebrado como eu?

— Imagino que iriam querer que você empregasse o seu considerável talento para coagir, torturar e matar. Você está realmente me dizendo que eles ainda não vieram recrutá-lo?

Por um momento Slughorn encarou Dumbledore com hostilidade, então murmurou:

— Não lhes dei chance. Não parei de viajar nesse último ano. Nunca me demoro mais de uma semana no mesmo lugar. Mudo de uma casa de trouxa para outra, os donos desta casa estão de férias nas ilhas Canárias. Tem sido muito agradável, terei pena de partir. É bem fácil uma vez que se aprende, um simples Feitiço Paralisante nesses absurdos alarmes que usam em vez de bisbilhoscópios garante que os vizinhos não vejam ninguém entrar carregando um piano.

— Engenhoso. Mas está me parecendo muito cansativo para um velhote incompetente e alquebrado que procura uma vida calma. Agora, se você retornasse a Hogwarts...

— Se você vai me dizer que eu teria mais paz naquela escola pestilenta, pode poupar o seu fôlego, Alvo! Eu posso estar me escondendo, mas chegaram aos meus ouvidos uns boatos engraçados desde que a Dolores Umbridge saiu! Se é assim que você agora está tratando os professores...

— A professora Umbridge se meteu em confusões com o nosso rebanho de centauros — disse Dumbledore. — Acho que você, Horácio, teria tido o bom-senso de não entrar na Floresta e chamar uma horda de centauros de "mestiços nojentos".

— Então foi isso que ela fez? Que mulher idiota! Jamais gostei dela.

Harry riu baixinho, e os dois bruxos se viraram para ele.

— Desculpem — apressou-se o garoto a dizer. — É que... eu também não gostava dela.

Dumbledore levantou-se de repente.

— Você já está indo? — perguntou Slughorn depressa, esperançoso.

— Não, será que eu poderia usar o seu banheiro?

— Ah — respondeu Slughorn, visivelmente desapontado. — Segunda porta à esquerda, seguindo pelo corredor.

Dumbledore atravessou a sala. Depois que fechou a porta ao passar, fez-se silêncio. Logo em seguida, Slughorn se levantou, mas pareceu não saber muito bem o que fazer. Lançou um olhar furtivo a Harry, foi até a lareira e virou-se de costas para aquecer seu grande traseiro.

— Não pense que não sei por que ele o trouxe até aqui — disse bruscamente.

Harry apenas olhou para Slughorn. Os olhos lacrimosos do bruxo deslizaram pela cicatriz do garoto, desta vez examinando-lhe todo o rosto.

— Você se parece muito com o seu pai.

— É o que dizem.

— Exceto nos olhos. Você tem...

— Os olhos de minha mãe, eu sei. — Harry já ouvira esse comentário tantas vezes que o achava aborrecido.

— Hum-hum. Bem. Um professor não devia ter alunos favoritos, mas ela era um dos meus. Sua mãe — acrescentou Slughorn em resposta ao olhar de indagação de Harry. – Lílian Evans. Uma das mais inteligentes a quem lecionei. Viva, sabe. Uma menina encantadora. Eu costumava dizer a ela que deveria ter ido para a minha Casa. E, sabe, costumava me dar respostas petulantes.

– Qual era a sua Casa?

– Eu era diretor da Sonserina. Ah, vamos – apressou-se a dizer, vendo a expressão no rosto de Harry, apontando o dedo em riste para o garoto –, não deixe que isto o influencie contra mim! Você deve ser da Grifinória como ela, não? É, em geral, está no sangue. Mas nem sempre. Já ouviu falar de Sirius Black? Deve ter ouvido... tem sido notícia de jornal nos últimos dois anos... morreu faz umas semanas...

Foi como se uma garra invisível tivesse torcido e apertado os intestinos de Harry.

– Bem, em todo caso, foi um grande companheiro do seu pai na escola. Toda a família Black pertenceu à minha casa, mas Sirius acabou na Grifinória! Uma vergonha... era um garoto talentoso. Fiquei com o irmão dele, Régulo, quando apareceu, mas eu teria preferido a família toda.

Ele falava como se fosse um colecionador entusiasmado que tivesse perdido um lance em um leilão. Olhava para a parede oposta, parecendo absorto em lembranças, girando o corpo lentamente, sem sair do lugar, para permitir um aquecimento uniforme do traseiro.

– Sua mãe, naturalmente, nasceu trouxa. Não consegui acreditar quando soube. Eu achava que devia ser puro-sangue, era tão inteligente!

– Uma das minhas melhores amigas é trouxa – comentou Harry –, e é a melhor aluna da nossa série.

– Engraçado como isso às vezes acontece, não é?

– Não acho – retrucou Harry friamente.

Slughorn olhou para ele surpreso.

– Você não deve pensar que sou preconceituoso! Não, não e não! Não acabei de dizer que sua mãe foi uma das minhas alunas favoritas? E tive também Dirk Cresswell, uma série acima, agora chefe da Seção de Ligação com os Duendes, naturalmente, outro trouxa, um estudante muito bom que ainda hoje me passa excelentes informações sobre o que acontece internamente no Gringotes!

O bruxo mexeu-se um pouco para cima e para baixo, sorrindo satisfeito consigo mesmo, e apontou para as muitas fotografias em molduras reluzentes sobre o aparador, cada qual com pequeninos ocupantes agitados.

– São todas de ex-alunos, todas com dedicatórias. Você pode ver Barnabás Cuffe, editor do *Profeta Diário*, sempre interessado em conhecer a minha leitura das notícias do dia. E Ambrósio Flume, da Dedosdemel, um cestão todo aniversário, e tudo porque o apresentei a Cícero Harkiss, que lhe deu o primeiro emprego! E mais atrás... pode vê-la, se esticar o pescoço... Gwenog Jones, que é a capitã do Harpias de Holyhead... as pessoas sempre se surpreendem quando me ouvem chamando os jogadores do Harpias pelo primeiro nome, e ganho entradas grátis sempre que quero!

Este pensamento pareceu animá-lo enormemente.

– E todas essas pessoas sabem onde encontrar o senhor para lhe mandar presentes? – perguntou Harry, que não pôde deixar de se perguntar por que os Comensais da Morte ainda não tinham rastreado Slughorn se cestas de doces, bilhetes de quadribol e visitantes desejosos de ouvir seus conselhos e opiniões conseguiam encontrá-lo.

O sorriso desapareceu do rosto de Slughorn com a mesma rapidez que o sangue das paredes da sala.

– Claro que não – protestou, olhando para Harry. – Há um ano que não tenho contato com ninguém.

Harry teve a impressão de que Slughorn se chocara com o que tinha acabado de dizer; por um momento pareceu bastante perturbado. Depois sacudiu os ombros.

– Entretanto... o bruxo prudente procura não deixar a cabeça de fora em tempos como esses. Dumbledore pode dizer o que quiser, mas aceitar um cargo em Hogwarts agora seria o mesmo que declarar publicamente a minha lealdade à Ordem da Fênix! E, embora eu acredite que eles sejam admiráveis e corajosos e tudo o mais, não me agrada muito o seu índice de mortalidade.

– O senhor não precisa pertencer à Ordem para ensinar em Hogwarts – respondeu Harry, que não conseguiu esconder um tom de desdém na voz; era difícil simpatizar com a vida cheia de confortos de Slughorn quando se lembrava de Sirius, escondido em uma gruta, se alimentando de ratos. – A maioria dos professores não pertence, e nenhum deles foi morto... bem, a não ser que o senhor esteja contando Quirrell, mas ele recebeu o que merecia, considerando que trabalhava para o Voldemort.

Harry tinha certeza de que Slughorn era um daqueles bruxos que não suportavam ouvir o nome de Voldemort em alto e bom som, e não se desapontou: Slughorn estremeceu e soltou um grasnido de protesto, a que o garoto não deu atenção.

– Imagino que os funcionários estarão mais seguros que a maioria das pessoas enquanto Dumbledore for diretor; acredita-se que ele seja o único de quem Voldemort tem medo, não é? – continuou Harry.

Por uns momentos o olhar de Slughorn pareceu distante: provavelmente refletia sobre as palavras do garoto.

— Bem, é verdade que Aquele-Que-Não-Deve-Ser-Nomeado nunca procurou lutar com Dumbledore — murmurou contrafeito. — E imagino que alguém possa argumentar que se não me uni aos Comensais da Morte, tampouco Aquele-Que-Não-Deve-Ser-Nomeado pode me incluir entre seus amigos... caso em que eu talvez estivesse mais seguro perto de Alvo... não posso fingir que a morte de Amélia Bones não tenha me abalado... se ela, com todos os seus contatos e proteção no Ministério...

Dumbledore voltou à sala, sobressaltando Slughorn, que parecia ter esquecido que o amigo estava na casa.

— Ah, aí está, Alvo. Ausentou-se por um bom tempo. Ruim do estômago?

— Não, estava apenas lendo revistas trouxas. Adoro as receitas de tricô. Bem, Harry, já abusamos demais da hospitalidade do Horácio; acho que está na hora de partir.

Não demonstrando a menor relutância em obedecer, Harry pulou da poltrona. Slughorn ficou surpreso.

— Vocês já estão indo?

— Estamos. Acho que sei reconhecer uma causa perdida quando a vejo.

— Perdida...?

Slughorn pareceu nervoso. Girou os polegares gordos e agitou-se enquanto observava Dumbledore abotoar a capa de viagem e Harry fechar o blusão.

— Bem, lamento que não queira o emprego, Horácio — disse Dumbledore, erguendo a mão perfeita em um gesto de adeus. — Hogwarts teria se alegrado com o seu retorno. Apesar das medidas mais rigorosas de segurança que tomamos, você será sempre bem-vindo se quiser nos visitar.

— Ah... bem... muito gentil... como digo...

— Adeus, então.

— Tchau — disse Harry.

Estavam à porta da casa quando ouviram um grito às suas costas.

— Muito bem, muito bem, eu vou!

Dumbledore virou-se e viu Slughorn ofegante à porta da sala de estar.

— Vai interromper a aposentadoria?

— Vou, vou — respondeu Slughorn impaciente. — Devo estar louco, mas vou.

— Maravilhoso — disse um sorridente Dumbledore. — Então, Horácio, veremos você no primeiro dia de setembro.

— Com certeza verão — resmungou Slughorn.

Quando os visitantes já atravessavam o jardim, a voz de Slughorn acompanhou-os.

— Vou querer um aumento no salário, Dumbledore!

O diretor riu baixinho. O portão do jardim se fechou, e eles começaram a descer a ladeira em meio ao torvelinho de névoa escura.

— Muito bom, Harry — elogiou Dumbledore.

— Eu não fiz nada — respondeu Harry, surpreso.

— Ah, fez, sim. Mostrou ao Horácio exatamente o que ele tem a ganhar se retornar a Hogwarts. Você gostou dele?

— Ããh...

Harry não tinha certeza se tinha gostado ou não de Slughorn. Supunha que o bruxo fora agradável a seu jeito, mas também lhe parecera vaidoso e, apesar dos seus protestos, demasiado surpreso que alguém nascido trouxa pudesse dar um bom bruxo.

— Horácio — disse Dumbledore, aliviando Harry da responsabilidade de opinar — gosta de conforto. E também gosta da companhia dos famosos, bem-sucedidos e poderosos. Gosta de sentir que influencia essas pessoas. Nunca quis ocupar o trono; preferiu ficar em segundo plano, onde tem mais espaço para se espalhar, entende. Costumava escolher a dedo os seus favoritos em Hogwarts, às vezes por suas ambições ou inteligência, outras por seu encanto ou talento, e tinha uma habilidade incrível de eleger os que futuramente se tornariam excepcionais em seus campos. Horácio formou uma espécie de clube de favoritos em torno dele, fazendo apresentações, promovendo contatos úteis entre os membros e sempre colhendo algum tipo de benefício, fosse uma caixa de seu abacaxi cristalizado preferido ou uma oportunidade de recomendar o próximo funcionário júnior para a Seção de Ligação com os Duendes.

Ocorreu a Harry a nítida imagem de uma grande aranha inchada, tecendo a teia em torno dele, torcendo um fio aqui e outro ali para trazer para mais perto suas moscas gordas e sumarentas.

— Digo tudo isso — continuou Dumbledore — não para indispor você contra Horácio, ou como o chamaremos de hoje em diante, professor Slughorn, mas para alertá-lo. Ele certamente tentará aliciá-lo, Harry. Você seria o diamante da coleção dele: O-Menino-Que-Sobreviveu... ou como o chamam ultimamente, O Eleito.

Ao ouvir isso, Harry sentiu um arrepio que não tinha relação com a névoa que os cercava. Lembrou-se das palavras que ouvira havia algumas semanas, palavras que para ele tinham um significado terrível e particular.

Nenhum dos dois pode viver enquanto o outro sobreviver...
Dumbledore parara em frente à igreja pela qual tinham passado mais cedo.

— Aqui está bom, Harry. Se você puder segurar o meu braço.

Experiente, desta vez, Harry não se esquivou da Aparatação, embora continuasse a achá-la desagradável. Quando a pressão cessou, e ele sentiu que conseguia respirar de novo, estava parado em uma estrada rural ao lado de Dumbledore, diante da silhueta torta do segundo prédio de que mais gostava no mundo: A Toca. Apesar do medo que acabara de experimentar, não podia deixar de se animar à vista da casa. Rony estava ali dentro... e também a sra. Weasley, que cozinhava melhor do que qualquer outra pessoa que ele conhecia...

— Se não se importar, Harry — disse Dumbledore, ao cruzarem o portão —, gostaria de dar umas palavrinhas com você antes de nos despedirmos. Em particular. Talvez ali?

O diretor apontou para uma casinha de pedra desmantelada onde os Weasley guardavam as vassouras. Um pouco intrigado, Harry acompanhou o bruxo e entraram por uma porta rangedora em um espaço menor do que um guarda-roupa normal. Dumbledore acendeu a ponta da varinha, fazendo-a brilhar como um archote, e sorriu para Harry.

— Espero que me perdoe por dizer isto, Harry, mas estou contente e até orgulhoso com o seu comportamento depois de tudo que aconteceu no Ministério. Permita-me dizer que Sirius teria sentido admiração por você.

Harry engoliu em seco; sua voz parecia tê-lo abandonado. Achava que não suportaria discutir Sirius. Já fora bastante doloroso ouvir o tio Válter se admirar, "O padrinho dele morreu?", e mais doloroso ainda ouvir o nome de Sirius dito displicentemente por Slughorn.

— Foi cruel — disse Dumbledore baixinho — que você e Sirius tivessem convivido tão pouco tempo. Um fim brutal para o que poderia ter sido uma amizade feliz e duradoura.

Harry concordou com a cabeça, seus olhos resolutamente fixos na aranha que agora subia pelo chapéu do diretor. Sentia que Dumbledore compreendia, e mesmo suspeitava que, até a chegada de sua carta, ele tivesse passado quase todo o tempo deitado na cama, em casa dos Dursley, se recusando a comer, com os olhos fixos na janela enevoada, tomado pelo vazio gélido que passara a associar com os dementadores.

— É duro — disse Harry finalmente, em voz baixa — saber que ele não escreverá mais para mim.

Seus olhos arderam de repente, e ele piscou. Sentiu-se idiota admitindo isso, mas o fato de ter alguém fora de Hogwarts que se importava com o que lhe acontecia, quase como um parente, tinha sido uma das melhores coisas de ter aquele padrinho... e agora a chegada do correio-coruja nunca mais o confortaria...

– Sirius representou muita coisa que você não tinha conhecido antes – disse Dumbledore com suavidade. – Naturalmente, a perda é devastadora.

– Mas enquanto estava na casa dos Dursley – interrompeu Harry, sua voz tornando-se mais firme – percebi que não posso me isolar de tudo, senão vou ficar maluco. Sirius não teria gostado disso, não é? De qualquer jeito, a vida é curta demais... vê a Madame Bones, vê a Emelina Vance... eu poderia ser o próximo, não é? Mas, se eu for – disse com ferocidade, agora encarando os olhos azuis de Dumbledore, brilhando à luz da varinha –, vou fazer questão de levar comigo o maior número de Comensais da Morte que puder, e Voldemort também, se tiver forças.

– Você falou como filho de Lílian e Tiago e um legítimo afilhado de Sirius! – disse Dumbledore dando uma palmadinha de aprovação em suas costas. – Tiro o chapéu para você, ou tiraria se não fosse o receio de provocar uma chuva de aranhas em sua cabeça. E agora, Harry, falando de outro assunto muito próximo... imagino que você tenha recebido O *Profeta Diário* nessas duas últimas semanas?

– Recebi. – Seu coração acelerou um pouquinho.

– Então deve ter visto que houve não só vazamentos mas verdadeiras inundações sobre a sua aventura na Sala da Profecia?

Harry confirmou.

– E agora todo o mundo sabe que eu sou o...

– Não, não sabe – interrompeu Dumbledore. – Só há duas pessoas no mundo inteiro que conhecem toda a profecia sobre você e Lorde Voldemort, e as duas estão aqui neste barraco de vassouras, malcheiroso e cheio de aranhas. É verdade, porém, que muita gente adivinhou corretamente que Voldemort mandou os seus Comensais da Morte roubarem a profecia, e que ela se referia a você.

"Agora, acho que estou certo em pensar que você não contou a nenhum conhecido seu o que dizia a profecia?"

– Está – respondeu Harry.

– Uma decisão sensata em termos gerais. Embora eu ache que pode abrandá-la em favor dos seus amigos, o sr. Ronald Weasley e a srta. Hermione Granger. Sim – continuou o diretor, ao ver Harry se espantar –, acho que eles devem saber. Seria um desserviço aos seus amigos se não contasse a eles uma coisa tão importante.

— Eu não queria...

— Preocupar ou assustar os dois? — disse Dumbledore, estudando Harry por cima dos oclinhos de meia-lua. — Ou talvez admitir que está preocupado e assustado? Você precisa dos seus amigos, Harry. E, como disse com tanto acerto, Sirius não teria querido que você se isolasse.

Harry não respondeu, mas Dumbledore não precisava, de fato, de uma resposta. Prosseguiu:

— Sobre um assunto diferente, mas correlato, este ano quero que tenha aulas particulares comigo.

— Particulares... com o senhor? — repetiu Harry, surpreso, quebrando o seu silêncio tenso.

— É. Acho que está na hora de participar mais da sua educação.

— Que é que o senhor vai me ensinar?

— Uma coisa aqui e outra ali — respondeu Dumbledore vagamente.

Harry aguardou, esperançoso, mas o diretor não explicou; então aproveitou para perguntar uma coisa que o preocupava havia algum tempo.

— Se vou ter aulas com o senhor, não terei de frequentar aulas de Oclumência com Snape, terei?

— Professor Snape, Harry... e não, não terá.

— Que bom! — exclamou Harry aliviado —, porque elas foram um...

E parou, cuidando para não dizer o que realmente pensava.

— Acho que a palavra "fiasco" caberia bem — sugeriu Dumbledore, assentindo com a cabeça.

Harry riu.

— Bem, isto quer dizer que de agora em diante não verei o professor Snape muitas vezes, porque ele não vai me deixar continuar em Poções a não ser que eu tire um "Ótimo" nos meus N.O.M.s, e sei que não tirei.

— Não conte com os ovos que as corujas ainda não botaram — disse Dumbledore sentencioso. — O que, se não me engano, deve acontecer ainda hoje. Agora, mais duas coisas antes de nos separarmos.

"Primeiro, quero que, a partir deste momento, carregue sempre a Capa da Invisibilidade com você. Até mesmo em Hogwarts. Só para se precaver, está me entendendo?"

Harry confirmou com a cabeça.

— E, por último, enquanto estiver aqui, A Toca estará recebendo a maior segurança que o Ministério da Magia pode oferecer. Isto causou uma certa inconveniência a Arthur e Molly; toda a correspondência deles, por exemplo, é verificada pelo Ministério antes de ser entregue. Eles não se incomodam, porque a única preocupação que têm é a sua segurança. Mas seria uma péssima retribuição se você arriscasse seu pescoço enquanto estiver aqui.

— Entendo — apressou-se Harry a dizer.

— Muito bem, então — disse Dumbledore, abrindo a porta do barraco de vassouras e saindo. — Vejo luz na cozinha. Não vamos privar Molly, nem mais um instante, da oportunidade de lamentar como você está magro.

5

FLEUMA DEMAIS

Harry e Dumbledore se aproximaram da porta dos fundos d'A Toca, cercada pela tralha habitual de botas velhas e caldeirões enferrujados; Harry ouviu o cacarejo abafado de galinhas sonolentas vindo de um telheiro distante. Dumbledore bateu três vezes, e Harry percebeu um movimento repentino por trás da janela da cozinha.

– Quem é? – perguntou uma voz nervosa, que ele reconheceu ser a da sra. Weasley. – Identifique-se!

– Dumbledore trazendo Harry.

A porta se abriu imediatamente. E apareceu a dona da casa, baixa e gorducha, usando um velho robe verde.

– Harry, querido! Nossa, Alvo, você me assustou, não disse para não esperar vocês antes de amanhecer?

– Tivemos sorte – disse o diretor, fazendo Harry entrar. – Slughorn foi mais fácil de persuadir do que imaginei. Um feito de Harry, é claro. Ah, olá, Ninfadora!

Harry se virou e viu que a sra. Weasley não estava sozinha, apesar da hora tardia. Uma jovem bruxa de rosto pálido, em forma de coração, e cabelos castanhos sem vida, estava sentada à mesa segurando uma caneca entre as mãos.

– Olá, professor. E aí, beleza, Harry?

– Oi, Tonks.

Harry achou que ela parecia muito cansada, e até doente, e que havia algo forçado em seu sorriso. Sem dúvida, sua aparência estava mais desbotada do que de costume, sem os cabelos rosa-chiclete.

– É melhor eu ir andando – disse depressa, levantando-se e cobrindo os ombros com a capa. – Obrigada pelo chá e a simpatia, Molly.

– Por favor, não vá embora por minha causa – disse Dumbledore gentilmente. – Não posso ficar, tenho assuntos urgentes a tratar com Rufo Scrimgeour.

— Não, não, preciso ir mesmo — respondeu Tonks, sem retribuir o olhar de Dumbledore. — Noite...

— Querida, por que não vem jantar no fim de semana, Remo e Olho-Tonto virão...?

— Sério, Molly, não... mas, obrigada assim mesmo... boa noite para todos.

Tonks passou ligeira por Dumbledore e Harry, e saiu para o quintal; a alguns passos da porta, rodopiou e desapareceu no ar. Harry reparou que a sra. Weasley parecia preocupada.

— Bem, verei você em Hogwarts, Harry — despediu-se Dumbledore.

— Cuide-se bem. Molly, às suas ordens.

Ele fez uma reverência à sra. Weasley e saiu atrás de Tonks, desaparecendo exatamente no mesmo lugar. A sra. Weasley fechou a porta para o quintal vazio, segurou Harry pelos ombros e o conduziu até a luz do candeeiro sobre a mesa para vê-lo melhor.

— Você é igual ao Rony — suspirou ela olhando-o de cima a baixo. — Parece que alguém lançou em vocês um Feitiço Esticador. Juro que Rony cresceu dez centímetros desde a última vez que comprei uniformes para ele. Está com fome, Harry?

— Estou — confirmou o garoto, percebendo de repente que estava faminto.

— Sente-se, querido, vou preparar alguma coisa.

Quando Harry sentou, um gato peludo e ruço, de cara amassada, pulou para os seus joelhos e se acomodou ali, ronronando.

— Então a Hermione está aqui? — perguntou Harry contente, fazendo cócegas atrás da orelha do Bichento.

— Ah, está, chegou anteontem — respondeu a sra. Weasley, batendo com a varinha em um panelão de ferro, que aterrissou no fogão com um baque sonoro e começou imediatamente a borbulhar. — É claro que todos já foram dormir, só esperávamos vocês amanhã. Pronto...

Ela deu outra batida na panela que se ergueu no ar, voou até Harry e se inclinou; a sra. Weasley encaixou sob a panela uma tigela bem em tempo de aparar o caldo grosso e fumegante da sopa de cebola.

— Pão, querido?

— Obrigado, sra. Weasley.

Ela acenou a varinha por cima do ombro: um pão e uma faca voaram graciosamente até a mesa. Quando o pão se fatiou e a panela de sopa voltou ao fogão, a bruxa sentou diante do garoto.

— Então foi você que convenceu Horácio Slughorn a aceitar o emprego?

Harry confirmou com a cabeça, a boca tão cheia de sopa quente que não conseguia falar.

— Ele foi nosso professor, meu e de Arthur. Esteve um tempão em Hogwarts, começou mais ou menos na mesma época que Dumbledore, acho. Você gostou dele?

Agora com a boca cheia de pão, Harry encolheu os ombros e acenou a cabeça com indiferença.

— Sei o que quer dizer — tornou a sra. Weasley, confirmando, séria. — É claro que ele sabe ser charmoso quando quer, mas Arthur jamais gostou muito dele. O Ministério está cheio de antigos favoritos de Slughorn, sempre os ajudou a subir na vida, mas nunca teve muito tempo para Arthur, talvez não achasse que ele chegaria tão longe. Bom, o que mostra que até Slughorn se engana. Não sei se Rony lhe contou em alguma carta, acabou de acontecer, mas Arthur foi promovido!

Não poderia ser mais evidente que a sra. Weasley estava doida para contar a novidade. Harry engoliu uma grande bocada de sopa escaldante e teve a sensação de que sua garganta estava empolando.

— Que máximo! — ofegou.

— Você é muito gentil — disse sorrindo a sra. Weasley, possivelmente tomando as lágrimas nos olhos de Harry por emoção com a notícia. — Sim, Rufo Scrimgeour criou várias seções novas para enfrentar a situação atual, e Arthur está chefiando a Seção para Detecção e Confisco de Feitiços Defensivos e Objetos de Proteção Forjados. É um trabalho de grande peso, e ele agora tem dez subordinados!

— Que é exatamente...?

— Bem, sabe, com todo esse pânico gerado por Você-Sabe-Quem, estão aparecendo objetos estranhos à venda, coisas que dizem proteger a pessoa contra Você-Sabe-Quem e os Comensais da Morte. Você pode imaginar que tipo de coisa: poções protetoras, que na realidade são molho com um pouco de pus de bubotúberas, ou instruções para feitiços defensivos que fazem as orelhas caírem... bem, os responsáveis principais são gente como Mundungo Fletcher, que nunca trabalhou honestamente um só dia na vida, e que se aproveita do pavor das pessoas; mas de vez em quando aparece alguma coisa realmente perigosa. Ainda outro dia, Arthur confiscou uma caixa de bisbilhoscópios enfeitiçados, muito provavelmente plantados por um Comensal da Morte. Então, como você vê, é um trabalho muito importante, e vivo dizendo a ele que é uma bobagem sentir falta das velas para motores e torradeiras e toda aquela quinquilharia dos trouxas com que se ocupava.

— A sra. Weasley encerrou seu discurso com um olhar severo, como se Harry é quem tivesse sugerido que era natural sentir falta de velas.

— O sr. Weasley ainda está no trabalho? — indagou Harry.

— Está. Aliás está um pouquinho atrasado... me disse que estaria em casa por volta da meia-noite...

Molly se virou para olhar um grande relógio mal equilibrado em cima de uma pilha de lençóis no cesto de roupas deixado na ponta da mesa. Harry reconheceu-o imediatamente: tinha nove ponteiros, cada um deles com o nome de um membro da família, e costumava ficar pendurado em uma parede na sala de estar dos Weasley. Sua posição atual, porém, indicava que a sra. Weasley passara a carregá-lo com ela por toda a casa. No momento, os nove ponteiros apontavam para *perigo mortal*.

— Ele tem estado assim — explicou a sra. Weasley em um tom descontraído, muito pouco convincente — desde que Você-Sabe-Quem saiu da clandestinidade. Suponho que todo o mundo esteja correndo perigo mortal... acho que não pode ser só a nossa família... mas não conheço ninguém que tenha um relógio igual, por isso não posso verificar. Ah!

Com uma exclamação repentina, ela apontou para o mostrador do relógio. O ponteiro do sr. Weasley se movera para *"em trânsito"*.

— Ele está a caminho!

E, confirmando, um instante depois ouviu-se uma batida na porta dos fundos. A sra. Weasley levantou-se depressa e correu a atendê-la. Com uma das mãos na maçaneta e o rosto encostado na madeira, perguntou baixinho:

— Arthur, é você?

— Sou — tornou a voz cansada do sr. Weasley. — Mas eu diria isto, querida, mesmo que fosse um Comensal da Morte. Faça a pergunta correta!

— Ah, francamente...

— Molly!

— Está bem, está bem... qual é a maior ambição de sua vida?

— Descobrir como os aviões se sustentam no ar.

A sra. Weasley assentiu e girou a maçaneta, mas pelo visto o sr. Weasley estava segurando-a com firmeza pelo outro lado, porque a porta continuou fechada.

— Molly! Sou eu em quem pergunta primeiro!

— Arthur, realmente, que tolice...

— Como é que você gosta que eu a chame quando estamos sozinhos?

Mesmo à luz fraca do candeeiro, deu para Harry ver que a sra. Weasley ficara muito vermelha; ele próprio sentiu um calor em torno das orelhas e do pescoço, e engoliu a sopa depressa, batendo com a colher na tigela o mais alto que pôde.

– Moliuóli – sussurrou a mortificada sra. Weasley pela fresta da porta.

– Correto – disse o sr. Weasley. – Agora pode me deixar entrar.

A sra. Weasley abriu a porta revelando o marido, um bruxo magro, os cabelos ruivos já rareando, óculos de aros de tartaruga e uma longa capa de viagem empoeirada.

– Continuo sem entender por que temos de fazer isso todas as vezes que você chega em casa – protestou a sra. Weasley, com o rosto ainda corado, ajudando o marido a tirar a capa. – Quero dizer, um Comensal da Morte poderia ter obrigado você a dar a resposta antes de se disfarçar!

– Eu sei, querida, mas são as regras do Ministério, e tenho de dar o exemplo. Estou sentindo um cheiro bom: sopa de cebola?

O sr. Weasley virou-se esperançoso na direção da mesa.

– Harry! Só esperávamos você amanhã!

Os dois se apertaram as mãos, e o sr. Weasley se largou em uma cadeira ao lado de Harry enquanto sua mulher punha uma tigela de sopa para ele também.

– Obrigado, Molly. Foi uma noite pesada. Um idiota começou a vender Medalhas-Metamórficas. A pessoa pendura uma no pescoço e pode mudar de aparência à vontade. Cem mil disfarces por dez galeões!

– E o que realmente acontece quando se pendura a medalha?

– A maioria das pessoas fica com uma feia cor alaranjada, mas em outras surgem verrugas em forma de tentáculos no corpo inteiro. Como se o St. Mungus já não tivesse muito o que fazer.

– Está me parecendo o tipo de coisa que Fred e Jorge achariam engraçado – comentou a sra. Weasley hesitante. – Você tem certeza...

– Claro que tenho! Os meninos não fariam uma coisa dessas justamente agora que as pessoas estão desesperadas para se proteger!

– Então foi por isso que você se atrasou, Medalhas-Metamórficas?

– Não, soubemos de um Feitiço às Avessas, em Elephant and Castle, mas, felizmente, quando chegamos lá, o Esquadrão de Execução das Leis da Magia já tinha resolvido o caso...

Harry ergueu a mão para abafar um bocejo.

– Cama – disse uma sra. Weasley sem se deixar enganar. – Já arrumei o quarto de Fred e Jorge para você, será todo seu.

— Por que, aonde eles foram?

— Ah, estão no Beco Diagonal, dormindo no apartamentinho em cima da loja de logros, porque estão muito ocupados — disse a sra. Weasley. — Confesso que a princípio não aprovei, mas realmente parecem ter jeito para o negócio! Vamos, querido, o seu malão já está lá em cima.

— Noite, sr. Weasley — disse Harry, recuando a cadeira. Bichento saltou com leveza de seu colo e desapareceu da cozinha.

— B'noite, Harry.

O garoto viu a sra. Weasley olhar para o relógio no cesto de roupas quando saíram da cozinha. Todos os ponteiros estavam mais uma vez marcando *perigo mortal*.

O quarto de Fred e Jorge era no segundo andar. A sra. Weasley apontou a varinha para uma lâmpada na mesinha de cabeceira e imediatamente ela acendeu, inundando o quarto com uma agradável claridade dourada. Embora houvesse um grande vaso de flores sobre uma escrivaninha diante de uma pequena janela, seu perfume não conseguia disfarçar o cheiro que impregnava o quarto e que, para Harry, era de pólvora. Uma grande parte do chão estava ocupada por várias caixas de papelão lacradas, mas sem identificação, entre as quais se encontrava o malão de Harry. Aparentemente o quarto estava sendo usado como um depósito provisório.

Edwiges piou alegremente em seu poleiro em cima de um grande guarda-roupa, e em seguida saiu voando pela janela; Harry sabia que a coruja estava esperando para vê-lo antes de sair à caça. Harry desejou boa noite à sra. Weasley, vestiu o pijama e se meteu entre as cobertas de uma das camas. Havia um objeto duro na fronha. Ele apalpou-a por dentro e puxou um doce pegajoso, roxo e laranja, que reconheceu como Vomitilha. Sorrindo, virou-se para o outro lado e adormeceu instantaneamente.

Segundos depois, ou assim pareceu a Harry, ele acordou com tiros que imaginou serem de canhão, ao mesmo tempo que a porta se escancarava. Ao sentar-se na cama, ouviu alguém abrindo as cortinas: era como se a claridade ofuscante do sol lhe golpeasse os olhos com força. Protegendo-os com uma das mãos, ele tateou inutilmente com a outra, à procura dos óculos.

— Que é isso?

— Nós não sabíamos que você já estava aqui! — disse uma voz alta e animada, e Harry sentiu um soco no cocuruto da cabeça.

— Rony, não bata nele! — ralhou uma voz de garota.

Harry encontrou os óculos e colocou-os, embora o excesso de claridade não lhe permitisse enxergar quase nada. Um vulto longo agigantou-se à sua frente por um momento; ele piscou e Rony Weasley entrou em foco, sorrindo.

— Tudo bem?

— Nunca estive melhor — respondeu Harry, esfregando o cocuruto e se largando em cima dos travesseiros. — Você?

— Nada mal — replicou o amigo, puxando uma caixa e sentando-se nela.

— Quando foi que você chegou? Mamãe acabou de nos contar!

— Mais ou menos à uma hora da manhã.

— Foi tudo bem com os trouxas? Trataram você direito?

— Do jeito de sempre — respondeu Harry, enquanto Hermione se empoleirava na beira da cama. — Não falaram muito comigo, mas gosto mais assim. E você como vai, Mione?

— Ah, estou ótima — respondeu a garota, que o examinava atentamente, como se ele estivesse doente.

Harry achava que sabia o porquê e, como não tinha o menor desejo de discutir a morte de Sirius ou qualquer outro assunto triste naquele momento, perguntou:

— Que horas são? Perdi o café da manhã?

— Não se preocupe, mamãe está trazendo uma bandeja para você; ela acha que está desnutrido — tranquilizou-o Rony, revirando os olhos para o teto. — Então, quais são as novidades?

— Muito poucas, até agora estive encalhado na casa dos meus tios, não é?

— Fala sério, cara! — exclamou Rony. — Você esteve viajando com Dumbledore!

— Não foi tão emocionante assim. Ele só queria que eu convencesse um antigo professor a interromper a aposentadoria. Um tal Horácio Slughorn.

— Ah. — Rony pareceu desapontado. — Pensamos que...

Hermione lançou-lhe um olhar de advertência, e na mesma hora Rony mudou de assunto.

— ... pensamos que poderia ser uma coisa dessas.

— Pensaram? — Harry achou graça.

— É... é, já que a Umbridge foi embora, é óbvio que precisaremos de um novo professor de Defesa Contra as Artes das Trevas, não acha? Então, hum, como é que ele é?

— Lembra um pouco um leão-marinho e foi diretor da Sonserina — informou Harry. — Alguma coisa errada, Hermione?

A garota observava o amigo como se esperasse que ele manifestasse sintomas estranhos a qualquer instante. Mas se recompôs depressa e deu um sorriso nada convincente.

— Não, claro que não! E aí, você acha que o Slughorn vai dar um bom professor?
— Não sei. Não pode ser pior do que a Umbridge, pode?
— Eu conheço alguém que é pior do que a Umbridge. — A irmã mais nova de Rony adentrou o quarto, irritada. — Oi, Harry.
— Qual é o problema? — perguntou Rony.
— Ela. — Gina se largou na cama de Harry. — Está me deixando pirada.
— Que foi que ela fez agora? — perguntou Hermione, solidária.
— É o modo como fala comigo, como se eu tivesse três anos de idade!
— Eu sei — concordou Hermione baixando a voz. — Ela é tão sebosa!
Harry ficou espantado de ouvir Hermione se referir à sra. Weasley daquele jeito, e não pôde culpar Rony por retrucar com raiva:
— Será que vocês duas não podem parar de implicar com ela por cinco minutos?
— Ah, vai, defende — retrucou Gina. — A gente sabe que você não se cansa dela.

Era um comentário estranho sobre a mãe de Rony; começando a achar que perdera alguma coisa, Harry perguntou:
— De quem vocês...?
A pergunta foi respondida antes que ele a terminasse. A porta do quarto tornou a se escancarar, e o garoto instintivamente puxou as cobertas até o queixo com tanta força que Hermione e Gina foram parar no chão.

Havia uma jovem parada no portal, e sua beleza era tão sufocante que o quarto pareceu ficar estranhamente abafado.

Era alta e esguia, e tinha cabelos compridos e louros que davam a impressão de refletir um leve fulgor prateado. Para completar a visão, a jovem trazia uma pesada bandeja com o café da manhã de Harry.

— Arry — disse com uma voz gutural. — Faz tante tempe! — Quando cruzou o portal e foi em direção a Harry, a sra. Weasley surgiu logo atrás, parecendo muito aborrecida.

— Não precisava trazer a bandeja. Eu mesma já vinha trazer!
— Nam foi trrabalhe nenhum — disse Fleur Delacour, apoiando a bandeja nos joelhos de Harry e curvando-se num movimento ágil para lhe dar um beijo em cada bochecha: ele sentiu uma queimação onde a moça encostara os lábios. — Estave doide parra verr ele. Lembrra minhe irman, Gabrielle? Não parra de falarr em Arry Potter. Vai ficarr encantade de reverr você.
— Ah... ela também está aqui? — grasnou Harry.
— Nam, nam, bobin — retrucou Fleur com um sorriso tilintante. — Querr dizerr ne prróxime verrão, quando nós... mas você ainde nam sabe?

Seus grandes olhos se arregalaram e, com ar de censura, fixaram a sra. Weasley, que disse:

— Ainda não tivemos tempo de contar.

Fleur voltou sua atenção para Harry, sacudindo a cabeleira prateada contra o rosto da sra. Weasley.

— Gui e eu vamos nos casar!

— Ah! — exclamou Harry sem entender. Não pôde deixar de notar que a sra. Weasley, Hermione e Gina evitavam deliberadamente se olhar. — Uau. Ah... felicidades!

Fleur deu outro mergulho para beijá-lo outra vez.

— Gui stá muite ocupade ne momente, trrabalhande muite, eu só trrabalho parrte de dia ne Grringotes parra melhorrar meu inglês, entam ele me trrouxe prra passarr uns dies e conhecerr a família dele dirreite. Fique tam feliz que você vinhe... nam tem muite que fazerr aqui se a gente nam goste de cozinha e galinhes! Beim: bom apetite, Arry!

E, dizendo isso, ela se virou graciosamente, como se flutuasse, e saiu do quarto, fechando a porta sem fazer ruído.

A sra. Weasley soltou uma exclamação que soou como um "tcha".

— Mamãe detesta ela — comentou Gina baixinho.

— Eu não detesto a moça! — protestou a sra. Weasley num sussurro irritado. — Acho que se apressaram demais para noivar, só isso.

— Eles já se conhecem há um ano — justificou Rony, que parecia estranhamente tonto com os olhos pregados na porta fechada.

— Ora, não é tanto tempo assim! Obviamente eu sei por que foi. Com toda essa incerteza por causa da volta de Você-Sabe-Quem, as pessoas acham que podem estar mortas amanhã, então tomam decisões precipitadas que normalmente demorariam a tomar. Foi o mesmo que aconteceu da última vez que ele se tornou poderoso, gente fugindo para casar a torto e a direito...

— Inclusive você e papai — concluiu Gina astutamente.

— Verdade, mas seu pai e eu fomos feitos um para o outro, por que iríamos esperar? — justificou-se a sra. Weasley. — Enquanto no caso de Gui e Fleur... bem... que é que eles têm realmente em comum? Ele é um rapaz trabalhador, uma pessoa que tem os pés no chão, enquanto ela é...

— Uma vaca — emendou Gina, confirmando o que dizia com a cabeça.

— Mas Gui não tem os pés no chão. É um desfazedor de feitiços, não é?, gosta de um pouco de aventura, um pouco de glamour... imagino que tenha sido por isso que se apaixonou pela Fleuma.

— Pare de chamar a moça assim, Gina — falou com rispidez a sra. Weasley, enquanto Harry e Hermione riam. — Bem, é melhor eu continuar... coma os ovos enquanto estão quentes, Harry.

Com um ar apreensivo, ela saiu do quarto. Rony continuava com cara de quem levara um soco; sacudia a cabeça como um cachorro que quisesse sacudir a água dos ouvidos.

— Você não se acostuma com ela nem morando na mesma casa? — perguntou Harry.

— Bem, me acostumo — explicou Rony —, mas se ela aparece de repente, como agora há pouco...

— É patético — explodiu Hermione, tomando distância de Rony e virando-se de frente para enfrentá-lo, de braços cruzados, ao deparar com a parede.

— Você não quer realmente que ela fique aqui para sempre, não é? — perguntou Gina ao irmão, incrédula. Ao notar que ele apenas encolhia os ombros, continuou: — A mamãe vai dar um basta nessa história, se puder, aposto o que você quiser.

— E como ela vai conseguir isso? — perguntou Harry.

— Ela não para de convidar a Tonks para almoçar. Acho que tem esperança de que Gui se apaixone por ela. Torço para que isso aconteça, prefiro muito mais a Tonks em nossa família.

— Estou mesmo vendo isso acontecer — comentou Rony com sarcasmo.

— Escute aqui, nenhum cara com o juízo perfeito vai preferir a Tonks se a Fleur estiver por perto. Quero dizer, a Tonks é legal quando não faz bobagens com o cabelo e o nariz, mas...

— Ela é muito mais bonita do que a *Fleuma* — teimou Gina.

— E é mais inteligente, é uma auror! — falou Hermione lá do seu canto.

— A Fleur não é burra, teve mérito suficiente para participar do Torneio Tribruxo — disse Harry.

— Ah, você também, Harry?! — exclamou Hermione desapontada.

— Suponho que você goste do jeito com que a Fleuma diz "Arry", é isso? — perguntou Gina com desprezo.

— Não — respondeu Harry, desejando não ter aberto a boca. — Eu só estava dizendo que a Fleuma, quero dizer, a Fleur...

— Pois eu prefiro ter a Tonks na nossa família. Pelo menos ela é divertida.

— Ela não tem sido muito divertida ultimamente — retrucou Rony. — Todas as vezes que a vi, estava parecendo mais a Murta Que Geme.

— Isto não é justo — protestou Hermione rispidamente. — Ela ainda não superou o que aconteceu... sabe... quero dizer, ele era primo dela!

Harry sentiu um aperto no coração. Tinham chegado a Sirius. Ele apanhou um garfo e começou a encher a boca de ovos mexidos, esperando evitar convites para participar daquela conversa.

– Tonks e Sirius mal se conheciam! – lembrou Rony. – Sirius esteve preso em Azkaban metade da vida dela e antes disso as famílias dos dois nem se encontravam...

– A questão não é essa – disse Hermione. – Ela acha que foi a responsável pela morte de Sirius!

– E como é que ela chegou a essa conclusão? – perguntou Harry, mesmo sem querer.

– Bem, ela estava enfrentando Belatriz Lestrange, concorda? A minha impressão é que Tonks sente que, se a tivesse liquidado, Belatriz não poderia ter matado Sirius.

– Que idiotice – comentou Rony.

– É o sentimento de culpa de quem sobrevive. Sei que Lupin tentou argumentar, mas ela continua deprimida. Está tendo até problemas para se metamorfosear!

– Para o quê...?

– Não consegue mais mudar a aparência como costumava fazer – explicou Hermione. – Acho que os poderes dela devem ter sido afetados pelo choque ou coisa do gênero.

– Eu não sabia que isso era possível – admirou-se Harry.

– Nem eu – falou Hermione –, mas suponho que se a pessoa ficar realmente deprimida...

A porta tornou a abrir e a sra. Weasley meteu a cabeça no quarto.

– Gina – sussurrou –, desce e vem me ajudar a preparar o almoço.

– Estou conversando com a galera! – reclamou Gina indignada.

– Agora! – mandou a sra. Weasley, e se retirou.

– Ela só quer a minha companhia para não ter de ficar sozinha com a Fleuma! – continuou Gina enfurecida. E agitou os longos cabelos ruivos para os lados, em uma boa imitação de Fleur, andando pelo quarto com os braços erguidos como se fosse uma bailarina.

– E galera, é melhor vocês descerem logo também – disse ao sair.

Harry aproveitou o silêncio momentâneo para comer mais. Hermione espiava dentro das caixas de Fred e Jorge, embora, de tempos em tempos, lançasse um olhar de esguelha para Harry. Rony agora estava se servindo da torrada de Harry, ainda contemplando sonhadoramente a porta.

– Que é isso? – perguntou por fim Hermione, erguendo um objeto que parecia um pequeno telescópio.

— Sei lá — respondeu Rony. — Fred e Jorge deixaram isso aí, provavelmente ainda não está pronto para ser vendido na loja, cuidado.
— Sua mãe diz que a loja está indo bem — comentou Harry. — Que Fred e Jorge realmente têm jeito para o negócio.
— Isto é dizer pouco — comentou Rony. — Eles estão se enchendo de galeões! Nem posso esperar para ver a loja. Ainda não fomos ao Beco Diagonal, porque mamãe diz que papai tem de ir também por medida de segurança, e ele tem andado muito ocupado no trabalho. Parece que a loja vai bem demais.
— E o Percy? — quis saber Harry. Ele tinha se afastado do resto da família.
— Já voltou a falar com seu pai e sua mãe?
— Não.
— Mas ele sabe que o seu pai tinha razão sobre o retorno de Voldemort...
— Dumbledore diz que as pessoas acham mais fácil perdoar os outros quando estão errados do que quando estão certos — lembrou Hermione.
— Eu o ouvi dizendo isso à sua mãe, Rony.
— Parece o tipo de frase "cabeça" que Dumbledore diria — sentenciou ele.
— Este ano ele vai me dar aulas particulares — informou Harry em tom descontraído.
Rony engasgou com a torrada e Hermione ofegou.
— E você ficou na moita! — exclamou Rony.
— Só me lembrei agora — respondeu Harry com sinceridade. — Ele me disse ontem à noite no barracão das vassouras.
— Caramba... aulas particulares com Dumbledore! — Rony ficou impressionado. — Por que será que ele...
Sua voz foi sumindo. Harry viu os dois amigos se entreolharem. O garoto descansou a faca e o garfo, o coração acelerado, considerando que estava apenas sentado numa cama. Dumbledore o aconselhara a contar... por que não agora? Ele fixou o olhar no garfo que refletia os raios de sol sobre o seu colo e disse:
— Não sei exatamente por que ele vai me dar aulas, mas acho que deve ser por causa da profecia.
Nem Rony nem Hermione falaram. Harry teve a impressão de que os dois tinham congelado. Ele continuou, ainda se dirigindo ao garfo:
— Aquela que estavam tentando roubar do Ministério.
— Mas ninguém sabe o que dizia — argumentou Hermione. — Quebrou-se.

— Embora o *Profeta* diga que... — começou Rony, mas Hermione pediu silêncio.

— O *Profeta* acertou — confirmou Harry, fazendo um grande esforço para encarar os amigos; Hermione parecia assustada e Rony admirado. — O globo de vidro que quebrou não era o único registro da profecia. Eu a ouvi completa no gabinete de Dumbledore, foi para ele que fizeram a profecia, daí ele pôde me contar. Pelo que dizia — Harry tomou fôlego —, sou eu que tenho de liquidar o Voldemort... pelo menos ela dizia que nenhum dos dois poderia viver enquanto o outro sobrevivesse.

Os três se fitaram em silêncio por um momento. Ouviram, então, um estampido forte e Hermione desapareceu em uma baforada de fumaça preta.

— Hermione! — gritaram Harry e Rony; a bandeja com o café da manhã escorregou e bateu no chão com estrondo.

Hermione reapareceu, tossindo, envolta em fumaça, ainda segurando o telescópio e exibindo um olho roxo berrante.

— Eu apertei isso e... e recebi um soco! — arquejou a garota.

E sem a menor dúvida, eles viam agora um punho minúsculo preso a uma comprida mola que saía da ponta do telescópio.

— Não se preocupe — tranquilizou-a Rony, tentando visivelmente não cair na gargalhada. — Mamãe dará um jeito no seu olho, ela é ótima para curar pequenos machucados...

— Ah, esqueçam isso agora! — apressou-se Hermione a dizer. — Harry, ah, Harry...

Ela tornou a sentar na beira da cama.

— Ficamos imaginando, quando voltamos do Ministério... é óbvio que não quisemos lhe dizer nada, mas, pelo que Lúcio Malfoy disse sobre a profecia, que era sobre você e o Voldemort, bem, achamos que devia ser uma coisa assim... ah, Harry... — Ela encarou-o e sussurrou: — Você está apavorado?

— Não tanto quanto já estive. Quando ouvi a profecia pela primeira vez, sim... mas agora tenho a sensação de que já sabia que no fim eu teria de enfrentar Voldemort...

— Quando ouvimos dizer que Dumbledore ia apanhar você pessoalmente, achamos que talvez fosse lhe dizer alguma coisa, ou mostrar alguma coisa com relação à profecia — disse Rony ansioso. — E tínhamos uma certa razão, não é? Ele não iria lhe dar aulas se achasse que você já era, não iria perder tempo: então deve achar que você tem uma chance!

— É verdade — disse Hermione. — Que será que ele vai lhe ensinar, Harry? Magia defensiva muito avançada, provavelmente... contramaldições poderosas... contrafeitiços...

Harry não estava realmente ouvindo. Sentia-se invadir por um calor que não vinha do sol; um bloqueio em seu peito parecia estar se dissolvendo. Sabia que Rony e Hermione estavam mais chocados do que demonstravam, mas o fato de continuarem a seu lado, consolando-o com palavras animadoras, sem fugir dele como se pudesse contagiá-los ou oferecer perigo, valia mais do que jamais poderia dizer a eles.

— ... e encantamentos evasivos de maneira geral — concluiu Hermione.

— Bem, pelo menos você já sabe uma das matérias que vai estudar este ano, o que é mais do que o Rony e eu sabemos. Quando será que vão chegar os resultados dos nossos N.O.M.s?

— Devem estar chegando, já faz um mês — disse Rony.

— Calma aí — atalhou Harry, lembrando-se de mais uma parte da conversa da noite anterior. — Acho que Dumbledore falou que os resultados iriam chegar hoje!

— Hoje! — esganiçou-se Hermione. — *Hoje?* Mas por que você não... ah, meu Deus... você devia ter dito...

Ela se levantou depressa.

— Vou ver se chegou alguma coruja...

Mas quando Harry chegou ao térreo, dez minutos depois, todo vestido e carregando a bandeja vazia do café, encontrou Hermione sentada à mesa da cozinha muito agitada, enquanto a sra. Weasley tentava dar um jeito em sua cara de urso panda de um olho só.

— Não quer sair — dizia ansiosa a sra. Weasley, ao lado de Hermione, com a varinha na mão e um exemplar de *O curandeiro aprendiz* aberto no capítulo "Hematomas, cortes e escoriações". — Isto sempre funcionou antes, não consigo entender.

— Deve ser a ideia de brincadeira engraçada de Fred e Jorge, garantir que não saia — comentou Gina.

— Mas tem de sair! — guinchou Hermione. — Não posso andar por aí com uma cara dessa para sempre.

— Você não vai, querida, vamos encontrar um antídoto, não se preocupe — tranquilizou-a a sra. Weasley.

— Gui me contu que Frred e Jorrge son muite engrraçades! — disse Fleur, sorrindo calmamente.

— São, sim, nem consigo respirar de tanto rir — retrucou Hermione.

Ela se pôs de pé de repente e começou a dar voltas e mais voltas pela cozinha, girando os dedos.

— Sra. Weasley, a senhora tem absoluta certeza de que não chegou nenhuma coruja hoje de manhã?

— Claro, querida, eu teria visto — respondeu a bruxa pacientemente.

— Mas mal acabou de dar nove horas, tem muito tempo ainda...

— Eu sei que fiz besteira em Runas Antigas — murmurou Hermione febril. — Decididamente fiz no mínimo um erro grave de tradução. E o exame prático de Defesa Contra as Artes das Trevas foi péssimo. No dia, achei que tinha me dado bem em Transfiguração, mas pensando melhor...

— Hermione, quer fazer o favor de calar a boca, você não é a única que está nervosa! — falou Rony com rispidez. — E quando receber os seus onze "ótimos" nos N.O.M.s...

— Não, não, não! — exclamou Hermione, agitando as mãos histericamente.

— Sei que não passei em nada!

— E o que acontece se a gente não passar? — perguntou Harry, sem se dirigir a ninguém em particular, mas Hermione respondeu outra vez.

— Discutimos as opções com a diretora da Casa, perguntei à professora McGonagall no fim do trimestre passado.

Harry sentiu o estômago revirar. Gostaria de ter comido menos ao café da manhã.

— An Beaubattons — disse Fleur com superioridade —, fazems tude diferrante. Ache qu erra melhorr. Prrestávams exams depôs de sês ans de estude e non cinque come aqui, e depôs...

As palavras de Fleur foram abafadas por um grito. Hermione estava apontando para a janela da cozinha. Viam-se três pontos pretos no céu, cada vez maiores.

— Positivamente são corujas — falou Rony rouco, pulando da mesa para se juntar à amiga na janela.

— E são três — acrescentou Harry, correndo para o outro lado da amiga.

— Uma para cada um de nós — disse Hermione num sussurro aterrorizado.

— Ah, não... ah, não... ah, não...

Ela agarrou os cotovelos de Harry e Rony.

As aves estavam voando diretamente para A Toca, três belas corujas pardas, cada uma — tornou-se visível quando sobrevoaram a entrada da casa — trazia um grande envelope quadrado.

— Ah, não! — guinchou Hermione.

A sra. Weasley tomou a frente dos garotos e abriu a janela da cozinha. Uma, duas, três corujas entraram voando e pousaram na mesa em fila. As três estenderam a perna direita. Harry se adiantou. A carta endereçada a ele estava presa à perna da coruja do meio. Ele desamarrou-a, atrapalhado. À sua esquerda, Rony tentava soltar as próprias notas; à direita, as mãos de Hermione tremiam tanto que ela fazia a coruja inteira tremer.

Ninguém na cozinha falou. Por fim, Harry conseguiu desprender o envelope. Abriu-o ligeiro e desdobrou o pergaminho que havia dentro.

RESULTADOS NOS NÍVEIS ORDINÁRIOS EM MAGIA

Notas de aprovação:	Notas de reprovação:
Ótimo (O)	Péssimo (P)
Excede Expectativas (E)	Deplorável (D)
Aceitável (A)	Trasgo (T)

RESULTADOS OBTIDOS POR HARRY POTTER

Adivinhação	P
Astronomia	A
Defesa Contra as Artes das Trevas	O
Feitiços	E
Herbologia	E
História da Magia	D
Poções	E
Transfiguração	E
Trato das Criaturas Mágicas	E

Harry leu o pergaminho todo várias vezes, começando a respirar aliviado a cada leitura. Tudo bem: sempre soube que não iria passar em Adivinhação, e não tivera chance de passar em História da Magia, uma vez que desmaiara no meio do exame, mas passara em todo o resto! Correu o dedo pelas notas... fora bem em Transfiguração e Herbologia, e até excedera a expectativa em Poções! E o melhor de tudo, recebera "Ótimo" em Defesa Contra as Artes das Trevas!

Olhou para os lados. Hermione estava de costas e cabeça baixa, mas Rony parecia muito feliz.

— Só não passei em Adivinhação e História da Magia, mas quem se importa — comentou alegremente com Harry. — Aqui... vamos trocar...

Harry passou os olhos pelas notas de Rony: não havia nenhum "Ótimo"...
— Eu sabia que você ia tirar a nota máxima em Defesa Contra as Artes das Trevas — disse ele, dando um soco no ombro de Harry. — Nos saímos bem, não?
— Parabéns! — exclamou a sra. Weasley orgulhosa, arrepiando os cabelos de Rony. — Sete N.O.M.s, é mais do que Fred e Jorge tiraram juntos!
— Hermione? — perguntou Gina hesitante, porque a amiga ainda não se virara. — E você, como foi?
— Eu... nada mal — respondeu Hermione muito baixinho.
— Ah, corta essa — rebateu Rony se aproximando e puxando os resultados da mão dela. — É: nove "Ótimo" e um "Excede Expectativas" em Defesa Contra as Artes das Trevas. — E, encarando-a meio risonho, meio exasperado. — Você está realmente desapontada, não é?
Hermione sacudiu negativamente a cabeça, mas Harry riu.
— Bem, agora somos alunos do N.I.E.M.! — exclamou Rony sorridente.
— Mamãe, ainda tem salsichas?
Harry tornou a ler os seus resultados. Eram tão bons quanto poderia ter esperado. Só sentia uma pontadinha de arrependimento... era o fim de sua ambição de ser auror. Não obtivera a nota exigida em Poções. Soubera o tempo todo que não conseguiria, mas sentiu o estômago afundar ao olhar mais uma vez para o pequeno "E" preto.
Era bem estranho, visto que tinha sido um Comensal da Morte disfarçado quem dissera pela primeira vez que Harry daria um bom auror, que a ideia o tivesse conquistado e ele não conseguisse realmente pensar em outra profissão futura. Além disso, tinha lhe parecido o destino certo para ele desde que ouvira a profecia há um mês... *nenhum poderá viver enquanto o outro sobreviver*... não estaria assim cumprindo a profecia e dando a si mesmo a melhor chance de sobreviver, se entrasse para o grupo de bruxos altamente treinados cuja função era encontrar e matar Voldemort?

6

A FUGIDA DE DRACO

Harry permaneceu dentro dos limites do jardim d'A Toca nas semanas seguintes. Passava a maior parte dos dias jogando quadribol em duplas no pomar dos Weasley (ele e Hermione contra Rony e Gina; Hermione era péssima e Gina boa, portanto estavam razoavelmente equilibrados) e, as noites, repetindo três vezes tudo que a sra. Weasley punha à sua frente para comer.

Teriam sido umas férias felizes e tranquilas se não fossem os casos de desaparecimentos, acidentes estranhos e até mortes que agora eram noticiados quase diariamente no *Profeta*. Por vezes Gui e o sr. Weasley traziam para casa notícias que ainda não tinham chegado ao jornal. Para desgosto da sra. Weasley, a festa do décimo sexto aniversário de Harry foi perturbada pelos espantosos relatos feitos por Remo Lupin, que parecia magro e deprimido, os cabelos castanhos fartamente embranquecidos, suas roupas mais rotas e remendadas que nunca.

– Tinha havido mais dois ataques de dementadores – anunciou ele, quando a sra. Weasley lhe ofereceu uma grossa fatia de bolo de aniversário. – E encontraram o corpo de Igor Karkaroff em um barraco no norte do país. Sobre o local pairava a Marca Negra, aliás, para ser franco, fico surpreso que ele tenha sobrevivido quase um ano depois de desertar os Comensais da Morte; lembro que o irmão de Sirius, Régulo, durou poucos dias.

– Foi – disse a sra. Weasley –, mas quem sabe devíamos mudar o rumo dessa...

– Você soube o que aconteceu com o Florean Fortescue, Remo? – perguntou Gui, a quem Fleur não parava de servir vinho. – O cara que dirigia...

– ... a sorveteria no Beco Diagonal? – interrompeu Harry, sentindo um vazio desagradável no fundo do estômago. – Ele costumava me servir sorvetes de graça. Que aconteceu com ele?

— Foi levado à força, pelo estado em que ficou a sorveteria.
— Por quê? — indagou Rony; a sra. Weasley olhou irritada para Gui.
— Quem vai saber? — Deve ter aborrecido os caras. — Era um bom sujeito, o Florean.
— Por falar em Beco Diagonal — lembrou o sr. Weasley —, parece que o Olivaras também desapareceu.
— O fabricante de varinhas?! — exclamou Gina surpresa.
— O próprio. A loja está vazia. Não há sinais de luta. Ninguém sabe se foi embora porque quis ou se foi sequestrado.
— Mas e as varinhas: onde é que as pessoas vão conseguir varinhas?
— Terão de se arranjar com os outros fabricantes — respondeu Lupin.
— Mas o Olivaras era o melhor, e se o outro lado o tiver levado não será bom para nós.

No dia seguinte a essa sombria festa de aniversário, chegaram cartas de Hogwarts e as listas de material escolar. As de Harry incluíam uma surpresa: fora nomeado capitão de quadribol.

— Isto equipara você aos monitores! — exclamou Hermione alegre. — Agora vai poder usar o nosso banheiro particular e todo o resto!

— Uau, eu me lembro de quando Carlinhos usava um desses — disse Rony examinando, satisfeito, o crachá. — Harry, que legal, você vai ser o meu capitão, se me deixar voltar ao time, imagino, ha ha...

— Bem, acho que não podemos adiar mais a ida ao Beco Diagonal, agora que receberam as cartas — suspirou a sra. Weasley, passando os olhos pela lista de Rony. — Iremos no sábado se o seu pai não precisar, outra vez, ir trabalhar. Não quero ir sem ele.

— Mamãe, a senhora acha sinceramente que Você-Sabe-Quem vai estar escondido atrás de uma estante na Floreios e Borrões? — falou Rony rindo.

— Fortescue e Olivaras saíram de férias, não foi? — respondeu a sra. Weasley se irritando mais uma vez. — Se você acha que a segurança é motivo para risadas, pode ficar em casa que eu mesma compro o seu material...

— Não, eu quero ir, quero ver a loja de Fred e Jorge! — Rony interrompeu-a rapidamente.

— Então guarde as suas opiniões para si mesmo, rapazinho, antes que eu decida que é imaturo demais para ir conosco! — retrucou a mãe com raiva, agarrando o relógio com os nove ponteiros, que continuavam a indicar *perigo mortal*, e equilibrando-o sobre a pilha de toalhas lavadas. — E isso se aplica à volta a Hogwarts também!

Rony virou-se para Harry, incrédulo, enquanto sua mãe erguia nos braços o cesto de roupas e o relógio mal equilibrado, e saía, brava, do aposento.

– Caracas... não se pode mais nem brincar nesta casa...

Mas, nos dias que se seguiram, Rony tomou cuidado para não falar levianamente de Voldemort. O sábado amanheceu sem outros rompantes da sra. Weasley, embora ela parecesse muito tensa ao café da manhã. Gui, que ia ficar em casa com Fleur (para grande alegria de Hermione e Gina), passou uma bolsa cheia de dinheiro para Harry.

– E cadê o meu? – perguntou Rony, na mesma hora, de olhos arregalados.

– Já está com o Harry, idiota – replicou Gui. – Saquei do cofre para você, Harry, porque está levando cinco horas para o público acessar os depósitos em ouro, tão rigorosas estão as medidas de segurança. Dois dias atrás, enfiaram, vocês sabem onde, um honestímetro no Arkie Philpott... bem, confiem em mim, assim foi mais fácil.

– Obrigado, Gui – disse Harry, embolsando seu ouro.

– Ele é sempre tam atenciose – ronronou Fleur com ar de adoração, acariciando o nariz de Gui. Gina fingiu que vomitava na tigela de cereal por trás de Fleur. Harry se engasgou com seu cornflakes, e Rony deu-lhe tapas nas costas.

Fazia um dia nublado e escuro. Um dos carros especiais do Ministério da Magia, em que Harry já andara, estava aguardando à frente da casa quando eles saíram ainda vestindo as capas.

– Que bom que papai pode requisitar carros outra vez – comentou Rony grato, espreguiçando-se com prazer enquanto o carro saía suavemente d'A Toca; Gui e Fleur acenavam da janela da cozinha. Rony, Harry, Hermione e Gina estavam confortavelmente acomodados no largo banco traseiro.

– É melhor não se acostumarem, é só por causa do Harry – lembrou o sr. Weasley por cima do ombro do garoto. Ele e a mulher iam no banco dianteiro com o motorista do Ministério; o banco se desdobrara obsequiosamente em uma espécie de sofá de dois lugares. – Ele é considerado de máxima segurança. E vamos receber reforços no Caldeirão Furado.

Harry não fez comentário algum; não lhe agradava fazer compras cercado de um batalhão de aurores. Guardara a Capa da Invisibilidade na mochila e achava que, se bastava para Dumbledore, deveria bastar para o Ministério, embora, pensando melhor, ele não tivesse muita certeza se o Ministério sabia da existência de sua capa.

— Chegamos — anunciou o motorista, após um tempo surpreendentemente rápido, falando pela primeira vez ao reduzir a marcha em Charing Cross e parar à porta do Caldeirão Furado. — Tenho ordens de esperar pelos senhores, têm ideia do quanto tempo vão demorar?

— Umas duas horas, espero — respondeu o sr. Weasley. — Ah, que bom, ele está aqui!

Harry imitou o sr. Weasley e espiou pela janela; seu coração deu um pulo. Não havia aurores à porta da estalagem, e, no lugar deles, reconheceu a forma barbuda de Rúbeo Hagrid, o guarda-caça de Hogwarts, vestindo um longo casaco de pele de castor e sorrindo ao ver o rosto de Harry, indiferente aos olhares assustados dos trouxas que passavam.

— Harry! — trovejou ele, arrebatando o garoto num abraço de moer os ossos, no momento em que Harry desceu do carro. — Bicuço, quero dizer, Asafugaz, você devia ver Harry, está tão feliz de voltar ao ar livre...

— Que bom que está feliz — respondeu Harry, rindo e massageando as costelas. — Não sabíamos que "reforços" queria dizer você!

— Eu sei, como nos velhos tempos, né? Sabe, o Ministério queria mandar um bando de aurores, mas Dumbledore disse que bastava eu — explicou Hagrid orgulhoso, estufando o peito e enfiando os polegares nos bolsos. — Então, vamos andando... vocês primeiro, Molly, Arthur...

Pela primeira vez na lembrança de Harry, o Caldeirão Furado estava completamente vazio. Do pessoal antigo, só restava Tom, o estalajadeiro, enrugado e sem dentes. Ergueu a cabeça esperançoso quando o grupo entrou, mas, antes que pudesse falar, Hagrid anunciou cheio de importância:

— Só estamos de passagem, Tom, você compreende. Assuntos de Hogwarts, sabe como é.

Tom assentiu com tristeza e continuou a enxugar copos; Harry, Hermione, Hagrid e os Weasley atravessaram o bar e saíram para o pequeno pátio frio nos fundos, onde ficavam as latas de lixo. Hagrid ergueu seu guarda-chuva cor-de-rosa e deu uma pancadinha em um certo tijolo no muro, que instantaneamente se abriu em arco, revelando uma tortuosa rua de pedras.

Eles atravessaram e pararam olhando para todos os lados.

O Beco Diagonal mudara. Os arranjos coloridos e brilhantes nas vitrines exibindo livros de feitiços, ingredientes e caldeirões para poções estavam ocultos por grandes cartazes do Ministério da Magia. A maioria, sombria e roxa, era uma versão ampliada dos panfletos sobre segurança que tinham sido distribuídos pelo Ministério durante o verão, mas outros continham fotos animadas em preto e branco dos Comensais da Morte que se sabiam estar foragidos. Belatriz Lestrange sorria desdenhosamente na fachada do boticário mais próximo. Algumas vitrines estavam fechadas com tábuas, inclusive a da Sorveteria Florean Fortescue. Em contraposição, tinham surgido várias barracas de aspecto miserável ao longo da rua. A mais próxima, instalada à porta da Floreios e Borrões sob um toldo de listras manchado, exibia um letreiro de papelão:

Amuletos: Contra Lobisomens, Dementadores e Inferi

Um bruxo miúdo e mal-encarado sacudia braçadas de correntes com símbolos prateados para os transeuntes.

– Uma para sua garotinha, madame? – ofereceu à sra. Weasley quando passaram, sorrindo lascivamente para Gina. – Para proteger esse lindo pescocinho?

– Se eu estivesse de serviço... – disse o sr. Weasley, olhando com raiva o vendedor de amuletos.

– Sei, mas não vai sair prendendo ninguém agora, querido, estamos com pressa – replicou a sra. Weasley, nervosa, consultando uma lista. – Acho que é melhor irmos à Madame Malkin primeiro, Hermione quer vestes de festa novas e os uniformes de Rony não estão mais nem cobrindo os tornozelos dele, e você também deve estar precisando de novos, Harry, cresceu tanto... vamos, todos...

– Molly, não faz sentido irmos todos à Madame Malkin – ponderou o sr. Weasley. – Por que os três não vão com Hagrid, e nós vamos comprar todos os livros escolares na Floreios e Borrões?

– Não sei – respondeu a sra. Weasley ansiosa, visivelmente dividida entre o desejo de terminar as compras rápido e o de manter o grupo unido. – Hagrid, você acha...?

– Não se preocupe, eles vão ficar bem comigo, Molly – disse Hagrid, tranquilizando-a e fazendo um aceno vago com a mão enorme, do tamanho de uma tampa de latão. A sra. Weasley não pareceu inteiramente convencida, mas permitiu a separação, apressando-se em direção à Floreios e Borrões, com o marido e Gina, enquanto Harry, Rony, Hermione e Hagrid seguiam para a Madame Malkin.

Harry reparou que muitas pessoas que passavam por eles tinham a mesma expressão mortificada da sra. Weasley, e que ninguém mais parava para conversar; os compradores se mantinham em grupos coesos, absortos em seus próprios afazeres. Aparentemente ninguém estava fazendo compras sozinho.

— Acho que vai ficar meio apertado lá dentro com todos nós — falou Hagrid, parando à porta da Madame Malkin e se abaixando para espiar pela vitrine. — Vou ficar de guarda aqui fora, tá?

Então Harry, Rony e Hermione entraram juntos na lojinha. No primeiro momento parecia vazia, mas, assim que a porta se fechou atrás deles, ouviram uma voz conhecida que vinha de trás de uma arara de vestes formais verdes e azuis com brilhos.

— ... não sou criança, caso a senhora não tenha reparado, mãe. Sou perfeitamente capaz de fazer minhas compras *sozinho*.

Ouviram, então, um muxoxo e uma voz que Harry reconheceu ser da Madame Malkin falou:

— Bem, querido, sua mãe tem razão, ninguém deve ficar andando por aí sozinho, não é uma questão de ser ou não criança...

— Vê se olha onde está enfiando esse alfinete!

Um adolescente pálido, de rosto pontudo e cabelos louro-brancos apareceu por trás da arara usando um belo conjunto de vestes verde-escuras, em que cintilavam alfinetes na barra da saia e das mangas. Ele caminhou até o espelho e estudou o efeito; demorou um momento para notar Harry, Rony e Hermione refletidos por cima do seu ombro. Seus olhos cinza-claro se estreitaram.

— Se você queria saber a razão do mau cheiro, mãe, uma Sangue Ruim acabou de entrar — disse Draco Malfoy.

— Acho que não há necessidade de falar assim! — disse Madame Malkin, saindo ligeira de trás da arara, segurando uma fita métrica e uma varinha. — E também não quero ninguém empunhando varinhas na minha loja! — apressou-se a acrescentar, porque, ao olhar em direção da porta, viu Harry e Rony parados ali com as varinhas apontadas para Malfoy.

Hermione, que estava um pouco atrás, sussurrou:

— Não, não façam nada, sinceramente, não vale a pena...

— É, como se vocês se atrevessem a usar magia fora da escola — debochou Malfoy. — Quem lhe deu o olho roxo, Granger? Quero mandar flores para eles.

— Agora basta! — disse Madame Malkin energicamente, olhando por cima do ombro em busca de apoio. — Madame, por favor...

Narcisa Malfoy saiu de trás da arara de roupas.

— Guardem isso — disse friamente para Harry e Rony. — Se vocês atacarem o meu filho outra vez, vou garantir que seja a última coisa que farão na vida.

— Verdade? — retrucou Harry dando um passo à frente e observando o rosto ligeiramente arrogante que, mesmo pálido, ainda lembrava o da irmã. Ele estava da altura dela agora. — Vai mandar uns coleguinhas Comensais nos matar, vai?

Madame Malkin soltou um guincho e levou as mãos ao coração.

— Francamente, você não devia fazer acusações... dizer uma coisa perigosa dessas... Guardem as varinhas, por favor!

Mas Harry não baixou a varinha. Narcisa Malfoy deu um sorriso antipático.

— Estou vendo que o fato de ser o favorito de Dumbledore lhe deu uma falsa sensação de segurança, Harry. Mas Dumbledore não estará sempre aqui para protegê-lo.

Harry correu os olhos por toda a loja com um ar zombeteiro.

— Uau... quem diria... ele não está aqui agora! Então, por que não experimentar? Talvez lhe arranjem uma cela de casal em Azkaban para fazer companhia ao perdedor do seu marido!

Malfoy fez um movimento agressivo em direção a Harry, mas tropeçou nas vestes muito longas. Rony soltou uma sonora gargalhada.

— Não se atreva a falar com a minha mãe assim, Potter! — vociferou Malfoy.

— Tudo bem, Draco — disse Narcisa segurando o ombro do filho com os dedos finos e pálidos. — Prevejo que Potter irá se reunir ao querido Sirius antes de eu me reunir ao Lúcio.

Harry ergueu sua varinha mais alto.

— Harry, não! — gemeu Hermione, agarrando o braço do amigo e tentando baixá-lo. — Pensa... você não deve... vai se meter em uma encrenca...

Madame Malkin agitou-se um momento sem sair do lugar, então resolveu agir como se nada estivesse acontecendo, na esperança de que de fato não acontecesse. Curvou-se para Malfoy, que ainda encarava Harry com ferocidade.

— Acho que essa manga esquerda devia ser um pouquinho mais curta, querido, me deixe...

— Ai! — berrou Malfoy, dando-lhe um tapa na mão. — Olhe onde enfia os alfinetes, mulher! Mãe... acho que não quero mais essas vestes...

E, puxando as vestes pela cabeça, atirou-as no chão aos pés de Madame Malkin.

— Você tem razão, Draco — disse Narcisa, lançando um olhar de desprezo a Hermione —, agora sei o tipo de ralé que compra aqui... será melhor comprarmos na Talhejusto e Janota.

Dito isto, os dois saíram da loja, Malfoy fazendo questão de esbarrar com toda a força em Rony, a caminho da porta.

— *Francamente!* — exclamou Madame Malkin, apanhando as roupas e passando a ponta da varinha por cima para remover o pó, como se fosse um aspirador.

A bruxa se mostrou aturdida durante toda a prova das vestes de Rony e Harry, e tentou vender modelos masculinos para Hermione em lugar de femininos, e, quando finalmente acompanhou-os à porta da loja, exibia o ar de quem estava contente de vê-los pelas costas.

— Compraram tudo? — perguntou Hagrid animado quando os garotos reapareceram ao seu lado.

— Quase tudo — respondeu Harry. — Você viu os Malfoy?

— Vi — confirmou Hagrid indiferente. — Mas eles não iam se atrever a provocar confusões no meio do Beco Diagonal, Harry, não se preocupe.

Harry, Rony e Hermione se entreolharam, mas, antes que pudessem desiludir Hagrid de ideia tão reconfortante, o casal Weasley e Gina chegaram, carregando pesados pacotes de livros.

— Vocês estão bem? — indagou a sra. Weasley. — Compraram as vestes? Ótimo, então, podemos dar uma passada no boticário e no Empório das Corujas, a caminho da loja do Fred e Jorge... fiquem juntos...

Nem Harry nem Rony compraram ingredientes no boticário, porque não iam mais estudar Poções, mas, no empório, compraram grandes caixas de nozes para Edwiges e Píchi. Então, com a sra. Weasley consultando o relógio a cada minuto, desceram a rua à procura da Gemialidades Weasley, a loja de logros de Fred e Jorge.

— Não temos realmente muito tempo — alertou a sra. Weasley. — Então vamos dar uma olhada rápida e voltar logo para o carro. Devemos estar bem perto, estamos no noventa e dois... noventa e quatro...

— Eh! — exclamou Rony parando de chofre.

Encaixada entre fachadas sem graça, cobertas de cartazes, as vitrines de Fred e Jorge chamavam a atenção como uma queima de fogos. Transeuntes distraídos olhavam por cima do ombro para as vitrines, e alguns muito espantados chegavam a parar, petrificados. A vitrine da esquerda ofuscava a vista tal a variedade de artigos que giravam, espocavam, piscavam, quicavam e gritavam; os olhos de Harry começaram a lacrimejar só de olhar. A vitrine da direita estava tomada por um gigantesco cartaz, roxo como os do Ministério, mas enfeitado com letras amarelas pulsantes.

Para que se preocupar com Você-Sabe-Quem?
DEVIA mais era se preocupar com
O-APERTO-VOCÊ-SABE-ONDE
a prisão de ventre que acometeu a nação!

Harry caiu na gargalhada. Ouviu um gemido fraquinho ao seu lado e, ao se virar, deparou com a sra. Weasley olhando estarrecida para o cartaz. Seus lábios se moviam, silenciosamente, enunciando as palavras "O-Aperto-Você-Sabe-Onde".

– Vão matar esses dois! – murmurou ela.

– Não, não vão! – contestou Rony, que, como Harry, estava às gargalhadas! – É genial!

E ele e Harry entraram na loja. Estava apinhada de fregueses: Harry não conseguia chegar às prateleiras. Ficou examinando tudo, olhando as caixas empilhadas até o teto: ali estavam o kit Mata-Aula que os gêmeos tinham aperfeiçoado no ano em que abandonaram Hogwarts, sem concluir o curso; Harry reparou que o Nugá Sangra-Nariz era o que saía mais, e restava apenas uma caixa arrebentada na prateleira. Havia latões cheios de varinhas de brinquedo. As mais baratas faziam aparecer galinhas de borracha ou calças compridas quando agitadas; as mais caras batiam no pescoço ou na cabeça do usuário desavisado; caixas de penas de escrever, nas opções Caneta-Tinteiro, Autorrevisora e Resposta-Esperta. Abriu-se um espaço na multidão e Harry pôde chegar ao balcão, onde um bando de crianças de dez anos observavam felizes um homenzinho de madeira subir lentamente os degraus de um patíbulo com duas forcas de verdade em cima de um caixote, onde se lia: Forca Reciclável – Soletre certo ou se enforque!

"Feitiços Patenteados para Devanear..."

Hermione conseguira se apertar até um grande mostruário junto ao balcão, e estava lendo a informação no verso de uma caixa com a foto muito colorida de um belo rapaz e uma moça desmaiando no tombadilho de um navio pirata.

"*Um simples encantamento e você mergulhará em um devaneio de trinta minutos excepcionalmente realista. Fácil de usar em uma aula normal e virtualmente imperceptível (efeitos colaterais: olhar vago e ligeira baba). Venda proibida a menores de dezesseis anos.*"

– Sabe – comentou Hermione, erguendo os olhos para Harry –, esta mágica é realmente extraordinária!

– Só por causa disso, Hermione – disse uma voz atrás deles –, você pode levar uma de graça.

Um Fred sorridente estava diante deles, usando um conjunto de vestes magenta que contrastavam magnificamente com seus cabelos muito ruivos.
— Como vai, Harry? — Eles se apertaram as mãos. — E que aconteceu com o seu olho, Hermione?
— Foi o seu telescópio esmurrador — respondeu a garota pesarosa.
— Ah, caramba, esqueci os telescópios — disse Fred. — Tome... E entregou a Hermione uma bisnaga que puxou do bolso; quando ela tirou a tampa, desajeitada, apareceu uma pasta amarela.
— É só passar que o roxo desaparecerá em uma hora — disse Fred. — Temos de achar um removedor decente para hematomas, estamos testando a maioria dos produtos em nós mesmos.
Hermione pareceu apreensiva.
— É seguro?
— Claro que é — respondeu Fred tranquilizando-a. — Vamos, Harry, quero lhe mostrar a loja.
Harry deixou Hermione passando a pasta no olho roxo e acompanhou Fred em direção aos fundos do salão, onde viu um mostruário com cartas e truques com cordas.
— Truques de magia dos trouxas — explicou contente, apontando os artigos. — Para excêntricos feito papai, sabe, que adoram coisas dos trouxas. Não são campeões de vendas, mas têm saída constante, são grandes novidades... Ah, aí vem o Jorge...
O gêmeo de Fred apertou a mão de Harry com energia.
— Fazendo o tour pela loja? Venha até os fundos, Harry, é onde está o nosso lucro, *você aí, se meter alguma coisa no bolso, vai pagar mais do que dez galeões!* — ele advertiu um garotinho que largou depressa um tubinho rotulado: Marcas Negras Comestíveis: Deixam qualquer um doente!
Jorge afastou uma cortina ao lado das mágicas dos trouxas e Harry viu uma sala mais escura e mais vazia. As embalagens dos produtos nas prateleiras eram mais discretas.
— Acabamos de desenvolver esta linha mais séria — disse Fred. — Foi engraçado como aconteceu...
— Você não acreditaria quantas pessoas, até mesmo funcionários do Ministério não conseguem fazer um Feitiço-Escudo decente — explicou Jorge.
— É claro que não tiveram você como professor, Harry.
— Sério... bem, achamos que os chapéus-escudo eram uma piada. Sabe, você põe o chapéu e desafia o colega a lançar um feitiço e fica olhando a cara dele quando o feitiço simplesmente não funciona. Mas o Ministério com-

prou quinhentos para todo o pessoal de apoio! E continuamos recebendo pedidos enormes!

– Então ampliamos a linha para incluir capas-escudo, luvas-escudo...

– ... quer dizer, não serviriam para proteger o cara das Maldições Imperdoáveis, mas para feitiços e encantamentos de leves a moderados...

– E pensamos em cobrir toda a área de Defesa Contra as Artes das Trevas, porque é uma mina de ouro – continuou Jorge entusiasmado. – Este aqui é legal. Veja, Pó Escurecedor Instantâneo, estamos importando do Peru. Maneiro para quem quer desaparecer rápido.

– E os Detonadores-Chamariz estão praticamente fugindo das nossas prateleiras, olhe. – Fred apontou para uma quantidade de objetos pretos esquisitos, dotados de apito que de fato tentavam sumir de vista. – A pessoa deixa cair um, sem ninguém ver, e ele sai correndo e apitando até sumir, e com isso desvia as atenções se precisar.

– Maneiro – comentou Harry impressionado.

– Leve alguns – ofereceu Jorge, apanhando uns dois e atirando-os para Harry.

Uma jovem bruxa de cabelos louros e curtos enfiou a cabeça por um lado da cortina; Harry notou que ela também usava o uniforme magenta da loja.

– Tem um freguês lá fora querendo um caldeirão de mentira, senhores Weasley – avisou a moça.

Harry achou muito estranho ouvir alguém chamar Fred e Jorge de senhores Weasley, mas eles aceitavam o tratamento com naturalidade.

– Certo, Vera, já estou indo – disse Jorge prontamente. – Harry, apanhe o que quiser, está bem? Oferta da casa.

– Não posso fazer isso! – protestou Harry, que já puxara a bolsa para pagar pelos Detonadores-Chamariz.

– Aqui você não paga – disse Fred com firmeza, dispensando o ouro de Harry.

– Mas...

– Você nos doou o capital inicial, não esquecemos – lembrou Jorge, sério. – Leve o que quiser e basta dizer às pessoas onde encontrou, caso perguntem.

Jorge passou rápido pela cortina e foi ajudar a atender a freguesia, e Fred voltou com Harry para o salão principal, onde encontraram Hermione e Gina ainda examinando a caixa dos Feitiços para Devanear.

– Vocês ainda não descobriram os nossos produtos Bruxa Maravilha? – perguntou Fred. – Sigam-me, senhoras...

Próximo à vitrine, havia um arranjo de produtos rosa berrante em torno do qual jovens animadas davam risadinhas entusiásticas. Hermione e Gina se detiveram mais atrás, cautelosas.

– Aí estão – anunciou Fred orgulhoso. – Melhor linha de poções de amor que vocês podem encontrar no mundo.

Gina ergueu a sobrancelha descrente.

– E funcionam?

– Claro que funcionam, por um período de até vinte e quatro horas de cada vez, dependendo do peso corporal do rapaz em questão...

– ... e a atração exercida pela moça – completou Jorge, reaparecendo de repente ao lado deles. – Mas não vamos vendê-las à nossa irmã – acrescentou, ficando inesperadamente sério. – Não quando já existem cinco rapazes no circuito.

– Se foi o Rony que lhe informou isso é uma baita mentira – retrucou Gina calmamente, curvando-se para tirar um potinho rosa da prateleira. – E isso o que é?

– O Infalível Removedor de Espinhas em Dez Segundos – disse Fred.

– Excelente para tudo, de furúnculos a cravos, mas não mude de assunto. No momento você está ou não está saindo com um rapaz chamado Dino Thomas?

– Estou. E da última vez que o vi, ele era um rapaz e não cinco. E aquilo ali?

Gina apontou para umas bolas redondas e felpudas em tons de rosa e roxo que giravam no fundo de uma gaiola emitindo guinchos agudos.

– Mini-pufes – informou Jorge. – Pufosos miniatura, não conseguimos reproduzi-los com a velocidade necessária. E o Miguel Corner?

– Acabei com ele, era mau perdedor – respondeu Gina, enfiando um dedo pela grade da gaiola e observando os mini-pufes se aglomerarem em volta. – São muito fofinhos!

– É, dão vontade de apertar – admitiu Fred. – Mas você está trocando de namorado meio rápido, não?

Gina virou-se para encarar o irmão, com as mãos nos quadris. Em seu rosto, havia uma expressão, "sra. Weasley", que surpreendeu Harry. Fred não se intimidou.

– Não é da sua conta. E ficarei muito agradecida a *você* – acrescentou com raiva para Rony, que acabara de aparecer ao lado de Jorge, carregado de mercadorias –, se parar de contar a esses dois mentiras a meu respeito!

– São três galeões, nove sicles e um nuque – somou Fred, examinando as muitas caixas que Rony trazia nos braços. – Pode se coçar.

— Sou seu irmão!
— E o que você está levando é nosso. Três galeões, nove sicles, não precisa pagar o nuque.
— Mas eu não tenho três galeões e nove sicles!
— Então é melhor devolver tudo, e para as prateleiras certas.

Rony deixou cair várias caixas e fez um gesto obsceno para Fred; por azar, foi visto pela sra. Weasley, que escolhera aquele momento para reaparecer.

— Se eu vir você fazendo isso outra vez, colo os seus dedos com um feitiço — avisou ela com rispidez.

— Mamãe, posso comprar um mini-pufe? — perguntou Gina sem perder tempo.

— Um o quê? — perguntou a mãe desconfiada.

— Olha, são tão bonitinhos...

A sra. Weasley deu um passo para examinar os mini-pufes, e Harry, Rony e Hermione momentaneamente puderam ver a rua através da vitrine. Draco Malfoy ia subindo a rua depressa e sozinho. Ao passar pela Gemialidades Weasley, olhou por cima do ombro. Segundos depois, saiu do campo de visão dos três.

— E cadê a mãe dele? — indagou Harry, enrugando a testa.

— Pelo jeito, Malfoy a despistou — respondeu Rony.

— Mas por quê? — admirou-se Hermione.

Harry não respondeu; ficou muito pensativo. Voluntariamente, Narcisa Malfoy não deixaria seu precioso filho fora de suas vistas; ele devia ter se empenhado para fugir de suas garras. Harry, conhecendo e desprezando Malfoy, tinha certeza de que havia segundas intenções naquilo.

Ele olhou ao redor. A sra. Weasley e Gina estavam curvadas para os mini-pufes. O sr. Weasley examinava encantado um baralho trouxa com as cartas marcadas. Fred e Jorge estavam atendendo a fregueses. Do outro lado da vitrine, Hagrid estava parado de costas para a loja, vigiando os dois lados da rua.

— Entrem depressa aqui embaixo — disse Harry tirando a Capa da Invisibilidade da mochila.

— Ah... não sei, Harry. — Hermione olhou insegura para a sra. Weasley.

— Anda *logo*! — insistiu Rony.

Ela hesitou mais um segundo, e entrou embaixo da capa com Harry e Rony. Ninguém reparou no desaparecimento deles; estavam muito interessados nos produtos de Fred e Jorge. Harry, Rony e Hermione se apertaram entre os fregueses para sair da loja o mais ligeiro possível, mas, quando finalmente alcançaram a rua, Malfoy também conseguira desaparecer.

— Ele estava indo naquela direção — murmurou Harry baixinho, para evitar que Hagrid, que cantarolava, os ouvisse.

— Vamos.

Os três saíram apressados, olhando para a direita e a esquerda, passaram por vitrines e portas, e por fim Hermione apontou em frente.

— Não é ele ali? — cochichou ela. — Virando à esquerda?

— Grande surpresa — respondeu Rony também cochichando.

Porque Malfoy olhara para os lados e entrara na Travessa do Tranco.

— Depressa senão o perdemos — disse Harry, acelerando o passo.

— Vão ver os nossos pés — comentou Hermione ansiosa, sentindo a capa esvoaçar e bater nos tornozelos deles; hoje em dia era muito mais difícil esconder os três.

— Não faz mal — impacientou-se Harry —, se apressem!

Mas a Travessa do Tranco, a rua lateral dedicada às artes das trevas, parecia completamente vazia. Eles espiaram pelas vitrines ao passar, mas não havia fregueses nas lojas. Harry supunha que nesses tempos perigosos e suspeitos seria bandeiroso comprar artigos das trevas ou, pelo menos, ser visto comprando algum.

Hermione beliscou o braço do amigo com força.

— Ai!

— Shh! Olha ele ali! — sussurrou a garota no ouvido de Harry.

Tinham chegado à única loja da Travessa do Tranco que Harry já visitara: a Borgin & Burkes, que homenageava um ladrão e um envenenador famosos, e era especializada em uma grande variedade de objetos sinistros. Ali, no meio de caixotes cheios de crânios e garrafas velhas, encontrava-se Draco Malfoy, de costas para eles, mal discernível além do mesmíssimo armário grande e escuro em que Harry se escondera para evitar os Malfoy, pai e filho. A julgar pelo movimento das mãos, Malfoy falava animadamente. O dono da loja, o sr. Borgin, um homem untuoso e encurvado, estava diante dele. O bruxo tinha uma curiosa expressão em que se misturavam o rancor e o medo.

— Se ao menos a gente pudesse ouvir o que estão dizendo! — lamentou Hermione.

— Podemos! — exclamou Rony, animado. — Calma aí... pô...

Ele deixou cair umas caixas, que ainda estava carregando, enquanto remexia na maior delas.

— Orelhas Extensíveis, veja!

— Fantástico! — admirou-se Hermione, enquanto Rony desenrolava os compridos fios cor de carne e começava a apontá-los em direção à parte inferior da porta. — Ah, espero que a porta não esteja Imperturbável...

— Não está! — respondeu Rony com alegria. — Escute!

Eles juntaram as cabeças para escutar atentamente as pontas dos fios, pelos quais ouviam a voz de Malfoy em alto e bom som, como se tivessem ligado um rádio.

— ... o senhor sabe como consertar?

— É possível — respondeu Borgin, indicando, pelo seu tom, que não queria se comprometer. — Mas primeiro preciso vê-la. Por que não traz aqui à loja?

— Não posso — argumentou Malfoy. — Tem de ficar onde está. Só preciso que me diga como consertar.

Harry viu Borgin umedecer nervosamente os lábios.

— Bem, sem ver, devo dizer que é uma tarefa muito difícil, talvez impossível. Não posso garantir nada.

— Não? — retrucou o rapaz, e, só pelo seu tom, Harry percebeu que sorria com desdém. — Talvez isto lhe dê mais segurança.

Malfoy aproximou-se de Borgin e desapareceu atrás do armário. Harry, Rony e Hermione chegaram para o lado tentando mantê-lo em seu campo visual, mas só conseguiram ver Borgin, que parecia muito amedrontado.

— Comente isto com alguém — disse Malfoy — e sofrerá o castigo merecido. O senhor conhece Fenrir Greyback? É um amigo de família, e virá visitá-lo de vez em quando para verificar se o senhor está dedicando total atenção ao problema.

— Não há necessidade de...

— Eu é que decido isso — respondeu Malfoy. — Bem, é melhor eu ir andando. E não se esqueça de guardar *isso* em lugar seguro. Vou precisar dela.

— Talvez queira levá-la agora?

— Não, claro que não, seu homenzinho burro, como é que eu ficaria carregando isso pela rua? Mas não a venda.

— Claro que não... senhor.

Borgin fez uma reverência tão profunda quanto Harry o vira fazer para Lúcio Malfoy.

— E nem uma palavra para ninguém, Borgin, nem mesmo minha mãe, entendeu?

— Naturalmente, naturalmente — murmurou Borgin, curvando-se mais uma vez.

No momento seguinte, a sineta da porta tilintou sonoramente, indicando a saída de Malfoy da loja, demonstrando grande satisfação consigo mesmo. Passou tão perto de Harry, Rony e Hermione que eles sentiram a capa esvoaçar em torno dos seus joelhos. Dentro da loja, Borgin permaneceu paralisado; seu sorriso untuoso desaparecera; parecia preocupado.

— Do que é que eles estavam falando? — sussurrou Rony, recolhendo as Orelhas Extensíveis.

— Não sei — respondeu Harry pensativo. — Ele quer que consertem alguma coisa... e quer que reservem outra aí dentro... você viu o que foi que ele apontou quando disse "isso"?

— Não, ele estava escondido por aquele armário...

— Vocês dois fiquem aqui — cochichou Hermione.

— Que é que você vai...?

Mas a garota já tinha saído debaixo da capa. Verificou o penteado na imagem refletida na vitrine e entrou decidida na loja, fazendo a sineta tocar. Ligeiro, Rony fez as Orelhas Extensíveis passarem novamente por baixo da porta e deu um fio a Harry.

— Olá, que manhã horrível, não é? — disse Hermione, animada, a Borgin, mas o homem, sem responder, lançou-lhe um olhar desconfiado. Cantarolando alegre, a garota saiu caminhando entre a confusão de objetos à mostra.

— Esse colar está à venda? — perguntou, parando ao lado de um balcão-vitrine.

— Se a senhorita tiver mil e quinhentos galeões — respondeu o bruxo com frieza.

— Ah... eh... não, não tenho tanto — disse a garota prosseguindo. — E... esse lindo... hum... crânio?

— Dezesseis galeões.

— Então está à venda? Não está reservado para ninguém?

Borgin examinou-a apertando os olhos. Harry teve a desagradável impressão de que o bruxo percebeu exatamente aonde Hermione queria chegar. Pelo jeito, a garota também percebeu que tinha sido descoberta, porque de repente abandonou a cautela.

— O caso é o seguinte... eh... o rapaz que esteve agora há pouco aqui, Draco Malfoy, bem, ele é meu amigo, e quero lhe comprar um presente de aniversário, mas, se ele já deixou alguma coisa reservada, obviamente não quero lhe dar a mesma coisa, então, ãh...

— Fora — disse o bruxo com rispidez. — Vá embora!

Hermione não esperou ser convidada pela segunda vez, correu para a porta com o bruxo em seus calcanhares. Quando a sineta tornou a soar e a garota saiu, ele bateu a porta e pendurou um aviso de "Fechada".

– Ah, bem – consolou-a Rony atirando a capa sobre a amiga. – Valeu a tentativa, mas você foi um pouco óbvia...

– Bem, da próxima vez você pode me mostrar como se faz, Mestre dos Mistérios! – retorquiu ela.

Os dois brigaram durante todo o percurso até a Gemialidades Weasley, onde foram forçados a se calar para passar despercebidos por Hagrid e uma sra. Weasley muito ansiosa, que claramente notara a ausência deles. Uma vez na loja, Harry despiu a Capa da Invisibilidade, escondeu-a na mochila e se reuniu aos dois quando insistiram, em resposta às acusações da sra. Weasley, que tinham estado o tempo todo na sala dos fundos, e que ela é que não tinha olhado direito.

7

O CLUBE DO SLUGUE

Harry passou grande parte da última semana de férias refletindo sobre o significado do comportamento de Malfoy na Travessa do Tranco. O que mais o intrigava era o ar de satisfação que ele exibia ao sair da loja. Nada que o fizesse parecer tão feliz podia ser boa notícia. Para seu aborrecimento, porém, nem Rony nem Hermione pareciam sentir a mesma curiosidade pelas atividades de Malfoy; ou, pelo menos, pareciam achar chato discutir o assunto ao fim de alguns dias.

– Eu já concordei que foi suspeito, Harry – impacientou-se Hermione. Ela estava sentada no parapeito da janela do quarto de Fred e Jorge, com os pés apoiados em uma das caixas de papelão, e foi contrariada que ergueu os olhos do seu novo livro *Tradução avançada das runas*. – E não acabamos concordando, também, que poderia haver muitas explicações?

– Talvez ele tenha quebrado a Mão da Glória dele – disse Rony distraidamente, consertando as cerdas tortas da cauda de sua vassoura. – Lembra aquele braço murcho que Malfoy tinha?

– Mas e quando ele disse "E não se esqueça de guardar *isso* em lugar seguro"? – perguntou Harry pela enésima vez. – Tive a impressão de que Borgin tinha o par do objeto quebrado e Malfoy queria os dois.

– É o que você acha? – quis saber Rony, agora tentando raspar uma sujeira do punho da vassoura.

– É – confirmou Harry. Mas não recebendo resposta nem de Rony nem de Hermione, acrescentou: – O pai de Malfoy está em Azkaban. Vocês não acham que ele gostaria de se vingar?

Rony ergueu a cabeça, piscando.

– Malfoy, se vingar? Que é que ele pode fazer?

– Esse é o problema, eu não sei! – respondeu Harry frustrado. – Mas ele está armando alguma, e acho que devíamos levar isso a sério. O pai dele é um Comensal da Morte e...

Harry parou de falar, seu olhar se fixou na janela atrás de Hermione, sua boca abriu. Acabara de lhe ocorrer uma ideia espantosa.

— Harry? — chamou Hermione ansiosa. — Que aconteceu?

— Sua cicatriz está doendo outra vez? — perguntou Rony nervoso.

— Ele é um Comensal da Morte — disse Harry lentamente. — Substituiu o pai como Comensal da Morte!

Fez-se um silêncio, e então Rony explodiu em uma gargalhada.

— *Malfoy*? Ele tem dezesseis anos, Harry! Você acha que Você-Sabe-Quem deixaria *Malfoy* se alistar?

— Acho muito improvável, Harry — comentou Hermione em um tom meio repressor. — Que é que faz você pensar...?

— Na loja da Madame Malkin. Ela nem chegou a tocar nele, Malfoy gritou e puxou o braço quando ela quis enrolar a manga da roupa dele. Era o braço esquerdo. Tatuaram a fogo a Marca Negra.

Rony e Hermione se entreolharam.

— Bem... — disse Rony, ainda sem convicção.

— Acho que ele só queria sair da loja, Harry — argumentou Hermione.

— Ele mostrou a Borgin uma coisa que não pudemos ver — contrapôs Harry com teimosia. — Uma coisa que deixou Borgin apavorado. Foi a Marca, sei que foi... ele mostrou ao bruxo com quem ele estava falando, e vocês viram que Borgin o levou muito a sério!

Rony e Hermione tornaram a se entreolhar.

— Não tenho certeza, Harry...

— É, continuo achando que Você-Sabe-Quem não deixaria Malfoy se alistar...

Contrariado, mas absolutamente convencido de que tinha razão, Harry passou a mão em uma pilha de uniformes de quadribol sujos e saiu do quarto. Fazia dias que a sra. Weasley estava pedindo que não deixassem a roupa suja e a arrumação do malão para o último instante. No patamar da escada, Harry colidiu com Gina, que subia para o próprio quarto levando uma pilha de roupa lavada.

— Eu não entraria na cozinha neste momento — alertou-o a garota. — Tem muita Fleuma no pedaço...

— Vou tomar cuidado para não escorregar — brincou Harry.

Realmente, quando entrou na cozinha, Harry viu Fleur sentada à mesa, falando animada sobre seus planos para o casamento com Gui, enquanto a sra. Weasley vigiava de cara feia uma pilha de brotos que se descascavam.

– ... Gui e eu prraticamente decidimes que querremos só duas damas de honra, Gina e Gabrrielle vam ficarr uma grraças juntes. Stou pensande em vestirr as duas de ourro clarre... naturralmente rrose ficarrie horrívell com os *cabeles* da Gina.

– Ah, Harry! – exclamou em voz alta a sra. Weasley, interrompendo o monólogo de Fleur. – Que bom, eu queria lhe explicar as medidas de segurança para a viagem a Hogwarts amanhã. Teremos carros do Ministério e aurores aguardando na estação...

– Tonks vai estar lá? – perguntou Harry, entregando-lhe as roupas de quadribol.

– Não, acho que não, ela foi designada para outro posto, pelo que me disse o Arthur.

– Ela se entrregou à depresson, aquele Tonks – admirou-se Fleur, examinando sua imagem estonteante nas costas de uma colher. – Um grrande erre, se querrem saber...

– Queremos, *muito obrigada* – disse a sra. Weasley acidamente, atalhando Fleur outra vez. – É melhor você se apressar Harry, quero os malões prontos hoje à noite, se possível, para não termos a correria de última hora de sempre.

E, de fato, a partida na manhã seguinte transcorreu mais tranquila do que o normal. Quando os carros do Ministério pararam suavemente à frente d'A Toca, encontraram tudo à espera: os malões, o gato de Hermione, Bichento – bem acomodado em seu cesto de viagem –, Edwiges, a coruja de Rony, Pichitinho e Arnaldo, o recente mini-pufe roxo de Gina, nas gaiolas.

– Au revoir, Arry – disse Fleur com sua voz gutural, dando-lhe um beijo de despedida. Rony adiantou-se rápido, esperançoso, mas Gina esticou a perna e o irmão caiu esparramado no chão aos pés de Fleur. Furioso, com a cara vermelha e suja de terra, ele entrou ligeiro no carro, sem se despedir.

Não encontraram o bem-humorado Hagrid aguardando na estação de King's Cross. Dois aurores barbudos, muito sérios e vestindo ternos de trouxas, se aproximaram no instante em que os carros pararam e flanquearam o grupo, sem dizer uma palavra, para conduzi-lo à estação.

– Andem, andem, atravessem a barreira – apressou-os a sra. Weasley, que parecia um pouco nervosa com aquela eficiência formal. – É melhor Harry ir primeiro, com...

E lançou um olhar de indagação a um dos aurores, que fez um breve aceno de cabeça, agarrou Harry pelo braço e tentou guiá-lo em direção à barreira entre as plataformas nove e dez.

— Sei andar, obrigado — falou Harry irritado, desvencilhando o braço do aperto do auror. Empurrou, então, o carrinho de bagagem diretamente para a barreira, ignorando seu companheiro silencioso, e viu-se, um segundo depois, na plataforma 9¾, onde já se encontrava o expresso vermelho de Hogwarts, lançando fumaça sobre a multidão.

Segundos depois, Hermione e os Weasley se reuniram a ele. Sem consultar o auror carrancudo, Harry fez sinal a Rony e Hermione para acompanhá-lo, à procura de um compartimento vazio.

— Não podemos, Harry — disse Hermione, desculpando-se. — Rony e eu temos de ir ao carro dos monitores primeiro e depois patrulhar os corredores por um tempo.

— Ah, é, me esqueci.

— É melhor vocês irem direto para o trem, só faltam alguns minutos — avisou a sra. Weasley, consultando o relógio. — Bem, um bom trimestre, Rony...

— Sr. Weasley, posso dar uma palavrinha com o senhor? — perguntou Harry, tomando uma repentina decisão.

— Claro — respondeu o bruxo, ligeiramente surpreso, mas acompanhou Harry até um ponto da plataforma em que não podiam ser ouvidos.

Harry refletira longamente e chegara à conclusão de que, se ia contar a alguém, o sr. Weasley seria a pessoa certa; primeiro porque ele trabalhava no Ministério e, portanto, estava em melhor posição de aprofundar as investigações; e, segundo, porque achava que o risco do sr. Weasley ter uma explosão de raiva era pequeno.

Quando se afastaram, ele viu a sra. Weasley e o auror sério lançarem aos dois olhares desconfiados.

— Quando estávamos no Beco Diagonal... — começou Harry, mas o sr. Weasley antecipou-se a ele com uma careta.

— Será que estou prestes a descobrir aonde você, Rony e Hermione foram enquanto pensávamos que estivessem na sala dos fundos da loja de Fred e Jorge?

— Como foi que o senhor...?

— Por favor, Harry. Você está falando com o homem que criou Fred e Jorge.

— Ãh... sim, tudo bem, não estávamos na sala dos fundos.

— Muito bem, então, vamos ouvir o pior.

— Bem, seguimos o Draco Malfoy. Usamos a minha Capa da Invisibilidade.

— Vocês tiveram alguma razão para fazer isso ou foi só um capricho?

— Achei que o Malfoy estava armando alguma coisa — respondeu Harry, fingindo não ver a cara do sr. Weasley em que se misturavam a irritação e o divertimento. — Ele tinha despistado a mãe, e eu queria saber por quê.
— E naturalmente ficou sabendo — disse o bruxo resignado. — Então? Descobriu por quê?
— Ele foi a Borgin & Burkes e começou a intimidar o cara lá, o Borgin, para ajudá-lo a consertar alguma coisa. E disse que queria que reservasse uma coisa para ele. Falou de um jeito que pareceu que era o mesmo tipo de coisa que precisava de conserto. Como se formassem um par. E...
Harry tomou fôlego.
— E tem mais uma coisa. Vimos o Malfoy subir nas paredes quando a Madame Malkin tentou tocar seu braço esquerdo. Acho que ele foi tatuado com a Marca Negra. Acho que substituiu o pai como Comensal da Morte.
O sr. Weasley pareceu confuso. Passado um momento, disse:
— Harry, duvido que Você-Sabe-Quem permitisse que um garoto de dezesseis anos...
— Será que alguém sabe realmente o que Você-Sabe-Quem faria ou não faria? — perguntou Harry zangado. — Sr. Weasley, me desculpe, mas será que não vale a pena investigar? Se Malfoy quer mandar consertar alguma coisa e precisa ameaçar Borgin para conseguir, provavelmente é alguma coisa das trevas ou perigoso, não é?
— Para ser sincero, eu duvido, Harry — respondeu o sr. Weasley lentamente. — Sabe, quando Lúcio Malfoy foi preso, revistamos a casa dele. Removemos tudo que pudesse ser perigoso.
— Acho que deixaram escapar alguma coisa na revista — teimou Harry.
— Bem, talvez — disse o sr. Weasley, mas Harry percebeu que o bruxo estava apenas tentando não contrariá-lo.
Um apito soou às suas costas; quase todos já tinham embarcado e as portas do trem estavam fechando.
— É melhor se apressar — disse o sr. Weasley, quando a sra. Weasley gritou:
— Harry, se apresse!
Ele correu para o trem, e o casal Weasley ajudou-o a embarcar o malão.
— Lembre-se querido, vem passar o Natal conosco, já combinamos com o Dumbledore, então logo o veremos — disse a sra. Weasley pela janela, enquanto Harry batia a porta e o trem começava a se mover. — Não se esqueça de se cuidar e...
O trem ganhou velocidade.

– ... comporte-se e...
Ela agora corria para acompanhar o trem.
– ... não se exponha!
Harry acenou até o trem fazer a primeira curva, e o sr. Weasley e a sra. Weasley desaparecerem de vista. Então, se virou para localizar os amigos. Supunha que Rony e Hermione estivessem enclausurados no carro dos monitores, mas Gina estava mais adiante no corredor, conversando com alguns amigos. Encaminhou-se para ela, arrastando o malão.

As pessoas o encararam abertamente quando ele se aproximou. Chegavam a colar os rostos nas janelas dos compartimentos para espiar melhor. Imaginara que haveria um crescimento no número de bocas abertas e olhares de curiosidade que teria de suportar neste trimestre depois da boataria sobre "O Eleito", publicada no *Profeta Diário*, mas não gostava da sensação de estar parado sob holofotes. Bateu de leve no ombro de Gina.

– Quer procurar outro compartimento?

– Não posso, Harry, prometi me encontrar com o Dino – respondeu a garota animada. – Vejo você depois.

– Certo. – Harry sentiu uma estranha fisgada de contrariedade quando ela se afastou, os longos cabelos ruivos dançando nas suas costas. Ele se acostumara de tal maneira à sua presença no verão que quase se esquecera de que Gina não andava com ele, Rony e Hermione quando estavam na escola. Piscou e olhou ao seu redor: estava cercado de garotas hipnotizadas.

– Oi, Harry! – disse uma voz conhecida atrás dele.

– Neville! – exclamou Harry aliviado, virando-se para olhar o garoto de rosto redondo que tentava se aproximar.

– Olá, Harry – cumprimentou uma garota de cabelos longos e olhos sonhadores, que vinha logo atrás de Neville.

– Luna, oi, como vai?

– Ótima, obrigada. – Apertava uma revista contra o peito; letras garrafais anunciavam que dentro dela havia um par de Espectrocs.

– O *Pasquim* continua firme e forte? – perguntou Harry, que sentia um certo carinho pela revista, à qual dera uma entrevista exclusiva no ano anterior.

– Ah, sim, a circulação aumentou muito – respondeu Luna, feliz.

– Vamos procurar um lugar para sentar? – convidou Harry, e os três atravessaram o trem em meio à curiosidade silenciosa de hordas de alunos. Por fim, encontraram um compartimento vazio em que, agradecido, Harry entrou rapidamente.

– Estão olhando até para *nós* – comentou Neville, incluindo Luna em seu gesto. – Só porque estamos com você!

– Estão olhando para você porque também esteve no Ministério – lembrou Harry, enquanto erguia o malão para guardá-lo no bagageiro. – A nossa pequena aventura por lá esteve nas páginas do *Profeta Diário*, você deve ter visto.

– Vi, achei que vovó ficaria danada com aquela publicidade toda – contou Neville –, mas ela ficou realmente satisfeita. Diz que demorei, mas que, enfim, estou começando a honrar o meu pai. E até me comprou uma varinha nova, veja!

E tirou a varinha para mostrá-la a Harry.

– Cerejeira e pelo de unicórnio – anunciou orgulhoso. – Achamos que foi uma das últimas que Olivaras vendeu, ele desapareceu no dia seguinte... ei, volta aqui, Trevo!

Neville mergulhou embaixo do banco para recuperar o sapo que fazia mais uma tentativa de ganhar a liberdade.

– Vamos continuar com as reuniões da AD este ano, Harry? – perguntou Luna, destacando um par de óculos psicodélicos das páginas do *Pasquim*.

– Não faz muito sentido agora que nos livramos da Umbridge, não é? – indagou Harry, sentando-se. Neville bateu com a cabeça ao sair de baixo do banco. Parecia muito desapontado.

– Eu gostava da AD! Aprendi um montão de coisas com você!

– Eu gostei das reuniões também – concordou Luna, serenamente. – Era como se eu tivesse amigos.

Foi um daqueles comentários inconvenientes que Luna fazia com frequência e que produziam em Harry uma sensação de pena e constrangimento, ao mesmo tempo. Antes que pudesse responder, porém, houve uma agitação à porta do compartimento; um grupo de garotas do quarto ano estava cochichando e rindo bobamente junto à janela.

– Você pergunta!
– Eu não, você!
– Eu pergunto!

Uma delas, então, com ar decidido, queixo saliente, grandes olhos e cabelos pretos, abriu a porta e entrou.

– Oi, Harry, eu sou Romilda, Romilda Vane – apresentou-se em voz alta e confiante. – Por que não vem se reunir a nós em nosso compartimento? Não precisa se sentar com *eles* – acrescentou com um sussurro teatral, apontando para o traseiro que Neville deixara de fora ao tatear embaixo do banco, à procura do Trevo, e para Luna, agora usando seus Espectrocs promocionais, que lhe davam a aparência de uma coruja louca e multicolorida.

— Eles são meus amigos — respondeu Harry com frieza.

— Ah! — exclamou a garota, fazendo ar de grande surpresa. — Ah. O.k. E retirou-se, fechando a porta ao sair.

— As pessoas esperam que você tenha amigos mais legais que nós — comentou Luna, demonstrando mais uma vez o seu talento para a rude franqueza.

— Vocês são legais — disse Harry resumindo. — Nenhuma delas esteve no Ministério. Não combateram comigo.

— Que coisa gostosa de se ouvir — comentou uma sorridente Luna, que ajeitou os Espectrocs na ponte do nariz e se acomodou para ler *O Pasquim*.

— Mas não enfrentamos *ele* — disse Neville, levantando-se com os cabelos cheios de cotão e poeira e um Trevo com ar resignado na mão. — Você sim. Devia ouvir minha avó falando de você. *"Aquele Harry tem mais coragem do que todo o Ministério da Magia junto!"* Ela daria tudo para ter você como neto...

Harry riu, sem graça, e mudou de assunto assim que pôde, comentando os resultados dos N.O.M.s. Enquanto Neville recitava suas notas e se perguntava em voz alta se poderia fazer o curso avançado de Transfiguração tendo tirado apenas um "Aceitável", Harry o observava sem realmente escutar.

A infância de Neville fora arruinada por Voldemort tal como a de Harry, mas o amigo não fazia a menor ideia de como chegara perto de ter o destino dele. A profecia poderia ter se referido a qualquer um dos dois, contudo, por motivos próprios e insondáveis, Voldemort preferira acreditar que se referia a Harry.

Se Voldemort tivesse escolhido Neville, ele é quem estaria sentado diante de Harry com a cicatriz em forma de raio e o peso da profecia... ou será que não? Será que a mãe de Neville teria morrido para salvá-lo, como Lílian morrera por Harry? Com certeza que sim... mas e se não tivesse conseguido se interpor entre Voldemort e o filho? Então, será que não haveria "Eleito" algum? Só um banco vazio onde Neville se sentava agora e um Harry sem cicatriz que teria recebido um beijo de despedida de sua mãe e não da de Rony?

— Você está bem, Harry? Está com uma cara estranha — comentou Neville. Harry se assustou.

— Desculpe... eu...

— Foi atacado por um zonzóbulo? — perguntou Luna gentilmente, observando Harry através de seus enormes Espectrocs multicoloridos.

— Eu... fui o quê?
— Um zonzóbulo... são invisíveis, entram pelos ouvidos e baralham o cérebro da gente — explicou ela. — Pensei ter pressentido um voando por aqui.

Ela agitou as mãos no ar, como se espantasse enormes mariposas invisíveis. Harry e Neville se entreolharam e começaram depressa a discutir quadribol.

Das janelas do trem, entrevia-se o tempo enevoado aqui e claro mais adiante, como estivera o verão inteiro; eles passavam por trechos de névoa enregelante seguidos por outros em que o sol brilhava fracamente. Foi em um desses em que aparecia o sol, quase a pino, que Rony e Hermione finalmente entraram no compartimento.

— Gostaria que o carrinho do lanche viesse logo, estou faminto — anunciou Rony ansioso, largando-se no banco ao lado de Harry esfregando a barriga. — Oi, Neville, oi, Luna. Querem saber da novidade? — acrescentou ele, virando-se para Harry. — Malfoy não está cumprindo as tarefas de monitor. Está sentado no compartimento dele com colegas da Sonserina, vimos quando passamos.

Harry sentou-se direito, interessado. Não era do feitio de Malfoy perder uma oportunidade de exercer o seu poder de monitor, função de que usara e abusara durante todo o ano anterior.

— Que foi que ele fez quando viu vocês?
— O de sempre — respondeu Rony com indiferença, ilustrando com um gesto obsceno. — Mas não é do feitio dele, não é? Bem, *isto aqui é* — e repetiu o gesto —, mas por que não está nos corredores intimidando os alunos do primeiro ano?

— Sei lá — retrucou Harry, mas sua cabeça estava a mil por hora. Será que isto não indicaria que Malfoy tinha coisas mais importantes em que pensar do que implicar com alunos mais novos?

— Vai ver ele preferia a Brigada Inquisitorial — sugeriu Hermione. — Vai ver que, depois da brigada, não tem mais graça ser monitor.

— Acho que não — falou Harry —, acho que ele...

Mas, antes que pudesse expor sua teoria, a porta do compartimento tornou a se abrir e entrou uma garota do terceiro ano.

— Mandaram entregar isto a Neville Longbottom e Harry P-Potter — gaguejou ela corando, quando seus olhos encontraram os de Harry. Estendeu a mão em que segurava dois rolos de pergaminho presos por uma fita violeta. Perplexos, Harry e Neville apanharam cada um o seu e a garota saiu aos tropeços do compartimento.

— Que é isso? — perguntou Rony, enquanto Harry desenrolava o pergaminho.

— Um convite.

Harry,

Eu teria grande prazer se você me fizesse companhia ao almoço no compartimento C.

Sinceramente, professor H.E.F. Slughorn

— Quem é o professor Slughorn? — perguntou Neville, olhando o convite com ar de espanto.

— Novo professor — respondeu Harry. — Bem, acho que teremos de ir, não é?

— Mas por que ele me convidou? — indagou Neville nervoso, como se esperasse uma detenção.

— Não faço a menor ideia. — O que não era bem verdade, embora não tivesse provas de que o seu palpite estivesse certo. — Escute aqui — acrescentou, tomado por repentina intuição —, vamos usar a Capa da Invisibilidade, e a caminho a gente talvez possa dar uma boa olhada no Malfoy, ver o que ele anda tramando.

A ideia, porém, não foi adiante: era impossível atravessar os corredores, cheios de gente à espera do carrinho do lanche, usando a Capa da Invisibilidade. Frustrado, Harry guardou-a na mochila, refletindo que teria sido uma boa ideia usá-la ao menos para evitar os olhares curiosos, que pareciam ter se multiplicado desde a última vez que percorrera o trem. De vez em quando, estudantes se atiravam no corredor para dar uma boa olhada nele. A exceção foi Cho Chang, que se enfurnou depressa no compartimento ao ver Harry se aproximando. Quando passou pela janela, ele a viu muito entretida conversando com a amiga Marieta, que, embora usasse uma grossa camada de maquiagem, não conseguia disfarçar completamente a estranha formação de espinhas no rosto. Com um leve sorriso, Harry seguiu em frente.

Quando chegaram ao compartimento C, viram que não eram os únicos convidados de Slughorn, embora, a julgar pela recepção entusiástica do professor, Harry fosse o mais esperado.

— Harry, meu rapaz! — exclamou Slughorn, erguendo-se rápido e de tal jeito que sua enorme barriga coberta de veludo pareceu ocupar o espaço que restava no compartimento. Sua careca lisa e a bigodeira prateada refulgiam tão intensamente à luz do sol quanto os botões dourados do seu colete.

— Que bom vê-lo, que bom vê-lo! E o senhor deve ser o sr. Longbottom!

Neville assentiu, com ar amedrontado. A um gesto de Slughorn, eles se sentaram um defronte ao outro nos dois únicos lugares vazios, e mais próximos da porta. Harry correu o olhar pelos convidados. Reconheceu um aluno da Sonserina da mesma série que ele, um rapaz negro alto com os malares salientes e olhos muito puxados; havia ainda dois rapazes da sétima série que Harry não conhecia e, espremida a um canto junto a Slughorn, Gina, parecendo não saber muito bem como chegara ali.

– Bem, vocês conhecem todo o mundo? – perguntou Slughorn aos recém-chegados. – Blásio Zabini, da mesma série que você, é claro...

Zabini não fez sinal algum de reconhecimento nem de cumprimento, no que foi imitado por Harry e Neville: por princípio, alunos da Grifinória e da Sonserina se detestavam.

– Este é Córmaco McLaggen, talvez já tenham se visto? Não?

McLaggen, um jovem corpulento de cabelos crespos e armados, ergueu a mão, e Harry e Neville retribuíram com um aceno de cabeça.

– ... e este é Marcos Belby, não sei se...

Belby, que era magro e nervoso, sorriu tenso.

– ... e esta encantadora jovem me diz que já os conhece! – terminou Slughorn.

Gina fez uma careta para Harry e Neville por trás do professor.

– Bem, isto é muito agradável – comentou Slughorn acolhedoramente. – Uma oportunidade de conhecê-los um pouco melhor. Aqui, apanhem um guardanapo. Trouxe o meu próprio almoço; o carrinho, segundo me lembro, tem muita Varinha de Alcaçuz, e o aparelho digestivo de um pobre velho não dá mais conta dessas coisas... faisão, Belby?

Belby se sobressaltou e aceitou algo que parecia a metade de um faisão.

– Eu estava contando ao jovem Marcos aqui que tive o prazer de ser professor do seu tio Dâmocles – disse Slughorn a Harry e Neville, passando agora uma cesta de pães. – Um bruxo excepcional que mereceu de fato a Ordem de Merlim. Você vê o seu tio com frequência, Marcos?

Infelizmente, Belby acabara de encher a boca de faisão; na pressa de responder a Slughorn, engoliu rápido demais, arroxeou e começou a sufocar.

– *Anapneo* – ordenou Slughorn calmamente, apontando a varinha para o rapaz, cujas vias respiratórias desobstruíram na mesma hora.

– Não... não muita, não – arquejou Belby, as lágrimas escorrendo.

– Bem, naturalmente, imagino que esteja ocupado – replicou Slughorn, lançando um olhar indagador a Belby. – Duvido que tenha inventado a Poção de Acônito sem considerável esforço!

— Suponho que sim... — concordou Belby, que pareceu receoso de comer outra garfada de faisão até ter certeza de que o professor terminara a conversa. — Ãh... ele e o meu pai não se dão muito bem, entende, então realmente não sei muita coisa sobre...
Sua voz foi sumindo quando Slughorn lhe deu um sorriso frio e se virou para McLaggen.
— Agora, *você*, Córmaco — disse o professor —, por acaso sei que sempre vê o seu tio Tibério, porque ele tem uma esplêndida foto de vocês dois caçando rabicurtos em Norfolk, presumo.
— Ah, sim, foi divertida, aquela caçada — comentou McLaggen. — Fomos com Berto Higgs e Rufo Scrimgeour, antes que se tornasse ministro, obviamente...
— Ah, você também conhece Berto e Rufo? — disse o sorridente Slughorn, agora oferecendo aos convidados uma pequena travessa de tortinhas; mas pulando Belby. — Agora me diga...
Era o que Harry suspeitava. Todos ali pareciam ter sido convidados porque estavam ligados a alguém famoso ou influente — todos exceto Gina. Zabini, interrogado depois de McLaggen, era filho de uma bruxa famosa por sua beleza (pelo que Harry pôde entender, ela casara sete vezes e cada marido morrera misteriosamente, deixando-lhe montanhas de ouro). A seguir foi a vez de Neville: foram dez minutos muito desconfortáveis, porque os pais de Neville, aurores muito conhecidos, tinham sido torturados até enlouquecer por Belatriz Lestrange e seus companheiros Comensais da Morte. Quando terminou a entrevista de Neville, Harry teve a impressão de que Slughorn ainda não formara uma opinião sobre ele, e isso dependia de Neville possuir algum dos talentos dos pais.
— E agora — disse Slughorn, virando o corpo no banco com a pose de um apresentador de TV anunciando sua principal atração. — Harry Potter! *Por onde* começar? Sinto que mal cheguei a conhecê-lo quando nos encontramos no verão!
Ele contemplou Harry Potter por um momento, como se ele fosse um pedaço particularmente grande e suculento de faisão, então disse:
— "O Eleito", é como estão chamando-o agora!
Harry ficou calado. Belby, McLaggen e Zabini, todos o encaravam.
— Naturalmente — continuou Slughorn, observando Harry com atenção —, correm boatos há muitos anos... lembro-me quando, bem, depois daquela noite terrível, Lílian, Tiago, mas você sobreviveu e diziam que devia ter poderes extraordinários...

Zabini deu uma tossidinha, nitidamente indicando sua debochada incredulidade. Uma voz zangada interveio inesperadamente às costas de Slughorn.

– É, Zabini, porque você tem tanto talento... para fazer pose...

– Minha nossa! – brincou Slughorn rindo, e virou a cabeça para Gina, que encarava Zabini do outro lado da enorme pança do bruxo. – É melhor ter cuidado, Blásio! Vi esta mocinha executar uma maravilhosa azaração para rebater bicho-papão quando estava passando pelo compartimento dela! Eu não a irritaria!

Zabini simplesmente fez um ar de desprezo.

– Seja como for – continuou Slughorn, dirigindo-se novamente a Harry –, os boatos que correram neste verão! Naturalmente, não se sabe em que acreditar, o Profeta Diário já publicou muitas inverdades, cometeu enganos, mas parece não haver muita dúvida, dado o número de testemunhas, que houve no Ministério um grande tumulto, e que você esteve no meio dele!

Harry, que não viu como sair desse aperto sem pregar uma deslavada mentira, concordou com um aceno de cabeça, mas continuou calado. Slughorn sorriu para ele.

–Tão modesto, tão modesto, não admira que Dumbledore goste tanto... você esteve lá, então? Mas as outras histórias... tão sensacionais, é claro, a pessoa não sabe bem em que acreditar... a famosa profecia, por exemplo...

– Não ouvimos nenhuma profecia. – Neville ficou rosado como um gerânio ao dizer isso.

– Verdade – confirmou Gina, lealmente. – Neville e eu também estivemos lá, e essa baboseira de "O Eleito" é invenção do Profeta como sempre.

– Vocês dois também estiveram lá? – perguntou Slughorn muito interessado, seu olhar indo de Gina para Neville. Os dois, no entanto, ficaram calados frente ao seu sorriso encorajador. – É... é bem verdade que o Profeta muitas vezes exagera, sem dúvida – continuou Slughorn, um pouco desapontado. – Eu me lembro de Gwenog Jones, quero dizer, claro, a capitã do Harpias de Holyhead...

E o professor se perdeu em uma longa reminiscência, mas Harry teve a nítida impressão de que Slughorn ainda não dera por encerrada a conversa com ele e que não se deixara convencer por Neville e Gina.

A tarde foi passando com um desfile de histórias sobre bruxos ilustres dos quais Slughorn fora professor, todos encantados em participar do "Clube do Slugue", em Hogwarts. Harry mal conseguia esperar para ir embora, mas não via como fazer isso educadamente. Por fim, o trem passou de mais um longo trecho de névoa para um rubro pôr de sol, e Slughorn se virou para os lados piscando na penumbra.

— Santo Deus, já está escurecendo! Não notei que já tinham acendido as luzes! É melhor vocês irem trocar de roupa, todos vocês. McLaggen, passe na minha sala para eu lhe emprestar o livro sobre os rabicurtos. Harry, Blásio, a qualquer hora que estiverem nas redondezas. O mesmo vale para a senhorita. — Ele piscou para Gina. — Muito bem, vão andando, vão andando!

Quando passou por Harry para alcançar o corredor sombrio, Zabini lançou-lhe um olhar feio que Harry retribuiu com interesse. Ele, Gina e Neville acompanharam o rapaz ao longo do trem.

— Que bom que terminou — murmurou Neville. — Cara estranho, não é?

— É, um pouco — respondeu Harry com os olhos em Zabini. — Como foi que você acabou convidada, Gina?

— Ele me viu azarando Zacarias Smith, lembra aquele idiota da Lufa-Lufa que estava na AD? Ele não parava de me perguntar o que aconteceu no Ministério, e no fim me aborreceu tanto que o azarei; quando Slughorn entrou, pensei que ia ganhar uma detenção, mas ele achou que tinha sido uma ótima azaração e me convidou para almoçar. Piração, né?

— É uma razão melhor para se convidar alguém do que ter mãe famosa — respondeu Harry, lançando um olhar mal-humorado para a nuca de Zabini — ou ter um tio que...

Ele interrompeu o que ia dizendo. Acabara de lhe ocorrer uma ideia, imprudente mas potencialmente maravilhosa... em um minuto, Zabini ia tornar a entrar no compartimento do sexto ano da Sonserina, onde Malfoy estaria sentado, achando que ninguém mais o ouvia exceto os colegas da Casa... se Harry pudesse entrar sem ser visto, atrás de Zabini, que poderia ver ou ouvir? É verdade que faltava pouco para terminar a viagem — a estação de Hogsmeade devia estar a menos de meia hora, a julgar pela rusticidade do cenário que passava pelas janelas —, mas ninguém mais parecia disposto a levar a sério suas suspeitas. Portanto, cabia a ele comprová-las.

— Vejo vocês depois — murmurou, puxando a Capa da Invisibilidade e atirando-a sobre o corpo.

— Mas que é que você...? — perguntou Neville.

— Depois! — sussurrou Harry, disparando atrás de Zabini o mais silenciosamente que pôde, embora o barulho do trem tornasse tal cautela quase sem sentido.

Os corredores estavam praticamente vazios agora. A maioria dos estudantes voltara aos seus carros para vestir os uniformes escolares e juntar seus pertences. Embora estivesse o mais próximo que podia de Zabini, sem tocá-lo, Harry não foi ágil o suficiente para entrar no compartimento quando o rapaz abriu a porta. Zabini já ia fechando-a quando ele esticou depressa o pé para travá-la.

– Que aconteceu com essa coisa?! – exclamou Zabini, zangado, batendo a porta várias vezes no obstáculo.

Harry agarrou a porta e abriu-a com força; Zabini, que ainda segurava a maçaneta, caiu de lado no colo de Gregório Goyle e, na confusão que se seguiu, Harry invadiu o compartimento, pulou para o lugar de Zabini, naquele momento vazio, e dali se guindou para o bagageiro. Foi uma sorte que Goyle e Zabini estivessem rosnando um para o outro, atraindo os olhares dos presentes, porque Harry tinha certeza de que deixara os pés e os tornozelos de fora quando a capa esvoaçou; de fato, por um terrível instante, ele pensou ter visto o olhar de Malfoy acompanhar seu tênis quando subiu e desapareceu de vista; mas Goyle bateu a porta e empurrou Zabini. Este caiu no lugar que era seu, irritado, Vicente Crabbe voltou a ler sua revistinha e Malfoy, rindo, tornou a esticar-se em dois bancos e a descansar a cabeça no colo de Pansy Parkinson. Harry se encolheu, desconfortável, sob a capa, preocupado em cobrir cada centímetro do seu corpo, e ficou observando Pansy alisar para longe da testa os cabelos louros e sedosos de Draco, sorrindo satisfeita como se qualquer um no mundo adorasse estar em seu lugar. Os lampiões pendurados no teto do trem lançavam uma luz forte sobre a cena: Harry podia ler cada palavra da revistinha de Crabbe diretamente abaixo dele.

– Então, Zabini – perguntou Malfoy –, que é que o Slughorn queria?

– Puxar o saco de gente bem relacionada – respondeu o rapaz ainda olhando feio para Goyle. – Não que tivesse encontrado muita gente.

A informação aparentemente não agradou a Malfoy.

– Quem mais ele convidou?

– McLaggen, da Grifinória.

– Ah, sei, ele tem um tio importante no Ministério – disse Malfoy.

– ... outro chamado Belby, da Corvinal...

– Não, esse é um idiota! – exclamou Pansy.

– ... e Longbottom, Potter e aquela garota Weasley – concluiu Zabini.

Malfoy sentou-se de repente, empurrando a mão de Pansy para o lado.

– Ele convidou Longbottom?

– Suponho que sim, porque o Longbottom estava lá – respondeu Zabini, indiferente.

— Que é que o Longbottom tem que possa interessar o Slughorn? Zabini sacudiu os ombros.

— Potter, o precioso Potter, obviamente ele queria dar uma olhada no "*Eleito*" — desdenhou Malfoy. — Mas e a garota Weasley? Que é que *ela* tem de especial?

—Tem muito rapaz que gosta dela — comentou Pansy, observando Malfoy de esguelha para ver sua reação. — Até você acha que ela é atraente, não é, Blásio, e todos sabemos como você é difícil de agradar!

— Eu não tocaria numa traidora do sangue nojenta como ela, por mais atraente que fosse — retrucou Zabini com frieza, o que satisfez Pansy. Malfoy tornou a se deitar no colo dela e deixou-a retomar as carícias em seus cabelos.

— Bem, lamento o mau gosto de Slughorn. Quem sabe ele está ficando senil. Que pena, meu pai sempre disse que no seu tempo ele era um bom bruxo. Meu pai era uma espécie de favorito dele. Slughorn provavelmente não soube que eu estava no trem, ou...

— Eu não esperaria um convite — disse Zabini. — Ele me pediu notícias do pai de Nott quando embarquei. Pelo visto, os dois eram bons amigos, mas quando soube que o velho Nott foi apanhado pelo Ministério não ficou nada feliz, e não convidou Nott, não é? Acho que Slughorn não está interessado em Comensais da Morte.

Malfoy pareceu se zangar, mas forçou uma risada particularmente amarela.

— Bem, quem se importa com os seus interesses? Quem é ele na ordem das coisas? Apenas um professor idiota. — Malfoy deu um bocejo exagerado. — Quero dizer, talvez eu nem esteja em Hogwarts no ano que vem, que diferença me faz se um velho gordo e decadente gosta ou não de mim?

— Como assim, você talvez não esteja em Hogwarts no ano que vem? — perguntou Pansy indignada, parando de ajeitar os cabelos de Malfoy na mesma hora.

— Ora, nunca se sabe — respondeu ele com um ar de riso. — Eu talvez venha... ãh... a me dedicar a coisas maiores e melhores.

Encolhido no bagageiro embaixo da capa, o coração de Harry disparou. Que é que Rony e Hermione diriam disso? Crabbe e Goyle olhavam boquiabertos para Malfoy; pelo jeito não tinham conhecimento de nenhum plano de dedicação a coisas maiores e melhores. Até Zabini deixou uma expressão de curiosidade anuviar suas feições arrogantes. Pansy voltou a alisar os cabelos de Malfoy, pasma.

– Você está se referindo a... *ele*?

Malfoy sacudiu os ombros.

– Mamãe quer que eu complete a minha educação, mas, pessoalmente, acho que nos dias de hoje isso não seja tão importante. Quero dizer, pensem um instante... quando o Lorde das Trevas tomar o poder, será que vai se importar com quantos N.O.M.s e quantos N.I.E.M.s a pessoa obteve? Claro que não... tudo vai girar em torno dos serviços que prestou, a dedicação que demonstrou a ele.

– E você acha que será realmente capaz de fazer alguma coisa por ele? – perguntou Zabini, sarcástico. – Com dezesseis anos e sem ter completado sua qualificação?

– Foi o que acabei de dizer, não foi? Quem sabe ele não se importa se tenho qualificações. Talvez eu não precise ter qualificações para o trabalho que ele quer que eu faça – replicou Malfoy em voz baixa.

Crabbe e Goyle estavam sentados de bocas escancaradas como gárgulas. Pansy olhava Malfoy como se nunca tivesse visto nada tão digno de assombro.

– Já estou vendo Hogwarts – disse Malfoy, deliciando-se abertamente com o efeito que causara, apontando para a janela escura. – É melhor trocarmos de roupa.

Harry estava tão ocupado em observar Malfoy que não reparou que Goyle se esticara para alcançar seu malão; ao puxá-lo, o objeto bateu com força na cabeça de Harry. Ele deixou escapar um gemido de dor e Malfoy olhou para o bagageiro, enrugando a testa.

Harry não tinha medo dele, mas não gostava muito da ideia de ser descoberto escondido sob a Capa da Invisibilidade, por um grupo de colegas hostis da Sonserina. Com os olhos ainda lacrimejando e a cabeça doendo, ele empunhou a varinha, tomando cuidado para não desarrumar a capa, e aguardou, prendendo a respiração. Para seu alívio, Malfoy pareceu concluir que imaginara o ruído; trocou de roupa como os colegas, trancou o malão e, quando o trem reduziu a velocidade para um sacolejo lento, ele prendeu a capa nova e grossa ao pescoço.

Harry viu os corredores se encherem mais uma vez e teve esperança de que Hermione e Rony levassem seus pertences para a plataforma; estaria preso ali até o compartimento esvaziar. Por fim, com um solavanco final, o trem parou. Goyle abriu a porta com violência e saiu empurrando um grupo de alunos do segundo ano; Crabbe e Zabini o acompanharam.

– Você pode ir andando – disse Malfoy a Pansy, que o aguardava com a mão estendida como se esperasse que ele a segurasse. – Quero verificar uma coisa.

Pansy saiu. Agora Harry e Malfoy estavam sozinhos no compartimento. As pessoas passavam, desembarcavam na plataforma escura. Malfoy foi até a porta e desceu a cortina, para que as pessoas no corredor não pudessem espiar para dentro. Então curvou-se para o seu malão e abriu-o.

Harry espiou pela borda do bagageiro com o coração batendo mais rápido. Que é que Malfoy queria esconder de Pansy? Estaria prestes a ver o misterioso objeto partido que era tão importante consertar?

— Petrificus Totalus!

De repente Malfoy apontou a varinha para Harry, que ficou instantaneamente paralisado. Em câmera lenta, ele rolou do bagageiro e caiu, com um baque extremamente doloroso, de fazer o chão estremecer, aos pés de Malfoy, a Capa da Invisibilidade presa por baixo dele, todo o seu corpo exposto, as pernas ainda absurdamente dobradas nos joelhos e cheias de cãibras. Não conseguia mover um músculo; só conseguia olhar para Malfoy, que exibia um grande sorriso.

— Foi o que pensei — disse eufórico. — Ouvi o malão de Goyle bater em você. E pensei ter visto uma coisa branca riscar o ar quando Zabini voltou... — Seu olhar se demorou nos tênis de Harry. — Suponho que tenha sido você quem travou a porta quando Zabini entrou, não?

Ele estudou Harry por alguns instantes.

— Você não ouviu nada que me preocupe, Potter. Mas aproveitando que está aqui...

E pisou com força o rosto de Harry, que sentiu o nariz quebrar e o sangue espirrar para todos os lados.

— Isto foi pelo meu pai. Agora, vamos ver...

Malfoy puxou a Capa da Invisibilidade debaixo do corpo imóvel de Harry e atirou-a por cima dele.

— Calculo que só vão encontrar você quando o trem tiver chegado a Londres — comentou baixinho. — Até mais, Potter... ou não.

E, fazendo questão de pisar nos dedos de Harry, Malfoy deixou o compartimento.

8

O TRIUNFO DE SNAPE

Ele não conseguia mover um músculo. Ficou ali no chão, coberto pela Capa da Invisibilidade, sentindo o sangue, quente e líquido, escorrer do nariz para o rosto, ouvindo as vozes e os passos no corredor. Seu primeiro pensamento foi que alguém, com certeza, verificaria os compartimentos antes do trem tornar a partir. Mas logo lembrou desanimado que, mesmo que alguém desse uma espiada no compartimento, ele não seria visto nem ouvido. O máximo que poderia esperar era que alguém entrasse e pisasse nele.

Harry nunca detestara tanto Malfoy quanto naquele momento, deitado ali como uma ridícula tartaruga de pernas para o ar, o sangue nauseante pingando em sua boca aberta. Em que situação estúpida ele se metera... e agora ouvia os últimos passos se distanciarem; todos estavam se arrastando pela plataforma escura; ouvia os malões raspando o chão e o vozerio das conversas.

Rony e Hermione pensariam que desembarcara do trem sem esperar por eles. Uma vez que chegassem a Hogwarts e ocupassem seus lugares no Salão Principal, olhassem algumas vezes para um lado e outro da mesa da Grifinória e finalmente percebessem que Harry não estava ali, ele, sem dúvida, estaria a meio caminho de Londres.

Harry tentou fazer algum ruído, mesmo que fosse um grunhido, mas era impossível. Então lembrou que alguns bruxos, como Dumbledore, conseguiam realizar feitiços sem falar, e tentou convocar a varinha, que lhe caíra da mão, dizendo mentalmente: *Accio varinha!*, várias vezes, mas nada aconteceu.

Imaginou ouvir a agitação das árvores que rodeavam o lago, e o pio distante de uma coruja, mas nem sinal de que estivessem fazendo uma busca, e nem mesmo (e se desprezou por sentir tal esperança) vozes muito assustadas, indagando aonde fora Harry Potter. Invadiu-o um sentimento de desesperança ao fantasiar o comboio de carruagens puxadas por testrálios subindo lenta e pesadamente em direção à escola, e os gritos e risadas abafadas que saíam daquela em que ia Malfoy, narrando para os colegas da Sonserina o seu ataque a Harry.

O trem deu um solavanco, fazendo Harry rolar para um lado. Agora, em vez do teto, via a parte de baixo dos bancos, cheia de poeira. O chão começou a vibrar e a máquina, com um ronco, entrou em funcionamento. O Expresso estava partindo, e ninguém sabia que ele continuava a bordo... Sentiu, então, que lhe arrancavam a capa e ouviu uma voz exclamar:

– E aí, Harry, beleza?!

Uma luz vermelha brilhou um instante e seu corpo descongelou; conseguiu sentar-se em uma posição mais digna, limpar depressa o sangue no rosto pisado com as costas da mão e erguer a cabeça para ver Tonks, segurando a Capa da Invisibilidade que acabara de puxar.

– É melhor sairmos rápido daqui – disse, ao ver a fumaça escurecer as janelas e o trem começar a abandonar a estação. – Anda, vamos pular.

Harry seguiu-a correndo para fora do compartimento. Tonks abriu a porta do trem e saltou para a plataforma, que parecia estar deslizando embaixo deles à medida que o trem ganhava impulso. Harry imitou-a, cambaleou ligeiramente ao aterrissar e recuperou-se em tempo de ver a reluzente maria-fumaça acelerar, fazer a curva e desaparecer de vista.

O ar frio da noite aliviou o latejamento no nariz. Tonks parara observando-o; ele se sentia furioso e constrangido por ter sido encontrado em posição tão ridícula. Em silêncio, ela lhe devolveu a Capa da Invisibilidade.

– Quem fez isso?

– Draco Malfoy – respondeu Harry amargurado. – Obrigado por... bem...

– Tudo bem – disse Tonks, séria. Pelo que conseguia enxergar no escuro, a bruxa continuava com os cabelos sem vida e a fisionomia infeliz da última vez em que tinham se encontrado n'A Toca. – Posso endireitar o seu nariz, se você ficar parado.

Harry não gostou muito da ideia; pretendia fazer uma visita a Madame Pomfrey, a enfermeira-chefe, em quem tinha mais confiança em termos de feitiços curativos, mas pareceu-lhe grosseiro dizer isso, então ficou imóvel e fechou os olhos.

– *Episkey* – ordenou Tonks.

O nariz de Harry ficou muito quente e, em seguida, muito frio. Ele ergueu a mão e apalpou-o desajeitado. Parecia inteiro.

– Muito obrigado!

– É melhor usar a Capa da Invisibilidade para podermos andar até a escola – disse Tonks ainda séria. Quando Harry se cobriu com a capa, ela agitou a varinha fazendo surgir um enorme quadrúpede, que voou célere pela escuridão.

— Aquilo era um Patrono? — perguntou Harry, que já vira Dumbledore enviar mensagens assim.

— Era, mandei avisar no castelo que você está comigo, para não se preocuparem. Anda, é melhor não perdermos tempo. Eles saíram em direção à estrada que levava à escola.

— Como foi que você me encontrou?

— Notei que você não tinha desembarcado do trem e sabia que levava a Capa da Invisibilidade. Achei que podia estar se escondendo por alguma razão. Quando vi a cortina baixada naquele compartimento, resolvi investigar.

— Mas que você está fazendo aqui? — perguntou Harry.

— Estou baseada em Hogsmeade, para reforçar a proteção à escola.

— É só você que está lá ou...?

— Não, Proudfoot, Savage e Dawlish também.

— Dawlish, aquele auror que Dumbledore atacou no ano passado?

— Esse mesmo.

Eles caminharam pesadamente pela estrada deserta, seguindo os sulcos frescos deixados pelas carruagens. Debaixo da capa, Harry olhava de esguelha para Tonks. No ano anterior, ela demonstrava muita curiosidade (a ponto de ser, às vezes, inconveniente), ria sem esforço e fazia brincadeiras. Agora, parecia mais velha e muito mais séria e decidida. Será que tudo isso era consequência do que acontecera no Ministério? Refletiu, constrangido, que Hermione iria sugerir que dissesse uma palavrinha de consolo sobre Sirius, que não fora sua culpa, mas Harry não conseguiu fazer isso. Em hipótese alguma responsabilizava a auror pela morte do seu padrinho; não tinha sido culpa de Tonks nem de qualquer outro (e muito menos dele), mas, podendo evitar, não gostava de falar de Sirius. E assim continuaram a avançar pela noite fria em silêncio, a longa capa de Tonks farfalhando no chão, a cada passo.

Como sempre fizera esse percurso de carruagem, Harry nunca avaliara como Hogwarts era longe da estação de Hogsmeade. Com grande alívio, avistou finalmente os dois altos pilares que ladeavam os portões da escola, encimados por javalis alados. Sentia frio, sentia fome, e bem gostaria de abandonar essa nova Tonks tristonha. Mas, quando esticou a mão para abrir os portões, viu que estavam fechados com uma corrente.

— *Alohomora!* — ordenou confiante, apontando a varinha para o cadeado, mas nada aconteceu.

— Não faz efeito nesses portões — disse Tonks. — Dumbledore enfeitiçou-os pessoalmente.

Harry olhou para os lados.

— Eu poderia pular o muro — sugeriu.

— Não, não poderia — respondeu a bruxa, categoricamente. — Feitiços anti-intrusos em todos os muros. A segurança está cem vezes mais rigorosa este verão.

— Bem, então — concluiu Harry, começando a se sentir incomodado com a má vontade de Tonks —, suponho que eu vá ter de dormir aqui fora e esperar amanhecer.

— Está vindo alguém buscar você. Olhe.

Um lampião balançava à entrada do distante castelo. Harry ficou tão feliz ao vê-lo que sentiu que seria capaz até de suportar os comentários asmáticos de Filch sobre o seu atraso e as reclamações sobre a sua falta de pontualidade, que melhoraria bastante com o uso de anéis de ferro para apertar os seus polegares. Somente quando a luz amarela estava a três metros deles, e Harry despira a Capa da Invisibilidade para ser visto, foi que reconheceu, com uma onda de pura aversão, o nariz curvo e comprido e os cabelos pretos e oleosos de Severo Snape.

— Ora, ora, ora — debochou o professor, e, puxando a varinha, deu um toque no cadeado, fazendo as correntes soltarem e os portões abrirem, rangendo. — Que prazer você ter aparecido, Potter, embora seja evidente que, em sua opinião, o uso do uniforme da escola desmerece a sua aparência.

— Não pude me trocar, não tinha o meu... — começou Harry, mas Snape interrompeu-o.

— Não precisa esperar, Ninfadora, Potter está bem... ah... seguro em minhas mãos.

— Enviei minha mensagem a Hagrid — replicou Tonks, enrugando a testa.

— Hagrid se atrasou para o banquete inaugural, como o Potter aqui, então eu a recebi. E a propósito — disse Snape, afastando-se para deixar Harry passar —, achei interessante conhecer o seu novo Patrono.

Ele bateu os portões com estrépito na cara de Tonks e deu um novo toque de varinha nas correntes, que deslizaram, retinindo, à posição inicial.

— Acho que você estava mais bem servida com o antigo — comentou Snape, com inconfundível malícia na voz. — O novo parece fraco.

Quando Snape se virou com o lampião, Harry viu, por um breve instante, uma expressão de choque e raiva no rosto de Tonks. Depois, a escuridão tornou a envolvê-la.

— Boa noite — gritou Harry, por cima do ombro, quando começou a andar com Snape em direção à escola. — Obrigado por... tudo.

— A gente se vê, Harry.

Snape ficou calado por um momento. Harry sentiu que seu corpo estava gerando ondas de ódio tão poderosas que parecia inacreditável que o professor não as sentisse queimando-o. Sentira aversão a Snape desde a primeira vez em que se encontraram, mas o professor inviabilizara para sempre a possibilidade de ser perdoado por sua atitude com relação a Sirius. Apesar da conversa com Dumbledore, Harry tivera tempo de refletir durante o verão, e concluíra que os comentários ferinos de Snape, de que Sirius ficava escondido e seguro enquanto os outros membros da Ordem da Fênix lutavam contra Voldemort, provavelmente tinham contribuído de modo decisivo para o padrinho correr para o Ministério na noite em que morrera. Harry se aferrava a essa ideia, porque lhe permitia culpar Snape, o que lhe dava satisfação e também a consciência de que se havia alguém que não lamentava a morte de Sirius era o homem que agora caminhava a seu lado na escuridão.

— Cinquenta pontos a menos para a Grifinória pelo atraso — disse o professor. — E, vejamos, mais vinte por sua roupa de trouxa. Sabe, creio que nunca houve uma Casa com pontos negativos no início do trimestre, e ainda nem chegamos à sobremesa. Você talvez tenha estabelecido um recorde, Potter.

A fúria e o ódio dentro de Harry chamejavam intensamente, mas ele preferia ter continuado hirto até Londres a contar ao professor por que se atrasara.

— Imagino que quisesse causar sensação, certo? — continuou Snape. — E, não dispondo de um carro voador, decidiu que adentrar o Salão Principal no meio do banquete teria um impacto dramático.

Ainda assim, Harry permanecia em silêncio, embora achasse que seu peito ia explodir. Sabia que Snape fora buscá-lo para isso, para ter uns poucos minutos em que alfinetar e atormentar Harry sem ninguém ouvir.

Por fim, chegaram à entrada do castelo e, quando as grandes portas de carvalho se abriram para o amplo saguão lajeado, foram saudados pela zoada de conversas e risos, e tinidos de pratos e copos que ecoavam através das portas abertas do Salão Principal. Harry se perguntou se poderia usar a Capa da Invisibilidade e, assim, chegar à comprida mesa da Grifinória (que, para seu azar, era a mais distante do saguão) sem ser notado.

Como se tivesse lido os pensamentos de Harry, Snape o advertiu:

— Nada de capa. Pode entrar à vista de todos que, tenho certeza, era o que você queria.

Harry virou-se e, sem hesitar, cruzou o portal do salão: qualquer coisa para se ver livre de Snape. O Salão Principal, com as quatro longas mesas das Casas e a dos professores ao fundo, estava decorado, como sempre, com velas no ar que faziam os pratos refletir e faiscar. Harry, porém, enxergou apenas um borrão tremeluzente. Caminhava tão depressa que passou pela mesa da Lufa-Lufa antes que as pessoas tivessem tempo de olhá-lo, e, quando por fim elas se levantaram para satisfazer sua curiosidade, Harry já localizara Rony e Hermione, e, seguindo em sua direção, passou rápido pelos bancos e se apertou entre os dois.

— Onde é que você... caramba, que foi que fez no rosto? — indagou Rony, arregalando os olhos, como todos que estavam por perto.

— Por que, tem alguma coisa errada? — admirou-se Harry, apanhando uma colher e espiando sua imagem distorcida.

— Você está coberto de sangue! — disse Hermione. — Vem cá...

Ela ergueu a varinha e ordenou:

— *Tergeo!* — E a varinha aspirou todo o sangue seco.

— Obrigado — agradeceu ele, apalpando o rosto agora limpo. — Como é que está o meu nariz?

— Normal — respondeu Hermione ansiosa. — Por que não estaria? Que aconteceu, Harry, ficamos apavorados!

— Conto depois — respondeu Harry, lacônico. Sabia que Gina, Neville, Dino e Simas estavam prestando atenção; até Nick Quase Sem Cabeça, o fantasma da Grifinória, se aproximara flutuando ao longo dos bancos para escutar.

— Mas... — protestou Hermione.

— Agora, não, Hermione — replicou, em um tom sombrio cheio de subentendidos. Desejava muito que todos imaginassem que participara de algum feito heroico, de preferência envolvendo Comensais da Morte e um dementador. Naturalmente Malfoy espalharia a história aos quatro ventos, mas havia sempre uma chance de que não chegasse aos ouvidos de muitos colegas da Grifinória.

Ele se esticou por cima de Rony para apanhar umas coxas de galinha e um punhado de batatas fritas, mas, antes que pudesse comê-las, elas desapareceram e foram substituídas pelas sobremesas.

— Pelo menos você perdeu a seleção — comentou Hermione, enquanto Rony mergulhava para se servir de uma torta de chocolate.

— O Chapéu disse alguma coisa interessante? — perguntou Harry, servindo-se de um pedaço de torta de caramelo.

— Nada que ainda não tenha dito... aconselhou a nos unirmos frente aos nossos inimigos, você sabe.

— Dumbledore mencionou Voldemort?

— Ainda não, mas ele sempre guarda o discurso sério para depois do banquete, não é? Não deve demorar muito agora.

— Snape disse que Hagrid se atrasou para o banquete...

— Você viu Snape? Como assim? — perguntou Rony entre garfadas frenéticas de torta.

— Topei com ele — respondeu Harry evasivamente.

— Hagrid só se atrasou uns minutinhos — comentou Hermione. — Olhe, ele está acenando para você.

Harry olhou para a mesa dos professores e sorriu para Hagrid que de fato acenava. O amigo jamais conseguira se comportar com a mesma dignidade da professora McGonagall, diretora da Casa da Grifinória, cuja cabeça batia mais ou menos entre o cotovelo e o ombro de Hagrid — estavam sentados lado a lado —, e que manifestava desaprovação a esse cumprimento entusiástico. Harry se surpreendeu ao ver a professora de Adivinhação, Trelawney, sentada do outro lado de Hagrid; ela raramente saía de sua torre, e Harry nunca a vira em um banquete inaugural. Tinha a aparência esquisita de sempre, faiscando com seus colares e longos xales, os olhos ampliados pelos enormes óculos. Harry, que sempre a considerara uma charlatã, ficara chocado ao descobrir, no fim do trimestre anterior, que ela fora a autora da profecia que fizera Lorde Voldemort matar os seus pais e atacá-lo. Saber disso deixou-o ainda menos desejoso de ficar em sua companhia, mas, por sorte, este ano ele não estudaria Adivinhação. Os enormes olhos da professora, que lembravam faróis, viraram em sua direção; ele desviou os seus depressa para a mesa da Sonserina. Draco Malfoy estava encenando como partir um nariz provocando risos e aplausos estridentes. Harry baixou os olhos para a torta, sentindo outra vez suas entranhas escaldarem. O que não daria para enfrentar Malfoy de homem para homem...

— Então, que é que o professor Slughorn queria? — perguntou Hermione.

— Saber o que realmente aconteceu no Ministério.

— Ele e o mundo inteiro — fungou Hermione. — O pessoal não parou de interrogar a gente no trem, não foi, Rony?

— Foi. Todos queriam saber se você é realmente O Eleito...

— Tem havido muita discussão sobre o assunto até entre os fantasmas — interrompeu-os Nick Quase Sem Cabeça, inclinando para Harry a cabeça mal presa, fazendo-a balançar perigosamente, sobre a gola de tufos engomados. – Sou considerado uma espécie de autoridade em Potter; todos sabem que somos amigos. Mas afirmei à comunidade dos espíritos que não o incomodaria com perguntas. "Harry Potter sabe que pode confiar inteiramente em mim", falei. "Prefiro morrer a trair sua confiança."

– O que não me parece grande coisa, porque você já morreu – observou Rony.

– Mais uma vez, você demonstra ter a agudeza de um machado cego – retrucou Nick Quase Sem Cabeça em tom ofendido e, deixando o chão, retornou voando à extremidade oposta da mesa da Grifinória, no momento exato em que Dumbledore se levantava à mesa dos professores. As conversas e risos que ecoavam pelo salão cessaram quase imediatamente.

– Uma grande noite para todos! – começou ele sorridente, abrindo os braços como se quisesse abarcar o salão.

– Que aconteceu à mão dele? – ofegou Hermione.

Ela não foi a única a notar. A mão direita de Dumbledore continuava escura e sem vida como na noite em que ele fora apanhar Harry na casa dos Dursley.

Os sussurros percorreram a sala; Dumbledore, interpretando-os corretamente, apenas sorriu e ocultou a lesão, sacudindo a manga roxa e dourada.

– Não há motivo para preocupação – disse em tom suave. – Agora... as boas-vindas aos alunos novos; bom retorno aos alunos antigos! Mais um ano de muita educação mágica aguarda a todos...

– A mão dele já estava assim quando o vi no verão – cochichou Harry para Hermione. – Mas pensei que por esta altura ele já a tivesse curado... ele ou Madame Pomfrey.

– Parece morta – comentou Hermione, com uma expressão de repugnância no rosto. – Mas há lesões que não têm cura... feitiços antigos... e há venenos sem antídotos...

– ... e o sr. Filch, nosso zelador, me pediu para avisar que estão banidos todos os artigos de logros e brincadeiras comprados na loja chamada Gemialidades Weasley.

"Os que quiserem jogar nas equipes de quadribol das Casas devem se inscrever com os diretores das Casas, como sempre. Estamos também procurando novos locutores de quadribol, que são convidados a fazer a mesma coisa."

"Este ano temos o prazer de dar as boas-vindas a um novo membro do corpo docente. O professor Slughorn", o bruxo ficou em pé, a careca brilhando à luz das velas, a grande pança sob o colete sombreando a mesa, "é um antigo colega meu que aceitou retomar o cargo de mestre das Poções."

— Poções?
— Poções?
A palavra ressoou por todo o salão enquanto as pessoas se perguntavam se teriam ouvido direito.
— Poções? — repetiram juntos Rony e Hermione, virando-se para Harry.
— Mas você disse...
— Por sua vez, o professor Snape — continuou Dumbledore, alteando a voz para abafar os murmúrios — assumirá o cargo de professor de Defesa Contra as Artes das Trevas.
— Não! — exclamou Harry tão alto que muitas cabeças se viraram em sua direção. Ele não se importou; olhava fixamente para a mesa dos professores, indignado. Como é que Snape podia ser nomeado professor de Defesa Contra as Artes das Trevas depois de tanto tempo? Será que todos não sabiam que Dumbledore não confiava nele para assumir essa função?
— Mas, Harry, você disse que Slughorn ia ensinar Defesa Contra as Artes das Trevas! — questionou Hermione.
— Pensei que fosse! — respondeu Harry, vasculhando o cérebro para lembrar quando Dumbledore dissera isso, mas, agora que voltava a pensar no assunto, não conseguia recordar que Dumbledore tivesse mencionado o que Slughorn iria ensinar.
Snape, que estava sentado à direita de Dumbledore, não se ergueu ao ouvir seu nome, apenas elevou a mão displicentemente para agradecer os aplausos da mesa da Sonserina; Harry, contudo, teve certeza de identificar uma expressão de triunfo nas feições que tanto detestava.
— Bem, tem uma coisa boa — disse com selvageria. — Snape irá embora até o fim do ano.
— Como assim? — perguntou Rony.
— O cargo é azarado. Ninguém aguentou mais de um ano... Quirrell até morreu. Pessoalmente, vou torcer para que haja outra morte...
— Harry! — exclamou Hermione, demonstrando surpresa e desaprovação.
— Mas talvez ele simplesmente volte a ensinar Poções no fim do ano — argumentou Rony. — O tal Slughorn pode não querer ficar muito tempo. O Moody não quis.
Dumbledore pigarreou. Harry, Rony e Hermione não eram os únicos que conversavam; o salão todo explodira em murmúrios à notícia de que Snape, enfim, realizara o seu mais acalentado desejo. Dumbledore, parecendo indiferente à natureza sensacional da notícia que acabara de dar, nada

falou sobre outras designações e esperou alguns segundos até obter absoluto silêncio antes de prosseguir.

— Nem todos os presentes neste salão sabem que Lorde Voldemort e seus seguidores estão mais uma vez em liberdade e cada vez mais fortes.

O silêncio pareceu se expandir e retrair enquanto Dumbledore discursava. Harry olhou para Malfoy. Mas o rapaz, em vez de olhar para o diretor, fazia o seu garfo pairar no ar com a varinha, como se achasse as palavras de Dumbledore indignas de atenção.

— Não posso enfatizar suficientemente o perigo da presente situação, e o cuidado que cada um de nós, em Hogwarts, precisa tomar para garantir que continuemos seguros. As fortificações mágicas do castelo foram reforçadas durante o verão, estamos protegidos de maneiras novas e mais poderosas, mas ainda assim precisamos nos defender escrupulosamente dos descuidos de estudantes e funcionários. Peço, portanto, que respeitem as restrições de segurança que os professores possam impor a vocês, por mais incômodas que lhes pareçam, particularmente a norma de não sair da cama depois do toque de recolher. Imploro que, ao notarem alguma coisa estranha ou suspeita dentro ou fora do castelo, comuniquem imediatamente a um funcionário. Confio que agirão sempre com o maior respeito pela segurança dos outros e pela sua própria.

Os olhos azuis de Dumbledore percorreram os rostos dos estudantes e, por fim, ele tornou a sorrir.

— Mas no momento suas camas estão à sua espera, quentes e confortáveis como poderiam desejar, e sei que a sua maior prioridade é descansar para as aulas de amanhã. Vamos, portanto, dizer boa noite. Pip pip!

Com o atrito ensurdecedor habitual, os bancos foram afastados e centenas de estudantes começaram a sair do Salão Principal em direção aos dormitórios. Harry, que não estava com a menor pressa de acompanhar a multidão curiosa nem de se aproximar de Malfoy para lhe dar a chance de repetir a história da pisada no nariz, retardou sua saída, fingindo amarrar o cordão do tênis, deixando a maioria dos colegas da Grifinória seguirem à frente. Hermione saíra correndo um pouco antes para, cumprindo a tarefa de monitora, arrebanhar os alunos do primeiro ano, mas Rony ficou com Harry.

— Que aconteceu realmente com o seu nariz? — perguntou, quando chegaram ao final do ajuntamento que procurava sair do Salão, e ninguém mais podia ouvi-los.

Harry contou-lhe. Rony não riu, demonstrando a força de sua amizade.

– Vi Malfoy imitando alguma coisa com relação a nariz – comentou sombriamente.

– É, bem, deixa isso para lá – disse Harry amargurado. – Escuta só o que ele estava dizendo antes de me descobrir lá...

Harry calculara que Rony ficasse chocado com as bravatas de Malfoy. Mas, com o que Harry considerava uma demonstração de puro cabeça-durismo, o amigo não se deixou impressionar.

– Ora, Harry, ele estava só se exibindo para a Parkinson... que tipo de missão Você-Sabe-Quem daria a ele?

– Como é que você sabe que Voldemort não precisa de uma pessoa em Hogwarts? Não seria a primeira...

– Eu gostaria que você parasse de falar esse nome, Harry – repreendeu-o uma voz às suas costas. Ele espiou por cima do ombro e viu Hagrid balançando a cabeça.

– É o nome que Dumbledore usa – insistiu Harry.

– É, mas isso é o Dumbledore! – disse Hagrid com ar misterioso. – Então, por que foi que se atrasou, Harry? Fiquei preocupado.

– Tive um imprevisto no trem. E por que *você* se atrasou?

– Estive com o Grope – respondeu Hagrid satisfeito. – Não vi o tempo passar. Ele agora tem uma casa nas montanhas, foi Dumbledore que arranjou, uma bela caverna. Ele está muito mais feliz do que na Floresta. Estivemos batendo um bom papo.

– Sério?! – exclamou Harry, tomando o cuidado de não olhar para Rony; a última vez que encontrara o meio-irmão de Hagrid, um gigante selvagem com talento para arrancar árvores pela raiz, seu vocabulário tinha apenas cinco palavras, duas das quais ele não conseguia pronunciar direito.

– Ah, ele melhorou muito – explicou Hagrid orgulhoso. – Você ficaria espantado. Estou pensando em treinar Grope para ser meu assistente.

Rony abafou uma gargalhada pelo nariz, fazendo parecer que era um violento espirro. Os três estavam agora diante das portas do castelo.

– Então, vejo você amanhã, a primeira aula logo depois do almoço. Se chegar mais cedo, vai poder dar um alô ao Bic... quero dizer ao Asafugaz!

E, erguendo o braço em alegre despedida, o gigante saiu em direção à escuridão.

Harry e Rony se entreolharam. Harry sabia que o amigo estava sentindo o mesmo desânimo que ele.

– Você não se matriculou em Trato das Criaturas Mágicas, não é?

Rony sacudiu a cabeça.

— Nem você, né?
Harry sacudiu a cabeça, também.
— E a Hermione — disse Rony —, não, né?
Harry tornou a sacudir a cabeça. Nem queria pensar no que diria Hagrid quando percebesse que seus três alunos favoritos tinham desistido da sua matéria.

9

O PRÍNCIPE MESTIÇO

No dia seguinte, Harry e Rony se encontraram com Hermione no salão comunal, antes do café da manhã. Na esperança de obter algum apoio para sua teoria, Harry não perdeu tempo e contou à amiga o que ouvira Malfoy dizer no Expresso de Hogwarts.

– Mas é óbvio que ele estava se exibindo para a Parkinson, não é? – aparteou Rony, rápido, antes que Hermione pudesse responder.

– Bem – hesitou ela –, não sei... é bem coisa do Malfoy querer parecer mais importante do que é... mas assim é exagero...

– Exatamente – disse Harry, mas não pôde argumentar porque havia muita gente querendo ouvir a conversa, sem falar naqueles que o encaravam e cochichavam cobrindo a boca com a mão.

– É falta de educação apontar – Rony ralhou com um aluno do primeiro ano particularmente pequeno quando entraram na fila para passar pelo buraco do retrato. O garoto, que, disfarçadamente, estivera murmurando alguma coisa para o amigo, ficou escarlate e, assustado, caiu pelo buraco no corredor. Rony deu uma risadinha.

– Adoro estar no sexto ano. E o melhor é que vamos ter tempo livre este ano. Períodos inteiros para sentar e relaxar.

– Vamos precisar desse tempo para estudar, Rony! – lembrou Hermione, quando caminhavam pelo corredor.

– É, mas não hoje – respondeu Rony. – Hoje vai ser moleza pura.

– Espere aí! – exclamou Hermione, esticando o braço e fazendo parar um aluno do quarto ano, que tentava passar por ela segurando com firmeza um disco verde-limão. – Os Frisbees-dentados são proibidos, me dê isso aqui – pediu com severidade. O garoto, amarrando a cara, entregou o disco que rosnava, passou por baixo do braço de Hermione e saiu no encalço dos amigos. Rony esperou que ele desaparecesse e roubou o Frisbee da mão de Hermione.

— Ótimo, sempre quis ter um.

O protesto de Hermione foi abafado por uma risadinha alta. Pelo visto, Lilá Brown achara o comentário de Rony engraçadíssimo. E passou por ele ainda rindo, olhando-o por cima do ombro. Rony pareceu muito satisfeito.

O teto do Salão Principal estava serenamente azul, raiado de leves farrapos de nuvens, como nos quadrados de céu que se viam pelas janelas de caixilhos. Enquanto comiam mingau de aveia e ovos com bacon, Harry e Rony contaram a Hermione a conversa constrangedora que tinham tido com Hagrid, na véspera.

— Mas ele não pode realmente pensar que continuaríamos a cursar Trato das Criaturas Mágicas! — comentou ela perturbada. — Quero dizer, quando foi que algum de nós manifestou... sabe... algum entusiasmo?

— É isso aí, né? — disse Rony, engolindo um ovo frito inteiro. — Nós fazíamos o maior esforço nas aulas porque gostamos do Hagrid. Mas ele achou que gostávamos daquela *matéria* idiota. Será que alguém vai continuar até o N.I.E.M.?

Nem Harry nem Hermione responderam; não carecia. Sabiam perfeitamente que ninguém de sua turma iria querer continuar em Trato das Criaturas Mágicas. Evitaram olhar para Hagrid e retribuíram seu aceno cordial sem animação quando o amigo deixou a mesa dos professores dez minutos depois.

Terminada a refeição, eles continuaram sentados aguardando a professora McGonagall descer da mesa dos professores. Este ano a distribuição dos horários estava mais complicada do que o normal, porque ela precisava primeiro confirmar que cada aluno tivesse obtido as notas mínimas nos N.O.M.s para continuar as matérias escolhidas nos N.I.E.M.s.

Hermione foi prontamente liberada para continuar Feitiços, Defesa Contra as Artes das Trevas, Transfiguração, Herbologia, Aritmancia, Runas Antigas e Poções e, sem demora, partiu correndo para assistir ao primeiro período de Runas Antigas. Os horários de Neville exigiram mais tempo para destrinchar; seu rosto redondo expressava ansiedade enquanto a professora examinava o seu pedido e consultava os resultados dos N.O.M.s.

— Herbologia pode — disse ela. — A professora Sprout ficará encantada de ver você retomar a matéria com um "Ótimo" no N.O.M. E qualificou-se para Defesa Contra as Artes das Trevas com um "Excede Expectativas". O problema está em Transfiguração. Sinto muito, Longbottom, mas um "Aceitável" não é suficiente para continuar no nível de N.I.E.M. Acho que você não conseguiria dar conta dos deveres do curso.

Neville baixou a cabeça. A professora fitou-o através dos óculos quadrados.

— Mas por que quer continuar em Transfiguração? Você nunca me deu a impressão de gostar tanto assim da matéria.

Neville fez uma cara infeliz e murmurou alguma coisa como "minha avó quer".

— Hum — bufou a professora. — Já está mais do que na hora de sua avó aprender a ter orgulho do neto que tem, em vez do neto que gostaria de ter, particularmente depois do que aconteceu no Ministério.

Neville corou fortemente e piscou atordoado; a professora McGonagall nunca lhe fizera um elogio antes.

— Lamento, Longbottom, não posso aceitá-lo na minha classe de N.I.E.M. Mas vejo que você recebeu um "Excede Expectativas"em Feitiços; por que não tenta um N.I.E.M. em Feitiços?

— Minha avó acha que Feitiços é uma opção muito fácil — murmurou Neville.

— Matricule-se em Feitiços — disse a professora —, e vou mandar uma palavrinha a Augusta lembrando que só porque ela não passou no N.O.M. de Feitiços... não significa que a matéria seja inútil. — Com um leve sorriso ao ver a expressão de incrédula satisfação no rosto de Neville, McGonagall bateu com a ponta da varinha em um formulário em branco e entregou-o ao garoto, já impresso, com os detalhes de suas novas matérias.

Em seguida, ela se voltou para Parvati Patil, cuja primeira pergunta foi se Firenze, aquele centauro bonitão, continuaria a ensinar Adivinhação.

— Ele e a professora Trelawney vão dividir as turmas este ano — respondeu a professora McGonagall, com um quê de desaprovação na voz; todos sabiam que ela desprezava a matéria. — O sexto ano ficará por conta da professora Trelawney.

Parvati saiu para a aula de Adivinhação cinco minutos depois, parecendo um pouco desconcertada.

— Então, Potter, Potter... — disse a professora, consultando suas anotações ao se dirigir a Harry. — Feitiços. Defesa Contra as Artes das Trevas, Herbologia, Transfiguração... tudo bem. E devo dizer que fiquei satisfeita com a sua nota na minha matéria, Potter, muito satisfeita. Mas por que não pediu para continuar em Poções? Pensei que sua ambição fosse se tornar auror.

— Era, mas a senhora me disse que eu precisava de um "Ótimo" no meu N.O.M.

— E realmente precisava quando o professor Snape ensinava a matéria. O professor Slughorn, porém, fica perfeitamente feliz em aceitar no N.I.E.M alunos que tenham obtido "Excede Expectativas" no N.O.M. Você quer continuar em Poções?

— Quero — respondeu Harry —, mas não comprei os livros nem os ingredientes, nem nada...

— Tenho certeza de que o professor Slughorn poderá lhe emprestar o material. Muito bem, Potter, aqui estão os seus horários. Ah, sim, vinte aspirantes já se inscreveram para a equipe de quadribol da Grifinória. Passarei a lista a você por esses dias, e poderá marcar os testes quando quiser.

Alguns minutos mais tarde, Rony foi liberado para cursar as mesmas matérias que Harry, e os dois deixaram a mesa juntos.

— Veja — exclamou Rony muito feliz, conferindo o seu horário —, temos um período livre agora... e outro depois do recreio... e depois do almoço... *excelente*!

Os dois voltaram à sala comunal, que estava vazia exceto por meia dúzia de alunos do sétimo ano, inclusive Katie Bell, a única jogadora que restava da equipe original de quadribol da Grifinória, para a qual Harry entrara no primeiro ano.

— Achei que você ganharia isso, parabéns — disse a garota, apontando para a insígnia de capitão no peito de Harry. — Me avise quando começarem os testes!

— Não seja idiota — respondeu Harry —, você não precisa de testes, há cinco anos que vejo você jogar...

— Você não pode começar assim — alertou a garota. — Pelo que sei, tem gente melhor que eu fora do time. Boas equipes já acabaram mal porque os capitães simplesmente continuaram a jogar com caras conhecidos, ou deixaram os amigos entrarem...

Rony pareceu meio constrangido, e começou a jogar com o Frisbee que Hermione confiscara do aluno do quarto ano. O brinquedo voou pela sala comunal, rosnando e tentando morder a tapeçaria. Bichento acompanhou-o com seus olhos amarelos e bufou quando o Frisbee se aproximou demais.

Uma hora depois eles deixaram, relutantes, a sala ensolarada para assistir à aula de Defesa Contra as Artes das Trevas, quatro andares abaixo. Hermione já estava na fila, carregando uma braçada de pesados livros, e com um ar de quem fora usada.

— A professora de Runas nos passou tantos deveres! — exclamou ansiosa, quando Harry e Rony se reuniram a ela. — Um trabalho de quase quatro metros, duas traduções, e preciso ler tudo isto para quarta-feira.

— Que pena — bocejou Rony.

— Espere para ver — disse ela com raiva. — Aposto como o Snape também vai passar um montão. — Quando ia dizendo isso, a porta da sala abriu e o professor saiu para o corredor, o rosto macilento emoldurado pelas eternas cortinas de cabelos pretos oleosos. A fila silenciou imediatamente.

— Para dentro — disse ele.

Harry olhou a toda volta quando entraram. Snape já impusera sua personalidade à sala; estava mais sombria do que antes, pois ele fechara as cortinas e a iluminara com velas. Novos quadros adornavam as paredes, vários deles mostravam pessoas sofrendo com pavorosos ferimentos ou partes do corpo estranhamente torcidas. Ninguém falou enquanto os alunos se acomodavam, admirando os sinistros quadros escuros.

— Não pedi a vocês para apanharem seus livros — começou Snape, fechando a porta e virando-se para encarar a turma de sua escrivaninha. Hermione devolveu depressa à mochila o seu exemplar de *Frente ao irreconhecível* e guardou-a embaixo da cadeira. — Quero conversar com os senhores e exijo sua total e absoluta atenção.

Seus olhos pretos percorreram os rostos voltados para ele, demorando-se uma fração de segundo a mais no rosto de Harry.

— Creio que já tiveram cinco professores nesta matéria.

Você crê... como se não tivesse acompanhado todos virem e irem, Snape, na esperança de ser o próximo, pensou Harry com desprezo.

— Naturalmente, cada um teve o seu método e suas prioridades. Diante dessa confusão, é uma surpresa que tantos tenham obtido nota para passar nesta matéria. E surpresa maior será se todos conseguirem dar conta dos deveres do N.I.E.M, que serão bem mais complexos.

Snape começou a andar em volta da sala, falando agora mais baixo; os alunos esticaram o pescoço para conseguir vê-lo.

— As Artes das Trevas são muito variadas, inconstantes e eternas. Combatê-las é como combater um monstro de muitas cabeças, no qual, cada vez que cortamos uma cabeça, surge outra ainda mais feroz e inteligente do que a anterior. Vocês estão combatendo algo que é instável, mutável e indestrutível.

Harry encarou Snape. Sem dúvida, uma coisa era respeitar as Artes das Trevas como um inimigo perigoso, outra era se referir a elas como Snape estava fazendo, acariciando-as amorosamente com a voz.

— Suas defesas — disse Snape alteando a voz —, portanto, têm de ser flexíveis e inventivas como as Artes que vocês querem neutralizar. Esses quadros — ele apontou alguns à medida que passava — são uma boa representação do que acontece com quem, por exemplo, sofre a Maldição Cruciatus – (ele fez um gesto indicando uma bruxa que visivelmente urrava de dor) –, sente o beijo do dementador – (um bruxo de olhos vidrados encolhido contra uma parede) – ou provoca a agressão de um Inferius – (uma massa sangrenta no chão).

– Então já foi avistado algum Inferius? – perguntou Parvati Patil com voz aguda. – Então é oficial, ele está usando Inferi?

– O Lorde das Trevas usou Inferi no passado – respondeu Snape –, o que significa que seria sensato presumir que pode tornar a usá-los. Agora...

Ele recomeçou a andar pelo outro lado da sala em direção à própria escrivaninha, suas vestes escuras enfunando a cada passo e, mais uma vez, a classe acompanhou-o com os olhos.

– ... creio que os senhores são absolutamente novatos no uso de feitiços mudos. Qual é a vantagem de um feitiço mudo?

A mão de Hermione se ergueu no ar. Snape aguardou calmamente olhando os outros alunos, certificando-se de que não tinha outra escolha, antes de dizer secamente:

– Muito bem... srta. Granger?

– O adversário não pode prever que tipo de feitiço a pessoa vai realizar – respondeu Hermione –, o que lhe dá uma fração de segundo de vantagem.

– Uma resposta decorada quase palavra por palavra do Livro padrão de feitiços, 6ª série – comentou Snape com menosprezo (no canto Malfoy riu) –, mas correta em sua essência. Sim, aqueles que se aperfeiçoam e aprendem a usar a magia sem proferir os encantamentos, passam a contar com o elemento surpresa em sua arte. Nem todos os bruxos conseguem fazer isso, é claro; é uma questão de concentração e poder mental que alguns – seu olhar recaiu demoradamente em Harry – não possuem.

Harry sabia que o professor estava pensando nas desastrosas aulas de Oclumência do ano anterior. Recusou-se a baixar os olhos e encarou Snape até este desviar o olhar.

– Os senhores agora vão se dividir em pares. Um parceiro tentará enfeitiçar o outro *sem falar*. O outro vai tentar repelir o feitiço *em igual silêncio*. Comecem.

Embora Snape não soubesse, no ano anterior, Harry ensinara pelo menos à metade dos alunos (os que tinham participado da AD) como executar um Feitiço-Escudo. Nenhum deles, porém, jamais realizara o feitiço sem falar. Seguiu-se uma boa dose de enrolação; muitos alunos simplesmente murmuravam o encantamento em vez de dizê-lo em voz alta. Como era de esperar, aos dez minutos de aula, Hermione conseguiu repelir o Feitiço das Pernas Bambas, murmurado por Neville, sem enunciar uma única palavra, um feito que certamente teria rendido vinte pontos à Grifinória na aula de qualquer professor justo, pensou Harry com amargura, mas Snape ignorou-o.

Passeava imponente enquanto os alunos praticavam, parecendo mais do que nunca um morcego exageradamente grande, detendo-se a observar Harry e Rony se esfalfarem para cumprir a tarefa.

Rony, que devia enfeitiçar Harry, tinha o rosto púrpura, os lábios fortemente comprimidos para não cair na tentação de murmurar o encantamento. Harry mantinha a varinha erguida, aguardando, aflito, para repelir um feitiço que provavelmente jamais viria.

— Patético, Weasley — comentou Snape depois de algum tempo. — Deixe-me mostrar a você...

Snape virou a varinha para Harry tão ligeiro que este reagiu instintivamente; esqueceu a recomendação de não pronunciar o feitiço e gritou: "Protego!"

Seu Feitiço-Escudo foi tão forte que o professor se desequilibrou e bateu em uma carteira. A classe inteira tinha virado a cabeça e agora observava Snape se levantar de cara amarrada.

— Você está lembrado que eu disse para praticar feitiços *não verbais*, Potter?

— Sim — respondeu Harry, inflexivelmente.

— Sim, *senhor*.

— Não é preciso me chamar de "senhor", professor.

As palavras escaparam de sua boca antes que soubesse o que estava dizendo. Vários alunos ofegaram, inclusive Hermione. Às costas de Snape, no entanto, Rony, Dino e Simas riram aprovadoramente.

— Detenção, sábado à noite, meu escritório — disse Snape. — Não admito atrevimento de ninguém, Potter... nem mesmo d'O Eleito.

— Foi genial, Harry! — disse Rony às gargalhadas, quando já estavam bem longe, a caminho do recreio, pouco depois.

— Você realmente não devia ter dito aquilo — comentou Hermione, franzindo a testa para Harry. — Por que disse?

— Ele tentou me lançar um feitiço, caso você não tenha reparado! — irritou-se Harry. — Me enchi disso nas aulas de Oclumência! Por que ele não usa um porquinho-da-índia para variar? Afinal, que é que o Dumbledore está querendo para deixar o Snape ensinar Defesa Contra as Artes das Trevas? Você ouviu bem o que ele disse? Ele adora essas artes! Todo aquele papo de instável, indestrutível...

— Bem — contestou Hermione —, achei que lembrava um pouco você falando.

— Eu?

— É, quando estava nos contando como era enfrentar Voldemort. Você disse que não era uma questão de decorar um monte de feitiços, disse que era apenas você e seu cérebro e sua coragem... bem, não era isso que Snape estava dizendo? Que a arte se resumia em ter bravura e agilidade mental?

Harry se sentiu tão desarmado ante a amiga que achava que suas palavras mereciam ser memorizadas como as do *Livro padrão de feitiços* que não discutiu.

— Harry! Ei, Harry!

Harry olhou para os lados; Juca Sloper, um dos batedores da equipe de quadribol da Grifinória no ano anterior, vinha correndo em sua direção com um pergaminho na mão.

— Para você — ofegou Sloper. — Escute, soube que é o novo capitão. Quando vai fazer os testes?

— Ainda não tenho certeza — respondeu Harry, pensando que Sloper teria muita sorte se voltasse à equipe. — Aviso você.

— Ah, certo. Eu tinha esperança de que fosse neste fim de semana...

Mas Harry não estava escutando; acabara de reconhecer a caligrafia fina e inclinada no pergaminho. Deixou Sloper no meio da frase e se afastou depressa com Rony e Hermione, desenrolando o pergaminho enquanto andava.

Caro Harry,

Gostaria de começar as nossas aulas particulares no sábado. Por favor, venha ao meu escritório às oito horas da noite. Espero que esteja apreciando o seu primeiro dia de escola.

Atenciosamente,

Alvo Dumbledore

P.S. Gosto de Acidinhas.

— Ele gosta de Acidinhas? — estranhou Rony, que leu o bilhete por cima do ombro do amigo, perplexo.

— É a senha para passar pela gárgula na porta da sala dele — respondeu Harry em voz baixa. — Ah! Snape não vai gostar... Não vou poder cumprir a detenção!

Ele, Rony e Hermione passaram todo o recreio especulando o que Dumbledore iria ensinar. Rony achou mais provável que fossem feitiços e azarações desconhecidos dos Comensais da Morte. Hermione argumentou que isso era ilegal, e achou mais provável que Dumbledore quisesse ensinar a Harry magia defensiva avançada. Terminado o recreio, ela seguiu para a aula de Aritmancia enquanto Harry e Rony voltavam à sala comunal, onde, de má vontade, começaram a fazer os deveres passados por Snape. Eram tão complexos que ainda não tinham terminado quando Hermione foi encontrá-los para o período livre depois do almoço (embora ela tivesse ajudado a acelerar bastante o processo). Mal concluíram os deveres, tocou a sineta para a aula dupla de Poções e eles fizeram o já conhecido trajeto para a sala na masmorra que, durante tanto tempo, pertencera a Snape.

Quando chegaram ao corredor, viram que apenas uns doze alunos haviam continuado no nível de N.I.E.M. Crabbe e Goyle evidentemente não tinham obtido a nota exigida no N.O.M., mas quatro alunos da Sonserina tinham passado, inclusive Malfoy. Aguardavam também quatro alunos da Corvinal e um da Lufa-Lufa, Ernesto Macmillan, de quem Harry gostava, apesar do seu jeito pomposo.

– Harry – saudou Ernesto, auspiciosamente, estendendo a mão quando ele se aproximou –, não tive chance de falar com você hoje de manhã na Defesa Contra as Artes das Trevas. Achei uma boa aula, mas Feitiços-Escudo é, obviamente, uma velharia para veteranos da AD como nós... e vocês como vão, Rony... Hermione?

Mal os dois responderam "ótimo", a porta da masmorra se abriu e a pança de Slughorn o precedeu no corredor. Quando entraram na sala, seus enormes bigodes de leão-marinho se curvaram nos cantos da boca sorridente e ele cumprimentou Harry e Zabini com particular entusiasmo.

A masmorra estava, como nunca antes, impregnada de vapores e odores estranhos. Harry, Rony e Hermione aspiraram, interessados, ao passar por grandes caldeirões borbulhantes. Os quatro alunos da Sonserina ocuparam juntos uma das mesas, o mesmo tendo feito os da Corvinal. Sobraram, assim, Harry, Rony e Hermione para dividir a terceira mesa com Ernesto. Escolheram a mais próxima a um caldeirão dourado que exalava um dos aromas mais fascinantes que Harry já sentira na vida: lembrava ao mesmo tempo torta de caramelo, resina de madeira em cabo de vassoura e algo floral que ele pensava ter sentido n'A toca. Viu que respirava muito lenta e profundamente e que a fumaça da poção o satisfazia como uma bebida. Ele foi arrebatado por um grande contentamento; sorriu para Rony à sua frente, e o amigo retribuiu indolentemente o seu sorriso.

– Ora muito bem, ora muito bem, ora muito bem – começou Slughorn, cuja silhueta maciça parecia tremeluzir em meio aos variados vapores.

– Apanhem as balanças e os kits de poções e não esqueçam o manual de *Estudos avançados no preparo de poções*...

– Senhor – disse Harry, erguendo a mão.

– Harry, meu rapaz?

– Não tenho livro, nem balança nem nada... o Rony também não... não sabíamos que poderíamos fazer o N.I.E.M., o senhor entende...

– Ah, sim, de fato a professora McGonagall me falou... não se preocupe, meu caro rapaz, não se preocupe. Use os ingredientes do armário hoje, e estou certo de que podemos lhe emprestar uma balança, e temos um estoque de livros usados, eles servirão até que você possa escrever para a Floreios e Borrões...

Slughorn foi até um armário de canto e instantes depois virou-se com dois exemplares muito gastos de *Estudos avançados no preparo de poções*, de Libatius Borage, e entregou a Harry e Rony, juntamente com duas balanças oxidadas.

– Ora, muito bem – disse voltando para a frente da turma e enchendo o peito, já bastante volumoso, o que por um triz não fez os botões do seu colete saltarem. – Preparei algumas poções para vocês verem, apenas pelo interesse que encerram, entendem? São o tipo de coisa que deverão ser capazes de fazer ao fim dos N.I.E.M.s. Já devem ter ouvido falar de algumas, ainda que não saibam prepará-las. Alguém pode me dizer qual é esta aqui?

O professor indicou o caldeirão mais próximo à mesa da Sonserina. Harry levantou ligeiramente da cadeira e viu algo que lhe pareceu água pura em ebulição.

A mão bem treinada de Hermione subiu antes de qualquer outra; Slughorn apontou para ela.

– É Veritaserum, uma poção sem cor nem odor que força quem a bebe a dizer a verdade – respondeu Hermione.

– Muito bem, muito bem! – elogiou o professor, feliz. – Agora – continuou, apontando para o caldeirão mais próximo da mesa da Corvinal –, essa outra é bem conhecida... e também apareceu em alguns folhetos do Ministério ultimamente... quem sabe...?

A mão de Hermione foi novamente a mais rápida.

– É a Poção Polissuco, senhor.

Harry também reconheceu a substância com aspecto de lama que fervia lentamente no segundo caldeirão, mas não se aborreceu que Hermione recebesse o crédito por responder à pergunta; afinal, fora ela quem conseguira preparar a poção, quando estavam no segundo ano.

– Excelente, excelente! Agora, esta outra aqui... sim, minha cara? – interrompeu-se Slughorn, parecendo ligeiramente tonto ao ver a mão de Hermione perfurar mais uma vez o ar.

– É Amortentia!

– De fato. Parece quase tolice perguntar – comentou o professor muito impressionado –, mas presumo que você saiba que efeito produz, não?

– É a poção de amor mais poderosa do mundo! – disse a garota.

– Certo! E você a reconheceu, presumo, pelo brilho perolado?

– E o vapor subindo em espirais características – respondeu Hermione animada –, e dizem que tem um cheiro diferente para cada um de nós, de acordo com o que nos atrai, e eu estou sentindo cheiro de grama recém-cortada e pergaminho e...

Mas ela corou ligeiramente e não completou a frase.

– Posso saber o seu nome, minha cara? – perguntou Slughorn, não dando atenção ao constrangimento de Hermione.

– Hermione Granger, senhor.

– Granger? Granger? Será que você é parenta de Hector Dagworth-Granger, que fundou a Mui Extraordinária Sociedade dos Preparadores de Poções?

– Não. Creio que não, senhor. Nasci trouxa, sabe.

Harry viu Malfoy se inclinar para perto de Nott e cochichar alguma coisa, os dois riram, mas Slughorn não se mostrou desapontado, pelo contrário, abriu um largo sorriso e olhou de Hermione para Harry, sentado ao seu lado.

– Oho! *"Uma das minhas melhores amigas é trouxa e é a melhor da nossa série!"* Presumo que seja esta a amiga de quem me falou, Harry?

– É, sim, senhor.

– Ora muito bem, vinte pontos muito merecidos para a Grifinória, srta. Granger! – exclamou Slughorn cordialmente.

Malfoy tinha no rosto a mesma expressão do dia em que Hermione lhe dera um soco na cara. A garota virou-se para Harry radiante e sussurrou:

– Você realmente disse a ele que sou a melhor da série? Ah, Harry!

– Ora, grande coisa! – cochichou Rony que, por alguma razão, parecia aborrecido. – Você é a melhor da série: eu teria dito isso se ele tivesse me perguntado!

Hermione sorriu, mas pediu silêncio com um gesto para poderem ouvir o que Slughorn estava dizendo. Rony pareceu um pouco desapontado.

— A Amortentia na realidade não gera o amor, é claro. É impossível produzir ou imitar o amor. Não, a poção apenas causa uma forte paixonite ou obsessão. Provavelmente é a poção mais poderosa e perigosa nesta sala. Ah, sim — confirmou solenemente com a cabeça para Malfoy e Nott, que riam descrentes. — Quando vocês tiverem visto tanto da vida quanto eu, não subestimarão o poder do amor obsessivo...

"E agora, está na hora de começarmos a trabalhar."

— Professor, o senhor não nos disse o que tem neste aqui — lembrou Ernesto Macmillan, apontando para um pequeno caldeirão preto em cima da mesa de Slughorn. A poção espirrava vivamente para todo o lado; era cor de ouro derretido, e dela saltavam enormes gotas como peixinhos à superfície, embora nem uma só partícula extravasasse.

— Oho! — exclamou novamente o professor. Harry tinha certeza de que o professor não esquecera a poção, mas esperou que lhe perguntassem para produzir um efeito teatral. — Sim. Aquela. Bem, *aquela* ali, senhoras e senhores, é uma poçãozinha curiosa chamada Felix Felicis. Suponho — e ele se voltou sorridente para Hermione, que deixara escapar uma exclamação audível — que a senhorita saiba o que faz a Felix Felicis, srta. Granger?

— É sorte líquida — respondeu Hermione, animada. — Faz a pessoa ter sorte!

A classe inteira pareceu sentar mais aprumada. Agora Harry só conseguia ver os cabelos louros e sedosos de Malfoy, porque finalmente ele estava prestando total atenção ao professor.

— Correto, mais dez pontos para a Grifinória. É uma poçãozinha engraçada a Felix Felicis — explicou Slughorn. — Dificílima de fazer e catastrófica se errarmos. Contudo, se a prepararmos corretamente, como no caso, vocês irão descobrir que os seus esforços serão recompensados... pelo menos até passar o efeito.

— Por que as pessoas não a bebem o tempo todo, senhor? — perguntou Terêncio Boot, pressuroso.

— Porque ingerida em excesso causa tonteiras, irresponsabilidade e perigoso excesso de confiança. Tudo que é bom demais, sabe... extremamente tóxica em quantidade. Mas tomada com parcimônia e muito ocasionalmente...

— O senhor já a experimentou? — perguntou Miguel Corner muito interessado.

— Duas vezes na vida. Uma aos vinte e quatro anos e outra aos cinquenta e sete. Duas colheres de sopa ao café da manhã. Dois dias perfeitos.

Ele deixou o olhar se perder na distância sonhadoramente. Se estava representando ou não, pensou Harry, o efeito era bom.

— E a poção — disse Slughorn aparentemente voltando a terra — é o que vou oferecer de prêmio nesta aula.

Houve um grande silêncio em que cada borbulha e gargarejo das poções na sala pareceram se multiplicar dez vezes.

— Um frasquinho de Felix Felicis — explicou Slughorn, tirando do bolso um minúsculo vidro com rolha e mostrando-o a todos. — Suficiente para doze horas de sorte. Do amanhecer ao anoitecer, vocês terão sorte em tudo que tentarem.

"Agora, preciso avisar que a Felix Felicis é uma substância proibida nas competições oficiais, eventos esportivos, por exemplo, exames e eleições. Por isso quem a ganhar deve usá-la somente em um dia comum... e observar como esse dia comum se torna um dia extraordinário!

"Então", disse o professor repentinamente enérgico, "como irão ganhar esse prêmio fabuloso? Bem, abrindo a página dez de *Estudos avançados no preparo de poções*. Ainda nos resta pouco mais de uma hora, que deve ser suficiente para vocês fazerem uma tentativa válida de preparar a Poção do Morto-Vivo. Sei que é mais complexa do que qualquer outra que tenham tentado antes e não espero que ninguém faça uma poção perfeita. Mas aquele que a fizer melhor ganhará a pequena Felix aqui. Podem começar!"

Houve muito barulho quando os alunos arrastaram objetos e puxaram seus caldeirões para perto, e batidas estridentes à medida que acrescentavam pesos aos pratos das balanças, mas ninguém falou. A concentração na sala era quase tangível. Harry viu Malfoy folheando febrilmente seu exemplar de *Estudos avançados no preparo de poções*. Não podia ficar mais evidente que ele realmente desejava ganhar aquele dia de sorte. Harry debruçou-se ligeiro para o exemplar esfrangalhado do livro que Slughorn lhe emprestara.

Para seu aborrecimento, viu que o antigo dono escrevera em todas as páginas, de tal modo que as margens estavam tão pretas quanto as partes impressas. Ele se curvou mais para decifrar os ingredientes (até mesmo ali o antigo dono fizera anotações e riscara palavras) e correu em seguida ao armário para procurar o que precisava. Ao voltar depressa ao seu caldeirão, viu que Malfoy estava picando raízes de valeriana o mais rápido que podia.

Todos olhavam para os lados a ver o que o resto da turma fazia; essa era ao mesmo tempo a vantagem e a desvantagem na aula de Poções: a dificuldade de trabalhar sozinho. Em dez minutos, a sala toda se encheu de fumaça azulada. Hermione, naturalmente, parecia ter ido mais longe. Sua poção apresentava-se lisa e cor de groselha como o livro dizia ser o ideal ao chegar à metade do processo.

Ao terminar de picar as raízes, Harry debruçou-se outra vez sobre o livro. Era realmente muito irritante tentar decifrar todos os rabiscos bobos do antigo dono, que, por alguma razão, implicara com a instrução para cortar a Vagem Soporífera e anotara uma alternativa:

Amassar com o lado plano da adaga de prata faz escorrer mais seiva do que cortar.

— Professor, acho que o senhor conheceu o meu avô, Abraxas Malfoy.

Harry levantou a cabeça; Slughorn ia passando pela mesa da Sonserina.

— Conheci — confirmou o professor, sem olhar para Malfoy. — Lamentei quando soube do seu falecimento, embora não tenha sido inesperado; varíola dragonina na idade dele...

Quando Slughorn se afastou, Harry voltou a atenção para o seu caldeirão, rindo. Compreendeu que Malfoy esperara ser tratado como ele ou Zabini; talvez até receber um tratamento privilegiado do tipo que Snape normalmente lhe dispensara. Pelo visto, Malfoy teria de depender apenas do seu talento para ganhar o frasco de Felix Felicis.

A Vagem Soporífera mostrava-se difícil de cortar. Harry virou-se para Hermione.

— Pode me emprestar a sua faca de prata?

Ela concordou impaciente, sem tirar os olhos de sua poção, que continuava muito púrpura, embora o livro dissesse que já deveria estar lilás-clara.

Harry amassou sua vagem com o lado plano da adaga. Para sua surpresa, a planta imediatamente exsudou tanta seiva que ele se admirou que uma vagem seca pudesse conter tanta umidade. Ele a raspou depressa para dentro do caldeirão e constatou, espantado, que a poção imediatamente adquiriu o exato tom lilás descrito no livro.

O seu aborrecimento com o antigo dono desapareceu na hora, Harry agora fazia força para ler a linha seguinte das instruções. Segundo o livro, ele precisava mexer o caldeirão no sentido anti-horário até que a poção ficasse clara como água. Mas, segundo a anotação do antigo dono, ele deveria dar uma mexida no sentido horário para cada sete no sentido anti-horário. Será que o dono anterior estaria mais uma vez certo?

Harry mexeu a poção no sentido anti-horário, prendeu a respiração e deu a mexida no sentido horário. O efeito foi imediato. A porção tornou-se rosa muito claro.

— Como é que você está conseguindo isso? — quis saber Hermione, o rosto muito corado e os cabelos cada vez mais volumosos com o vapor que subia do caldeirão; sua poção continuava decididamente púrpura.

— Dê uma mexida no sentido horário...

— Não, não, o livro diz anti-horário! — retorquiu ela.

Harry encolheu os ombros e continuou o que estava fazendo. Sete mexidas no sentido anti-horário, uma no sentido horário, pausa... sete mexidas no sentido anti-horário, uma no sentido horário...

Do lado oposto da mesa, Rony xingava baixinho sem parar; a poção dele parecia alcaçuz líquido. Harry olhou para os lados. Aparentemente, nenhuma outra poção ficara clara como a dele. Sentiu-se eufórico, coisa que jamais lhe acontecera naquela masmorra.

— E acabou-se... o tempo! — anunciou Slughorn. — Por favor, parem de mexer!

O professor caminhou lentamente entre as mesas, examinando o conteúdo dos caldeirões. Não fez comentários, mas ocasionalmente mexia ou cheirava uma das poções. Por fim, chegou à mesa onde estavam Harry, Rony, Hermione e Ernesto. Sorriu ao ver a substância densa e escura no caldeirão de Rony. Passou rapidamente pela preparação de Ernesto. Deu um aceno de aprovação à de Hermione. Então viu a de Harry, e uma expressão de prazer e incredulidade espalhou-se pelo seu rosto.

— Sem dúvida, o vencedor! — exclamou para a masmorra. — Excelente, Harry! Deus do céu, é inegável que você herdou o talento de sua mãe que tinha uma mão ótima para Poções, a Lílian. Tome aqui, então, tome aqui: um frasco de Felix Felicis, conforme prometi, e use-o bem!

Harry guardou o frasquinho de líquido dourado no bolso interno das vestes, sentindo uma estranha mescla de prazer ao ver os olhares furiosos dos alunos da Sonserina e remorso frente à expressão de desapontamento de Hermione. Rony estava simplesmente estarrecido.

— Como foi que você fez aquilo? — sussurrou para o amigo, ao deixarem a masmorra.

— Tive sorte, presumo — respondeu Harry preocupado que Malfoy os ouvisse.

Uma vez, porém, refestelados à mesa da Grifinória para jantar, ele se sentiu seguro para contar aos amigos. O rosto de Hermione foi endurecendo a cada palavra que ele dizia.

— Suponho que você esteja achando que colei? — concluiu ele, incomodado com sua expressão.

— Bem, não foi exatamente trabalho seu, não é? — disse tensa.

— Ele apenas seguiu instruções diferentes das nossas — defendeu-o Rony.
— Poderia ter sido uma catástrofe, não é? Mas ele arriscou e se deu bem. — Ele suspirou. — Slughorn bem podia ter dado aquele livro para mim, mas não, me deu um em que ninguém escreveu nada. *Vomitou*, pela aparência da página cinquenta e dois, mas...

— Calma aí — disse uma voz ao ouvido esquerdo de Harry, que sentiu a repentina presença do aroma floral que reconhecera na masmorra de Slughorn. Ele se virou e viu Gina ao lado deles. — Será que ouvi direito? Você andou seguindo ordens que alguém escreveu em um livro, Harry?

Ela estava assustada e zangada. Harry entendeu imediatamente o que passava pela cabeça da amiga.

— Não foi nada importante — tranquilizou-a, baixando a voz. — Sabe, não foi como no caso do diário de Riddle. Era só um livro-texto velho em que alguém fez anotações.

— Mas você seguiu o que estava escrito?

— Só experimentei umas dicas escritas à margem, verdade, Gina, não tem nada suspeito...

— Gina tem razão — disse Hermione, empertigando-se instantaneamente. — Temos de verificar se não há nada esquisito com o livro. Quero dizer, todas aquelas instruções engraçadas, quem sabe?

— Ei! — exclamou Harry indignado, ao ver Hermione tirar o exemplar de *Estudos avançados no preparo de poções* da mochila dele e erguer a varinha.

— *Specialis revelio!* — ordenou ela, dando uma pancadinha rápida na capa do livro.

Nada aconteceu. O livro continuou imóvel, apenas velho, sujo e cheio de orelhas.

— Terminou? — perguntou Harry irritado. — Ou quer esperar para ver se o livro dá umas cambalhotas?

— Parece normal — concluiu Hermione, ainda mirando o livro desconfiada.

— Quero dizer, parece que é realmente... um simples livro.

— Que bom. Então posso guardá-lo — concluiu Harry, apanhando na mesa o livro, que escorregou de sua mão e caiu aberto no chão.

Ninguém mais estava olhando. Harry se abaixou para recolher o livro e, ao fazer isto, viu uma coisa escrita ao pé da quarta capa, na mesma caligrafia pequena e apertada que as instruções que tinham obtido para ele o frasco de Felix Felicis, agora guardado no malão em seu quarto, muito bem escondido dentro de um par de meias.

Este livro pertence ao Príncipe Mestiço.

10

A CASA DE GAUNT

Nas demais aulas de Poções da semana, Harry continuou a seguir as instruções do Príncipe Mestiço sempre que divergiam das de Libatius Borage, e, em consequência, por volta da quarta aula, Slughorn estava delirante com a capacidade de Harry, e comentava que raramente ensinara a alguém tão talentoso. Nem Rony nem Hermione ficaram muito satisfeitos com isso. Embora Harry oferecesse compartilhar o livro com ambos, Rony teve mais dificuldade em decifrar a caligrafia do que ele, e não poderia ficar pedindo ao amigo que lesse o texto em voz alta sem levantar suspeitas. Nesse meio-tempo, Hermione enfrentava resolutamente o que ela chamava de instruções "oficiais", mas tornava-se cada vez mais mal-humorada, pois obtinha resultados mais medíocres do que os do Príncipe.

Harry se perguntava sem grande interesse quem teria sido o tal Príncipe Mestiço. Embora a quantidade de deveres de casa que tinham recebido o impedisse de ler todo o exemplar de *Estudos avançados no preparo de poções*, ele o folheara o suficiente para ver que não havia praticamente página alguma em que o Príncipe não tivesse feito anotações, que nem sempre se referiam ao preparo de poções. Aqui e ali havia instruções para feitiços que pareciam inventados por ele mesmo.

— Ou ela mesma — rebateu Hermione irritada, escutando Harry mostrar alguns para Rony na sala comunal, sábado à noite. — Pode ter sido uma garota, acho que a letra parece mais feminina do que masculina.

— Chamava-se o Príncipe Mestiço — disse Harry. — Quantas meninas são príncipes?

Hermione não soube responder. Apenas amarrou a cara e puxou o trabalho que estava fazendo sobre "Os princípios da rematerialização", para longe de Rony, que tentava lê-lo de cabeça para baixo.

Harry consultou seu relógio e guardou depressa na mochila o velho exemplar de *Estudos avançados no preparo de poções*.

— São cinco para as oito, é melhor eu ir andando ou vou chegar atrasado no Dumbledore.

— Ooooh! — exclamou Hermione, erguendo imediatamente a cabeça.

— Boa sorte! Vamos esperar acordados, queremos saber o que ele vai lhe ensinar!

— Espero que tudo corra bem — disse Rony, e os dois ficaram observando Harry passar pelo buraco do retrato.

Harry atravessou os corredores desertos, embora tenha precisado se esconder ligeiro atrás de uma estátua quando a professora Trelawney surgiu, de repente, numa curva do corredor, murmurando e misturando as cartas de um baralho ensebado que lia enquanto andava.

— Dois de espadas: conflito — murmurou ao passar pelo lugar em que Harry se escondera agachado. — Sete de espadas: mau augúrio. Dez de espadas: violência. Valete de espadas: um rapaz moreno, possivelmente perturbado, que não gosta da consulente.

Ela parou de repente, do lado oposto da estátua de Harry.

— Bem, não pode estar certo — disse contrariada, e Harry ouviu-a embaralhar energicamente ao recomeçar a caminhada, deixando atrás de si apenas um aroma de xerez barato para uso culinário. Harry esperou até se certificar de que ela se fora, então recomeçou a correr até chegar ao ponto do corredor do sétimo andar em que havia apenas uma gárgula na parede.

— Acidinhas — disse Harry. A gárgula saltou para o lado; a parede oculta se abriu, e surgiu uma escada circular de pedra, na qual Harry pôs os pés para ser levado até a porta com a aldrava de latão que dava acesso ao escritório de Dumbledore.

Harry bateu.

— Entre — ouviu-se a voz do diretor.

— Boa noite, senhor — cumprimentou Harry, entrando no escritório.

— Ah, boa noite, Harry. Sente-se — disse Dumbledore, sorrindo. — Espero que sua primeira semana na escola tenha sido prazerosa.

— Foi, obrigado, senhor.

— Deve ter andado muito ocupado, já recebeu uma detenção!

— Ãa... — começou Harry sem jeito, mas Dumbledore não parecia muito severo.

— Combinei com o professor Snape que você cumprirá sua detenção no próximo sábado.

— Certo — respondeu Harry, que tinha assuntos mais urgentes em sua cabeça do que a detenção de Snape, e agora procurava disfarçadamente alguma indicação do que Dumbledore pretendia fazer com ele naquela noite.

O escritório circular tinha a aparência de sempre: os delicados instrumentos de prata sobre mesinhas de pernas finas soltavam fumaça e zumbiam; os antigos diretores e diretoras cochilavam em seus quadros; e a magnífica fênix do diretor, Fawkes, no poleiro atrás da porta, observava Harry com vivo interesse. Pelo visto, Dumbledore nem sequer abrira um espaço para duelar.

– Então, Harry – disse o diretor em tom objetivo. – Você certamente tem se perguntado o que planejei para as suas... por falta de uma palavra melhor... aulas.

– Tenho, senhor.

– Bem, agora que você sabe o que induziu Lorde Voldemort a tentar matá-lo há quinze anos, concluí que já é tempo de lhe passar certas informações.

Houve uma pausa.

– O senhor disse, no fim do último trimestre, que ia me contar tudo – lembrou Harry. Era difícil eliminar um quê de acusação em sua voz. – Senhor – acrescentou.

– E de fato contei – concordou Dumbledore placidamente. – Contei-lhe tudo que sei. Daqui para frente, estaremos deixando o terreno firme dos fatos para viajar juntos pelos turvos alagados da memória e nos embrenhar pelo matagal das suposições mais absurdas. Deste ponto em diante, Harry, posso estar lamentavelmente tão enganado como Humphrey Belcher, que acreditou que havia aceitação para caldeirões de queijo.

– Mas o senhor acha que está certo?

– Naturalmente que sim, mas como já provei a você também, erro como qualquer outro homem. De fato, sendo, perdoe-me, bem mais inteligente do que a maioria, os meus erros tendem a ser proporcionalmente maiores.

– Senhor – perguntou Harry hesitante –, o que vai me contar tem a ver com a profecia? Vai me ajudar a... sobreviver?

– Muita relação com a profecia – respondeu Dumbledore, displicentemente, como se Harry tivesse lhe perguntado que tempo faria no dia seguinte –, e tenho esperanças de que o ajude a sobreviver.

O diretor ergueu-se, contornou a escrivaninha e passou por Harry; este se virou pressuroso e viu Dumbledore curvar-se para o armário ao lado da porta. Quando o diretor se endireitou, segurava uma conhecida bacia de pedra, com estranhas marcas na borda. O bruxo colocou a Penseira na escrivaninha, diante de Harry.

– Você parece preocupado.

Realmente Harry observava a bacia com apreensão. Suas experiências anteriores com o estranho objeto que guardava e revelava pensamentos e lembranças, embora extremamente instrutivas, tinham sido bastante desconfortáveis. A última vez em que ele agitara o seu conteúdo, vira muito mais do que teria desejado. Mas Dumbledore estava sorrindo.

— Desta vez, você vai entrar na Penseira comigo... e, o que é ainda mais incomum, tem permissão para isso.

— Aonde vamos, senhor?

— Fazer uma viagem pelos caminhos da memória de Beto Ogden — respondeu Dumbledore, tirando do bolso um frasco de cristal contendo uma substância branco-prata que rodopiava.

— Quem foi Beto Ogden?

— Foi funcionário do Departamento de Execução das Leis da Magia. Morreu há algum tempo, mas não antes que eu o tivesse localizado e convencido a me confidenciar essas lembranças. Vamos acompanhá-lo em uma visita que fez no desempenho de suas funções. Se puder se levantar, Harry...

Mas Dumbledore estava tendo dificuldade para destampar o frasco de cristal: sua mão machucada parecia rígida e dolorida.

— Me dá... me dá licença, senhor?

— Não se incomode, Harry.

Dumbledore apontou a varinha para o frasco e a rolha saltou fora.

— Senhor... como foi que machucou a mão? — Harry perguntou mais uma vez, olhando os dedos escurecidos com uma sensação de horror e dó.

— Agora não é hora de contar essa história, Harry. Ainda não. Temos um encontro com Beto Ogden.

Dumbledore despejou na Penseira o conteúdo do frasco, que girou e refulgiu, nem líquido nem gasoso.

— Primeiro você — disse ele, indicando a bacia.

Harry se inclinou, inspirou profundamente e mergulhou de cara na substância prateada. Sentiu seus pés deixarem o piso do escritório; foi caindo, caindo, por um torvelinho escuro, e então, inesperadamente, se viu piscando sob um sol ofuscante. Antes que seus olhos se acostumassem, Dumbledore aterrissou ao seu lado.

Estavam de pé em uma estradinha rural ladeada por cercas vivas emaranhadas, sob um céu de verão vivo e azul como miosótis. A uns três metros deles, achava-se um homem baixo e gorducho que usava óculos com lentes tão grossas que reduziam seus olhos a sinaizinhos de nascença. Estava lendo um letreiro de madeira que se projetava da cerca selvática do lado esquerdo da estrada. Harry sabia que aquele devia ser o Ogden; era a única pessoa à vista, e usava a estranha variedade de roupas que muitas vezes os bruxos inexperientes escolhem para se disfarçar de trouxas; no caso, casaca e polainas por cima de uma roupa de banho listrada e inteiriça. Antes, porém, que Harry tivesse tempo para outra coisa que não registrar sua bizarra aparência, Ogden saiu andando com rapidez pela estrada.

Dumbledore e Harry seguiram-no. Ao passarem pelo letreiro de madeira, Harry olhou para as duas setas. Na que apontava para o lado de onde tinham vindo leu: Great Hangleton, 8km. Na que apontava para Ogden leu: Little Hangleton, 1,6km.

Caminharam uma pequena distância sem nada ver exceto as cercas, a vastidão do céu azul e a figura de casaca à frente; então, a estrada fez uma curva para a esquerda e despencou, íngreme, descendo a encosta do morro, permitindo que, inesperadamente, descortinassem o panorama de um vale inteiro. Harry viu uma aldeia, sem dúvida Little Hangleton, aninhada entre dois morros escarpados, a igreja e o cemitério bem aparentes. Do outro lado do vale, engastada na falda do morro oposto, havia uma bela casa senhorial rodeada por um vasto e veludoso gramado.

Ogden diminuiu a marcha diante do acentuado declive da ladeira. Dumbledore aumentou seus passos e Harry tentou acompanhá-lo. Imaginou que Little Hangleton fosse o destino final e se perguntou, como fizera na noite em que localizaram Slughorn, por que tinham de começar de tão longe. Logo, porém, descobriu que se enganara em pensar que se dirigiam à aldeia. A estrada fazia uma curva para a direita e, quando a contornaram, viram a ponta da aba da casaca de Ogden desaparecendo por uma abertura na cerca.

Dumbledore e Harry continuaram a segui-lo por uma trilha estreita, ladeada de cercas vivas ainda mais altas e mais desordenadas do que as que tinham deixado para trás. O caminho era torto, rochoso e esburacado, descia o morro como o anterior e parecia conduzir a um arvoredo, sombrio um pouco mais abaixo. De fato, o caminho logo desembocou no arvoredo, e Dumbledore e Harry pararam atrás de Ogden, que se detivera para puxar a varinha.

Apesar do céu desanuviado, as velhas árvores projetavam sombras profundas, escuras e frescas, e Harry levou alguns segundos para enxergar a casa semioculta entre seus troncos. Pareceu-lhe um lugar estranho para se construir uma casa, ou então uma decisão curiosa a de deixar as árvores crescerem próximas, bloqueando toda a luz e a visão do vale. Ele se perguntou se seria habitada; as paredes estavam cobertas de musgo e havia caído tantas telhas que em alguns pontos as traves estavam visíveis. Cresciam urtigas a toda volta e suas hastes alcançavam as janelas pequenas e grossas de sujeira.

Quando acabara de concluir que era impossível que fosse habitada, uma das janelas se abriu com estrépito e deixou sair um fio de vapor ou de fumaça, como se alguém estivesse cozinhando.

Ogden se adiantou em silêncio e, pareceu a Harry, com cautela. Quando as sombras escuras das árvores o encobriram, ele tornou a parar com os olhos fixos na porta de entrada, à qual tinham pregado uma cobra morta.

Ouviu-se, então, um farfalhar e um estalo, e um homem andrajoso despencou da árvore mais próxima, caindo de pé diante de Ogden; este pulou para trás tão rápido que pisou nas abas da casaca e se desequilibrou.

— Você não é bem-vindo.

O homem à frente deles tinha cabelos espessos tão entremeados de sujeira que não dava para distinguir a cor. Faltavam-lhe vários dentes na boca; e os olhos, pequenos e escuros, olhavam em direções opostas. Sua aparência poderia ter sido cômica, mas não era; produzia um efeito assustador, e Harry não podia censurar Ogden por recuar mais alguns passos antes de falar.

— Ãh... bom dia. Sou do Ministério da Magia...

— Você não é bem-vindo.

— Ãh... desculpe... não estou entendendo — respondeu Ogden nervoso.

Harry achou que Ogden estava sendo extremamente obtuso; em sua opinião, o estranho fora muito claro, principalmente porque brandia uma varinha em uma das mãos e uma faca de lâmina curta, ensanguentada, na outra.

— Você com certeza está entendendo, não, Harry? — indagou Dumbledore em voz baixa.

— Claro que estou — respondeu ele um pouco confuso. — Por que Ogden não...?

Mas quando tornou a olhar a cobra na porta, repentinamente compreendeu.

— Ele está falando a linguagem das cobras?

— Muito bom — assentiu Dumbledore, sorrindo.

O homem andrajoso agora avançava para Ogden, a faca em uma das mãos e a varinha na outra.

— Escute aqui — começou Ogden, mas tarde demais: ouviu-se um estampido e ele foi parar no chão, apertando o nariz, que espirrava entre os seus dedos uma gosma amarelada e feia.

— Morfino! — gritou uma voz.

Um homem mais velho saiu depressa da casa batendo a porta ao passar e fazendo a cobra balançar pateticamente. Este homem era mais baixo do que o primeiro e tinha estranhas proporções; os ombros eram muito largos e os braços compridos demais, o que, juntamente com os olhos vivos e castanhos, os cabelos espessos e curtos e o rosto enrugado, dava-lhe a aparência de um macaco idoso e forte. Parou ao lado do homem com a faca, que agora soltava gargalhadas ao ver Ogden no chão.

— Ministério é? — perguntou o homem mais velho, olhando Ogden com arrogância.

— Correto! — confirmou ele com raiva, limpando o rosto. — E o senhor, presumo, é o sr. Gaunt?

— Isso. Ele acertou seu rosto, foi?

— Foi! — retorquiu Ogden.

— O senhor não deveria ter anunciado sua presença? — perguntou Gaunt agressivamente. — Isto é uma propriedade privada. Ninguém pode ir entrando e esperar que o meu filho não se defenda.

— Defenda de quê, homem? — contestou Ogden, se levantando.

— Bisbilhoteiros. Invasores. Trouxas e ralé.

Ogden apontou a varinha para o próprio nariz, de onde continuava a escorrer uma abundante secreção semelhante a pus, e estancou o corrimento. O sr. Gaunt disse a Morfino, pelo canto da boca.

— *Entre. Não discuta.*

Desta vez, alertado, Harry reconheceu a língua que o homem falava; ao mesmo tempo que entendia o que era dito, distinguia o estranho sibilado que era só o que Ogden podia ouvir. Morfino deu a impressão de que ia discordar, mas, quando o pai ameaçou-o com um olhar, ele mudou de ideia; saiu em direção à casa com uma estranha ginga e bateu a porta, fazendo a cobra balançar tristemente.

— Foi o seu filho que vim ver, sr. Gaunt — explicou Ogden, enxugando o resto de pus da frente da casaca. — Aquele era o Morfino, não?

— Ãh, era o Morfino — confirmou o velho, indiferente. — O senhor tem sangue puro? — perguntou repentinamente agressivo.

— Isto não vem ao caso — respondeu Ogden com frieza, e Harry sentiu o seu respeito pelo bruxo crescer.

Aparentemente isto fazia diferença para Gaunt. Ele estudou o rosto de Ogden e resmungou em um tom decididamente ofensivo.

— Pensando bem, já vi narizes iguais ao seu na aldeia.

— Não duvido nada, se o senhor costuma soltar seu filho contra eles. Que tal continuarmos essa discussão dentro de casa?

— Dentro?
— É, sr. Ogden. Já disse que estou aqui por causa de Morfino. Enviamos uma coruja...
— Não estou interessado em corujas. Não abro cartas.
— Então o senhor não tem razão para reclamar que as visitas apareçam sem avisar — retrucou Ogden, mordaz. — Estou aqui porque ocorreu uma séria violação das leis bruxas nas primeiras horas desta manhã...
— Está bem, está bem, está bem! — berrou Gaunt. — Entre na maldita casa, então, mas não vai lhe adiantar muito!

A casa parecia conter três cômodos minúsculos. Havia duas portas no cômodo principal, que servia de sala e cozinha. Morfino estava sentado em uma poltrona imunda ao lado do fogão enfumaçado, enrolando uma cobra entre os dedos grossos enquanto cantava baixinho em sua linguagem.

> *Silva, silva, serpinha,*
> *Serpeia pelo soalho*
> *Seja sempre boazinha*
> *Ou Morfino crava você.*

Ouviu-se um arrastar de pés no canto ao lado da janela aberta, e Harry notou que havia mais alguém na sala, uma garota cujo vestido cinzento e rasgado era exatamente da cor da parede de pedra encardida às suas costas. Estava em pé ao lado de uma panela que fumegava em um fogão preto, e mexia na prateleira com panelas e caçarolas de aspecto miserável mais acima. Seus cabelos eram escorridos e sem vida e o rosto comum, pálido e feioso. Seus olhos, como os do irmão, eram divergentes. Parecia um pouco mais limpa do que os dois homens, mas Harry avaliou que nunca vira ninguém tão arrasado.

— Minha filha Mérope — Gaunt apresentou-a de má vontade, quando Ogden lançou à garota um olhar indagador.

— Bom dia — cumprimentou-a Ogden.

Ela não respondeu; lançando um olhar assustado ao pai, deu as costas à sala e continuou a trocar as panelas de lugar na prateleira.

— Bem, sr. Gaunt, para ir direto ao assunto, temos razões para acreditar que seu filho Morfino executou um feitiço diante de um trouxa no final da noite de ontem.

Ouviu-se um estrondo metálico. Mérope deixara cair uma panela.

— *Apanhe isso!* — berrou Gaunt para a filha. — Isso, fuce o chão como uma trouxa porca, para que serve a sua varinha, seu saco de estrume?

— Sr. Gaunt, por favor! — pediu Ogden em tom chocado, enquanto Mérope, que já apanhara a panela, com o rosto malhado de rubor, tornou a soltá-la e puxou a varinha do bolso; apontou-a para o objeto e murmurou um feitiço apressado e inaudível que fez a panela voar para longe dela, bater na parede oposta e rachar ao meio.

Morfino soltou sua gargalhada insana. Gaunt gritou:

— Conserte isso, sua imprestável, conserte isso!

Mérope saiu tropeçando pela sala, mas, antes que tivesse tempo de erguer a varinha, Ogden empunhou a dele e ordenou com firmeza:

— *Reparo.* — E a panela se consertou instantaneamente.

Por um momento, pareceu que Gaunt ia gritar com Ogden, mas deve ter pensado melhor; em vez disso, caçoou da filha:

— Que sorte o homem bonzinho do Ministério está aqui, não é? Quem sabe ele tira você das minhas mãos, quem sabe ele não se incomoda com abortos nojentos...

Sem olhar para ninguém ou agradecer a Ogden, Mérope apanhou a panela e devolveu-a, com as mãos trêmulas, à prateleira. Postou-se, então, muito quieta, as costas apoiadas na parede entre a janela muito suja e o fogão, como se o seu único desejo fosse afundar na pedra e sumir.

— Sr. Gaunt — recomeçou Ogden —, como eu ia dizendo, a razão da minha visita...

— Ouvi da primeira vez! — retrucou Gaunt. — E daí? Morfino deu a um trouxa o que estava merecendo; o que é que o senhor vai fazer?

— Morfino violou a lei bruxa — disse Ogden com severidade.

— *Morfino violou a lei bruxa.* — Gaunt imitou a voz de Ogden, num tom pomposo e cantado. Morfino gargalhou outra vez. — Deu uma lição a um trouxa nojento, isso agora é ilegal, é?

— É. Receio que seja.

Ogden tirou do bolso interno um pequeno rolo de pergaminho e abriu-o.

— E isso aí, é o quê, a sentença dele? — perguntou Gaunt, alteando a voz inflamado.

— É uma intimação para comparecer a uma audiência no Ministério...

— Intimação! Intimação? Quem o senhor pensa que é para intimar meu filho a comparecer a algum lugar?

— Sou o chefe do Esquadrão de Execução das Leis da Magia.

— E o senhor acha que somos ralé, é isso? — gritou Gaunt, e avançou para Ogden, com o dedo de unha suja e amarela apontando para o seu peito. — Ralé que se apresenta correndo quando o Ministério manda? Sabe com quem está falando, seu Sangue Ruim nojento?

— Eu tinha a impressão de que estava falando com o sr. Gaunt — respondeu ele cauteloso, mas irredutível.

— Exatamente! — urrou Gaunt. Por um instante, Harry pensou que ele fazia um gesto obsceno, mas percebeu que apenas mostrava o feio anel de pedra escura que usava no dedo médio, e que agitava na cara de Ogden. — Está vendo isso aqui? Está vendo isso aqui? Sabe de onde veio? Está há séculos na nossa família, tão antiga ela é, e de sangue sempre puro! Sabe quanto já me ofereceram por isso, com o brasão dos Peverell gravado na pedra?

— Não faço a menor ideia — replicou Ogden, piscando para o anel a centímetros do seu nariz –, e não é pertinente, sr. Gaunt. O seu filho cometeu...

Com um uivo de fúria, Gaunt correu para a filha. Por uma fração de segundo, Harry pensou que ia esganá-la, quando o viu agarrá-la pelo pescoço; mas ele apenas arrastou-a até Ogden pela corrente de ouro que usava.

— Está vendo isso aqui? — berrou, sacudindo o pesado medalhão para Ogden, enquanto Mérope engasgava e procurava respirar.

— Eu estou vendo, eu estou vendo! — apressou-se ele a dizer.

— Vem de Slytherin! — gritou Gaunt. — De Salazar Slytherin! Somos os seus últimos descendentes vivos. Que me diz disso, eh?

— Sr. Gaunt, sua filha! — avisou Ogden assustado, mas o bruxo já largara Mérope; ela se afastou cambaleando de volta ao seu canto, massageando o pescoço e engolindo em seco para respirar.

— É o que eu queria dizer! — exclamou Gaunt triunfante, como se tivesse acabado de provar de modo irrefutável uma complicada questão. — Não venha falar conosco como se não chegássemos aos seus pés! Gerações de sangue puro, todos bruxos, o que, tenho certeza, é mais do que o *senhor* pode dizer!

E cuspiu no chão aos pés de Ogden. Morfino soltou mais gargalhadas. Mérope, encolhida ao lado da janela, a cabeça oculta pelos cabelos escorridos, permaneceu calada.

— Sr. Gaunt — insistiu Ogden –, receio que nem os seus antepassados nem os meus tenham a menor relação com o nosso caso. Estou aqui por causa do Morfino, Morfino e o trouxa que ele abordou ontem à noite. A informação que temos é que Morfino lançou um feitiço ou uma azaração no tal trouxa, causando-lhe uma urticária extremamente dolorosa.

Morfino riu.

— *Quieto menino* — rosnou Gaunt em linguagem de cobra, e Morfino tornou a se calar. — E se lançou, qual é o problema? — retorquiu Gaunt em tom de desafio. — Espero que o senhor tenha limpado a pele do trouxa e, de quebra, a memória dele...

— O problema é bem outro, não é, sr. Gaunt? Foi um ataque gratuito a um indefeso...

— Ah, achei que o senhor tinha cara de amigo dos trouxas assim que o vi — desdenhou Gaunt, tornando a cuspir no chão.

— Esta discussão não está nos levando a nada — disse Ogden com firmeza.

— Pela atitude do seu filho, está muito claro que não sente remorso algum pelo que fez. — E olhando para o rolo de pergaminho. — Morfino deverá comparecer a uma audiência no dia 14 de setembro, para responder às acusações de usar magia diante de um trouxa e causar ao dito trou...

Ogden calou-se. Entravam pela janela ruídos de metal, cascos de cavalos e risos humanos. Aparentemente, a estrada tortuosa para a aldeia passava muito próxima do arvoredo onde se situava a casa. Gaunt congelou, escutando de olhos arregalados. Morfino sibilou e virou o rosto para o lado dos ruídos, a expressão voraz. Mérope ergueu a cabeça. Seu rosto, Harry viu, estava absolutamente branco.

— Meu Deus, que monstruosidade! — ouviu-se uma voz de garota, claramente audível pela janela aberta como se estivesse na sala. — Será que seu pai não podia mandar remover esse casebre, Tom?

— Não é nosso — respondeu uma voz jovem. — Tudo do outro lado do vale nos pertence, mas essa casa pertence a um velho pobretão chamado Gaunt e aos filhos dele. O rapaz é bem maluco, você devia ouvir as histórias que contam na aldeia...

A moça riu. Os sons de metal e cascos aumentaram. Morfino fez menção de levantar da poltrona.

— *Fique sentado* — disse o pai em tom de aviso, em linguagem de cobra.

— Tom — falou a moça, agora tão próximo que deviam estar ao lado da casa —, será que me enganei ou alguém pregou uma cobra naquela porta?

— Santo Deus, você tem razão! — disse a voz masculina. — Deve ter sido o filho, eu não disse que ele não era bom da cabeça? Não olhe, Cecília, querida.

Os sons de metal e cascos foram se distanciando.

— *Querida* — murmurou Morfino naquela linguagem de cobra, olhando para a irmã. — *Chamou a moça de querida. Então não ia mesmo querer você.*

Mérope estava tão pálida que Harry teve certeza de que ela ia desmaiar.

— *Que foi, Morfino?* — perguntou Gaunt rispidamente, na mesma linguagem, seus olhos indo do filho para a filha. — *Que foi que você disse, Morfino?*

— *Ela gosta de olhar o trouxa.* — Com uma expressão cruel, Morfino encarou a irmã, que agora parecia aterrorizada. — *Sempre no jardim quando ele passa, espiando pela cerca, não é? E a noite passada...*

Mérope sacudiu a cabeça freneticamente, implorando, mas Morfino continuou sem se condoer:

— ... Pendurada na janela esperando ele voltar para casa, não é?

— Pendurada na janela para olhar um trouxa? — disse Gaunt em voz baixa.

Os três Gaunt pareciam ter se esquecido de Ogden, que assistia ao mesmo tempo pasmo e irritado a essa nova erupção de silvos e estridências.

— É verdade? — perguntou Gaunt implacável, dando uns passos em direção à filha apavorada. — Minha filha, uma pura descendente de Salazar Slytherin, suspirando por um trouxa nojento de veias imundas?

Mérope sacudiu a cabeça com veemência, comprimindo-se contra a parede, aparentemente incapaz de falar.

— Mas eu peguei ele, pai! — disse Morfino às gargalhadas. — Peguei quando passou por aqui e ele não ficou nada bonito coberto de urticária, ficou, Mérope?

— Sua bruxinha abortada nojenta, sua traidorazinha do sangue! — urrou Gaunt, descontrolado, apertando o pescoço da filha.

Harry e Ogden berraram "Não!" ao mesmo tempo; Ogden ergueu a varinha e ordenou:

— Relaxo! — Gaunt foi lançado para longe da filha; tropeçou em uma cadeira e estatelou-se de costas. Com um rugido de fúria, Morfino saltou da poltrona e avançou para Ogden, brandindo a faca ensanguentada e disparando, indiscriminadamente, azarações com a varinha.

Ogden fugiu desabalado. Dumbledore fez sinal que deviam segui-lo, e Harry obedeceu, os gritos de Mérope ecoando em seus ouvidos.

Ogden disparou pela trilha e irrompeu pela estrada principal, os braços protegendo a cabeça, e colidindo com o lustroso cavalo de um rapaz muito bonito, de cabelos castanhos. Ele e a linda moça que cavalgava ao seu lado caíram na risada ao verem Ogden bater na ilharga do cavalo, quicar e retomar a corrida errante pela estrada, a casaca voando, coberto de pó da cabeça aos pés.

— Acho que já basta, Harry — disse Dumbledore, batendo em seu braço. No momento seguinte, os dois estavam voando imponderáveis pela escuridão; por fim, aterrissaram de pé no escritório de Dumbledore, agora iluminado pelo crepúsculo.

— Que aconteceu com a garota na casa? — foi a primeira pergunta de Harry quando Dumbledore acendia mais lâmpadas com um toque de varinha. — Mérope, ou o nome que fosse.

— Ah, ela sobreviveu — respondeu o diretor, se acomodando à escrivaninha e fazendo sinal para que Harry se sentasse também. — Ogden aparatou até o Ministério e voltou, quinze minutos depois, com reforços. Morfino e o pai tentaram lutar, mas os dois foram subjugados, levados da casa e, mais tarde, condenados pela Suprema Corte dos Bruxos. Morfino, já fichado por ataques a trouxas, foi condenado a três anos em Azkaban. Servolo, que ferira vários funcionários do Ministério além de Ogden, recebeu uma pena de seis meses de prisão.

— Servolo? — repetiu Harry em tom de indagação.

— Exato — respondeu Dumbledore, aprovando-o com um sorriso. — Fico satisfeito que esteja acompanhando.

— O velho era...?

— O avô de Voldemort. Servolo, seu filho Morfino e sua filha Mérope foram os últimos Gaunt, uma família bruxa muito antiga conhecida por sua índole instável e violenta que se transmitiu através de gerações devido ao hábito de casarem entre primos. A falta de juízo associada à mania de grandeza redundou na dissipação do ouro da família muitas gerações antes de Servolo nascer. Ele viveu, como você bem viu, em condições sórdidas e miseráveis, dono de um péssimo gênio e uma arrogância e um orgulho desmedidos, além de alguns objetos de família que ele valorizava tanto quanto o filho e muito mais do que a filha.

— Então Mérope — perguntou Harry, curvando-se para a frente e encarando Dumbledore —, então Mérope era... senhor, quer dizer que Mérope era... a mãe de *Voldemort*?

— Exato. E por acaso vimos de relance o pai de Voldemort. Você registrou?

— O trouxa que Morfino atacou? O homem a cavalo?

— Muito bem — elogiou Dumbledore com um largo sorriso. — Aquele era Tom Riddle, pai, o trouxa bonitão que passava cavalgando pela casa dos Gaunt e por quem Mérope nutria uma paixão ardente e secreta.

— E eles acabaram se casando? — perguntou Harry, incrédulo e incapaz de imaginar duas pessoas com menos probabilidade de se apaixonarem.

— Acho que você está esquecendo — acrescentou Dumbledore — que Mérope era bruxa. Acredito que os seus poderes mágicos não se manifestassem favoravelmente enquanto esteve aterrorizada pelo pai. Mas uma vez que Servolo e Morfino foram trancafiados em Azkaban, uma vez que ela se viu livre e sozinha pela primeira vez na vida, estou certo que pôde dar rédeas à sua capacidade e planejar sua fuga da vida desesperada que levara durante dezoito anos.

"Você não consegue pensar em nada que Mérope pudesse ter feito para obrigar Tom Riddle a esquecer a companheira trouxa e se apaixonar por ela?"
— A Maldição Imperius? — arriscou Harry. — Ou uma poção de amor?
— Muito bom. Pessoalmente, me inclino mais para a poção de amor. Estou certo de que teria parecido a Mérope mais romântico e não teria sido muito difícil, em um dia de calor, quando Riddle estivesse cavalgando sozinho, persuadi-lo a beber uma água. Em todo caso, alguns meses depois da cena que acabamos de presenciar, a aldeia de Little Hangleton deliciou-se com um espantoso escândalo. Você pode imaginar o falatório que houve quando o filho do senhor das terras locais fugiu com Mérope, a filha do vagabundo.
"Mas o choque dos aldeões não se comparou ao de Servolo. Ele voltou de Azkaban, imaginando que encontraria a filha aguardando obediente o seu retorno, com uma refeição quente à mesa. Em vez disso, encontrou bem uns três centímetros de poeira e um bilhete de adeus, em que ela explicava o que fizera.
"Pelo que pude descobrir, daquele dia em diante ele nunca mais mencionou o nome da filha ou a sua existência. O choque de sua deserção talvez tenha contribuído para sua morte prematura — ou talvez ele simplesmente nunca tivesse aprendido a preparar a própria comida. Azkaban o enfraquecera muito, e Servolo não viveu o bastante para ver o regresso de Morfino a casa."
— E Mérope? Ela... ela morreu, não foi? Voldemort não foi criado em um orfanato?
— É verdade. Aqui, temos de usar um pouco a imaginação, embora não ache que seja difícil deduzir o que aconteceu. Alguns meses depois de fugir para casar, Tom Riddle reapareceu na casa senhorial de Little Hangleton sem a mulher. Correu pela vizinhança o boato de que alegava ter sido "ludibriado" e "abusado em sua boa-fé". O que quis dizer, sem dúvida, é que estivera enfeitiçado e finalmente se libertara, embora eu presuma que não se atrevesse a usar os termos exatos com medo de que o julgassem louco. Quando souberam da sua história, os aldeões imaginaram que Mérope tivesse mentido a Tom Riddle, fingindo que ia ter um filho dele, razão pela qual o rapaz se casara.
— Mas ela teve *realmente* um filho dele.
— Teve, mas somente um ano depois de casarem. Tom Riddle deixou-a quando ainda estava grávida.

— Qual foi o problema? — perguntou Harry. — Por que passou o efeito da poção de amor?

— Mais uma vez, estou imaginando — explicou Dumbledore —, mas acredito que Mérope, que estava profundamente apaixonada pelo marido, não suportou a ideia de continuar a escravizá-lo por artes mágicas. Acredito que tenha decidido parar de lhe dar a poção. Talvez estivesse convencida de que, àquela altura, a paixão já fosse mútua. Talvez pensasse que ele não a deixaria por causa do bebê. Se assim foi, enganou-se em ambos os casos. Ele a abandonou, nunca mais a viu e nunca se preocupou em descobrir o que acontecera ao filho.

O céu lá fora estava nanquim, e as luzes no escritório de Dumbledore pareciam brilhar mais fortemente do que antes.

— Acho que já é o suficiente, por hoje, Harry — disse Dumbledore instantes depois.

— Sim, senhor.

Harry se pôs de pé, mas não se retirou.

— Senhor... é importante conhecer tudo isso sobre o passado de Voldemort?

— Muito importante, acho.

— E... tem alguma coisa a ver com a profecia?

— Tem tudo a ver com a profecia.

— Certo — aceitou Harry um pouco confuso, mas ainda assim mais tranquilo.

Virou-se para sair, então lhe ocorreu mais uma pergunta, e ele deu meia-volta.

— Senhor, tenho permissão para contar a Rony e Hermione tudo que o senhor me contou?

Dumbledore estudou-o por um momento e em seguida respondeu:

— Tem, acho que o sr. Weasley e a srta. Granger se provaram dignos de confiança. Mas, Harry, vou pedir que recomende a eles para não repetirem nada disso para mais ninguém. Não seria uma boa ideia se vazasse o quanto sei ou suspeito dos segredos de Lorde Voldemort.

— Não, senhor, vou garantir que apenas Rony e Hermione saibam. Boa noite.

Ele deu as costas e estava quase na porta quando o viu. Em cima de uma das mesinhas de pernas finas que suportavam tantos objetos de prata de aparência frágil havia um feio anel de ouro com uma enorme pedra preta e rachada.

— Senhor — comentou Harry fixando o objeto. — Aquele anel...
— Sim?
— O senhor estava usando-o na noite em que visitamos o professor Slughorn.
— De fato estava — concordou o bruxo.
— Mas não é... senhor, não é o mesmo anel que Servolo Gaunt mostrou a Ogden?

Dumbledore assentiu.
— O mesmíssimo.
— Então como é...? O senhor sempre o teve?
— Não, eu o adquiri muito recentemente. Aliás, poucos dias antes de ir buscá-lo na casa de seus tios.
— Teria sido mais ou menos na época em que o senhor feriu sua mão, senhor?
— Mais ou menos naquela época, sim, Harry.

Harry hesitou. Dumbledore estava sorrindo.
— Senhor, como foi exatamente...?
— É muito tarde, Harry. Você ouvirá a história outro dia. Boa noite.
— Boa noite, senhor.

11

A AJUDINHA DE HERMIONE

Tal como Hermione previra, os períodos livres do sexto ano não eram as horas de abençoada descontração imaginadas por Rony, mas aquelas em que se tentava dar conta da vasta quantidade de deveres que eram passados. Não somente eles estavam estudando como se tivessem exames diariamente, mas as aulas em si estavam exigindo mais do que nunca. Harry mal entendia metade do que a professora McGonagall dizia ultimamente; até Hermione precisava lhe pedir para repetir as instruções uma ou duas vezes. Por incrível que pudesse parecer, e para a raiva crescente de Hermione, de repente Poções se tornara a matéria em que Harry se saía melhor, graças ao Príncipe Mestiço.

Agora esperavam que os alunos realizassem feitiços não verbais, não apenas em Defesa Contra as Artes das Trevas, mas em Feitiços e Transfiguração também. Era frequente Harry olhar para os colegas na sala comunal, ou à hora das refeições, e constatar que o esforço os deixava púrpura, como se tivessem exagerado em o-aperto-você-sabe-onde, embora ele soubesse que, na realidade, estavam tentando realizar feitiços sem pronunciar os encantamentos em voz alta. Era um alívio ir para as estufas; em Herbologia estavam lidando com plantas mais perigosas que nunca, mas pelo menos tinham permissão de xingar em voz alta se um dos Tentáculos Venenosos os agarrasse inesperadamente pelas costas.

Um dos resultados da enorme carga de trabalho e das horas frenéticas em que praticavam feitiços não verbais foi que Harry, Rony e Hermione não tinham arranjado tempo para visitar Hagrid até aquele momento. Ele parara de fazer refeições à mesa dos professores, um mau sinal, e, nas poucas ocasiões em que tinham se encontrado nos corredores ou nos jardins, misteriosamente ele não os vira nem ouvira seus cumprimentos.

— Precisamos ir nos explicar — disse Hermione, olhando para a enorme cadeira vazia de Hagrid, à mesa dos professores, ao café da manhã do sábado seguinte.

— Hoje de manhã temos os testes de quadribol! — lembrou Rony. — E devíamos estar praticando o Feitiço *Aguamenti* para o Flitwick! Mas, afinal, explicar o quê? Como é que vamos dizer a ele que detestávamos aquela matéria idiota?

— Não detestávamos! — protestou Hermione.

— Fale por você, eu ainda não me esqueci dos explosivins — replicou Rony de mau humor. — E vou dizer uma coisa, escapamos por pouco. Você não ouviu Hagrid falando daquele irmão idiota dele: se tivéssemos ficado, íamos acabar ensinando o Grope a amarrar os cordões dos sapatos.

— Odeio essa história de não falar com o Hagrid! — exclamou Hermione aborrecida.

— Iremos até lá depois dos testes de quadribol — Harry tranquilizou-a. Ele também sentia falta de Hagrid, embora, como Rony, achasse que estavam melhor sem o Grope em suas vidas. — Mas, pelo número de pessoas que se inscreveram, os testes podem levar a manhã toda. — Sentia-se ligeiramente nervoso com a ideia de enfrentar sua primeira tarefa como capitão. — Não sei por que de repente a equipe ficou tão popular.

— Ah, fala sério, Harry — impacientou-se Hermione. — Não foi o *Quadribol* que ficou popular, foi você! Você nunca foi tão interessante e, para ser sincera, nunca foi tão desejável.

Rony engasgou com um pedaço grande demais de peixe salgado. Hermione lançou-lhe um olhar de desprezo e retomou a conversa com Harry.

— Agora todo o mundo sabe que você esteve dizendo a verdade, não é? O mundo bruxo teve de admitir que você estava certo sobre o retorno de Voldemort e que realmente o enfrentou duas vezes nos últimos dois anos, e sobreviveu às duas. E agora estão chamando você de "O Eleito": bem, fala sério, você não entende por que as pessoas estão fascinadas por você?

De repente Harry começou a achar o Salão Principal muito quente, embora o teto ainda se apresentasse frio e chuvoso.

— E sofreu toda aquela perseguição do Ministério que tentou passar a imagem de que você era instável e mentiroso. Ainda dá para ver as marcas das detenções em que aquela mulher maligna fez você escrever com o próprio sangue, mas você sustentou sua história...

— Ainda dá para ver as marcas deixadas pelos miolos que me agarraram no Ministério, olhe — disse Rony, sacudindo as mangas para cima.

— E não foi nada mal você ter crescido uns trinta centímetros no verão — concluiu Hermione, sem dar atenção a Rony.

— Eu sou alto — insistiu Rony ilogicamente.

O correio-coruja chegou, as aves mergulharam pelas janelas salpicadas de chuva, espalhando pingos de água em todo o mundo. A maioria dos alunos estava recebendo mais correspondência que o normal; pais ansiosos queriam saber notícias dos filhos e, por sua vez, tranquilizá-los de que tudo corria bem em casa. Harry não recebera nada desde o início do trimestre; seu único correspondente habitual agora estava morto e, embora ele tivesse alimentado esperanças de que Lupin fosse lhe escrever ocasionalmente, até ali tinha se desapontado. Ficou, portanto, muito surpreso, ao ver a alvíssima Edwiges circular entre as corujas castanhas e cinzentas. A ave pousou diante dele trazendo um embrulho grande e quadrado. Um instante depois, um embrulho idêntico foi deixado à frente de Rony, esmagando sob o seu peso sua coruja minúscula e exausta, Pichitinho.

– Ah! – exclamou Harry abrindo o embrulho e encontrando um exemplar novo de Estudos avançados no preparo de poções enviado pela Floreios e Borrões.

– Que bom – disse Hermione, satisfeita. – Agora você pode devolver aquele exemplar rabiscado.

– Ficou maluca? Não vou devolver nada! Olhe, estive pensando...

Harry tirou o exemplar velho de dentro da mochila e deu um toque de varinha na capa, murmurando: "Diffindo!" A capa se soltou. Ele fez o mesmo com o exemplar novo (Hermione ficou escandalizada). Trocou então as capas, deu um toque de varinha em cada uma e disse: "Reparo!"

Ali estava o exemplar do Príncipe, disfarçado de livro novo, e o exemplar novo da Floreios e Borrões, parecendo de segunda mão.

– Vou devolver o novo a Slughorn. Ele não pode se queixar, custou nove galeões.

Hermione comprimiu os lábios, expressando sua raiva e desaprovação, mas foi distraída por uma terceira coruja que pousou à sua frente trazendo o exemplar do Profeta Diário. Abriu-o depressa e correu os olhos pela primeira página.

– Morreu alguém conhecido? – perguntou Rony num tom deliberadamente displicente; fazia a mesma pergunta toda vez que a amiga abria o jornal.

– Não, mas houve novos ataques de dementadores. E uma prisão.

– Excelente, de quem? – perguntou Harry, pensando em Belatriz Lestrange.

– Stanislau Shunpike – informou Hermione.

– Quê?! – exclamou Harry pasmo.

— "Stanislau Shunpike, condutor do popular transporte bruxo Nôitibus, foi preso sob suspeita de atividades ligadas aos Comensais da Morte. O sr. Shunpike, 21 anos, foi detido ontem à noite após uma blitz na casa dos Clapham..."

— O Lalau, Comensal da Morte? — admirou-se Harry lembrando o rapaz espinhento que conhecera três anos antes. — Nem pensar!

— Ele podia estar dominado por uma Maldição Imperius — argumentou Rony. — Nunca se sabe.

— Parece que não — replicou Hermione, que continuava lendo. — Diz aqui que ele foi preso depois que o ouviram conversar sobre os planos secretos dos Comensais da Morte em um bar. — Ela ergueu a cabeça com uma expressão perturbada no rosto. — Se estivesse mesmo dominado por uma Maldição Imperius, ele jamais ficaria por aí fofocando sobre os planos deles, não é?

— Pelo jeito, ele estava tentando fingir que sabia mais do que realmente sabia — falou Rony. — Não foi ele que disse que ia ser ministro da Magia quando estava paquerando aquelas veelas?

— É, foi — respondeu Harry. — Não sei que brincadeira é essa de levarem o Lalau a sério.

— Provavelmente o Ministério quer mostrar serviço — comentou Hermione franzindo a testa. — As pessoas estão aterrorizadas: você soube que os pais das gêmeas Patil querem que elas voltem para casa? E já tiraram Heloísa Midgeon da escola. O pai a levou ontem à noite.

— Quê! — exclamou Rony arregalando os olhos para Hermione. — Mas Hogwarts é mais segura do que a casa dos alunos, tem de ser! Temos aurores e todos aqueles feitiços de proteção a mais, e temos Dumbledore!

— Acho que não temos Dumbledore o tempo todo — replicou Hermione muito baixinho, olhando para a mesa dos professores por cima do *Profeta*. — Você ainda não reparou? Na semana passada a cadeira dele esteve vazia tantas vezes quanto a de Hagrid.

Harry e Rony olharam para a mesa dos professores. A cadeira do diretor estava de fato desocupada. Agora que parava para pensar, Harry não via Dumbledore desde a aula particular da semana anterior.

— Acho que ele saiu para resolver algum assunto na Ordem — arriscou Hermione em voz baixa. — Quero dizer... as coisas parecem bem sérias, não é?

Harry e Rony não responderam, mas Harry sabia que estavam pensando a mesma coisa. Acontecera um incidente horrível na véspera: tinham chamado Ana Abbott na aula de Herbologia para lhe informar que a mãe fora encontrada morta. Desde então, não tinham mais visto a colega.

Quando deixaram a mesa da Grifinória, cinco minutos depois, para ir ao campo de quadribol, passaram por Lilá Brown e Parvati Patil. Harry, lembrando o comentário de Hermione de que os pais das gêmeas Patil queriam tirá-las de Hogwarts, não se surpreendeu ao ver as duas grandes amigas cochichando, aflitas. O que o surpreendeu foi ver Parvati de repente cutucar Lilá, quando Rony emparelhou com elas, e Lilá se virar e dar um enorme sorriso para o garoto. Rony piscou e, hesitante, retribuiu o sorriso. Instantaneamente, mudou o seu modo de andar, empertigando-se como um pavão. Harry resistiu à tentação de rir, lembrando que o amigo também se controlara quando Malfoy lhe quebrara o nariz; Hermione, no entanto, assumiu um ar frio e distante durante a descida para o estádio sob a chuva fria e nevoenta, e saiu para procurar um lugar nas arquibancadas, sem desejar boa sorte a Rony.

Conforme Harry previra, os testes ocuparam a maior parte da manhã. Metade dos alunos da Grifinória parecia ter comparecido, desde os do primeiro ano, que segurava nervosos uma seleção de horríveis vassouras velhas de escola, até os do sétimo, que, por serem muito mais altos que os demais, aparentavam um ar tranquilo e superior. Este último grupo incluía um rapaz robusto de cabelos duros que Harry imediatamente reconheceu do Expresso de Hogwarts.

– A gente se encontrou no trem, no compartimento do velho Slugue – disse ele, confiante, destacando-se da multidão para apertar a mão de Harry.

– Córmaco McLaggen, goleiro.

– Você não fez teste o ano passado, fez? – perguntou Harry, notando a corpulência de McLaggen e considerando que ele provavelmente bloquearia os três aros de gol sem sequer se mexer.

– Eu estava na ala hospitalar quando fizeram os testes – disse McLaggen, expressando segurança. – Comi meio quilo de ovos de fada mordente para ganhar uma aposta.

– Certo – disse Harry. – Bem... se puder esperar lá...

Ele apontou para a lateral do campo, perto do lugar em que Hermione estava sentada. Pensou ter visto uma ligeira contrariedade perpassar a fisionomia de McLaggen, e ficou imaginando se o colega esperava um tratamento preferencial pelo fato de serem ambos favoritos do "velho Sluguinho".

Harry resolveu começar por um teste básico, pedindo aos candidatos para se dividirem em grupos de dez e voarem uma vez em volta do campo. Foi uma boa decisão: os dez primeiros eram calouros e não poderia ter ficado mais claro que não estavam habituados a voar. Apenas um dos garotos conseguiu se manter no ar por mais de alguns segundos, e foi tal a sua surpresa que ele em seguida bateu em uma das balizas.

O segundo grupo era formado por dez das garotas mais bobas que Harry já encontrara na vida e que, quando ele apitou, simplesmente ficaram rindo demais e se agarrando umas nas outras. Entre elas, Romilda Vane. Quando mandou-as sair do campo, obedeceram muito contentes e foram sentar nas arquibancadas, de onde ficaram perturbando todo o mundo.

O terceiro grupo engavetou na metade da volta em torno do campo. A maior parte do quarto grupo não tinha trazido vassouras. O quinto grupo era formado por alunos da Lufa-Lufa.

– Se tiver mais alguém aqui que não seja da Grifinória – berrou Harry, que estava começando a se sentir seriamente aborrecido –, por favor, se retire agora!

Fez-se silêncio e logo dois aluninhos da Corvinal saíram correndo do campo, abafando risadinhas.

Depois de duas horas, muitas reclamações e vários acessos de raiva, um deles envolvendo uma Comet 260 acidentada e vários dentes partidos, Harry descobrira três artilheiros: Katie Bell, que voltava ao time após um excelente teste, uma novata, Demelza Robins, particularmente ágil em se desviar de balaços, e Gina Weasley, que voara melhor que todos os candidatos e, de quebra, marcara dezessete gols. Harry, embora satisfeito com suas escolhas, ficara rouco de tanto gritar com os muitos descontentes, e agora estava enfrentando batalha semelhante com os batedores recusados.

– Esta é a minha decisão final, e se não desimpedirem o campo para os goleiros, vou azarar todos vocês – urrou ele.

Nenhum dos batedores selecionados possuía a antiga genialidade de Fred e Jorge, mas Harry ficou razoavelmente satisfeito: Jaquito Peakes, um terceiranista baixo, mas de peito largo que conseguira fazer um galo do tamanho de um ovo na nuca de Harry batendo um balaço com ferocidade, e Cadu Coote, que parecia franzino mas tinha boa pontaria. Eles agora tinham ido se reunir aos outros nas arquibancadas para acompanhar a seleção do último membro da equipe.

De propósito, Harry deixara o teste dos goleiros para o fim, na esperança de ter um estádio menos cheio e menos pressão sobre os envolvidos. Infelizmente, porém, todos os candidatos recusados e um bom número de pessoas que aparecera para assistir aos testes depois de um demorado café da manhã tinham engrossado a multidão, agora maior que nunca. Quando um goleiro voava até as balizas, a multidão incentivava ou vaiava com igual disposição. Harry olhou para Rony, que não conseguia controlar seu nervosismo: tivera esperança de que a vitória na partida decisiva do semestre anterior o curasse, mas agora via que não: um delicado tom de verde coloria o rosto do amigo.

Nenhum dos primeiros cinco candidatos pegou mais de dois gols cada. Para grande desapontamento de Harry, Córmaco McLaggen defendeu quatro dos cinco lançamentos. No último, no entanto, voou exatamente na direção oposta; a multidão riu e vaiou, e o rapaz voltou para o chão rangendo os dentes.

Rony parecia prestes a desmaiar, quando montou a sua Cleansweep 11.

– Boa sorte! – gritou uma voz das arquibancadas. Harry se virou esperando ver Hermione, mas era Lilá Brown. Ele teria gostado muito de tapar o rosto com as mãos, como fez a garota pouco depois, mas achou que, como capitão, devia demonstrar um pouco mais de coragem, e preparou-se para assistir ao teste de Rony.

Não precisava ter se preocupado: o amigo defendeu uma, duas, três, quatro, cinco penalidades seguidas. Feliz e se contendo a custo para não fazer coro aos gritos da multidão, Harry se voltou para McLaggen para lhe comunicar que, infelizmente, Rony o vencera, mas deparou com a cara vermelha do rapaz a centímetros da sua. Recuou rápido.

– A irmã dele não se empenhou de verdade – disse McLaggen em tom de ameaça. Havia uma veia latejando em sua têmpora como a que Harry muitas vezes admirara no tio Válter. – Ela facilitou para o irmão.

– Besteira – replicou Harry friamente. – Esse foi o que ele quase perdeu.

McLaggen chegou mais perto de Harry, que desta vez enfrentou-o.

– Me dá outra chance.

– Não, você teve a sua chance. Defendeu quatro. Rony defendeu cinco. Rony é o goleiro, ele conquistou o lugar honestamente. Saia da minha frente.

Harry pensou por um momento que o rapaz fosse lhe dar um soco, mas ele se contentou em fazer uma careta e se afastou, enfurecido, aparentemente vociferando ameaças para o ar.

Quando Harry se virou, encontrou a nova equipe sorrindo para ele.

– Parabéns – disse rouco. – Vocês voaram realmente bem...

– Você foi genial, Rony!

Desta vez era realmente Hermione que vinha correndo das arquibancadas; Harry viu Lilá sair do campo com Parvati, com uma expressão mal-humorada no rosto. Rony parecia extremamente prosa e até mais alto do que o normal ao se virar sorrindo para a equipe e para Hermione.

Depois de marcar o primeiro treino para a quinta-feira seguinte, Harry, Rony e Hermione se despediram do resto da equipe e se dirigiram à casa de Hagrid. Um sol aguado tentava romper as nuvens, agora que finalmente parara de chuviscar. Harry sentia muita fome; esperava que houvesse alguma coisa para comer na casa de Hagrid.

– Pensei que ia perder o quarto pênalti – comentou Rony contente. – Foi um arremesso esperto da Demelza, você viu, com um ligeiro efeito...

– Foi, foi, você foi magnífico – disse Hermione, parecendo achar graça.

– Fui melhor que o McLaggen – disse ele em tom muito satisfeito. – Vocês viram ele saindo na direção oposta no quinto? Parecia que tinha sido confundido...

Para surpresa de Harry, Hermione ficou muito vermelha ao ouvir isso. Rony não notou; estava ocupado demais descrevendo carinhosamente cada uma das penalidades em detalhe.

O enorme hipogrifo cinzento, Bicuço, estava amarrado à frente da cabana de Hagrid. Bateu o afiadíssimo bico quando os garotos se aproximaram virando a cabeçorra para eles.

– Nossa! – exclamou Hermione nervosa. – Ele ainda dá medo, não acham?

– Fala sério, você já montou nele! – disse Rony.

Harry se adiantou e fez uma profunda reverência para o hipogrifo, mantendo o contato visual com o animal, sem piscar. Segundos depois, Bicuço se curvou também.

– Como vai indo? – perguntou Harry em voz baixa, aproximando-se para acariciar as penas de sua cabeça. – Sente falta dele? Mas você está bem aqui com o Hagrid, não é verdade?

– Oi! – gritou uma voz.

Hagrid saíra de um canto da cabana usando um grande avental florido e trazendo um saco de batatas na mão. Seu enorme cão, Canino, que o acompanhava de perto, deu um tremendo latido e avançou para os garotos.

– Para trás! Ele vai comer seus dedos... ah, são vocês.

Canino cumprimentava Hermione e Rony aos pulos, tentando lamber suas orelhas. Hagrid parou, olhou-os por uma fração de segundo, e depois virou as costas e entrou na cabana batendo a porta.

– Ah, não! – exclamou Hermione, apreensiva.

– Não se preocupem – disse Harry mal-humorado, indo até a porta e batendo com força.

– Hagrid! Abre, queremos falar com você!

Não houve resposta dentro da casa.

— Se você não abrir a porta, vamos arrombá-la! — ameaçou Harry puxando a varinha.

— Harry! — exclamou Hermione chocada. — Não é possível...

— É, sim! — retrucou Harry. — Cheguem para trás...

Mas, antes que pudesse continuar a falar, a porta se escancarou e Hagrid surgiu com um ar agressivo e, apesar do avental florido, decididamente assustador.

— Sou um professor! — urrou para Harry. — Um professor, Potter! Como se atreve a ameaçar arrombar minha porta!

— Peço desculpas, *senhor* — disse Harry, sublinhando a última palavra enquanto guardava a varinha no bolso interno das vestes.

Hagrid pareceu confuso.

— Desde quando *você* me chama de "senhor"?

— Desde quando você me chama de "Potter"?

— Ah, muito esperto — rosnou Hagrid. — Muito engraçado. Ganhou, não é? Muito bem, então entrem, seus ingratinhos...

Resmungando sombriamente, ele recuou para deixá-los passar. Hermione entrou depressa atrás de Harry, muito assustada.

— Então — disse Hagrid rabugento, enquanto Harry, Rony e Hermione se sentavam à sua enorme mesa de madeira. Canino descansou imediatamente a cabeça no joelho de Harry, babando-lhe as vestes. — Que foi? Sentiram pena de mim? Concluíram que eu estava solitário ou outra coisa qualquer?

— Não — retorquiu Harry. — Queríamos ver você.

— Sentimos saudades de você — disse Hermione, trêmula.

— Sentiram saudades, foi? — perguntou Hagrid, bufando. — Tá. Tá bem.

Ele andou pisando forte pela casa, preparando o chá em sua enorme chaleira de cobre, entre resmungos. Por fim, bateu na mesa, diante dos garotos, três canecas, verdadeiros baldes, cheias de chá escuro, e um prato de bolinhos duros com frutas secas. A fome de Harry era suficiente até para encarar a comida de Hagrid, e ele se serviu logo.

— Hagrid — arriscou Hermione timidamente, quando ele veio se sentar à mesa e começou a descascar batatas com uma violência tal que sugeria que cada uma lhe fizera uma grande afronta —, nós queríamos continuar a estudar Trato das Criaturas Mágicas, sabe.

Hagrid deu outro enorme bufo pelo nariz. Harry pensou ter visto algumas melecas irem parar nas batatas e intimamente agradeceu que não fosse ficar para jantar.

— Queríamos, sim! — insistiu Hermione. — Mas não conseguimos encaixar sua matéria nos nossos horários!

— É, sei — tornou a concordar Hagrid.

Houve um estranho ruído de sucção e todos se viraram para olhar: Hermione deixou escapar um gritinho, e Rony saltou da cadeira, deu a volta à mesa e foi examinar uma barrica a um canto, em que tinham acabado de reparar. Estava cheia de bichos que se contorciam e lembravam larvas de trinta centímetros de comprimento, brancas e viscosas.

— Que é isso, Hagrid? — perguntou Harry, tentando parecer interessado em vez de enojado, mas largando o seu bolinho.

— Vermes gigantes — respondeu ele.

— E quando eles crescem viram...? — indagou Rony, apreensivo.

— Não viram nada, comprei esses para alimentar Aragogue.

E, inesperadamente, ele caiu no choro.

— Hagrid! — exclamou Hermione, levantando-se e contornando a mesa para evitar a barrica e abraçar o amigo pelos ombros trêmulos. — Que aconteceu?

— Ele... — Hagrid engoliu em seco, seus olhos de besouro vertendo lágrimas ao mesmo tempo que enxugava o rosto com o avental. — ...Aragogue... acho que está morrendo... ficou doente no verão e não melhorou... Não sei o que vou fazer se ele... se ele... estamos juntos há tanto tempo...

Hermione deu palmadinhas carinhosas no ombro de Hagrid, parecendo completamente perdida, sem saber o que dizer. Harry sabia como ela estava se sentindo. Já tinha visto Hagrid presentear um dragão-bebê feroz com um ursinho de pelúcia, já o tinha visto ninar enormes escorpiões com sugadores e ferrões, tentar argumentar com o brutamontes estúpido que era seu irmão, mas esta agora talvez fosse a sua fantasia com monstros mais incompreensível: Aragogue, a gigantesca aranha falante que morava no âmago da Floresta Proibida e da qual ele e Rony tinham escapado por um triz fazia quatro anos.

— Tem alguma... tem alguma coisa que a gente possa fazer? — perguntou Hermione, desconsiderando os frenéticos acenos de cabeça e caretas de Rony.

— Acho que não, Hermione — respondeu Hagrid com a voz sufocada, tentando conter o dilúvio de lágrimas. — Sabe, o resto da tribo... da família de Aragogue... está ficando meio esquisita, agora que ele está doente... meio intratável...

— Sei, acho que conhecemos um pouco esse lado deles — insinuou Rony.

— ...acho que não seria seguro para ninguém, a não ser eu, se aproximar da colônia neste momento — concluiu Hagrid, assoando o nariz com força no avental e levantando a cabeça. — Mas obrigado pelo oferecimento, Hermione... significa muito...

Depois disso a atmosfera ficou bem mais leve, porque ainda que Harry e Rony não tivessem manifestado a menor disposição de levar os gigantescos vermes para a aranha assassina e gargantuélica, Hagrid pareceu acreditar que teriam gostado de fazê-lo, e voltou ao seu natural.

— Ãh, eu sempre soube que vocês teriam dificuldade em me encaixar nos seus horários — disse rouco, servindo-os de mais um pouco de chá.

— Mesmo que requisitassem vira-tempos...

— O que não poderíamos ter feito — explicou Hermione. — Destruímos o estoque inteiro de vira-tempos do Ministério quando estivemos lá no verão. Deu no *Profeta Diário*.

— Ah, então. Não tinha jeito de encaixar... Desculpe eu ter sido... entendem... andei muito preocupado com Aragogue... e me passou pela cabeça que se o professor fosse a Grubbly-Plank...

Ao que os três afirmaram categórica e mentirosamente que a professora Grubbly-Plank, que substituíra Hagrid algumas vezes, era uma péssima professora; em consequência, quando se despediram, ao anoitecer, Hagrid parecia muito contente.

— Estou morto de fome — disse Harry depois que a porta se fechou e eles saíram apressados pelos jardins escuros e desertos; ele largara o bolinho duro quando ouviu um ruído agourento de rachadura em um dente molar. — E tenho aquela detenção com o Snape hoje à noite. Não vai sobrar muito tempo para jantar.

Quando chegaram ao castelo viram Córmaco McLaggen entrando no Salão Principal. O garoto fez duas tentativas de passar pelas portas; na primeira, ricocheteou no portal. Rony meramente riu, pretensioso, e entrou no salão atrás do colega, mas Harry pegou Hermione pelo braço e a fez parar.

— Que foi?! — exclamou ela em tom defensivo.

— Se alguém me perguntasse — disse ele em voz baixa —, eu diria que pelo visto McLaggen foi confundido. E ele estava bem diante do lugar em que você se sentou.

Hermione corou.

— Ah, tudo bem, fiz isso, sim — sussurrou ela. — Mas você devia ter ouvido o que ele estava falando de Rony e Gina! De qualquer modo, ele é genioso, você viu a reação dele quando não entrou para a equipe: você não ia querer um jogador assim.

— Não. Não, suponho que não. Mas não foi uma desonestidade, Hermione? Quero dizer, você é monitora, não é?

– Ah, calado! – protestou ela, fazendo-o rir.

– Que é que vocês dois estão fazendo? – quis saber Rony, reaparecendo à porta do Salão Principal, desconfiado.

– Nada – responderam os dois juntos apressando-se a seguir Rony.

O cheiro do rosbife fez o estômago de Harry doer de fome, mas não tinham chegado a dar três passos em direção à mesa da Grifinória quando o professor Slughorn apareceu, bloqueando o seu caminho.

– Harry, Harry, exatamente a pessoa que eu queria ver – cumprimentou o professor cordialmente com o seu vozeirão, enrolando as pontas dos bigodes de leão-marinho e empinando a enorme barriga. – Eu estava na esperança de encontrá-lo antes do jantar! Que é que você me diz de fazer uma pequena ceia nos meus aposentos? Vamos dar uma festinha com meia dúzia de astros e estrelas em ascensão. Estarão lá o McLaggen, o Zabini e a encantadora Melinda Bobbin, não sei se você a conhece. A família é proprietária de uma grande cadeia de farmácias; e, naturalmente, gostaria muito que a srta. Granger me desse o prazer de comparecer também.

Slughorn fez uma breve reverência para Hermione ao concluir. Era como se Rony não estivesse presente; o professor nem olhou para ele.

– Não posso ir – apressou-se a dizer Harry. – Tenho de cumprir uma detenção com o professor Snape.

– Ai, ai, ai! – exclamou Slughorn com uma cômica expressão de desapontamento. – Que pena, eu estava contando com você! Bom, então vou dar uma palavrinha com o Snape explicando a situação, tenho certeza de que conseguirei convencê-lo a adiar a detenção. É, vejo vocês dois mais tarde!

E saiu rápido do salão.

– Ele não tem a menor chance de convencer Snape – comentou Harry, assim que o professor se afastou o suficiente para não ouvir. – Essa detenção já foi adiada uma vez; Snape fez um favor a Dumbledore, mas não fará a mais ninguém.

– Ah, eu gostaria que você fosse. Não quero ir sozinha! – disse Hermione ansiosa. Harry sabia que ela estava pensando em McLaggen.

– Duvido que você fique sozinha. Gina provavelmente será convidada – retorquiu Rony, que não aceitou de boa vontade o fato de ter sido ignorado por Slughorn.

Depois do jantar, os três voltaram à Torre da Grifinória. A sala comunal estava apinhada, porque a maioria dos alunos já terminara o jantar, mas os garotos conseguiram arranjar uma mesa desocupada e se sentaram; Rony, que ficara mal-humorado desde o encontro com Slughorn, cruzou os braços e ficou olhando para o teto de testa franzida. Hermione apanhou um exemplar do *Profeta Vespertino* que alguém largara em uma cadeira.

— Alguma notícia nova? — perguntou Harry.

— Nova mesmo, não... — Hermione abriu o jornal e passou os olhos pelas páginas internas. — Ah, olhe, o seu pai está aqui, Rony, mas não é nada de ruim! — acrescentou depressa, porque o garoto olhara assustado. — Só diz que ele foi visitar a casa dos Malfoy. *"A segunda busca na residência dos Comensais da Morte aparentemente não produziu resultados. Arthur Weasley, da Seção para Detecção e Confisco de Feitiços Defensivos e Objetos de Proteção Forjados diz que sua equipe agiu em função de uma informação confidencial."*

— Foi minha! — disse Harry. — Contei a ele na estação de King's Cross sobre o Malfoy e aquela coisa que ele estava tentando fazer o Borgin consertar! Bom, se não está na casa deles, então o Malfoy deve ter trazido o tal objeto para Hogwarts...

— Mas como poderia ter feito isso, Harry? — perguntou Hermione, baixando o jornal, surpresa. — Todos fomos revistados quando chegamos, não é?

— Você foi? — admirou-se Harry. — Eu não!

— Claro que você não foi, esqueci que chegou mais tarde... bem, Filch fez uma varredura em todos nós com sensores de segredos quando pisamos no Saguão de Entrada. Qualquer objeto das trevas teria sido encontrado, sei que ele confiscou uma cabeça mumificada do Crabbe. Então, Malfoy não pode ter trazido nada perigoso!

Momentaneamente desarmado, Harry ficou apreciando Gina brincar com Arnaldo, o mini-pufe, até poder contornar aquela objeção.

— Então alguém mandou o objeto por correio-coruja. A mãe ou outra pessoa qualquer.

— Todas as corujas estão sendo verificadas também — replicou Hermione. — Foi o que Filch nos disse quando estava enfiando aqueles sensores em todo lugar ao seu alcance.

Realmente atordoado, Harry não encontrou o que dizer. Parecia não haver meios de Malfoy ter trazido um objeto perigoso ou das trevas para a escola. Ele olhou esperançoso para Rony, que estava sentado de braços cruzados, olhando para Lilá Brown.

— Você consegue pensar em algum meio de Malfoy...?

— Ah, esquece, Harry — disse Rony.

— Escute aqui, não é minha culpa que Slughorn só tenha convidado nós dois para essa festinha idiota, nem queríamos ir, sabe! — exclamou Harry se irritando.

— Bom, como não sou convidado para festa nenhuma — retrucou Rony se levantando —, acho que vou dormir.

E saiu mal-humorado em direção à porta do dormitório dos garotos, deixando Harry e Hermione de olhos arregalados.

— Harry? — chamou a nova artilheira Demelza Robins, aparecendo de repente ao seu lado. — Tenho um recado para você.

— Do professor Slughorn? — perguntou Harry, esticando-se esperançoso.

— Não. Do professor Snape. — Harry desapontou-se. — Ele manda dizer para você ir ao escritório dele às oito e meia para cumprir sua detenção... ah... não interessa quantos convites para festas você tenha recebido. E ele quer que você saiba que vai separar vermes bons dos podres para serem usados na aula de Poções, e... e diz também que não precisa levar luvas de proteção.

— Certo — disse Harry chateado. — Muito obrigado, Demelza.

12

PRATAS E OPALAS

Onde estava Dumbledore e o que andava fazendo? Nas semanas seguintes, Harry avistou o diretor apenas duas vezes. Agora era raro ele comparecer às refeições, e Harry acreditou que Hermione tivera razão ao afirmar que Dumbledore se ausentava da escola por vários dias de cada vez. Será que ele se esquecera das aulas que Harry esperava que desse? Dumbledore dissera que as aulas teriam uma ligação com a profecia; Harry se sentira mais confiante, reconfortado, mas agora se sentia posto de lado.

Em meados de outubro, aconteceu o primeiro passeio do trimestre a Hogsmeade. Harry se perguntara se ainda seriam permitidos, dadas as medidas cada vez mais rigorosas em torno da escola, e ficou contente em saber que continuariam; era sempre bom sair dos terrenos do castelo por algumas horas.

Harry acordou cedo no dia do passeio, que amanhecera tempestuoso, e matou o tempo até a hora do café da manhã lendo o seu exemplar de *Estudos avançados no preparo de poções*. Não tinha o hábito de ficar na cama lendo livros escolares; tal comportamento, dizia Rony com toda a razão, seria indecoroso em qualquer pessoa exceto Hermione, que era mesmo esquisita. Harry, porém, tinha a sensação de que o exemplar de *Estudos avançados no preparo de poções* do Príncipe Mestiço não era bem um livro escolar. Quanto mais o lia, mais se conscientizava da quantidade de informações que havia ali; não somente dicas providenciais e atalhos para o preparo de poções que lhe conquistavam uma reputação tão brilhante com Slughorn, como também pequenos feitiços e azarações anotadas à margem que Harry tinha certeza, a julgar pelos cortes e revisões, o próprio Príncipe inventara.

Harry já tentara realizar alguns desses feitiços inventados. Havia um que fazia as unhas do pé crescerem com assustadora rapidez (experimentara esse em Crabbe, quando ele passara no corredor, com resultados divertidos); outro que colava a língua no céu da boca (usara duas vezes, sob aplausos gerais, no incauto Filch); e, talvez, o mais útil deles, o *Abaffiato*, um feitiço que invadia os ouvidos de quem estivesse próximo com um zumbido indefinível, permitindo que se pudesse conversar longamente em aula sem ser ouvido.

A única pessoa que não achava graça em nada disso era Hermione, que fazia uma cara de rígida desaprovação durante as demonstrações e se recusava sequer a falar quando Harry usava o *Abaffiato* em alguém por perto.

Harry sentou-se na cama e virou o livro de lado para poder examinar mais atentamente as anotações referentes a um feitiço que parecia ter dado trabalho ao Príncipe. Havia muitos cortes e alterações, mas, finalmente, espremido em um canto da página, ele encontrou o rabisco:

Levicorpus (n vbl)

Enquanto o vento e o granizo martelavam incessantemente as janelas e Neville dormia dando fortes roncos, Harry fitava as letras entre parênteses. N vbl... isso tinha de significar não verbal. Harry duvidava um pouco que pudesse executá-lo; ainda encontrava dificuldade com feitiços não verbais, coisa que Snape se apressava em comentar a cada aula de DCAT. Em compensação, o Príncipe tinha se mostrado um professor mais eficiente do que Snape fora até aquele momento.

Apontando a varinha a esmo, Harry fez um curto gesto para o alto e disse mentalmente: *Levicorpus!*

— Aaaaaaaarre!

Houve um lampejo e o quarto se encheu de vozes: todos acordaram com o berro de Rony. Em pânico, Harry varejou longe o *Estudos avançados no preparo de poções*; seu amigo estava pendurado no ar de cabeça para baixo, como se tivesse sido guindado pelo tornozelo por um gancho invisível.

— Desculpe! — gritou Harry, enquanto Dino e Simas davam grandes gargalhadas, e Neville se levantava do chão pois caíra da cama. — Calma aí... vou fazer você descer...

Ele catou o livro de poções e folheou-o, em pânico, tentando encontrar a página certa; por fim, localizou-a e decifrou a palavra apertadinha sob o feitiço: rezando para que fosse o contrafeitiço, mentalizou: *Liberacorpus!*, com toda a concentração.

Houve um segundo lampejo e Rony despencou no colchão.

— Desculpe — repetiu Harry tolamente, enquanto Dino e Simas continuavam a dar gargalhadas.

— Amanhã — disse Rony com a voz abafada —, eu prefiro que você use o despertador.

Quando eles finalmente terminaram de se vestir, protegendo-se com vários dos suéteres tricotados pela sra. Weasley e levando capas, cachecóis e luvas, o susto de Rony se abrandara e ele concluíra que o novo feitiço do amigo era engraçadíssimo; tão engraçado, de fato, que ele não perdeu tempo em brindar Hermione com o episódio à mesa do café da manhã.

– ... aí houve um segundo lampejo e eu aterrissei de novo na cama! – contou ele rindo, enquanto se servia de salsichas.

Hermione não dera um único sorriso durante a narrativa, e agora assumia uma expressão de gélida censura a Harry.

– Por acaso, esse foi mais um feitiço daquele seu livro de poções? – perguntou.

Harry fechou a cara para a amiga.

– Você sempre tira a pior conclusão, não é?

– Foi?

– Bem... foi, mas e daí?

– Então você simplesmente resolveu experimentar um encantamento desconhecido, escrito à mão, e ver o que acontecia?

– Que diferença faz se está escrito à mão? – retrucou Harry, preferindo não responder à pergunta.

– Porque provavelmente não é aprovado pelo Ministério da Magia – tornou Hermione. – E mais – continuou, enquanto Harry e Rony olhavam para o teto –, estou começando a achar que esse tal Príncipe era meio suspeito.

Os dois garotos abafaram aos gritos os protestos de Hermione.

– Foi só uma brincadeira! – disse Rony, virando um vidro de ketchup nas salsichas. – Só uma brincadeira, Hermione, nada mais!

– Pendurar gente de cabeça para baixo pelo tornozelo? – replicou Hermione. – Quem é que gasta tempo e energia para inventar feitiços como esse?

– Fred e Jorge – respondeu Rony, encolhendo os ombros –, é bem a cara deles. E, ãh...

– Meu pai – disse Harry, que acabara de se lembrar.

– Quê?! – exclamaram Rony e Hermione juntos.

– Meu pai usou esse feitiço. Eu... Lupin me contou.

A segunda parte não era verdade; de fato, Harry vira o pai usar o feitiço contra Snape, mas jamais contara aos amigos sua rápida excursão pela Penseira. Agora, no entanto, ocorria-lhe uma possibilidade fantástica. Seria possível que o Príncipe Mestiço fosse...?

—Talvez o seu pai tenha usado, Harry — contrapôs Hermione —, mas não foi o único. Já vimos muita gente usar esse feitiço, caso você tenha esquecido. Pendurar gente no ar. Fazer gente flutuar, adormecida, indefesa.

Harry arregalou os olhos para ela. Com uma sensação de desânimo, ele, também, se lembrou do comportamento dos Comensais da Morte na Copa Mundial de Quadribol. Rony veio em seu auxílio.

— Lá foi diferente — disse com firmeza. — Estavam abusando. Harry e o pai dele só estavam brincando. Você não gosta do Príncipe, Hermione — acrescentou Rony, apontando uma salsicha para a amiga, sério —, porque ele é melhor do que você em Poções.

— Não tem nada a ver! — retrucou Hermione corando. — Só acho que é muito irresponsável ficar realizando feitiços sem nem saber para que servem, e pare de falar em "o Príncipe" como se fosse um título, aposto que é só um apelido idiota e acho que, pelo jeito, ele nem era uma pessoa muito legal!

— Não sei como você chegou a essa conclusão — contestou Harry inflamado. — Se ele tivesse sido um futuro Comensal da Morte, não estaria se gabando de ser mestiço e sim de ser puro, não é?

Ao dizer isso, Harry se lembrou de que seu pai tinha sangue puro, mas afastou o pensamento da mente; mais tarde se preocuparia com isso...

— Não é possível que todos os Comensais da Morte tenham sangue puro, não existem mais tantos bruxos de sangue puro — insistiu Hermione. — Imagino que a maioria seja mestiça e finja ser pura. Só odeiam os que nasceram trouxas, e ficariam muito felizes em deixar você e Rony se alistarem.

— Nunca me deixariam ser um Comensal da Morte! — respondeu Rony indignado, brandindo um garfo para Hermione e arremessando no ar um pedaço de salsicha que foi bater na cabeça de Ernesto Macmillan. — Toda a minha família é traidora do sangue! Para os Comensais da Morte, isto é tão ruim quanto ter nascido trouxa!

— E eles adorariam que eu me alistasse — comentou Harry, sarcástico. — Seríamos grandes companheiros se eles não insistissem em me liquidar.

O comentário fez Rony rir; até Hermione sorriu de má vontade, mas foram interrompidos pela chegada de Gina.

— Ei, Harry, me mandaram lhe entregar isso. — Era um rolo de pergaminho com o seu nome escrito em uma caligrafia conhecida, fina e inclinada.

— Obrigado, Gina... é a próxima aula de Dumbledore! — disse Harry a Rony e Hermione, abrindo o pergaminho e lendo-o em silêncio. — Segunda à noite! — Sentiu-se de repente leve e feliz. — Quer se encontrar com a gente em Hogsmeade, Gina?

– Estou indo com o Dino, talvez a gente se veja lá – respondeu Gina, acenando para os três ao se afastar.

Filch estava parado às portas de carvalho, como sempre, verificando os nomes dos alunos que tinham permissão de ir a Hogsmeade. O processo demorou ainda mais do que o normal porque o zelador estava verificando todo o mundo três vezes com o seu sensor de segredos.

– Que diferença faz se estamos contrabandeando objetos das trevas para FORA da escola? – quis saber Rony, olhando apreensivo para o sensor de segredos. – Deviam era verificar o que trazemos para DENTRO, não?

O atrevimento lhe custou umas cutucadas a mais do sensor, e ele ainda fazia caretas de dor quando saíram para enfrentar o vento e o granizo.

A caminhada até Hogsmeade não foi agradável. Harry cobriu o maxilar com o cachecol; as partes expostas do corpo logo ficaram ardidas e dormentes. A estrada para a aldeia estava repleta de estudantes curvados contra o vento cortante. Mais de uma vez, Harry se perguntou se não teriam se divertido mais na sala comunal aquecida; e quando, por fim, chegaram a Hogsmeade e encontraram a Zonko's – Logros e Brincadeiras fechada com tábuas, ele achou que era uma confirmação de que o passeio não seria divertido. Rony apontou com a mão protegida por uma grossa luva para a Dedosdemel, que felizmente estava aberta, e Harry e Hermione entraram em sua esteira na loja apinhada de gente.

– Graças a Deus – estremeceu Rony, quando foram envolvidos pelo ar quente recendendo a caramelos. – Vamos passar a tarde inteira aqui.

– Harry, meu rapaz! – trovejou uma voz às suas costas.

– Ah, não – murmurou Harry. Os três se viraram e deram com o professor Slughorn, com um enorme gorro de peles e um sobretudo com uma gola igual; o professor ocupava, no mínimo, um quarto da loja e segurava uma sacola de abacaxi cristalizado.

– Harry, você já faltou a três dos meus pequenos jantares! – disse Slughorn, dando-lhe um cutucão cordial no peito, com o dedo. – Não vai adiantar, meu rapaz, estou decidido a fazê-lo comparecer. A srta. Granger adora os jantares, não é verdade?

– É – concordou Hermione indefesa –, são realmente...

– Então por que você não vem também, Harry? – quis saber Slughorn.

– Bem, tenho tido treino de quadribol, professor – respondeu Harry, que, na verdade, andava marcando treinos todas as vezes que Slughorn lhe enviava o pequeno convite com a fita roxa. Com essa estratégia, Rony não se sentia excluído e, em geral, eles davam boas risadas com Gina, imaginando Hermione trancada com McLaggen e Zabini.

— Bem, depois de tanto esforço espero que vocês ganhem o primeiro jogo! Mas uma diversãozinha nunca fez mal a ninguém. Então, que tal segunda à noite, é impossível que você queira treinar com esse tempo...

— Não posso, professor, tenho... ah... um compromisso com o professor Dumbledore para a mesma noite.

— Que falta de sorte outra vez! — exclamou Slughorn dramaticamente.

— Ah, bem... você não pode me escapar eternamente, Harry!

E, com um aceno régio, o professor saiu da loja, dando a Rony a mesma atenção que daria a um Torrão de Barata.

— Não acredito que você tenha se livrado de mais um — comentou Hermione, sacudindo a cabeça. — Não são *tão* ruins assim, sabe... às vezes são até divertidos... — Então, viu a expressão no rosto de Rony. — Ah, olhem... eles têm Penas de Açúcar de Luxo... devem durar horas!

Feliz que Hermione tivesse mudado de assunto, Harry mostrou muito mais interesse nas novas Penas de Açúcar extragrandes do que normalmente mostrava, mas Rony continuou cismado e apenas sacudiu os ombros quando Hermione lhe perguntou aonde queria ir em seguida.

— Vamos ao Três Vassouras — sugeriu Harry. — Deve estar aquecido.

Eles tornaram a proteger o rosto com os cachecóis e saíram da loja de doces. O vento cortou-lhes a pele como facas ao deixarem o calor açucarado da Dedosdemel. A rua não estava muito movimentada; as pessoas não paravam para conversar, simplesmente andavam rápido para chegar ao seu destino. As exceções eram dois homens um pouco à frente, parados à porta do Três Vassouras. Um deles era muito alto e magro; apertando os olhos para enxergar através dos óculos que a chuva lavava, Harry reconheceu o empregado do outro pub de Hogsmeade, o Cabeça de Javali. Quando Harry, Rony e Hermione se aproximaram, ele aconchegou a capa ao pescoço e se afastou, deixando o homem mais baixo atrapalhado com alguma coisa que carregava nos braços. Estavam a menos de meio metro quando Harry o reconheceu.

— Mundungo!

O bruxo atarracado, de pernas arqueadas e cabelos ruivos, longos e maltratados, sobressaltou-se e deixou cair uma valise muito velha, que se abriu, soltando objetos que lembravam o conteúdo de uma vitrine de brechó.

— Ah, lô, Arry — disse Mundungo Fletcher, tentando assumir um ar de descontração pouco convincente. — Bem, não quero prender vocês. — E o bruxo se agachou para recolher o conteúdo da valise, mostrando-se ansioso para sumir dali.

— Você está vendendo essas coisas? — perguntou Harry, observando Mundungo catar do chão uma variedade de objetos sujos.

— Ah, bem, preciso sobreviver — disse o bruxo. — Me dá isso!
Rony se abaixara para apanhar alguma coisa de prata.
— Calma aí — disse ele lentamente. — Acho que já vi isso...
— Muito obrigado! — agradeceu Mundungo, arrebatando a Taça da mão de Rony e metendo-a na mala. — Bem, a gente se vê... AI!
Harry agarrara Mundungo pelo pescoço e prendera-o contra a parede do bar. Segurando-o firmemente com uma das mãos, puxou a varinha.
— Harry! — guinchou Hermione.
— Você tirou isso da casa de Sirius! — exclamou Harry, cujo nariz quase encostava no do bruxo, aspirando um fedor de bebida e fumo curtido.
— A Taça tinha o brasão da família Black.
— Eu... não... quê? — gaguejou Mundungo, que foi ficando gradualmente púrpura.
— Que foi que você fez, voltou lá na noite em que ele morreu e limpou a casa? — rosnou Harry.
— Eu... não...
— Me entregue isso!
— Harry, não faz isso! — esganiçou-se Hermione, quando o rosto de Mundungo começou a azular.
Ouviu-se um estampido, e Harry sentiu suas mãos voarem para longe do pescoço de Mundungo. O bruxo, ofegando e cuspindo, passou a mão na mala caída e em seguida — CRAQUE! — desaparatou.
Harry xingou aos berros, girando o corpo para ver aonde fora Mundungo.
— VOLTE AQUI, SEU LADRÃO...!
— Não adianta, Harry.
Tonks se materializara do nada, seus cabelos sem cor molhados de granizo.
— A essa altura, Mundungo provavelmente já está em Londres. Não adianta gritar.
— Ele afanou as coisas de Sirius! Afanou!
— Entendo, mas mesmo assim — disse Tonks, que parecia não ter se perturbado com a informação — você devia sair do frio.
E ficou observando-os cruzar a entrada do Três Vassouras. No instante em que entrou, Harry explodiu:
— *Ele estava afanando as coisas de Sirius!*
— Eu sei, Harry, mas, por favor, não grite, as pessoas estão olhando — sussurrou Hermione. — Vai sentar, eu apanho uma bebida para você.

Harry ainda espumava quando Hermione voltou à mesa alguns minutos depois, trazendo três garrafas de cerveja amanteigada.

— Será que a Ordem não pode controlar o Mundungo? — Harry perguntou aos outros dois, num sussurro enfurecido. — Não podem ao menos impedi-lo de roubar tudo que não está pregado quando ele está na sede?

— Psiu! — exclamou Hermione desesperada, virando-se para os lados a ver se ninguém os escutava; havia uns bruxos sentados perto que observavam Harry com grande interesse, e Zabini estava encostado em uma coluna, à toa, à pequena distância.

— Harry, eu também me zangaria, sei que são as suas coisas que ele está roubando...

Harry engasgou com a cerveja; momentaneamente esquecera que era o dono da casa doze do largo Grimmauld.

— É, são as minhas coisas! Não admira que ele não tenha gostado de me ver! Bem, vou contar ao Dumbledore o que está acontecendo, ele é o único que mete medo em Mundungo.

— Boa ideia — sussurrou Hermione, visivelmente satisfeita que Harry estivesse se acalmando. — Rony, que é que você está olhando tanto?

— Nada — respondeu Rony, desviando depressa o olhar do balcão do bar, mas Harry sabia que ele estava tentando atrair a atenção de Madame Rosmerta, a sedutora e curvilínea dona do Três Vassouras, por quem tinha uma queda, havia muito tempo.

— Presumo que "nada" esteja lá nos fundos apanhando mais uísque de fogo — ironizou Hermione.

Rony fingiu não ouvir a alfinetada, e continuou a beber sua cerveja em um silêncio que ele evidentemente considerou digno. Harry ficou se lembrando de Sirius e de como o padrinho detestava aquelas taças de prata. Hermione tamborilava na mesa, seus olhos correndo de Rony para o bar.

No instante em que Harry tomou os últimos goles de sua cerveja, a amiga disse:

— Então, vamos encerrar o dia e voltar para a escola?

Os outros dois concordaram; não tinha sido um passeio divertido, e quanto mais se demoravam, pior ficava o tempo. Mais uma vez eles se enrolaram bem nas capas, ajeitaram os cachecóis, calçaram as luvas; saíram do bar em seguida a Katie Bell e uma amiga, e tornaram a subir a rua principal. Os pensamentos de Harry se desviaram para Gina enquanto avançavam pela estrada de Hogwarts em meio à lama congelada. Com certeza não tinham encontrado a garota, concluiu Harry, porque ela e Dino deviam estar aconchegados no salão de chá de Madame Puddifoot, aquele refúgio de casais felizes. De cara amarrada, ele baixou a cabeça para enfrentar o torvelinho de granizo e continuou andando.

Levou algum tempo para perceber que as vozes de Katie Bell e sua amiga, que o vento trazia até ele, tinham se tornado mais altas e esganiçadas. Harry apertou os olhos para ver melhor seus vultos indistintos. As duas discutiam a respeito de alguma coisa que Katie segurava na mão.

— Não é da sua conta, Liane! — Harry ouviu Katie dizer.

Eles contornaram a curva da estrada, o granizo caía denso e rápido, embaçando os óculos de Harry. No instante em que ele ergueu a mão enluvada para limpá-los, Liane tentou agarrar o pacote que Katie levava; esta resistiu, e o pacote caiu no chão.

Na mesma hora, a garota se ergueu no ar, não como Rony fizera, suspenso comicamente pelo tornozelo, mas graciosamente, com os braços estendidos como se fosse voar. Contudo, havia alguma coisa errada, alguma coisa esquisita... o vento forte fazia seus cabelos chicotearem, mas seus olhos estavam fechados e o rosto, vidrado. Harry, Rony, Hermione e Liane pararam instantaneamente para observar.

Então, a quase dois metros do chão, Katie soltou um grito pavoroso. Seus olhos estavam arregalados, e o que quer que estivesse vendo ou sentindo causou-lhe visivelmente uma terrível angústia. Ela gritava sem parar; Liane começou a gritar também e agarrou Katie pelos tornozelos, tentando puxá-la para o chão. Harry, Rony e Hermione correram para ajudar, mas, na hora em que a agarraram pelas pernas, a garota desabou em cima deles; Harry e Rony conseguiram apará-la, mas ela se contorcia de tal modo que mal conseguiam contê-la. Por isso, deitaram-na no chão onde ela ficou se debatendo e gritando, aparentemente incapaz de reconhecê-los.

Harry olhou para os lados; a paisagem parecia deserta.

— Fiquem aí! — gritou para que o ouvissem naquela ventania. — Vou buscar ajuda!

Ele começou a correr em direção à escola; nunca vira ninguém agir como Katie, e não conseguia imaginar o que podia ter desencadeado aquilo; arremessou-se por uma curva da estrada e colidiu com um obstáculo que parecia um enorme urso apoiado nas pernas traseiras.

— Hagrid! — ofegou, desvencilhando-se da cerca viva em que caíra.

— Harry! — exclamou Hagrid, cujas sobrancelhas e barba estavam duras de granizo; trajava seu espesso casacão de pele de castor. — Acabei de visitar o Grope, está progredindo tanto que você não...

— Hagrid, tem uma garota passando mal lá atrás, ou enfeitiçada ou sei lá...

— Quê? — perguntou Hagrid, curvando-se para ouvir o que Harry estava dizendo naquela ventania enfurecida.

— Alguém foi enfeitiçado! — berrou Harry.

— Enfeitiçado? Quem foi enfeitiçado... não foi o Rony? A Hermione?

— Não, não foram eles, a Katie Bell... por aqui...

Juntos, eles voltaram correndo pela estrada. Sem demora, encontraram o grupinho de pessoas em volta da garota, que continuava a se contorcer e a gritar no chão; Rony, Hermione e Liane tentavam acalmá-la.

— Para trás! — gritou Hagrid. — Me deixem ver a garota!

— Aconteceu alguma coisa com ela! — soluçou Liane. — Não sei o quê.

Hagrid olhou para Katie por um segundo, então, sem dizer uma palavra, abaixou-se, apanhou-a nos braços e correu em direção ao castelo. Segundos depois, os gritos lancinantes de Katie morriam ao longe e eles ouviam apenas o rugido do vento.

Hermione correu para a amiga de Katie em prantos e abraçou a garota pelos ombros.

— Você é a Liane, não é?

A garota confirmou.

— Aconteceu de repente ou...?

— Foi quando aquele embrulho rasgou — soluçou Liane, apontando para o embrulho de papel pardo agora empapado no chão, que se abrira revelando um brilho esverdeado. Rony se abaixou com a mão estendida, mas Harry agarrou-o pelo braço e puxou-o para trás.

— Não mexe nisso!

Ele se agachou. Pelo rasgão, via-se um requintado colar de opalas.

— Já vi esse colar antes — disse Harry, olhando-o com atenção. — Esteve exposto na Borgin & Burkes há séculos. Estava escrito na etiqueta que era amaldiçoado. Katie deve ter tocado nele. — Ele olhou para Liane, que começara a tremer descontroladamente. — Como foi que Katie arranjou isso?

— Bem, era por isso que estávamos discutindo — explicou Liane. — Ela voltou do banheiro do Três Vassouras trazendo o colar, disse que era uma surpresa para alguém em Hogwarts que precisava entregar. Estava muito esquisita quando falou isso... ah, não, ah, não, aposto como foi amaldiçoada com a Imperius e eu nem percebi!

Liane foi sacudida por novos soluços. Hermione deu palmadinhas gentis em seu ombro.

– Ela não contou quem tinha lhe dado o embrulho, Liane?
– Não... não quis me contar... e eu disse que estava sendo burra, que não levasse aquilo para a escola, mas ela não quis me escutar... então tentei tirar o embrulho da mão dela... e... e... – Liane soltou um grito de desespero.
– É melhor irmos para a escola – disse Hermione, ainda abraçando Liane –, poderemos saber como ela está. Vamos...
Harry hesitou um instante, então, puxando o cachecol que protegia seu rosto e ignorando a exclamação de Rony, cobriu cuidadosamente o colar e apanhou-o.
– Precisaremos mostrar isso a Madame Pomfrey.
Enquanto seguiam Hermione e Liane pela estrada, Harry pensava freneticamente. Tinham acabado de penetrar os terrenos da escola quando ele falou, incapaz de calar os seus pensamentos por mais tempo.
– Malfoy conhece esse colar. Estava em um estojo na Borgin & Burkes há quatro anos, vi Malfoy dando uma boa olhada no colar enquanto eu estava escondido dele e do pai. Era *isso* que ele estava comprando naquele dia em que o seguimos! Ele se lembrou do colar e voltou para buscá-lo.
– Nã... não sei, Harry – disse Rony hesitante. – Um monte de gente vai à Borgin & Burkes... e aquela garota não disse que Katie pegou o colar no banheiro?
– Ela disse que a Katie voltou do banheiro trazendo o colar, o que não significa necessariamente que tenha apanhado o embrulho lá...
– McGonagall! – alertou-os Rony.
Harry levantou a cabeça. De fato, a professora vinha ao seu encontro descendo, ligeira, os degraus de pedra da entrada em um redemoinho de granizo.
– Hagrid diz que vocês quatro viram o que aconteceu com a Katie Bell... já para a minha sala, por favor! Que é isso que você está levando, Potter?
– É a coisa que ela segurou.
– Santo Deus! – exclamou a professora, parecendo alarmada ao tomar o colar de Harry. – Não, não, Filch, eles estão comigo! – acrescentou rapidamente ao ver o zelador atravessar pressuroso o saguão de entrada empunhando o seu sensor de segredos. – Leve este colar ao professor Snape agora, mas tenha cuidado para não tocá-lo, deixe-o embrulhado no cachecol!
Harry e os outros acompanharam a professora à sua sala no primeiro andar. As janelas respingadas de cristais de gelo sacudiam ruidosamente em suas molduras e a sala estava gélida, apesar do fogo que crepitava na lareira. McGonagall fechou a porta e contornou a escrivaninha para ficar de frente para Harry, Rony, Hermione e a soluçante Liane.

— Então? — disse com rispidez. — Que aconteceu?

Vacilante, fazendo muitas pausas nas quais tentava controlar o choro, Liane contou à professora que Katie tinha ido ao banheiro no Três Vassouras e voltara trazendo um embrulho sem identificação, que a amiga parecera meio esquisita e que tinham discutido sobre a sensatez de aceitar entregar objetos desconhecidos, que a discussão culminara em uma luta em que o embrulho se rasgou. Nessa altura, Liane estava tão emocionada que não foi possível arrancar mais nenhuma palavra dela.

— Muito bem — disse a professora McGonagall, quase bondosamente —, suba à ala hospitalar, por favor, Liane, e peça a Madame Pomfrey para lhe dar alguma coisa para o choque.

Quando a garota se retirou, a professora McGonagall voltou sua atenção para Harry, Rony e Hermione.

— Que aconteceu quando Katie tocou o colar?

— Ela subiu no ar — respondeu Harry, antes que os outros dois pudessem falar. — E então começou a berrar e perdeu os sentidos. Professora, posso ver o professor Dumbledore, por favor?

— O diretor estará ausente até segunda-feira, Potter — informou ela, parecendo surpresa.

— Fora? — repetiu ele com raiva.

— É, Potter, fora! — enfatizou a professora com sarcasmo. — Mas qualquer coisa que você tenha a dizer sobre este horrível incidente certamente poderá ser dito a mim!

Por uma fração de segundo, Harry hesitou. A professora McGonagall não inspirava confidências; embora Dumbledore fosse, sob muitos aspectos, assustador, parecia menos inclinado a desprezar uma teoria, por mais mirabolante que fosse. Mas era uma questão de vida ou morte, e não era hora de se preocupar que rissem dele.

— Acho que Draco Malfoy deu aquele colar à Katie, professora.

A um lado dele, Rony coçou o nariz visivelmente constrangido; do outro, Hermione arrastou os pés como se quisesse dar distância entre ela e Harry.

— É uma acusação muito séria, Potter — disse a professora McGonagall, depois de uma pausa escandalizada. — Você tem alguma prova?

— Não, mas... — e ele contou que seguira Malfoy à Borgin & Burkes e escutara a conversa entre o garoto e Borgin.

Quando terminou de falar, a professora McGonagall parecia estar ligeiramente confusa.

– Malfoy levou alguma coisa para consertar na Borgin & Burkes?
– Não, professora, ele queria que Borgin o ensinasse a consertar alguma coisa que não tinha levado com ele. Mas isso não é importante, o fato é que ele comprou alguma coisa naquela hora, e acho que foi o colar...
– Você viu Malfoy sair da loja com um embrulho igual?
– Não, professora, ele mandou Borgin guardar a compra na loja.
– Mas Harry – interrompeu-o Hermione. – Borgin perguntou se queria levar com ele e Malfoy disse "não"...
– Porque não queria tocar no colar, é óbvio! – contrapôs Harry, aborrecido.
– O que Malfoy realmente disse foi: "Como é que eu ficaria carregando isso pela rua?" – contou Hermione.
– Bem, ele iria parecer meio idiota levando um colar – interpôs Rony.
– Ah, Rony – disse Hermione com desespero –, o colar estaria embrulhado para ele não precisar tocar e seria fácil esconder embaixo da capa, e ninguém veria nada! Acho que o que ele deixou reservado na Borgin & Burkes era barulhento ou volumoso; alguma coisa que Malfoy sabia que chamaria atenção se saísse carregando pela rua, e, seja como for – continuou Hermione alterando a voz para impedir que Harry a interrompesse –, eu perguntei ao Borgin sobre o colar, não se lembra? Quando entrei para tentar descobrir o que Malfoy tinha pedido para reservar, eu o vi. E Borgin só me disse quanto custava, não falou que já estava vendido nem nada...
– Ora, você foi muito óbvia, ele percebeu qual era a sua jogada em cinco segundos, claro que não ia lhe dizer, mas Malfoy poderia ter mandado buscar uma vez que...
– Já chega – disse a professora McGonagall, quando Hermione abriu a boca para retorquir, furiosa. – Potter, eu agradeço ter me contado isso, mas não podemos acusar Malfoy simplesmente porque ele visitou a loja onde o colar poderia ser comprado. Isto provavelmente se aplicaria a centenas de pessoas...
– ... foi o que eu falei – murmurou Rony.
– ... e, seja como for, este ano implantamos medidas de segurança rigorosas na escola, não creio que o colar pudesse ter entrado sem o nosso conhecimento...
– ... mas...
– ... e além disso – disse a professora McGonagall com um ar inabalável –, o sr. Malfoy não esteve em Hogsmeade hoje.

Harry olhou-a boquiaberto e menos seguro.

— Como é que a senhora sabe, professora?

— Porque ele estava cumprindo uma detenção comigo. É a segunda vez seguida que não termina os deveres de casa. Portanto, obrigada por ter me contado suas suspeitas, Potter — concluiu passando decidida pelos três —, mas preciso ir à ala hospitalar me informar sobre Katie Bell. Bom dia para todos.

Ela segurou aberta a porta da sala. Os garotos não tiveram escolha senão sair calados.

Harry ficou zangado com os outros dois por se aliarem a McGonagall; no entanto, sentiu-se compelido a entrar na conversa quando começaram a discutir o que acontecera.

— Então, a quem vocês acham que a Katie tinha de entregar o colar? — perguntou Rony, enquanto subiam as escadas para a sala comunal.

— Só Deus sabe! — exclamou Hermione. — Mas quem quer que tenha sido escapou por pouco. Ninguém poderia ter aberto aquele embrulho sem tocar nele.

— A um monte de gente — disse Harry. — Dumbledore: os Comensais da Morte teriam adorado se livrar dele, deve ser um dos seus alvos preferidos. Ou Slughorn: Dumbledore acha que Voldemort realmente o queria, e os Comensais não devem ter ficado satisfeitos quando ele se aliou a Dumbledore. Ou...

— Ou você — lembrou Hermione, perturbando-se.

— Não podia ter sido ou, na estrada, a Katie simplesmente se viraria e o entregaria a mim, não é? Eu estava atrás dela o tempo todo desde que saímos do Três Vassouras. Faria muito mais sentido entregar o embrulho fora da escola, já que o Filch está revistando todo o mundo que entra e sai. Por que será que o Malfoy a mandou levar o embrulho para o castelo?

— Harry, Malfoy não esteve em Hogsmeade! — lembrou Hermione, dessa vez batendo o pé de frustração.

— Então deve ter usado um cúmplice, Crabbe ou Goyle... ou, pensando bem, até outro Comensal da Morte, deve ter um montão de companheiros melhores que Crabbe e Goyle agora que se alistou...

Rony e Hermione trocaram olhares que diziam claramente "não adianta discutir com ele".

— Sopa da coroação — disse Hermione com firmeza ao chegarem à Mulher Gorda.

O retrato girou, admitindo-os à sala comunal. Estava repleta e cheirava a roupas úmidas; muitas pessoas pareciam ter regressado a Hogwarts cedo por causa do mau tempo. Mas não havia burburinho de medo nem de especulação: obviamente, a notícia do que acontecera a Katie ainda não tinha se espalhado.

— Mas, quando a gente para e pensa, não foi um ataque muito inteligente — comentou Rony, arrancando com displicência um calouro de uma das confortáveis poltronas junto à lareira, para poder se sentar. — O feitiço nem chegou ao castelo. Não é o que a gente poderia chamar de infalível.

— Tem razão — concordou Hermione, empurrando Rony para fora da poltrona e tornando a oferecê-la ao calouro. — Não foi muito bem pensado.

— E desde quando Malfoy é um dos grandes pensadores do mundo? — perguntou Harry.

Nem Rony nem Hermione lhe responderam.

13

RIDDLE, O ENIGMA

Katie foi removida no dia seguinte para o Hospital St. Mungus para Doenças e Acidentes Mágicos, altura em que já havia se espalhado por toda a escola a notícia do feitiço que a atingira, embora os detalhes fossem confusos e ninguém, exceto Harry, Rony, Hermione e Liane, parecesse saber que Katie não fora o alvo visado.

— Ah, e naturalmente Malfoy sabe — disse Harry a Rony e Hermione, que continuaram sua nova política de fingir surdez sempre que o amigo mencionava a sua teoria de que Malfoy era um Comensal da Morte.

Harry se perguntava se Dumbledore voltaria, de onde quer que estivesse, em tempo para a aula de segunda-feira à noite, mas, não tendo recebido notícia em contrário, apresentou-se à porta do escritório às oito horas, bateu e Dumbledore mandou-o entrar. Ali estava o diretor com um ar anormalmente cansado; sua mão estava mais escura e queimada que nunca, mas ele sorriu quando convidou Harry a sentar. A Penseira encontrava-se, mais uma vez, em cima da mesa, projetando reflexos prateados no teto.

— Você andou muito ocupado enquanto estive fora — disse Dumbledore. — Creio que presenciou o acidente com a Katie.

— Presenciei, senhor. Como vai ela?

— Ainda bem mal, embora tenha tido sorte. Parece que roçou no colar apenas uma parte ínfima da pele: havia um buraco em sua luva. Se tivesse usado ou se tivesse segurado o colar com a mão desprotegida, teria morrido, talvez instantaneamente. Por sorte, o professor Snape pôde tomar providências para impedir que o feitiço se espalhasse...

— Por que ele? — perguntou Harry imediatamente. — Por que não Madame Pomfrey?

— Impertinente — disse uma voz branda que vinha de um dos retratos na parede; Fineus Nigellus Black, bisavô de Sirius, ergueu a cabeça dos braços onde parecia estar dormindo. — No meu tempo, eu não teria permitido a um aluno questionar o funcionamento de Hogwarts.

– Muito obrigado, Fineus – replicou Dumbledore acalmando-o. – O professor Snape conhece muito mais sobre as Artes das Trevas do que Madame Pomfrey, Harry. Em todo caso, a equipe do Hospital St. Mungus está me enviando um boletim de hora em hora, e tenho esperança de que, com o tempo, Katie irá se recuperar plenamente.

– Onde é que o senhor esteve esse fim de semana, senhor? – perguntou Harry, desprezando uma forte sensação de que estava abusando e que, pelo visto, era partilhada por Fineus Nigellus, que assobiou baixinho.

– Eu preferia não revelar neste momento – respondeu Dumbledore.

– Mas lhe contarei no devido tempo.

– Contará? – admirou-se Harry.

– Espero que sim – disse o diretor, tirando de dentro das vestes um novo frasco de lembranças prateadas e desarrolhando-o com um toque de varinha.

– Senhor – começou Harry hesitante –, encontrei Mundungo em Hogsmeade.

– Ah, sim, já estou ciente de que Mundungo andou tratando sua herança com dedos leves e pouco respeito – disse Dumbledore enrugando ligeiramente a testa. – Ele se escondeu depois que você o abordou à porta do Três Vassouras; creio que está com medo de me enfrentar. Mas fique tranquilo que ele não vai mais tirar o que pertenceu a Sirius.

– Aquele mestiço velho e sarnento anda roubando objetos da família Black? – perguntou Fineus indignado; e saiu silenciosamente da moldura, sem dúvida para visitar o seu quadro no número doze do largo Grimmauld.

– Professor – recomeçou Harry depois de uma breve pausa –, a professora McGonagall lhe contou o que falei depois que a Katie foi enfeitiçada? Sobre Draco Malfoy?

– Ela me contou suas suspeitas.

– E o senhor...

– Tomarei as medidas adequadas para investigar qualquer um que possa ter participado do acidente com Katie. Mas o que me interessa agora, Harry, é a nossa aula.

Harry não gostou muito da resposta: se as aulas eram tão importantes, então por que tinha havido um intervalo tão grande entre a primeira e a segunda? Contudo, não falou mais em Draco Malfoy, e ficou observando Dumbledore despejar lembranças frescas na Penseira e começar a girar a bacia de pedra nas mãos longas.

— Você certamente se lembra de que deixamos a história dos primeiros tempos de Lorde Voldemort no ponto em que o trouxa bonito, Tom Riddle, abandonou a esposa bruxa, Mérope, e retornou à casa da família em Little Hangleton. Mérope foi abandonada sozinha em Londres, esperando o filho que um dia se tornaria Lorde Voldemort.

— Como sabe que ela estava em Londres, senhor?

— Pelo testemunho de um tal Carátaco Burke que, por uma estranha coincidência, ajudou a fundar a mesmíssima loja de onde veio o colar de que acabamos de falar.

Dumbledore girou o conteúdo da Penseira como Harry já o vira fazer antes, como um garimpeiro peneirando à procura de ouro. Do redemoinho prateado, emergiu um velhinho que girou lentamente na Penseira, prateado como um fantasma, porém muito mais sólido, com uma cabeleira que encobria totalmente os seus olhos.

— Sim, adquirimos o medalhão em circunstâncias curiosas. Foi trazido por uma jovem bruxa pouco antes do Natal, ah, há muitos anos. Ela disse que precisava urgentemente de ouro, o que era visível. Bonita e coberta de trapos, em adiantado... estado de gravidez, entende. Disse ainda que o medalhão tinha pertencido à família Slytherin. Bem, sempre ouvimos este tipo de história. "Ah, isto pertenceu a Merlim, era o seu bule de chá favorito", e quando eu ia examinar, tinha realmente o sinete dele, mas alguns feitiços simples bastavam para me revelar a verdade. É claro que aquela circunstância tornava o medalhão quase inestimável. A moça não parecia ter ideia do seu valor. Ficou feliz em receber dez galeões pelo objeto. A melhor pechincha que já fizemos!

Dumbledore deu à Penseira uma sacudida mais vigorosa e Carátaco Burke foi reabsorvido pela massa espiralante de memórias de onde saíra.

— Ele deu à bruxa apenas dez galeões? — comentou Harry indignado.

— Carátaco Burke não ficou famoso por sua generosidade. Sabemos, então, que, próximo ao fim da gravidez, Mérope estava sozinha em Londres precisando desesperadamente de ouro, desesperada o bastante para vender seu único bem com valor, o medalhão que era uma preciosa herança da família.

— Mas ela podia usar a magia! — exclamou Harry impaciente. — Podia arranjar comida e tudo de que precisasse usando a magia, não podia?

— Ah, talvez pudesse. Mas acredito, e novamente estou imaginando, embora seja quase uma certeza, que, quando foi abandonada pelo marido, Mérope parou de recorrer à magia. Acho que não quis mais ser bruxa. Claro que também é possível que o seu amor não correspondido e o consequente desespero tenham minado seus poderes, isto pode acontecer. De qualquer modo, e você está prestes a ver, Mérope se recusou a empunhar a varinha até mesmo para salvar a própria vida.

— Não quis viver nem para o filho?

Dumbledore ergueu as sobrancelhas.

— Será possível que você esteja sentindo pena de Lorde Voldemort?

— Não — apressou-se Harry a negar —, mas ela teve escolha, não é, não foi como a minha mãe...

— Sua mãe também teve escolha — disse Dumbledore, gentilmente. — Mérope Riddle preferiu morrer apesar do filho que precisava dela, mas não a julgue com tanta severidade, Harry. Ela estava enfraquecida pelo longo sofrimento e nunca teve a coragem de sua mãe. E, agora, se você ficar de pé...

— Aonde vamos? — perguntou Harry, quando Dumbledore se juntou a ele à frente da escrivaninha.

— Desta vez, vamos entrar na *minha* memória. Penso que lhe parecerá ao mesmo tempo rica em detalhes e satisfatoriamente exata. Primeiro você...

Harry se inclinou para a Penseira; seu rosto cortou a fresca superfície das lembranças e ele se viu mais uma vez caindo pela escuridão... segundos depois, seus pés bateram no chão firme, ele abriu os olhos e viu que estavam parados em uma antiga e movimentada rua de Londres.

— Aquele sou eu — disse Dumbledore, animado, apontando para um vulto que atravessava a rua à frente de uma carroça de leite puxada por um cavalo.

A barba e os cabelos longos do jovem Alvo Dumbledore eram acaju. Ao chegar do lado oposto da rua, seguiu pela calçada, atraindo muitos olhares curiosos por causa do vistoso terno de veludo cor de ameixa que estava usando.

— Belo terno, senhor — comentou Harry sem conseguir se conter, mas Dumbledore simplesmente riu e os dois foram acompanhando o seu eu mais jovem, a curta distância, até um pátio vazio defronte a um prédio quadrado e sinistro cercado por altas grades. Ele subiu uma pequena escada que levava à porta de entrada e bateu uma vez. Passado um momento, a porta foi aberta por uma moça desleixada, de avental.

— Boa tarde. Tenho hora marcada com uma sra. Cole, que acredito ser a governanta daqui.

— Ah! — exclamou a moça de ar espantado, registrando a excêntrica aparência de Dumbledore. — Hum... um momentinho... SRA. COLE! — berrou por cima do ombro.

Harry ouviu uma voz distante gritando alguma coisa em resposta. A moça tornou a falar com Dumbledore.

— Entre, ela está vindo.

Dumbledore entrou por um corredor azulejado de preto e branco; o lugar era pobre, mas imaculadamente limpo. Harry e o velho Dumbledore o seguiram. Antes que a porta se fechasse, às suas costas, uma mulher muito magra e aflita veio caminhando depressa em sua direção. Tinha um rosto bem delineado, que parecia mais ansioso do que mau, e, enquanto ia ao encontro de Dumbledore, falava por cima do ombro com outra ajudante de avental.

— ... e leve o iodo para Marta lá em cima, Carlinhos Stubbs andou descascando as perebas outra vez e Erico Whalley está se esvaindo nos lençóis, e ainda por cima com catapora — comentou, sem se dirigir a ninguém em particular, e então o seu olhar recaiu em Dumbledore e ela parou instantaneamente, admirada, como se uma girafa tivesse acabado de cruzar a entrada da casa.

— Boa tarde — disse Dumbledore, estendendo a mão.

A sra. Cole simplesmente boquiabriu-se.

— Meu nome é Alvo Dumbledore. Enviei uma carta pedindo para marcar uma hora, e a senhora gentilmente me convidou para vir aqui hoje.

A senhora piscou os olhos. Com jeito de quem procurava decidir se Dumbledore não seria uma alucinação, ela disse com voz fraquinha:

— Ah, sim. Bem... bem, então, é melhor vir à minha sala. É.

Ela conduziu Dumbledore a uma salinha que aparentemente se dividia em sala e escritório. Era tão pobre quanto o hall, e a mobília era velha e desparelhada. A senhora convidou, então, Dumbledore a sentar em uma cadeira bamba e se acomodou à escrivaninha atravancada, observando-o nervosamente.

— Estou aqui, conforme disse em minha carta, para discutir sobre o menino Tom Riddle e as providências para o seu futuro — começou Dumbledore.

— O senhor é da família? — perguntou a sra. Cole.

— Não, sou professor. Vim oferecer a Tom uma vaga em minha escola.

— E que escola é essa?

— Chama-se Hogwarts.

— E por que se interessou por Tom?

— Acreditamos que tenha qualidades que procuramos.

— O senhor quer dizer que ele ganhou uma bolsa? Como pode ter ganhado? Nunca pedimos uma bolsa para ele.

— Bem, o nome dele está inscrito em nossa escola desde que nasceu.
— Quem o inscreveu? Os pais?
Não havia dúvidas de que a sra. Cole era uma mulher inconvenientemente astuta. E, pelo visto, Dumbledore teve a mesma opinião, porque Harry o viu tirar discretamente a varinha do bolso do terno de veludo, ao mesmo tempo que apanhava uma folha de papel em branco da escrivaninha da sra. Cole.
— Veja — disse Dumbledore fazendo um aceno com a varinha e passando o papel à senhora. — Acho que isto esclarecerá tudo.
Os olhos da sra. Cole saíram de foco e tornaram a entrar enquanto examinava, atenta, a folha de papel por um momento.
— Parece perfeitamente em ordem — disse calma, devolvendo o papel.
Então seu olhar recaiu sobre uma garrafa de gim e dois copos, que com certeza não estavam ali alguns segundos antes.
— Ah... o senhor aceita um cálice de gim? — perguntou a mulher em tom elegante.
— Muito obrigado — aceitou Dumbledore sorridente.
Logo se tornou claro que a sra. Cole não era nenhuma principiante quando se tratava de beber gim. Servindo para ambos uma generosa dose, ela bebeu o seu cálice de um gole. Estalando os lábios sem constrangimento, sorriu para Dumbledore pela primeira vez, e ele não hesitou em aproveitar a vantagem.
— Eu estava imaginando se a senhora não poderia me contar alguma coisa da história de Tom Riddle? Creio que ele nasceu aqui no orfanato, não?
— Certo — confirmou a sra. Cole, servindo-se de mais gim. — Lembro muito claramente, porque estava começando a trabalhar aqui. Era véspera de Ano-Novo, fazia muito frio, nevava, sabe. Uma noite tempestuosa. E essa moça, que não era muito mais velha do que eu, chegou com dificuldade à nossa porta. Bem, ela não foi a primeira. Nós a acolhemos e ela teve o bebê em menos de uma hora. E na hora seguinte morreu.
A sra. Cole acenou a cabeça solenemente e tomou mais um gole de gim.
— Ela disse alguma coisa antes de morrer? — perguntou Dumbledore.
— Alguma coisa sobre o pai do garoto, por exemplo?
— Por acaso, disse — confirmou a sra. Cole, que parecia estar se divertindo, com o gim na mão e uma plateia ansiosa para ouvir sua história.
"Lembro que ela me disse: 'Espero que ele pareça com o pai', e não vou mentir, a moça tinha razão em desejar isso, porque ela não era nenhuma

beleza... e então me falou que o bebê deveria receber o nome de Tom em homenagem ao pai e Servolo em homenagem ao pai dela... é, eu sei, é um nome engraçado, não é? Ficamos imaginando que tivesse vindo de um circo... e ela disse que o sobrenome do garoto era Riddle. E sem dizer mais nada, morreu pouco depois.

"Bem, demos ao bebê o nome que a mãe tinha pedido, parecia tão importante para a coitada, mas nunca nenhum Tom, nem Servolo, nem Riddle veio procurar a criança, nem família nenhuma apareceu, então ele ficou no orfanato e está aqui desde aquela época."

A sra. Cole serviu-se, quase sem se dar conta, de mais uma saudável dose de gim. Duas manchas rosadas apareceram nas maçãs do seu rosto. E então ela continuou:

– É um garoto engraçado.

– Sei – disse Dumbledore. – Achei que fosse.

– Foi um bebê engraçado também. Quase nunca chorava, sabe. Depois, quando foi crescendo ficou... esquisito.

– Esquisito, como? – perguntou Dumbledore gentilmente.

– Bem, ele...

Mas a sra. Cole se calou, e não havia nada confuso ou vago no olhar inquisitivo que lançou a Dumbledore por cima do cálice de gim.

– O senhor diz que ele tem vaga garantida em sua escola?

– Certamente.

– E nada que eu disser pode mudar isso?

– Nada.

– O senhor o levará seja qual for a informação que lhe dê?

– Seja qual for a informação – respondeu Dumbledore solenemente.

A mulher encarou-o apertando os olhos como se decidisse se podia ou não confiar nele. Aparentemente, achou que podia, porque disse apressada:

– Ele mete medo às outras crianças.

– A senhora quer dizer que ele as intimida?

– Acho que deve intimidar – respondeu a sra. Cole, franzindo ligeiramente a testa –, mas é muito difícil pegá-lo em flagrante. Tem havido incidentes... bem desagradáveis...

Dumbledore não a pressionou, embora Harry percebesse que estava interessado. A mulher tomou mais um gole de gim e suas bochechas rosadas ficaram ainda mais rosadas.

– O coelho de Carlinhos Stubbs... bem, Tom disse que não fez nada e não vejo como poderia ter feito, mas o bicho não se enforcou nas traves do teto sozinho, não é?

– Eu diria que não – concordou Dumbledore em voz baixa.
– Mas o diabo é saber como foi que ele subiu lá no alto para fazer isso. O que sei é que Tom e Carlinhos tinham discutido no dia anterior. – E então, a sra. Cole tomou mais um gole, que desta vez escorreu um pouco pelo seu queixo. – No passeio do verão... saímos com eles, sabe, uma vez por ano, vamos ao campo ou à praia... bem, Amada Benson e Dênis Bishop nunca tiveram muita certeza, e só o que conseguimos extrair deles foi que tinham ido a uma caverna com Tom Riddle. Ele jurou que só foram explorar o lugar, mas *alguma coisa* aconteceu lá dentro, tenho certeza. E, bem, têm acontecido muitas coisas, coisas engraçadas...
 Ela tornou a encarar Dumbledore, e, embora seu rosto estivesse corado, o olhar era firme.
– Acho que muito pouca gente vai lamentar ver este garoto pelas costas.
– Estou certo de que a senhora compreende que não vamos mantê-lo na escola o ano inteiro, não? – lembrou Dumbledore. – Ele terá de voltar para aqui, no mínimo, a cada verão.
– Ah, bem, isso é menos ruim do que levar uma pancada no nariz com um ferro enferrujado – respondeu a mulher com um leve soluço. Ela se levantou e Harry ficou impressionado de ver que estava bem firme, embora dois terços do gim tivessem desaparecido. – Presumo que o senhor gostaria de ver o garoto, não?
– Muito – disse Dumbledore se erguendo.
 A sra. Cole saiu com o diretor da sala, subiu uma escada de pedra, dando ordens e chamando a atenção dos seus auxiliares e das crianças que passavam. Todos os órfãos, Harry notou, usavam o mesmo tipo de bata acinzentada. Pareciam razoavelmente bem cuidados, mas não havia como negar que era um lugar sinistro para educar uma criança.
– É aqui – anunciou a sra. Cole, ao virarem no segundo patamar e pararem à primeira porta de um comprido corredor. Ela bateu duas vezes e entrou. – Tom? Tem uma visita para você. Este é o sr. Dumberton... desculpe, Dunderbore. Ele veio lhe dizer... bem, vou deixar que ele mesmo diga.
 Harry e os dois Dumbledore entraram no quarto, e a sra. Cole fechou a porta. Era um pequeno cômodo vazio exceto por um guarda-roupa velho e uma cama de ferro. Um garoto estava sentado em cima dos cobertores cinzentos, as pernas esticadas à frente, segurando um livro.
 Não havia traços dos Gaunt no rosto de Tom Riddle. Mérope realizara o seu último desejo: ele era uma miniatura do pai bonitão, alto para os seus onze anos, pálido e de cabelos escuros. Seus olhos se estreitaram ligeiramen-

te ao registrar a excêntrica aparência de Dumbledore. Houve um momento de silêncio.

— Como vai, Tom? — perguntou Dumbledore adiantando-se e estendendo a mão.

O garoto hesitou, aceitou a mão e se cumprimentaram. Dumbledore puxou uma cadeira de madeira para junto de Riddle, fazendo-os parecer um paciente e a sua visita em um hospital.

— Sou o professor Dumbledore.

— Professor? — repetiu Riddle. Mostrou-se preocupado. — É como um "doutor"? Por que está aqui? Ela trouxe o senhor para me examinar?

O garoto apontava para a porta pela qual a sra. Cole acabara de sair.

— Não, não — respondeu Dumbledore sorrindo.

— Não acredito no senhor. Ela quer que me examine, não é? Fale a verdade!

O garoto disse as três últimas palavras com uma força tão altissonante que era quase assustadora. Era uma ordem, e, pelo jeito, ele já a dera muitas vezes antes. Seus olhos tinham se esbugalhado e fixavam, sérios, Dumbledore, cuja única reação foi continuar sorrindo agradavelmente. Decorridos alguns segundos, Riddle parou de encarar o professor, embora parecesse ainda mais desconfiado.

— Quem é o senhor?

— Eu já lhe disse. Meu nome é Dumbledore, e trabalho em uma escola chamada Hogwarts. Vim lhe oferecer uma vaga em minha escola, sua nova escola, se quiser ir.

A reação de Riddle ao ouvir isso foi surpreendente. Ele pulou da cama e se afastou de Dumbledore, furioso.

— O senhor não me engana! O hospício, é de lá que o senhor é, não é? "Professor", claro, pois eu não vou, entende? Aquela gata velha é que deveria estar no hospício. Nunca fiz nada a Amadinha nem ao Dênis Bishop, e o senhor pode perguntar, eles dirão ao senhor!

— Eu não sou do hospício — replicou Dumbledore pacientemente. — Sou professor e, se você sentar e se acalmar, posso lhe falar sobre Hogwarts. É claro que se você preferir não ir, ninguém irá forçá-lo...

— Gostaria de ver alguém tentar — desdenhou Riddle.

— Hogwarts — continuou Dumbledore, como se não tivesse ouvido as últimas palavras do garoto — é uma escola para pessoas com talentos especiais...

— Eu não sou louco!

— Sei que não é. Hogwarts não é uma escola para loucos. É uma escola de magia.

Fez-se silêncio. Riddle congelara, seu rosto vazio de expressão, mas o olhar correndo de um olho de Dumbledore para o outro, como se tentasse apanhar um deles mentindo.

— Magia? — repetiu num sussurro.
— Exato.
— É... é magia, o que eu sei fazer?
— Que é que você sabe fazer?
— Muita coisa — sussurrou. Um rubor de emoção subiu do seu pescoço para as faces encovadas; parecia febril. — Sei fazer as coisas se mexerem sem tocar nelas. Sei fazer os bichos me obedecerem sem treinamento. Sei fazer coisas ruins acontecerem a quem me aborrece. Sei fazer as pessoas sentirem dor, se quiser.

Suas pernas tremiam. Ele se adiantou cambaleando e tornou a se sentar na cama, olhando para as mãos, a cabeça baixa como se rezasse.

— Eu sabia que era diferente — murmurou para os seus dedos trêmulos. — Sabia que era especial. Sempre soube que havia alguma coisa.

— Bem, você estava certo — disse Dumbledore, que já não sorria, mas observava Riddle com atenção. — Você é um bruxo.

Riddle ergueu a cabeça. Seu rosto se transfigurou: havia nele uma felicidade irreprimível, mas por alguma razão isso não o tornava mais bonito; pelo contrário, suas feições finas pareciam mais brutas, sua expressão quase bestial.

— O senhor também é bruxo?
— Sou.
— Prove — replicou Riddle imediatamente, no mesmo tom de comando que usara quando dissera "fale a verdade".

Dumbledore ergueu as sobrancelhas.

— Se, como imagino, você estiver aceitando a vaga em Hogwarts...
— Claro que estou!
— Então, vai se dirigir a mim, chamando-me de "professor" ou de "senhor".

As feições de Riddle endureceram por um instante fugaz antes que ele respondesse, em um tom irreconhecivelmente educado:

— Desculpe, senhor. Eu quis dizer: por favor, professor, pode me mostrar...?

Harry estava certo de que Dumbledore ia recusar, que ia responder a Riddle que haveria muito tempo para demonstrações práticas em Hogwarts, que naquele momento estavam em um prédio cheio de trouxas e, portanto, precisavam tomar cuidado. Para sua grande surpresa, porém, Dumbledore tirou a varinha do bolso interno do paletó, apontou-a para o guarda-roupa velho a um canto e fez um aceno displicente.

O guarda-roupa pegou fogo.

O garoto pulou da cama. Harry não podia censurá-lo por urrar de choque e fúria; todos os seus bens deviam estar ali dentro; mas, quando Riddle avançou para Dumbledore, as chamas desapareceram, deixando o guarda-roupa intacto.

Riddle olhou do móvel para Dumbledore, então, com uma expressão cobiçosa, apontou para a varinha.

– Onde posso arranjar uma dessas?

– Tudo a seu tempo – respondeu Dumbledore. – Acho que tem alguma coisa querendo sair do seu guarda-roupa.

De fato, ouvia-se alguma coisa chocalhando baixinho. Pela primeira vez, Riddle pareceu amedrontado.

– Abra a porta – ordenou Dumbledore.

Riddle hesitou, mas atravessou o quarto e escancarou a porta do armário. Na prateleira mais alta, acima de um trilho com umas poucas roupas, uma caixinha sacudia e chocalhava como se contivesse ratinhos frenéticos.

– Tire-a daí – disse Dumbledore.

Riddle apanhou a caixa trepidante. Pareceu nervoso.

– Tem alguma coisa nessa caixa que você não deveria ter? – perguntou Dumbledore.

Riddle lançou a Dumbledore um olhar demorado, penetrante e astuto.

– Suponho que sim, senhor – disse finalmente com uma voz inexpressiva.

– Abra-a.

Riddle tirou a tampa e virou o conteúdo em cima da cama, sem olhar. Harry, que esperara alguma coisa mais emocionante, viu uma confusão de pequenos objetos comuns: um ioiô, um dedal de prata e uma gaita de boca oxidada. Uma vez fora da caixa, eles pararam de tremer e mexer sobre os cobertores finos.

– Você os devolverá aos donos com suas desculpas – disse Dumbledore calmamente, tornando a guardar a varinha no paletó. – Saberei se fez isso. – E alertou: – Em Hogwarts, não toleramos roubos.

Riddle não pareceu sequer remotamente envergonhado; continuou a encarar Dumbledore com um olhar frio e avaliador. Por fim, disse com uma voz monótona:

— Sim, senhor.

— Em Hogwarts — continuou Dumbledore —, ensinamos não apenas a usar a magia, mas a controlá-la. Você tem usado os seus poderes, decerto sem saber, de um modo que não é ensinado nem tolerado em nossa escola. Você não é o primeiro nem será o último a deixar que a sua magia fuja ao seu controle. Mas é preciso que saiba que Hogwarts pode expulsar alunos e o Ministério da Magia, porque existe um Ministério, castiga os que desrespeitam as leis, ainda mais severamente. Todos os novos bruxos têm de aceitar que, ao entrar em nosso mundo, se submetem às nossas leis.

— Sim, senhor — repetiu o garoto.

Era impossível saber o que ele estava pensando; manteve o rosto impassível ao tornar a guardar os objetos roubados na caixa de papelão. Quando terminou, virou-se para Dumbledore e disse com atrevimento:

— Não tenho dinheiro.

— Isto é facilmente remediável — disse Dumbledore, tirando uma bolsa de couro do bolso. — Há um fundo em Hogwarts para os que precisam de ajuda para comprar livros e vestes. Você talvez tenha de comprar alguns livros de feitiços e outras coisas de segunda mão, mas...

— Onde se compram livros de feitiços? — interrompeu-o Riddle, que tinha apanhado a pesada bolsa de dinheiro sem agradecer, e agora examinava um maciço galeão de ouro.

— No Beco Diagonal. Trouxe a sua lista de livros e materiais escolares. Posso ajudá-lo a encontrar tudo...

— O senhor vai me acompanhar? — perguntou Riddle erguendo a cabeça.

— Certamente, se você...

— Não preciso do senhor — retrucou Riddle. — Estou acostumado a fazer tudo sozinho. Ando por toda a Londres desacompanhado. Como se chega a esse Beco Diagonal... senhor? — acrescentou ele, ao surpreender o olhar de Dumbledore.

Harry achou que Dumbledore fosse insistir em acompanhar Riddle, mas surpreendeu-se outra vez. Dumbledore lhe entregou o envelope contendo a lista de materiais e, depois de orientar o garoto exatamente como ir do orfanato ao Caldeirão Furado, acrescentou:

— Você o verá, embora à sua volta os trouxas, as pessoas que não são bruxas, não o vejam. Pergunte por Tom, o dono do bar, é fácil lembrar, porque tem o mesmo nome que você...

Riddle fez um movimento de irritação, como se tentasse espantar uma mosca insistente.

— Você não gosta do nome "Tom"?
— Tem muita gente com esse nome — murmurou. Então, como se não conseguisse se conter, como se a pergunta escapasse de sua boca involuntariamente: — Meu pai era bruxo? Ele também se chamava Tom Riddle, me disseram.
— Receio não saber dizer — respondeu Dumbledore em tom gentil.
— Minha mãe não deve ter sido bruxa ou não teria morrido — disse o garoto mais para si mesmo do que para Dumbledore. — Deve ter sido ele. Muito bem, depois de comprar o que preciso, quando vou para essa tal Hogwarts?
— Todos os detalhes estão na segunda folha de pergaminho no seu envelope — informou Dumbledore. — Você embarcará na estação de King's Cross no primeiro dia de setembro. Há também um bilhete de trem aí dentro.
Riddle assentiu. Dumbledore se levantou e estendeu mais uma vez a mão. Segurando-a, Riddle disse:
— Posso falar com as cobras. Descobri isso quando fui ao campo, nos passeios, elas me acham, sussurram para mim. Isto é normal nos bruxos?
Harry entendeu que ele evitara mencionar o mais estranho dos seus poderes até aquele momento, com a intenção de impressionar.
— Não é normal — respondeu Dumbledore, após breve hesitação —, mas há ocorrências.
Seu tom era displicente, mas os olhos estudaram curiosos o rosto de Riddle. Homem e garoto se encararam por um momento. Então, o aperto de mão se desfez. Dumbledore estava à porta.
— Até mais, Tom. Verei você em Hogwarts.
— Acho que já basta — anunciou o Dumbledore de cabelos brancos ao lado de Harry e, segundos depois, estavam voando mais uma vez, imponderáveis, pela escuridão, antes de aterrissarem com firmeza no escritório atual.
— Sente-se — disse Dumbledore, descendo ao lado de Harry.
O garoto obedeceu, sua mente ainda ocupada com o que acabara de presenciar.
— Ele acreditou muito mais depressa que eu, quero dizer, quando o senhor o informou de que era um bruxo — disse Harry. — Não acreditei em Hagrid, a princípio, quando ele me contou.
— É, Riddle estava absolutamente pronto para acreditar que era, para usar as palavras dele, "especial".
— O senhor sabia... na época? — perguntou Harry.

— Se eu sabia que acabara de conhecer o bruxo das trevas mais perigoso de todos os tempos? Não, eu não fazia ideia de que ele iria crescer e se tornar o que é. Mas fiquei certamente intrigado com ele. Voltei a Hogwarts com a intenção de vigiá-lo, coisa que, de qualquer modo, era minha obrigação, uma vez que ele não tinha família nem amigos, mas que, já então, eu sentia que devia fazer não somente por ele, mas pelos outros.

"Seus poderes, como você mesmo ouviu, eram surpreendentemente bem desenvolvidos para um bruxo tão jovem e, o que é mais curioso e ameaçador, ele já havia descoberto que conseguia controlá-los até certo ponto, e começou a usá-los de forma consciente. E como você viu, não eram as experiências aleatórias típicas de um bruxo jovem. Ele já estava usando a magia contra outras pessoas, para amedrontar, castigar e dominar. Os episódios do coelho enforcado e do garoto e da garota atraídos para uma caverna foram muito sugestivos... *Sei fazer as pessoas sentirem dor, se quiser...*"

— E ele era ofidioglota — interpôs Harry.

— É verdade, um talento raro e supostamente ligado às Artes das Trevas, embora, como já sabemos, também haja ofidioglotas entre os bruxos grandes e bons. De fato, sua capacidade para falar com as cobras me deixou tão preocupado quanto os seus instintos óbvios para a crueldade, o sigilo e a dominação.

"O tempo está nos enganando outra vez", comentou Dumbledore, indicando o céu escuro fora das janelas. "Mas, antes de nos despedirmos, quero chamar sua atenção para certos detalhes da cena que acabamos de presenciar, porque têm muita pertinência para os assuntos que iremos discutir nas próximas reuniões.

"Primeiro, espero que tenha reparado na reação de Riddle quando mencionei que outra pessoa tinha o mesmo nome que ele, 'Tom'."

Harry confirmou.

— Ali ele mostrou seu desprezo por qualquer coisa que o ligasse a outra pessoa, qualquer coisa que o tornasse comum. Já então ele queria ser diferente, isolado, famoso. Ele abandonou o nome próprio, conforme você sabe, poucos anos depois daquela conversa, e criou a máscara de "Lorde Voldemort" por trás da qual se esconde há tanto tempo.

"Confio que você também tenha notado que Tom Riddle já era muito autossuficiente, cheio de segredos e aparentemente sem amigos. Não quis ajuda nem companhia para ir ao Beco Diagonal. Preferiu agir sozinho. O Voldemort adulto é igual. Você ouvirá muitos Comensais da Morte dizerem que gozam de sua confiança, que somente eles são íntimos e até que o compreendem. Estão iludidos. Lorde Voldemort nunca teve amigos e creio que jamais quis ter um.

"E, por último, e espero que não esteja sonolento demais para prestar atenção ao que vou dizer, Harry: o jovem Tom Riddle gostava de colecionar troféus. Você viu a caixa de objetos roubados que tinha escondido no quarto. Foram tirados das vítimas de sua intimidação, suvenires de momentos de magia particularmente desagradáveis. Não se esqueça dessa mania de apropriação, porque, mais tarde, ela será particularmente importante.

"E, agora, está realmente na hora de ir dormir."

Harry se levantou. Ao atravessar o aposento, o seu olhar recaiu sobre a mesinha sobre a qual estivera o anel de Servolo Gaunt na aula anterior, mas o anel não estava mais ali.

— Sim, Harry? — indagou Dumbledore, ao ver Harry parar de repente.

— O anel desapareceu — disse ele olhando à sua volta. — Mas achei que talvez tivesse a gaita de boca ou outro objeto.

Dumbledore abriu um largo sorriso para ele, mirando-o por cima dos oclinhos de meia-lua.

— Muito sagaz, Harry, mas a gaita de boca era apenas uma gaita de boca.

E, com essa nota enigmática, ele acenou para Harry, que entendeu que o diretor o dispensara.

14

FELIX FELICIS

Herbologia foi a primeira aula de Harry na manhã seguinte. No café da manhã não pudera comentar com Rony e Hermione a aula com Dumbledore, com medo de ser ouvido, mas foi contando enquanto caminhavam pela horta em direção às estufas. A ventania violenta do fim de semana finalmente cessara; a estranha névoa tinha voltado, e gastaram mais tempo do que o habitual para encontrar a estufa certa.

– Uau, que pensamento apavorante, esse garoto Você-Sabe-Quem – disse Rony baixinho, quando tomaram seus lugares ao redor de um dos tocos nodosos de Arapucosos, que faziam parte do programa do trimestre, e começaram a calçar as luvas de proteção. – Mas continuo a não entender por que Dumbledore está lhe mostrando tudo isso. Quero dizer, é muito interessante e tudo o mais, mas para que serve?

– Não sei – respondeu Harry, encaixando um protetor de gengivas. – Mas ele diz que é importantíssimo e vai me ajudar a sobreviver.

– Acho fascinante – opinou Hermione séria. – Faz todo sentido conhecer o que for sobre o Voldemort. De que outro modo você vai descobrir os pontos fracos dele?

– Então, como foi a última festinha de Slughorn? – perguntou Harry com voz pastosa por causa do protetor de gengivas.

– Ah, foi até divertida – respondeu Hermione, colocando os óculos protetores. – Quero dizer, ele fala um pouco sobre os ex-alunos famosos, e simplesmente *baba* em cima do McLaggen porque ele é bem relacionado, mas nos serviu uma comida realmente gostosa e nos apresentou a Guga Jones.

– Guga Jones? – admirou-se Rony, arregalando os olhos por baixo dos óculos protetores. – *A Guga Jones,* capitã das Harpias de Holyhead?

– A própria – confirmou Hermione. – Pessoalmente, achei que ela é um pouco metida, mas...

— Chega de conversa aí! – disse a professora Sprout, em tom enérgico, aproximando-se com ar severo. – Vocês estão se atrasando, todos já começaram e Neville já colheu a primeira vagem!

Eles se viraram para olhar; de fato, lá estava Neville com os lábios ensanguentados e vários arranhões feios na bochecha, mas apertando um objeto verde, do tamanho aproximado de uma toranja, que pulsava hostilmente.

— Certo, professora, já estamos começando! – disse Rony, acrescentando baixinho, quando ela se afastou: – Devíamos ter usado o *Abaffiato*, Harry.

— Não, não devíamos! – discordou Hermione na mesma hora, parecendo, como sempre, aborrecidíssima só de pensar no Príncipe Mestiço e nos seus feitiços. – Ora, vamos... é melhor nos apressarmos...

Ela lançou aos outros dois um olhar preocupado: os três tomaram fôlego e atacaram o toco nodoso.

A planta imediatamente ganhou vida; galhos longos, urticantes e espinhosos saíram do toco e chicotearam o ar. Um deles se enganchou nos cabelos de Hermione, e Rony o repeliu com uma tesoura de poda; Harry conseguiu conter uns dois galhos e prendê-los com um nó; abriu-se um buraco no meio desses tentáculos; Hermione enfiou o braço corajosamente no buraco, que fechou como uma armadilha em torno do seu cotovelo; Harry e Rony puxaram e torceram os galhos, obrigando o buraco a reabrir, e Hermione desvencilhou o braço, trazendo entre os dedos uma vagem igualzinha à de Neville. Na mesma hora, os galhos urticantes tornaram a se recolher e o toco nodoso se imobilizou, parecendo um inocente pedaço de madeira seca.

— Sabe, acho que não vou querer essa planta no jardim quando tiver a minha casa – comentou Rony, empurrando os óculos para a testa e enxugando o suor do rosto.

— Me passa uma tigela – pediu Hermione, segurando a vagem pulsante com o braço estendido; foi o que Harry fez e ela largou a vagem dentro da vasilha com cara de nojo.

— Não seja supersensível, esprema a vagem, é melhor quando está fresca! – falou a professora Sprout.

— Como eu ia dizendo – Hermione retomou a conversa interrompida como se não tivessem sido atacados pelo toco de madeira –, Slughorn vai dar uma festa de Natal, Harry, e dessa você não vai ter jeito de escapar, porque ele me pediu para verificar as suas noites livres, e vai marcar a festa numa noite em que você possa ir.

Harry gemeu. Nesse meio-tempo, Rony, que estava em pé tentando abrir a vagem na tigela, segurando-a com as duas mãos e apertando-a com toda a força, disse aborrecido:

– E essa é mais uma festa para os favoritos de Slughorn?
– É só para o Clube do Slugue – respondeu Hermione.
A vagem voou para longe dos dedos de Rony, atingiu o vidro da estufa, ricocheteou e foi bater na nuca da professora, derrubando seu velho chapéu remendado. Harry foi recuperar a vagem; quando voltou, Hermione estava dizendo:
– Olhe aqui, não fui eu que inventei o nome "Clube do Slugue"...
– Clube do Slugue – repetiu Rony com um desprezo digno de Malfoy. – É patético. Ora, eu espero que você se divirta na festa. Por que não experimenta namorar o McLaggen, aí o Slughorn pode proclamar vocês dois Rei e Rainha do Clu...
– Ele nos deu permissão para levar convidados – disse Hermione, que, por alguma razão, ficara escarlate escaldante –, e eu ia convidar você, mas, se acha que é bobeira, então nem vou me incomodar!
Harry de repente desejou que a vagem tivesse voado mais longe, para não precisar ficar sentado ali com aqueles dois. Sem que percebessem, ele agarrou a tigela com a vagem e tentou abri-la da maneira mais barulhenta e enérgica que pôde pensar: infelizmente, continuou ouvindo cada palavra que eles diziam.
– Você ia me convidar? – perguntou Rony, em um tom completamente diferente.
– Ia – respondeu Hermione zangada. – Mas é óbvio que se você prefere que eu namore o McLaggen...
Houve uma pausa em que Harry continuou a bater na vagem resistente com uma colher de jardineiro.
– Não, não prefiro – retrucou Rony, em voz muito baixa.
Harry errou o alvo e bateu na tigela, quebrando-a.
– Reparo – disse depressa, empurrando os cacos com a varinha, e a tigela se recompôs. O barulho, porém, pareceu ter despertado Rony e Hermione para a presença de Harry. A garota parecia embaraçada, e começou a consultar o seu exemplar de Árvores do mundo que se alimentam de carne, para descobrir o modo correto de espremer as vagens de Arapucosos. Rony, por sua vez, parecia envergonhado, mas, ao mesmo tempo, muito satisfeito consigo mesmo.
– Me dá isso, Harry – disse Hermione apressada –, diz aqui que precisamos furá-las com uma coisa afiada...
Harry passou-lhe a vagem e a tigela, ele e Rony tornaram a baixar os óculos sobre os olhos e mergulharam mais uma vez no toco.
Não é que estivesse realmente surpreso, pensou Harry, enquanto lutava com um galho espinhoso decidido a esganá-lo; tinha uma intuição de que

aquilo poderia acontecer mais cedo ou mais tarde. Mas não sabia como se sentia a esse respeito... ele e Cho agora estavam constrangidos demais para se olhar, quanto mais para se falar; e se Rony e Hermione começassem a sair juntos e depois acabassem o namoro? Será que a amizade deles sobreviveria? Harry se lembrou das poucas semanas em que tinham deixado de se falar no terceiro ano; não gostara de ficar tentando reaproximar os dois. Mas e se não acabassem o namoro? E se acabassem como o Gui e a Fleur, e ficar em companhia deles se tornasse extremamente constrangedor, e, desse modo, Harry fosse excluído para sempre?

– Peguei! – berrou Rony, puxando uma segunda vagem do toco na hora em que Hermione conseguia partir a primeira, fazendo a tigela se encher de tubérculos que se torciam como vermes verde-claros.

O restante da aula passou sem que se mencionasse a festa de Slughorn. Embora nos dias seguintes Harry observasse seus dois amigos com mais atenção, Rony e Hermione não pareciam diferentes, exceto que se tratavam com mais gentileza do que o normal. Harry presumiu que teria de esperar para ver o que aconteceria sob a influência da cerveja amanteigada na penumbra da sala de Slughorn, na noite da festa. Até lá, porém, ele tinha preocupações mais urgentes.

Katie Bell continuava no Hospital St. Mungus sem perspectiva de alta, o que significava que a promissora equipe da Grifinória que Harry andara treinando com tanto carinho desde setembro perdera um artilheiro. Ele adiava a substituição da garota na esperança de que ela voltasse, mas a partida de abertura contra a Sonserina se aproximava, e ele finalmente teve de admitir que a garota não voltaria em tempo de jogar.

Harry achava que não aguentaria outro teste geral. Com uma sensação de desânimo que não combinava com o quadribol, ele encurralou Dino Thomas depois de uma aula de Transfiguração. A maior parte da turma já havia saído, embora vários passarinhos amarelos pipilantes ainda voassem pela sala, todos criações de Hermione; ninguém mais conseguira conjurar coisa alguma além de uma pena.

– Você está interessado em jogar como artilheiro?

– Quê...? Claro que estou! – exclamou Dino agitado. Por cima do ombro do garoto, Harry viu Simas Finnigan enfiar violentamente os livros na mochila, de mau humor. Uma das razões por que Harry teria preferido não convidar Dino para jogar é que sabia que Simas não ia gostar. Por outro lado, precisava fazer o que era melhor para a equipe, e Dino tinha voado melhor que Simas nos testes.

— Bem, então você está na equipe — disse Harry. — Temos um treino hoje à noite, às sete horas.

— Certo. Valeu, Harry! Caramba, nem posso esperar para contar a Gina.

Ele saiu correndo da sala, deixando Harry e Simas sozinhos, um momento de mal-estar que não ficou melhor quando um dos passarinhos de Hermione sobrevoou os dois e deixou cair uma titica na cabeça de Simas. Simas não foi o único descontente por Harry ter escolhido dois colegas da própria série para a equipe. Já tendo suportado falatórios muito piores em sua carreira escolar, Harry não se sentiu particularmente incomodado, mas, ainda assim, crescia a pressão para ganharem a partida contra a Sonserina dali a alguns dias. Se a Grifinória ganhasse, Harry sabia que a Casa inteira esqueceria as críticas e juraria que sempre acreditara que tinham uma grande equipe. Se perdesse... bem, Harry concluiu ironicamente, ele já tinha suportado falatórios piores...

Harry não teve razão para se arrepender de sua escolha quando viu Dino voando naquela noite; ele se entrosou bem com Gina e Demelza. Os batedores, Peakes e Coote, melhoravam a cada treino. O único problema era Rony.

Harry sempre soubera que o amigo era um jogador irregular, que sofria dos nervos e de falta de confiança e, infelizmente, a perspectiva iminente do jogo que abria a temporada parecia acentuar todas as velhas inseguranças. Depois de deixar entrar meia dúzia de gols, a maioria deles marcados por Gina, sua técnica foi piorando, e por fim ele meteu um soco na boca de Demelza Robins quando ela se aproximou.

— Foi um acidente, lamento, Demelza, eu realmente lamento! — Rony gritou para a garota que ziguezagueava de volta ao chão, pingando sangue pelo caminho. — Foi só que eu...

— Entrou em pânico — disse Gina com raiva, aterrissando ao lado de Demelza e examinando seus lábios carnudos. — Seu idiota, olhe só o que você fez!

— Posso dar um jeito nisso. — Harry pousou ao lado das duas garotas, e apontando a varinha para a boca de Demelza, disse: — *Episkey*. E, Gina, não xingue o Rony de idiota, você não é o capitão da equipe...

— Bem, pelo visto você estava ocupado demais para xingá-lo de idiota, então achei que alguém devia...

Harry fez força para não rir.

— Voando, todo o mundo, vamos...

De um modo geral, foi um dos piores treinos que fizeram naquele trimestre, embora Harry não achasse que a franqueza fosse a melhor política quando estavam tão próximos da partida.

— Bom treino, pessoal, vamos arrasar a Sonserina — disse para incentivá-los, e os artilheiros e batedores saíram do vestiário parecendo razoavelmente felizes consigo mesmos.

— Joguei como uma saca de bosta de dragão! — exclamou Rony com a voz sumida quando Gina saiu e a porta se fechou.

— Não, não jogou — retrucou Harry com firmeza. — Você é o melhor goleiro que testei, Rony. Seu único problema são os nervos.

Harry sustentou um fluxo incansável de encorajamento a caminho do castelo e, quando finalmente chegaram ao segundo andar, Rony estava parecendo um pouco mais animado. Mas quando Harry afastou a tapeçaria para tomar o atalho habitual para a Torre da Grifinória, depararam com Dino e Gina, enlaçados em um apertado abraço, se beijando vorazmente como se estivessem colados.

Foi como se uma coisa grande e escamosa tivesse despertado no estômago de Harry, e enterrado as garras em suas entranhas: um afluxo de sangue quente pareceu inundar seu cérebro, extinguindo todo o pensamento e substituindo-o pelo impulso selvagem de azarar Dino, transformando-o em geleia. Lutando contra esta súbita loucura, ele ouviu a voz de Rony muito longe.

— Oi!

Dino e Gina se separaram e viraram para olhar.

— Que foi? — perguntou Gina.

— Não quero encontrar a minha irmã se agarrando em público!

— Estávamos em um corredor deserto até você se intrometer! — retrucou Gina.

Dino pareceu constrangido. Lançou um sorriso evasivo a Harry, que não o retribuiu, porque o monstro recém-nascido dentro dele urrava, pedindo imediatamente a exclusão de Dino da equipe.

— Ãh... vamos, Gina — convidou Dino —, vamos voltar para a sala comunal...

— Vai indo! — respondeu Gina. — Quero dar uma palavrinha com o meu querido irmão!

Dino foi embora, parecendo não lamentar sua saída de cena.

— Certo — disse Gina, jogando os longos cabelos ruivos para trás e encarando Rony, aborrecida —, vamos entender de uma vez por todas. Não é da sua conta com quem eu saio e o que faço, Rony...

— É, sim! — retrucou Rony no mesmo tom zangado. — Você acha que eu quero que as pessoas digam que minha irmã é uma...

— Uma o quê? — gritou a garota, puxando a varinha. — Uma o quê, exatamente?

— Ele não quis dizer nada, Gina — interpôs Harry automaticamente, embora o monstro estivesse rugindo sua aprovação às palavras de Rony.
— Ah, quis, sim! — explodiu ela com Harry. — Só porque *ele* ainda não se agarrou com ninguém na vida, só porque o melhor beijo que *ele* já ganhou foi da tia Muriel...
— Cala essa boca! — berrou Rony, o rosto passando de rosado direto para o castanho-avermelhado.
— Não calo, não! — gritou Gina, fora de si. — Vejo você com a Fleuma, esperando que ela lhe dê um beijo na bochecha toda vez que a vê, é patético! Se você saísse por aí dando uns amassos, não iria se importar tanto que os outros fizessem isso!
Rony também puxara a varinha; Harry se meteu rapidamente entre os dois.
— Você não sabe o que está dizendo! — rugiu Rony, tentando acertar em Gina pelos lados de Harry, que agora se interpunha aos dois de braços abertos. — Só porque não faço isso em público...!
Gina gargalhou debochadamente, tentando tirar Harry do caminho.
— Andou beijando o Pichitinho, foi? Ou tem uma foto da tia Muriel guardada embaixo do travesseiro?
— Sua...
Um lampejo laranja voou por baixo do braço esquerdo de Harry e por centímetros não atingiu Gina; Harry empurrou Rony contra a parede.
— Não seja burro...
— Harry deu uns amassos na Cho Chang! — berrou Gina, que parecia à beira das lágrimas agora. — E, Hermione, no Vítor Krum; só você se comporta como se isso fosse feio, Rony, porque você tem a experiência de um garotinho de doze anos!
E, dizendo isso, retirou-se enfurecida. Harry soltou depressa Rony, que tinha no rosto uma expressão homicida. Os dois ficaram parados ali, arquejando, até que Madame Nor-r-ra, a gata de Filch, entrou no corredor, rompendo a tensão.
— Vamos — disse Harry, ao ouvirem os passos arrastados de Filch.
Eles subiram, apressados, as escadas e seguiram pelo corredor do sétimo andar.
— Oi, sai da frente! — falou Rony com rispidez para uma garotinha que se assustou e deixou cair no chão um vidro de ovas de sapo.
Harry mal escutou o barulho do vidro partindo; sentia-se desorientado, tonto; ser atingido por um raio deveria ser parecido. *Só porque ela é irmã do Rony*, pensou. *Você não gostou de ver Gina beijando o Dino porque ela é irmã do Rony...*

Involuntariamente, porém, sua mente foi invadida pela imagem daquele mesmo corredor deserto, e ele beijando Gina em vez de... "o monstro em seu peito ronronou... então viu Rony rasgando a tapeçaria e puxando a varinha contra ele, gritando coisas como "traiu a confiança"... "acreditei que era meu amigo"...

— Você acha que Hermione deu uns amassos no Krum? — perguntou Rony, subitamente, ao se aproximarem da Mulher Gorda. Harry teve um sobressalto de remorso e arrancou sua imaginação do corredor onde Rony não entrara, onde ele e Gina estavam sozinhos...

— Quê!... — exclamou confuso. — Ah... ãh...

A resposta franca seria "acho", mas não quis dá-la. Rony, contudo, pareceu ter entendido o pior, pela expressão no rosto de Harry.

— *Sopa da coroação* — disse mal-humorado à Mulher Gorda, e eles passaram pelo retrato e entraram na sala comunal.

Nenhum dos dois tornou a mencionar Gina nem Hermione; de fato, quase não se falaram aquela noite e foram dormir em silêncio, cada um absorto nos próprios pensamentos.

Harry ficou acordado durante muito tempo, contemplando o dossel da cama e tentando se convencer de que seus sentimentos por Gina eram inteiramente fraternais. Tinham vivido, não tinham, como irmão e irmã o verão todo, jogando quadribol, implicando com Rony e rindo de Gui e Fleuma. Conhecia Gina havia anos... era natural que quisesse protegê-la... natural que prestasse atenção nela... quisesse despedaçar Dino por tê-la beijado... não... teria de controlar particularmente este sentimento fraternal...

Rony soltou um ronco gutural.

Ela é irmã de Rony, disse a si mesmo com firmeza. *Irmã de Rony. É fruto proibido...* Ele não arriscaria sua amizade com Rony por nada. Deu uns socos no travesseiro para deixá-lo mais confortável e esperou o sono chegar, fazendo o possível para não deixar seus pensamentos vagarem nem próximo de Gina.

Harry acordou na manhã seguinte se sentindo meio tonto e confuso em consequência de uma série de sonhos em que Rony o perseguira com um bastão de quadribol. Mas, por volta do meio-dia, ele teria trocado de boa vontade o Rony do sonho pelo amigo, que não somente estava dando um gelo em Gina e Dino, como ainda estava tratando Hermione, magoada e perplexa, com uma indiferença mortal e desdenhosa. E mais, Rony parecia ter se tornado, da noite para o dia, sensível e pronto para agredir como um explosivim. Harry passou o dia tentando manter a paz entre Rony e Hermione sem sucesso: por fim, a garota foi dormir amuada, e Rony se retirou para o dormitório dos garotos depois de xingar enraivecido uns calouros apavorados, só porque olharam para ele.

Para desânimo de Harry, a nova agressividade de Rony não abrandou nos dias seguintes. E, pior, coincidiu com uma queda no seu desempenho como goleiro, o que o deixou ainda mais agressivo, fazendo com que, no último treino de quadribol antes do jogo de sábado, ele não conseguisse defender um único dos gols que os artilheiros lançaram contra ele, e berrasse tanto com todos que reduziu Demelza Robins às lágrimas.

– Cala a boca e deixa a garota em paz! – gritou Peakes, que tinha dois terços da altura de Rony, embora fosse incontestável que segurava um pesado bastão.

– CHEGA! – berrou Harry, que vira o olhar feio de Gina para Rony e, lembrando-se de sua reputação de talentosa azaradora de bichos-papões, voou até lá para intervir, antes que as coisas fugissem ao seu controle. – Peakes, vai encaixotar os balaços. Demelza, não fique nervosa, você jogou realmente bem hoje. Rony... – Ele esperou os demais jogadores se afastarem o suficiente antes de continuar: – você é o meu melhor amigo, mas continue a tratar os outros assim e vou expulsá-lo da equipe.

Harry realmente pensou, por um instante, que Rony fosse bater nele, mas aconteceu coisa muito pior: Rony pareceu murchar em cima da vassoura; toda a agressividade abandonou-o, e ele disse:

– Estou fora. Sou patético.

– Você não é patético nem vai desistir de nada! – contestou Harry ferozmente, agarrando Rony pela frente das vestes. – Você é capaz de defender qualquer coisa quando está em forma, você tem é um problema mental!

– Você está me chamando de maluco?

– É, talvez esteja!

Eles se enfrentaram por um momento, então Rony balançou a cabeça, deprimido.

– Sei que você não tem tempo para arranjar outro goleiro, por isso vou jogar amanhã, mas se perdermos, e vamos perder, vou me retirar da equipe.

Nada que Harry dissesse faria a menor diferença. Ele tentou reforçar a confiança do amigo durante todo o jantar, mas Rony estava ocupado demais fazendo desfeitas a Hermione para notar. À noite, na sala comunal, Harry insistiu, mas sua afirmação de que a equipe inteira ficaria arrasada se Rony saísse foi prejudicada pelo fato de que os demais jogadores ficaram agrupados a um canto distante, visivelmente cochichando sobre Rony e lhe lançando olhares irritados. Finalmente, Harry tentou se enfurecer mais uma vez na esperança de instigar Rony a adotar uma atitude de desafio que redundasse na defesa de gols, mas sua estratégia pareceu não dar melhor resultado do que a de encorajamento; Rony foi se deitar mais abatido e desesperançado que nunca.

Deitado no escuro, Harry ficou acordado um longo tempo. Não queria perder a partida que se avizinhava; não somente era a sua primeira como capitão, como também ele estava decidido a vencer Draco Malfoy no quadribol, ainda que não conseguisse comprovar suas desconfianças a respeito do colega. Contudo, se Rony jogasse como nos últimos treinos, as chances de vencerem seriam mínimas.

Se ao menos ele pudesse fazer alguma coisa para Rony se reanimar... para fazê-lo jogar em sua melhor forma... alguma coisa que garantisse a Rony um dia realmente bom...

E a resposta ocorreu a Harry em um súbito e glorioso acesso de inspiração.

Na manhã seguinte, o café da manhã foi aquela animação de sempre; os alunos da Sonserina assoviavam e vaiavam alto cada jogador da Grifinória que entrava no Salão Principal. Harry olhou para o teto e viu um céu claro e azulado: um bom sinal.

A mesa da Grifinória, uma mancha compacta vermelha e ouro, aplaudiu quando Harry e Rony se aproximaram. Harry sorriu e acenou; Rony fez uma espécie de careta e agradeceu com a cabeça.

— Anime-se, Rony! — gritou Lilá. — Sei que você vai ser genial!

Rony fingiu não ouvir.

— Chá? — ofereceu-lhe Harry. — Café? Suco de abóbora?

— Qualquer coisa — respondeu Rony, infeliz, mordendo a torrada de mau humor.

Alguns minutos depois, Hermione, que, de tão cansada com a antipatia de Rony nos últimos dias, nem descera para tomar café com eles, parou a caminho da mesa.

— Como é que vocês dois estão se sentindo? — perguntou, hesitante, com os olhos na nuca de Rony.

— Ótimos — respondeu Harry, que estava se concentrando em passar para Rony um copo de suco de abóbora. — Pronto, Rony. Beba.

Rony tinha acabado de levar o copo à boca quando Hermione falou com rispidez.

— Não beba isso, Rony!

Os dois olharam para ela.

— Por que não? — perguntou Rony.

Hermione agora encarava Harry como se não conseguisse acreditar no que via.

— Você acabou de pôr alguma coisa nesse suco.
— Que foi que você disse?
— Você me ouviu. Eu vi. Você acabou de virar alguma coisa no copo de Rony. O frasco ainda está em suas mãos!
— Não sei do que você está falando — disse Harry, guardando depressa o frasquinho no bolso.
— Rony, estou avisando-o, não beba isso! — repetiu Hermione, alarmada, mas Rony apanhou o copo, virou-o de um gole e disse:
— Pare de ficar mandando em mim, Hermione.

A garota se escandalizou. Abaixando-se de modo que somente Harry a ouvisse, sibilou:

— Você poderia ser expulso por isso, eu nunca pensei que fosse capaz, Harry!
— Veja só quem está falando — sussurrou ele em resposta. — Tem confundido alguém recentemente?

Hermione afastou-se bruscamente para a outra ponta da mesa. Harry observou-a ir sem lamentar. Hermione jamais entendera realmente que quadribol era um assunto sério. Virou-se, então, para Rony, que estalava os lábios.

— Quase na hora — comentou, descontraído.

Na descida para o estádio, a grama congelada rangia sob seus pés.

— Que sorte o tempo estar bom, eh? — falou Harry.
— É — concordou Rony, que parecia pálido e nauseado.

Gina e Demelza já tinham vestido os uniformes de quadribol e aguardavam no vestiário.

— As condições parecem ideais — comentou Gina, ignorando o irmão.
— E sabem da última? Aquele artilheiro da Sonserina, Vaisey, levou um balaço na cabeça ontem durante o treino, e está machucado demais para jogar! E melhor ainda: Malfoy também não vai jogar, está doente!
— Quê! — exclamou Harry, virando-se para olhar para Gina. — Está doente? Que é que ele tem?
— Não tenho a menor ideia, mas é ótimo para nós — respondeu ela animada. — Vão jogar com o Harper; ele está no mesmo ano que eu, e é um idiota.

Harry retribuiu com um sorriso distante, mas, ao vestir o uniforme vermelho, seus pensamentos estavam longe do quadribol. Uma vez Malfoy alegara que não podia jogar por causa de um ferimento, mas naquela ocasião conseguira que a partida fosse remarcada para uma data mais conveniente à equipe da Sonserina. Por que agora estava deixando um substituto jogar? Estaria mesmo doente ou era fingimento?

— Suspeito, não é? — comentou em voz baixa para Rony. — Malfoy não jogar?

— Chamo isso de sorte — respondeu Rony, parecendo ligeiramente mais animado. — E Vaisey está fora também, é o melhor artilheiro da equipe, eu não queria... ei! — exclamou de repente, parando de calçar as luvas de goleiro e olhando espantado para Harry.

— Que foi?

— Eu... você... — Rony baixou a voz; ele parecia sentir ao mesmo tempo medo e animação. — Minha bebida... meu suco de abóbora... você não...

Harry ergueu as sobrancelhas, mas disse apenas:

— Vamos começar em cinco minutos, é melhor calçar suas botas.

Eles entraram em campo sob gritos e vaias. Uma parte do estádio era totalmente vermelho e ouro; a outra, um mar verde e prata. Muitos alunos da Corvinal e da Lufa-Lufa também tinham tomado partido; entre berros e palmas, Harry podia distinguir o rugido do famoso chapéu-leão de Luna Lovegood.

Ele se dirigiu a Madame Hooch, a árbitra, que estava em posição para soltar as bolas do caixote.

— Capitães, apertem as mãos — disse ela, e Harry sentiu a mão esmagada pelo novo capitão da Sonserina, Urquhart. — Montem suas vassouras. Quando eu apitar... três... dois... um...

Soou o apito, Harry e os outros deram impulso do chão congelado, e partiram.

Harry sobrevoou o perímetro do campo procurando o pomo, de olho em Harper, que ziguezagueava muito abaixo dele. E então ouviu uma voz de locutor que destoava da que estavam habituados.

— Ora, começou a partida e acho que todos estamos surpresos com a equipe que Potter reuniu este ano. Muitos acharam que, pelo desempenho desigual do goleiro Rony Weasley no ano passado, ele não retornaria à equipe, mas é claro que uma forte amizade pessoal com o capitão ajuda...

Essas palavras foram recebidas com vaias e aplausos do lado do estádio ocupado pela Sonserina. Harry se esticou na vassoura para ver o pódio de transmissão. Um rapaz alto, magricela e louro, de nariz arrebitado, estava em pé ali, falando para o megafone mágico que no passado fora de Lino Jordan;

Harry reconheceu Zacarias Smith, um jogador da Lufa-Lufa por quem sentia grande antipatia.

— Ah, e aí vem a Sonserina em sua primeira tentativa de marcar um gol, é Urquhart que mergulha em direção ao campo e...

O estômago de Harry embrulhou.

— ... Weasley defende bem, todo o mundo tem o seu dia de sorte, suponho...

— Isso mesmo, Smith, hoje é o dia dele — resmungou Harry com um sorriso, mergulhando entre os artilheiros com os olhos atentos à procura de um sinal do ilusório pomo.

Decorrida meia hora de jogo, a Grifinória estava ganhando por sessenta pontos a zero, Rony tendo feito defesas verdadeiramente espetaculares, algumas com as pontas das luvas, e Gina tendo marcado quatro dos seis gols da equipe. Isto realmente fez Zacarias parar de perguntar em voz alta se os dois Weasley estavam ali porque Harry gostava deles, e passar a implicar com Peakes e Coote.

— É óbvio que Coote não tem realmente o físico de um batedor — comentou Zacarias com arrogância —, em geral eles têm mais força muscular...

— Manda um balaço nele! — gritou Harry quando Coote passou disparando, mas o garoto, dando um largo sorriso, preferiu mirar o balaço seguinte em Harper, que ia cruzando com o capitão. Harry ficou satisfeito ao ouvir o baque surdo indicando que o balaço atingira o alvo.

Parecia que a Grifinória não podia errar. Repetidamente a equipe goleava, e repetidamente, no extremo oposto do campo, Rony defendia com visível facilidade. Estava até sorrindo agora, e quando a multidão saudou uma defesa particularmente boa com um coro crescente daquele velho refrão *Weasley é o nosso rei*, ele fingiu regê-los do alto.

— Ele está se achando muito especial hoje, não é? — disse uma voz debochada a Harry, que quase foi derrubado da vassoura quando Harper se chocou violenta e intencionalmente com ele. — O seu amigo traidor do sangue...

Madame Hooch estava de costas, e, embora a torcida da Grifinória nas arquibancadas gritasse enraivecida, quando ela finalmente se virou, Harper já tinha se afastado velozmente. Com o ombro doendo, Harry saiu no encalço dele, decidido a revidar...

— E acho que Harper da Sonserina avistou o pomo! — anunciou Zacarias Smith pelo megafone. — Sim, senhores, ele decididamente viu alguma coisa que Potter não viu!

Smith era realmente um idiota, pensou Harry, será que não tinha reparado que os dois tinham colidido? Mas, no momento seguinte, sentiu seu estômago desabar das nuvens – Smith estava certo e ele errado; Harper não disparara para o alto à toa; vira o que Harry não vira: o pomo estava voando em alta velocidade acima deles, brilhando intensamente contra o claro céu azul.

Harry acelerou; o vento assoviava em seus ouvidos abafando o som do comentário de Smith e o da multidão, mas Harper continuava à frente, e a Grifinória tinha apenas cem pontos de vantagem; se Harper chegasse ao pomo primeiro, Grifinória perderia... e agora Harper estava bem perto, com a mão estendida...

– Oi, Harper! – berrou Harry desesperado. – Quanto Malfoy lhe pagou para jogar no lugar dele?

Não sabia o que o fizera dizer isso, mas Harper deu uma parada; se atrapalhou com o pomo, deixou-o escorregar entre os dedos e, na velocidade em que estava, ultrapassou-o: Harry abriu o braço em direção à bolinha esvoaçante e agarrou-a.

– PEGUEI! – berrou Harry. Fazendo a volta, mergulhou em direção ao solo, erguendo o pomo no alto. Quando a multidão percebeu o que acontecera, subiu um grito das arquibancadas que quase abafou o som do apito sinalizando o fim da partida.

– Gina, aonde você está indo? – berrou Harry, que se viu preso, ainda no ar, por um abraço coletivo dos jogadores da equipe, mas Gina passou veloz por eles, indo colidir, com um baita estrondo, contra o pódio do locutor. Entre gritos e risos da multidão, a equipe da Grifinória aterrissou ao lado dos destroços de madeira sob os quais Zacarias se mexia debilmente; Harry ouviu Gina dizer descaradamente à furiosa professora McGonagall:

– Me esqueci de frear, professora, desculpe.

Rindo, Harry se desvencilhou da equipe e abraçou Gina, mas muito rápido soltou-a. Não olhou mais para ela, em vez disso deu tapinhas nas costas de um Rony aos gritos; esquecendo as desavenças, a equipe da Grifinória deixou o campo de braços dados, dando socos no ar e acenando para a torcida. A atmosfera no vestiário era de intensa alegria.

– Comemoração na sala comunal, o Simas falou! – berrou Dino exuberante. – Vamos, Gina, Demelza!

Rony e Harry foram os últimos no vestiário. Quando estavam prestes a sair, Hermione entrou. Torcia o lenço da Grifinória nas mãos e parecia transtornada, mas decidida.

– Quero dar uma palavrinha com você, Harry. – Ela tomou fôlego. – Você não devia ter feito isso. Você ouviu o que Slughorn disse, é ilegal.

– Que é que você vai fazer, nos denunciar? – quis saber Rony.

– Do que é que vocês estão falando? – indagou Harry, virando-se de costas para pendurar as vestes para que os dois não o vissem rindo.

– Você sabe perfeitamente do que estamos falando! – esganiçou-se Hermione. – Você incrementou o suco de Rony no café da manhã com a poção da felicidade! Felix Felicis!

– Não, não fiz isso – respondeu Harry, desvirando-se para encarar os dois.

– Fez, sim, Harry, e foi por isso que tudo deu certo, jogadores da Sonserina faltaram e Rony defendeu todas as bolas!

– Não pus nada no suco! – retrucou Harry, agora rindo abertamente. Ele meteu a mão no bolso do paletó e tirou o frasquinho que Hermione vira em sua mão naquela manhã. Estava cheio de uma poção dourada, e a rolha continuava lacrada com cera. – Eu queria que Rony pensasse que eu tinha posto, por isso fingi quando percebi que você estava olhando. – E, dirigindo-se a Rony: – Você defendeu tudo porque se sentiu sortudo. Você fez tudo sozinho.

– Harry tornou a guardar a poção no bolso.

– Não havia realmente nada no meu suco de abóbora? – perguntou ele, pasmo. – Mas o tempo está bom... e Vaisey não pôde jogar... Sinceramente você não me deu a poção da sorte?

Harry sacudiu a cabeça. Rony olhou-o boquiaberto por um momento, então ele se voltou contra Hermione, imitando sua voz.

– *Você pôs Felix Felicis no suco do Rony hoje de manhã, foi por isso que ele defendeu tudo!* Está vendo! Consigo pegar bolas sem ajuda, Hermione!

– Eu nunca disse que você não conseguia... Rony, *você* também achou que tinha bebido!

Mas Rony já tinha passado por ela decidido e saía pela porta com a vassoura no ombro.

– Ah – exclamou Harry no repentino silêncio; não imaginara que o seu plano saísse às avessas –, vamos... vamos andando para a festa, então?

– Vai você! – disse Hermione, tentando conter as lágrimas. – Estou *farta* do Rony, no momento, não sei o que ele pensa que eu fiz...

E ela também saiu bruscamente do vestiário.

Harry foi subindo lentamente em direção ao castelo em meio à multidão, muita gente lhe deu os parabéns, mas ele teve uma grande sensação de desapontamento; tivera a certeza de que, se Rony ganhasse a partida, ele e

Hermione voltariam imediatamente a ser amigos. Não via como poderia explicar a Hermione que a ofensa feita a Rony tinha sido beijar o Vítor Krum, considerando que isto acontecera havia tanto tempo.

Harry não viu Hermione na comemoração da Grifinória, que estava no auge quando ele chegou. Novos gritos e palmas saudaram sua chegada, e logo ele foi cercado por uma multidão que o cumprimentava. Na tentativa de se desvencilhar dos irmãos Creevey, que queriam uma análise da partida, lance a lance, e o numeroso grupo de garotas que o rodeava, pestanejando e rindo até dos seus comentários menos engraçados, transcorreu algum tempo antes que ele pudesse procurar Rony. Por fim, Harry se livrou de Romilda Vane, que insinuava abertamente que gostaria de ir com ele à festa de Natal de Slughorn. Quando ia se esquivando em direção à mesa de bebidas, deparou com Gina, com Arnaldo, o mini-pufe encaixado no ombro, e Bichento, miando esperançoso aos seus calcanhares.

— Procurando Rony? — perguntou ela, rindo bobamente. — Está ali adiante, o hipócrita nojento.

Harry olhou para o lado que ela apontava. Lá, à vista de toda a sala, estava Rony enroscado de tal forma em Lilá Brown que era difícil dizer que mãos eram de quem.

— Parece que está devorando a cara dela, não é? — disse Gina sem emoção. — Mas presumo que precise aprimorar a técnica. Boa partida, Harry.

Ela lhe deu uma palmadinha no braço; Harry sentiu um abalo no estômago, mas em seguida ela se afastou para se servir de mais cerveja amanteigada. Bichento saiu atrás, seus olhos amarelos fixos em Arnaldo.

Harry deu as costas para Rony, que aparentemente não ia voltar à superfície tão cedo, bem em tempo de ver o buraco do retrato se fechando. Desanimado, ele julgou ter visto uma juba de cabelos castanhos desaparecendo por ali.

Correu, então, desviando-se mais uma vez de Romilda Vane, e empurrou o retrato da Mulher Gorda. O corredor parecia deserto.

— Hermione?

Harry a encontrou na primeira sala de aula destrancada que experimentou abrir. Estava sentada em cima da escrivaninha do professor, sozinha, exceto por um pequeno círculo de passarinhos amarelos que piavam em torno de sua cabeça e que visivelmente ela acabara de conjurar. Harry não pôde deixar de sentir admiração por sua capacidade de realizar feitiços numa hora daquela.

— Oh, olá, Harry — disse ela com a voz dura. — Eu estava praticando.

– Estou vendo... são... ãh... realmente bons... – disse Harry.

Não tinha ideia do que dizer à amiga. Perguntava-se se haveria uma chance de Hermione não ter visto Rony, de ter simplesmente saído da sala porque a comemoração estava muito barulhenta, quando ela comentou, em um tom anormalmente estridente:

– Rony parece estar se divertindo na comemoração.

– Ah... está?

– Não finja que não viu. Ele não estava bem se escondendo, estava...

A porta às costas dos dois se escancarou. Para horror de Harry, Rony entrou, rindo e puxando Lilá pela mão.

– Ah! – exclamou ele, parando imediatamente ao ver Harry e Hermione.

– Opa! – disse Lilá, recuando com um acesso de risinhos. A porta tornou a se fechar.

Houve um silêncio horrível, que se avolumou como um vagalhão. Hermione encarou Rony, que se recusou a retribuir o olhar, mas disse com uma estranha mistura de bravata e constrangimento:

– Oi, Harry! Estava me perguntando aonde você teria ido!

Hermione desceu da escrivaninha. O bando de passarinhos dourados continuou a pipilar rodeando sua cabeça, fazendo-a parecer uma estranha maquete do sistema solar com penas.

– Você não devia deixar a Lilá esperando lá fora – disse baixinho. – Ela vai se perguntar aonde você terá ido.

Ela foi andando muito devagar e ereta em direção à porta. Harry olhou para Rony, que parecia aliviado por não ter acontecido nada pior.

– *Oppugno!* – veio um grito da porta.

Harry se virou e viu Hermione apontando a varinha para Rony, uma expressão alucinada no rosto: o pequeno bando de passarinhos voou como uma saraivada de grossas balas douradas contra Rony, que ganiu e cobriu o rosto com as mãos, mas os pássaros atacaram, bicando e arranhando cada pedaço do corpo dele que puderam alcançar.

– *Melivradisso!* – berrou ele, mas, com um último olhar de fúria vingativa, Hermione escancarou a porta e desapareceu. Harry pensou ter ouvido um soluço antes de a porta bater.

15

O VOTO PERPÉTUO

Mais uma vez, as espirais de neve batiam nas janelas geladas; o Natal estava se aproximando. Hagrid, sozinho, já tinha feito a entrega das habituais doze árvores de Natal para o Salão Principal; guirlandas de azevinho e franjas metálicas enfeitavam os balaústres das escadas; velas perpétuas brilhavam por dentro dos elmos das armaduras e a intervalos grandes ramos de visgo pendiam do teto, nos corredores. Grupos de garotas convergiam para baixo dos ramos de visgo quando Harry passava, o que causava engarrafamento nas passagens; mas, por sorte, seus frequentes passeios noturnos tinham lhe dado um conhecimento excepcional dos atalhos secretos do castelo, e faziam com que pudesse, sem muita dificuldade, navegar entre as aulas por rotas em que não havia visgos.

Rony, que em tempos passados poderia ter achado a necessidade desses desvios uma razão para ciúmes em vez de hilaridade, simplesmente rolava de rir com tudo isso. Harry, embora preferisse esse novo amigo risonho e brincalhão ao Rony cismado e agressivo que vinha aturando nas últimas semanas, pagava um alto preço por tal melhora. Primeiro, Harry tinha de tolerar a presença assídua de Lilá Brown, que parecia achar cada momento em que não estivesse beijando Rony um momento perdido; e segundo, Harry se encontrava mais uma vez na posição de melhor amigo de duas pessoas com pouca probabilidade de voltarem a se falar.

Rony, cujos braços e mãos ainda exibiam os arranhões e cortes do ataque dos passarinhos de Hermione, adotava um tom defensivo e rancoroso.

— Ela não pode reclamar — disse a Harry. — Andou aos beijos com o Krum. Agora achou alguém que quer andar aos beijos comigo. Bem, estamos em um país livre. Não estou fazendo nada de mais.

Harry não respondeu, fingiu estar concentrado no livro que deveriam ler para a aula de Feitiços na manhã seguinte (*Quintessência: uma busca*). Decidido como estava a continuar amigo de ambos, Rony e Hermione, ele passava grande parte do tempo muito calado.

— Nunca prometi nada a Hermione — resmungou Rony. — Quero dizer, tudo bem, eu ia à festa de Natal do Slughorn com ela, mas ela nunca disse... era só como amigo... não tenho compromisso...

Harry virou uma página do *Quintessência*, consciente de que o amigo o observava. A voz de Rony foi se tornando quase inaudível, abafada pelos fortes estalos do fogo na lareira, embora Harry pensasse ter ouvido as palavras "Krum" e "não pode reclamar" mais de uma vez.

O horário de Hermione era tão apertado que Harry só conseguia falar direito com a amiga à noite, quando Rony ficava tão grudado em Lilá que nem notava o que Harry estava fazendo. Hermione se recusava a sentar na sala comunal enquanto Rony ali estivesse, então Harry, em geral, ia ao seu encontro na biblioteca, o que significava que conversavam aos sussurros.

— Ele tem toda liberdade de beijar quem quiser — disse Hermione enquanto a bibliotecária, Madame Pince, rondava pelas estantes às suas costas.

— Não estou nem aí.

Ergueu a pena e pôs um pingo no "i" com tanta ferocidade que perfurou o pergaminho. Harry ficou calado, e refletiu que logo sua voz desapareceria por falta de uso. Curvou-se um pouco mais para o *Estudos avançados no preparo de poções* e continuou a tomar notas sobre os Elixires Perenes, parando de vez em quando para decifrar os adendos tão úteis do Príncipe ao texto de Libatius Borage.

— E por falar nisso — lembrou Hermione passado algum tempo —, você precisa se cuidar.

— Pela última vez — respondeu Harry, num sussurro ligeiramente rouco depois de quarenta e cinco minutos de silêncio —, não vou devolver este livro, aprendi mais com o Príncipe Mestiço do que Snape e Slughorn me ensinaram em...

— Não estou falando desse idiota que se intitula Príncipe — replicou Hermione, lançando um olhar irritado ao livro como se ele lhe tivesse feito uma grosseria. — Estou falando de hoje mais cedo. Entrei no banheiro pouco antes de vir para cá e tinha umas doze garotas lá, inclusive aquela Romilda Vane, discutindo meios de dar a você uma poção de amor. Todas têm esperança de fazer você levá-las à festa do Slughorn, e todas parecem ter comprado as poções de amor de Fred e Jorge, que, lamento dizer, provavelmente funcionam...

— Por que você não as confiscou? — quis saber Harry. Parecia extraordinário que a mania de Hermione de defender o regulamento pudesse tê-la abandonado nesse momento crítico.

— Elas não tinham levado as poções para o banheiro — respondeu com desdém. — Estavam apenas discutindo táticas. E, como duvido que mesmo o Príncipe Mestiço — ela lançou outro olhar irritado ao livro — pudesse inventar um antídoto que neutralizasse doze poções diferentes, se eu fosse você convidaria alguém para acompanhá-lo: isto faria as outras pararem de pensar que têm chance. É amanhã à noite, e as garotas estão ficando desesperadas.

— Não tem ninguém que eu queira convidar — murmurou Harry, que ainda tentava não pensar em Gina mais do que era inevitável, ainda que a garota não parasse de aparecer em seus sonhos em tais situações que ele agradecia aos céus que Rony não fosse apto em Legilimência.

— Bem, tenha cuidado com o que beber, porque, pelo jeito, a Romilda Vane não estava brincando — disse Hermione séria.

Ela puxou para cima da mesa um longo pergaminho em que estava fazendo o trabalho de Aritmancia, e continuou a arranhá-lo com a pena. Harry a observava com o pensamento muito distante.

— Calma aí um instante — disse ele lentamente. — Pensei que Filch tivesse proibido artigos comprados na Gemialidades Weasley.

— E algum dia alguém ligou para o que Filch proíbe? — perguntou Hermione, ainda concentrada no seu trabalho.

— Mas pensei que todas as corujas estivessem sendo revistadas. Como é que essas garotas conseguem trazer poções de amor para a escola?

— Fred e Jorge despacham as poções camufladas de perfume ou xarope para tosse. Faz parte do seu Serviço de Encomenda-Coruja.

— Você está por dentro, hein?

Hermione lhe lançou o mesmo olhar irritado que acabara de dar ao livro de *Estudos avançados no preparo de poções*.

— Estava tudo impresso no verso das garrafas que eles mostraram a Gina e a mim no verão — informou ela com frieza. — Não ando por aí pondo poções nas bebidas das pessoas... nem fingindo que ponho, o que é igualmente sério...

— É, bem, deixa isso para lá — disse Harry depressa. — A questão é que estão enganando o Filch. Essas garotas estão trazendo artigos para a escola camuflados de outra coisa! Então por que Malfoy não poderia ter trazido o colar...?

— Ah, Harry... outra vez...?

— Responde por que não, vai?

— Olha — suspirou Hermione —, sensores de segredos detectam feitiços, maldições e azarações lançados para ocultar, não é? São usados para descobrir magia das trevas e objetos das trevas. Teriam apanhado em segundos uma maldição poderosa como a daquele colar. Mas não registrariam uma coisa que foi posta em um frasco diferente... e, de qualquer modo, as poções de amor não são das trevas nem perigosas...

— Para você é fácil falar — murmurou Harry, pensando em Romilda Vane.

— ... então Filch é quem teria de perceber se era ou não era um xarope para tosse, e ele não é um bruxo muito competente, duvido que saiba diferenciar uma poção de...

Hermione parou de repente; Harry pressentiu também. Alguém se aproximara entre as estantes escuras. Eles aguardaram e, um momento depois, o rosto rapineiro de Madame Pince surgiu no fim da estante, as faces encovadas, a pele de pergaminho e o longo nariz curvo iluminados desfavoravelmente pelo lampião que ela segurava.

— A biblioteca acabou de fechar — anunciou ela. — Cuide de devolver o que apanhou emprestado à prateleira corret... *que é que você andou fazendo com esse livro, seu garoto depravado?*

— Não é da biblioteca, é meu! — apressou-se a explicar Harry, arrebatando o *Estudos avançados no preparo de poções* quando ela estendeu para o livro a mão que lembrava uma garra.

— Espoliado! — sibilou Madame Pince. — Profanado! Conspurcado!

— É só um livro em que alguém escreveu! — disse Harry, arrancando-o das mãos dela.

A bruxa parecia que ia ter uma apoplexia; Hermione, que recolhera apressadamente suas coisas, agarrou Harry pelo braço e arrastou-o à força para longe dali.

— Ela expulsa você da biblioteca, se não se cuidar. Por que foi trazer esse livro idiota?

— Não é minha culpa que ela seja doida de pedra, Hermione. Ou será que ela ouviu você falando mal do Filch? Sempre achei que houvesse alguma coisa entre os dois...

— Oh, ah, ah...

Aproveitando que podiam falar normalmente outra vez, eles voltaram à sala comunal pelos corredores desertos e iluminados por lampiões, discutindo se Filch e Madame Pince estariam secretamente apaixonados.

— *Bolas festivas* — Harry disse à Mulher Gorda a nova senha natalina.

— *Igualmente* — respondeu a Mulher Gorda com uma risadinha marota e girando para admitir os dois.

— Oi, Harry! — exclamou Romilda Vane, no instante em que ele entrou pelo buraco do retrato. — Quer tomar uma água de gilly?

Hermione lançou ao amigo um olhar "Que-foi-que-eu-disse?", por cima do ombro.

— Não, obrigado — respondeu Harry ligeiro. — Não gosto muito.

— Bem, então aceite uns bombons — disse a garota, empurrando em suas mãos caldeirões de chocolate recheados com uísque de fogo. — Minha avó mandou para mim, mas não gosto.

— Ah, tá, muito obrigado — agradeceu Harry, que não conseguia pensar em nada mais para dizer. — Ah... vou um instante ali com...

Deixando a frase morrer, ele correu atrás de Hermione.

— Eu falei — resumiu ela. — Quanto mais cedo convidar alguém, mais cedo elas vão deixar você em paz e então vai poder...

Mas seu rosto repentinamente vidrou; acabara de ver Rony e Lilá, entrelaçados na mesma poltrona.

— Bem, boa noite, Harry — disse, embora fossem apenas sete horas da noite, e seguiu para o dormitório das garotas sem dizer mais nada.

Harry foi se deitar, consolando-se com o pensamento de que faltava aguentar apenas um dia de aulas e a festa de Slughorn, depois do que ele e Rony poderiam viajar para A Toca. Parecia agora impossível que Rony e Hermione fizessem as pazes antes do início das férias, mas, quem sabe, o intervalo desse para eles se acalmarem, refletirem sobre sua maneira de agir...

Mas sua esperança não era grande, e se tornou ainda menor depois de aturar uma aula de Transfiguração com os dois, no dia seguinte. A turma tinha acabado de entrar no tópico extremamente difícil da transfiguração humana; trabalhando diante de espelhos, deviam mudar a cor das próprias sobrancelhas. Hermione riu sem piedade dos insucessos iniciais de Rony, durante os quais ele conseguiu se presentear com um espetacular bigode em forma de guidão; Rony retaliou, fazendo uma imitação cruel, mas exata, de Hermione levantando e sentando sem parar cada vez que a professora McGonagall fazia uma pergunta, coisa que Lilá e Parvati acharam engraçadíssima e que, mais uma vez, levou Hermione quase às lágrimas. Ela saiu correndo da sala quando ouviram a sineta, largando metade do material; Harry decidiu que, naquele momento, Hermione precisava mais dele do que Rony. Então, recolheu as coisas da amiga e seguiu-a.

Alcançou-a finalmente quando ela saía do banheiro das garotas um andar abaixo. Vinha em companhia de Luna Lovegood, que lhe dava palmadinhas distraídas nas costas.

– Ah, olá, Harry – disse Luna. – Você está sabendo que uma de suas sobrancelhas está amarelona?
– Oi, Luna. Hermione, você deixou seu material...
E estendeu-lhe os livros.
– Ah, sim – falou Hermione com a voz embargada, apanhando as coisas e dando as costas depressa para esconder que estava secando os olhos com o estojo de lápis. – Obrigada, Harry. Bem, é melhor eu ir andando...
E se afastou ligeiro, sem dar a Harry tempo para dizer umas palavrinhas de consolo, embora ele tivesse que admitir que não conseguia pensar em nenhuma.
– Ela está meio chateada – disse Luna. – A princípio, pensei que fosse a Murta Que Geme no banheiro, mas era a Hermione. Ela falou alguma coisa sobre aquele Rony Weasley...
– É, eles brigaram.
– Ele às vezes diz coisas muitos engraçadas, não acha? – comentou Luna, quando saíram juntos pelo corredor. – Mas sabe ser grosseiro. Reparei isso no ano passado.
– Suponho que sim – disse Harry. Luna estava manifestando o seu talento para dizer verdades incômodas; Harry jamais conhecera alguém como ela.
– Então, teve um bom trimestre?
– Ah, foi bom. Um pouco solitário sem a AD. Gina tem sido legal. Outro dia ela fez dois garotos pararem de me chamar de Di-lua na aula de Transfiguração...
– Você gostaria de ir comigo à festa de Slughorn hoje à noite?
As palavras escaparam da boca de Harry antes que pudesse contê-las; ouviu-as como se um desconhecido as falasse.
Luna virou aqueles seus olhos saltados para ele, surpresa.
– A festa de Slughorn? Com você?
– É. Ele pediu para levarmos convidados, então achei que você talvez... quero dizer... – Ele queria deixar suas intenções perfeitamente claras. – Quero dizer, como amigos, sabe. Mas se você não quiser...
Ele já estava desejando que ela não quisesse.
– Ah, não, adoraria ir com você como amiga! – respondeu Luna, sorrindo como ele jamais a vira fazer. – Ninguém nunca me convidou para uma festa antes, como amiga! Foi por isso que você tingiu a sobrancelha, para a festa? Devo tingir a minha também?
– Não – replicou Harry com firmeza –, foi um engano, vou pedir a Hermione para consertar para mim. Então, encontro você no saguão de entrada às oito horas.

— AH-AH! — berrou uma voz do alto, e eles se sobressaltaram; sem perceber, tinham passado bem embaixo de Pirraça, que estava pendurado de cabeça para baixo em um lustre e sorria maliciosamente para os dois.

— Pirado convidou Luna para ir à festa! Pirado ama Di-lua! Pirado aaaaama Diluuuuuua!

E afastou-se, veloz, gargalhando e gritando: "Pirado ama Di-lua!"

— É legal ter privacidade — comentou Harry. E, de fato, em pouco tempo a escola inteira parecia saber que Harry Potter ia levar Luna Lovegood à festa de Slughorn.

— Você podia ter levado *qualquer garota!* — disse Rony, incrédulo, ao jantar.

— *Qualquer garota!* E você escolheu a Di-lua Lovegood?

— Não chame a Luna assim, Rony — falou Gina asperamente, parando atrás de Harry quando ia se reunir aos seus amigos. — Fico realmente feliz que você esteja levando a Luna, Harry, ela está tão animada!

E continuou andando ao longo da mesa, para se sentar com o Dino. Harry tentou se alegrar que Gina tivesse gostado do seu convite à Luna, mas não conseguiu. A uma boa distância, Hermione estava sozinha à mesa, brincando com o picadinho no prato. Harry percebeu que Rony lhe dava olhadelas furtivas.

— Você podia pedir desculpas — sugeriu ele bruscamente.

— Quê, para ser atacado por outro bando de canários? — murmurou Rony.

— Para que você foi imitar Hermione?

— Ela riu do meu bigode!

— Eu também ri, foi a coisa mais burra que eu já vi.

Mas Rony não pareceu ter ouvido; Lilá acabara de chegar com Parvati. Apertando-se entre Harry e Rony, Lilá atirou os braços no pescoço de Rony.

— Oi, Harry — cumprimentou Parvati, que, como ele, parecia meio constrangida e chateada com o comportamento dos dois amigos.

— Oi — respondeu Harry. — Como vai? Vai ficar em Hogwarts, então? Soube que seus pais queriam que você saísse da escola.

— Por ora, consegui convencê-los a desistir — respondeu Parvati. — Aquela coisa com a Katie deixou os dois apavorados, mas como não aconteceu mais nada... ah, oi, Hermione!

Parvati sem dúvida sorria. Harry achou que estava sentindo remorsos por ter rido de Hermione na aula de Transfiguração. Virou-se e viu que sua amiga retribuía o sorriso, se é que isso era possível, ainda mais animadamente. As garotas às vezes eram muito estranhas.

– Oi, Parvati! – respondeu Hermione, ignorando totalmente Rony e Lilá.

– Você vai à festa do Slughorn hoje à noite?

– Nenhum convite – resumiu Parvati tristemente. – Mas adoraria ir, parece que vai ser realmente boa... você vai, não é?

– Vou, marquei com Córmaco às oito, e nós...

Houve um ruído semelhante ao de alguém puxando um desentupidor de uma pia entupida, e Rony voltou à tona. Hermione agiu como se não tivesse visto nem ouvido nada.

– ... vamos à festa juntos.

– Córmaco? – repetiu Parvati. – Você quer dizer o Córmaco McLaggen?

– O próprio – disse Hermione com meiguice. – Aquele que *quase* – ela deu grande ênfase à palavra – foi goleiro da Grifinória.

– Então vocês estão namorando? – perguntou Parvati, de olhos arregalados.

– Ah... estamos... você não sabia? – falou Hermione, com uma risadinha que não parecia sua.

– Não! – exclamou Parvati, manifestando curiosidade pela fofoca. – Uau, você gosta mesmo de jogadores de quadribol, não é? Primeiro o Krum, agora o McLaggen...

– Eu gosto de jogadores de quadribol *muito bons* – corrigiu-a Hermione, ainda sorrindo. – Bem, a gente se vê... tenho de me arrumar para a festa...

Ela saiu. Na mesma hora, Lilá e Parvati juntaram as cabeças para discutir o novo acontecimento, repassando tudo que já tinham ouvido falar de McLaggen e tudo que tinham imaginado sobre Hermione. Rony pareceu estranhamente inexpressivo, e nada disse. Harry viu-se refletindo em silêncio sobre as profundezas a que descem as garotas para se vingar.

Quando ele chegou ao saguão de entrada às oito horas, encontrou um número anormal de garotas por ali, todas olhando-o com visível ressentimento quando se aproximou de Luna. Ela estava usando vestes prateadas com estrelas que atraíram risinhos das outras, mas, afora isto, estava bem bonita. De qualquer forma, Harry ficou contente que ela não estivesse usando os brincos de nabos, o colar de rolhas de cerveja amanteigada e os espectrocs.

– Oi – cumprimentou ele. – Vamos andando, então?

– Ah, vamos – respondeu ela feliz. – Onde é a festa?

– Na sala de Slughorn – disse ele, conduzindo-a para longe dos olhares e cochichos pela escadaria de mármore. – Você ouviu falar que deve ir um vampiro?

— Rufo Scrimgeour?
— ... quê?! — exclamou Harry desconcertado. — Você quer dizer o ministro da Magia?
— É, ele é um vampiro — disse Luna banalmente. — Papai escreveu um artigo bem longo sobre isso quando Rufo Scrimgeour assumiu o cargo de Cornélio Fudge, mas foi obrigado por alguém do Ministério a não publicar. Obviamente eles não gostariam que a verdade fosse revelada!

Harry, que achava muito improvável que Rufo Scrimgeour fosse um vampiro, mas estava acostumado ao hábito de Luna de repetir as bizarras opiniões do pai como se fossem fatos, não respondeu; já estavam se aproximando da sala de Slughorn e os sons de risos, música e conversas em voz alta aumentavam a cada passo.

Fosse porque tivesse sido construída assim, fosse porque ele tivesse usado a magia para deixá-la assim, a sala de Slughorn era muito maior do que o escritório normal de um professor. O teto e as paredes tinham sido forrados com panos esmeralda, carmim e dourado, para dar a impressão de que se encontravam no interior de uma vasta tenda. A sala estava cheia e abafada, imersa na luz vermelha que o ornamentado lampião dourado projetava do centro do teto, onde esvoaçavam fadinhas de verdade, cada qual um pontinho brilhante de luz. Uma cantoria, aparentemente acompanhada por bandolins, subia de um canto distante; uma névoa de fumaça de cachimbo pairava sobre vários bruxos idosos absortos em conversa, e numerosos elfos domésticos se deslocavam entre uma floresta de joelhos, sombreados pelas pesadas travessas de prata com comida que seguravam, parecendo mesinhas móveis.

— Harry, meu rapaz! — trovejou Slughorn, quase na mesma hora em que Harry e Luna espremiam-se pela porta para entrar. — Entre, entre, há tanta gente que eu gostaria que você conhecesse!

Slughorn usava um chapéu de veludo com borlas combinando com o smoking. Apertando o braço de Harry com tanta força que parecia querer desaparatar com ele, Slughorn o conduziu, decidido para a festa; Harry agarrou a mão de Luna e arrastou-a com ele.

— Harry, gostaria que você conhecesse Eldred Worple, um ex-aluno meu, autor de *Irmãos de sangue: minha vida entre os vampiros*... e, é claro, seu amigo Sanguini.

Worple, que era um homem pequeno, de óculos, agarrou a mão de Harry e sacudiu-a com entusiasmo; o vampiro Sanguini, alto e emaciado, com escuras olheiras sob os olhos, fez apenas um aceno com a cabeça. Parecia entediado. Havia um bando de garotas por perto, demonstrando curiosidade e animação.

— Harry Potter, estou simplesmente encantado! — exclamou Worple, fitando miopemente o rosto de Harry. — Ainda outro dia comentei com o professor Slughorn: "Onde está a biografia de Harry Potter pela qual todos estamos esperando?"

— Ãh — atrapalhou-se Harry —, o senhor está?

— Modesto como Horácio o descreveu! — comentou Worple. — Mas falando seriamente... — e sua atitude mudou, de repente, tornando-se objetiva —, eu teria prazer de escrevê-la... as pessoas estão ansiosas por conhecer você melhor, meu caro rapaz, ansiosas! Se você se dispusesse a me conceder algumas entrevistas, digamos, quatro ou cinco sessões, ora, poderíamos concluir o livro em poucos meses. E isso com muito pouco esforço de sua parte, posso lhe assegurar; pergunte a Sanguini aqui se não é... *Sanguini, fique aqui!* — acrescentou Worple, com súbita severidade, porque o vampiro estava se esgueirando em direção ao grupo de garotas próximo, com uma certa voracidade no olhar. — Tome aqui uma empadinha — disse Worple, apanhando uma da travessa de um elfo que passava e metendo-a na mão de Sanguini antes de voltar sua atenção a Harry.

— Meu caro rapaz, o ouro que poderia ganhar, você nem faz ideia...

— Decididamente não estou interessado — respondeu Harry com firmeza —, e acabei de ver uma amiga minha, lamento.

Ele puxou Luna pela multidão; acabara realmente de ver uma longa juba de cabelos castanhos desaparecer, entre dois componentes do grupo As Esquisitonas, ou assim lhe pareceu.

— Hermione! Hermione!

— Harry! Aí está você, que bom! Oi, Luna!

— Que aconteceu com você? — perguntou Harry, porque Hermione parecia visivelmente desarrumada, como se tivesse acabado de lutar para se livrar de uma moita de visgo-do-diabo.

— Ah, acabei de fugir... quero dizer, acabei de deixar o Córmaco. Debaixo do visgo — acrescentou, à guisa de explicação, porque Harry continuava a fitá-la com um ar de curiosidade.

— Bem feito por ter vindo com ele — disse ele severamente.

— Achei que era quem mais aborreceria o Rony — disse Hermione, sem emoção. — Fiquei um instante em dúvida se convidaria o Zacarias Smith, mas achei que, de modo geral...

— *Você pensou em vir com o Smith?!* — exclamou Harry revoltado.

— Pensei, e estou começando a desejar que tivesse vindo; McLaggen faz Grope parecer um cavalheiro. Vamos por aqui, poderemos ver quando ele vier, é tão alto...

Os três se dirigiram ao lado oposto da sala, apanhando taças de hidromel no caminho, mas perceberam, tarde demais, que a professora Trelawney estava parada ali sozinha.

— Olá — Luna cumprimentou-a gentilmente.

— Boa noite, minha querida — disse a professora, focalizando a garota com alguma dificuldade. Novamente Harry sentiu cheiro de xerez culinário.

— Não tenho visto você nas minhas aulas ultimamente...

— Não, fiquei com Firenze este ano — disse Luna.

— Ah, é claro — replicou a professora, com raiva, dando uma risadinha bêbada. — Ou Dobbin, como prefiro imaginá-lo. Seria de pensar, não é mesmo, que, agora que voltei para a escola, o professor Dumbledore se livrasse do cavalo. Mas não... dividimos as turmas... é um insulto, francamente, um insulto. Você sabe que...

A professora Trelawney parecia tonta demais para reconhecer Harry. Aproveitando as furiosas críticas a Firenze, ele chegou mais perto de Hermione e disse:

— Vamos nos entender. Você está pretendendo dizer ao Rony que interferiu nos testes para goleiro?

Hermione ergueu as sobrancelhas.

— Você realmente acha que eu me rebaixaria a tanto?

Harry lançou-lhe um olhar astuto.

— Hermione, se você tem coragem de convidar McLaggen...

— Há uma diferença — respondeu ela com dignidade. — Não tenho a menor intenção de contar a Rony o que poderia ou não ter acontecido nos testes.

— Ótimo — replicou Harry com fervor. — Porque ele ficaria arrasado de novo, e perderíamos o próximo jogo...

— Quadribol! — exclamou Hermione zangada. — É só nisso que vocês garotos pensam? Córmaco não fez uma única pergunta sobre mim, não, me brindou com Cem Grandes Defesas Feitas por Córmaco McLaggen sem intervalos... ah, não, lá vem ele!

Ela se mexeu com tanta rapidez que parecia ter desaparatado; num momento estava ali e no momento seguinte se espremera entre duas bruxas às gargalhadas e sumira.

— Viram Hermione? — perguntou McLaggen um minuto depois, forçando do caminho por um grupo compacto.

— Não, lamento — disse Harry, e virou-se depressa para participar da conversa de Luna, esquecendo-se, por uma fração de segundo, de com quem ela estava conversando.

— Harry Potter! — exclamou a professora em tons graves e vibrantes, reparando nele pela primeira vez.

— Oh, olá — respondeu ele sem entusiasmo.

— Meu querido rapaz! — disse Trelawney, com um sussurro muito audível. — Os boatos! As histórias! O Eleito! É claro que sei disso há muito tempo... os augúrios nunca foram favoráveis, Harry... mas por que você não voltou às aulas de Adivinhação? Para você, mais do que para os demais, a matéria é da máxima importância!

— Ah, Sibila, todos achamos que a nossa matéria é da máxima importância! — disse uma voz alta, e Slughorn apareceu ao lado da professora Trelawney, o rosto muito vermelho, o chapéu de veludo um pouco enviesado na cabeça, um copo de hidromel em uma das mãos e uma enorme torta de frutas secas e especiarias na outra. — Mas acho que jamais conheci alguém com tanto talento para Poções! — comentou o professor, lançando a Harry um olhar carinhoso, embora com os olhos injetados. — Instintivo, sabe, como a mãe! Poucas vezes na vida tive alunos com tal habilidade, posso lhe afirmar, Sibila... ora, nem Severo...

E, para horror de Harry, Slughorn fez um gesto amplo com o braço e pareceu materializar Snape, que veio em sua direção.

— Pare de se esquivar e venha se reunir a nós, Severo! — disse, alegre, Slughorn entre soluços. — Eu estava justamente falando sobre a excepcional preparação de poções de Harry! Parte do crédito é seu, naturalmente, já que foi seu professor durante cinco anos!

Preso pelo braço de Slughorn em seus ombros, Snape olhou do alto do seu nariz curvo para Harry, apertando seus olhos pretos.

— Engraçado, jamais tive a impressão de ter conseguido ensinar alguma coisa a Potter.

— Então é uma habilidade natural! — gritou Slughorn. — Você devia ter visto o que ele me entregou na primeira aula, a Poção do Morto-Vivo, nunca um estudante se saiu melhor na primeira tentativa, acho que nem mesmo você, Severo...

— Sério? — admirou-se Snape em voz baixa, seus olhos perfurando Harry, que sentiu uma certa inquietação. A última coisa que queria no mundo era Snape investigando a fonte de sua recém-descoberta genialidade em Poções.

— Que outras matérias você está estudando mesmo, Harry? — perguntou Slughorn.

— Defesa Contra as Artes das Trevas, Feitiços, Transfiguração, Herbologia...

— Em suma, todas as exigidas para ser auror — concluiu Snape, com leve desdém.

— É, bem, é o que eu gostaria de ser — respondeu Harry em tom de desafio.

— E dará um grande auror! — trovejou Slughorn.

— Acho que você não deveria ser auror, Harry — interpôs Luna, inesperadamente. Todos olharam para ela. — Os aurores fazem parte da Conspiração Dentepodre. Pensei que todo o mundo soubesse. Estão trabalhando por dentro para derrubar o Ministério da Magia, usando uma combinação de Artes das Trevas e gomose.

Harry inalou metade do seu hidromel pelo nariz quando começou a rir. Sem dúvida, valera a pena trazer Luna só por aquilo.

Tirando o rosto da taça, tossindo e molhado, mas ainda rindo, ele viu algo que era certo elevar sua animação às nuvens: Argo Filch vinha em direção ao grupo arrastando Draco Malfoy pela orelha.

— Professor Slughorn — chiou o zelador, as bochechas tremendo e nos olhos saltados o brilho maníaco ao descobrir malfeitos. — Encontrei este rapaz se esgueirando por um corredor lá de cima. Ele diz que foi convidado para a sua festa e se atrasou na saída. O senhor lhe mandou convite?

Malfoy se desvencilhou do aperto de Filch, furioso.

— Está bem, não fui convidado — respondeu com raiva. — Eu estava tentando penetrar na festa, satisfeito?

— Não, não estou! — retrucou Filch, uma afirmação em total desacordo com a alegria em seu rosto. — Você está encrencado, ora se está! O diretor não avisou que não queria ninguém nos corredores à noite, a não ser que a pessoa tivesse permissão, não avisou, eh?

— Tudo bem, Argo, tudo bem — disse Slughorn, com um aceno de mão. — Hoje é Natal, e não é crime ter vontade de ir a uma festa. Só desta vez, vamos esquecer o castigo; você pode ficar, Draco.

A expressão de indignação e desapontamento de Filch era perfeitamente previsível, mas por que, perguntou-se Harry, observando o colega, Malfoy pareceu igualmente infeliz? E por que Snape estava olhando para Malfoy como se sentisse ao mesmo tempo raiva... e seria possível?... um pouco de receio?

Mas, antes que Harry registrasse o que vira, Filch deu as costas e se afastou, arrastando os pés, resmungando baixinho; Malfoy conseguiu produzir um sorriso e agradeceu a Slughorn por sua generosidade, a expressão de Snape suavemente retomou sua impenetrabilidade.

— De nada, de nada — disse Slughorn, dispensando os agradecimentos de Malfoy. — Afinal, eu conheci o seu avô...

— Ele sempre o elogiou muito, senhor — apressou-se em dizer Malfoy.

— Dizia que o senhor era o melhor preparador de poções que ele tinha conhecido...

Harry encarou Malfoy. Não era o puxa-saquismo que o intrigava; vira-o fazer isso com Snape durante anos. Era o fato de que Malfoy parecia doente. Era a primeira vez em muito tempo que via o colega bem de perto; e notava que apresentava olheiras escuras sob os olhos e um nítido tom acinzentado na pele.

— Gostaria de dar uma palavra com você, Draco — disse Snape subitamente.

— Ora, vamos Severo — falou Slughorn, com mais soluços. — É Natal, não seja tão duro...

— Sou o diretor da Casa dele e cabe a mim decidir se devo ou não ser duro — retrucou rispidamente. — Venha comigo, Draco.

Os dois se retiraram, Snape à frente, Malfoy parecia ressentido. Harry hesitou um momento, então disse:

— Volto em um instante, Luna... ã... banheiro.

— Tudo bem — respondeu Luna, animada, e Harry, ao sair ligeiro entre os convidados, pensou tê-la ouvido retomar a Conspiração Dentepodre com a professora Trelawney, que parecia sinceramente interessada.

Foi fácil, uma vez fora da festa, tirar do bolso a Capa da Invisibilidade e se cobrir, porque o corredor estava deserto. O mais difícil foi encontrar Snape e Malfoy. Harry saiu correndo, o ruído de seus passos mascarado pela música e as conversas altas que vinham da sala de Slughorn. Talvez Snape o tivesse levado à sua sala nas masmorras... ou talvez o acompanhasse de volta à sala comunal da Sonserina... Harry encostou o ouvido a cada porta do corredor pela qual passou apressado até que, muito surpreso e animado, curvou-se para o buraco da fechadura da última sala e ouviu vozes.

— ...não pode se dar ao luxo de errar, Draco, porque se você for expulso...

— Não tive nada a ver com isso, está bem?

— Espero que esteja dizendo a verdade, porque foi malfeito e tolo. Já suspeitam que você tenha um dedo no incidente.

— Quem suspeita de mim? — perguntou Malfoy com raiva. — Pela última vez, não fui eu, entende? Aquela garota, Bell, deve ter um inimigo que ninguém conhece... não me olhe assim! Sei o que você está fazendo. Não sou burro, mas não vai funcionar... posso impedi-lo!

Houve uma pausa, e então Snape disse baixinho:

— Ah... tia Belatriz tem lhe ensinado Oclumência, entendo. Que pensamentos você está tentando esconder do seu senhor, Draco?

— Não estou tentando esconder nada *dele*, só não quero que *você* penetre a minha mente!

Harry comprimiu mais o ouvido no buraco da fechadura... que acontecera para Malfoy falar desse jeito com Snape, o professor que ele sempre demonstrara respeitar e até gostar?

— Então é por isso que você tem me evitado este trimestre? Tem medo da minha interferência? Você percebe que se outro aluno não fosse à minha sala quando eu mandasse, e mais de uma vez, Draco...

— Então me dê uma detenção! Dê queixa de mim ao Dumbledore! — caçoou Malfoy.

Houve outra pausa. Então Snape falou:

— Você sabe perfeitamente que não quero fazer nenhuma das duas coisas.

— Então é melhor parar de me mandar ir à sua sala!

— Escute aqui — disse Snape, a voz tão baixa que Harry teve de comprimir o ouvido com força contra o buraco para ouvir. — Estou tentando ajudá-lo. Jurei a sua mãe que o protegeria. Fiz um Voto Perpétuo, Draco...

— Pois parece que vai ter de quebrá-lo, porque não preciso da sua proteção! A tarefa é minha, eu a recebi dele e estou cumprindo-a. Tenho um plano que vai dar resultado, só está levando um pouco mais de tempo do que pensei!

— Qual é o seu plano?

— Não é da sua conta!

— Se me contar o que está tentando fazer, posso ajudá-lo...

— Tenho toda a ajuda de que preciso, obrigado, não estou sozinho!

— Mas certamente estava hoje à noite, no que foi extremamente tolo, andar pelos corredores sem vigias nem cobertura. São erros elementares...

— Eu teria Crabbe e Goyle comigo, se você não tivesse detido os dois!

— Fale baixo! — disse Snape com violência, porque Malfoy alteara a voz agitado. — Se os seus amigos Crabbe e Goyle pretendem passar no N.O.M. de Defesa Contra as Artes das Trevas desta vez, terão de se esforçar mais do que estão fazendo no momen...

– Que diferença faz isso? – interrompeu-o Malfoy. – Defesa Contra as Artes das Trevas é uma piada, não é, uma encenação? Como se algum de nós precisasse se proteger contra as Artes das Trevas...

– É uma encenação decisiva para o sucesso, Draco! – lembrou Snape.

– Onde é que você pensa que eu estaria todos esses anos se eu não soubesse como representar? Agora me escute! Você está sendo imprudente, andando pela escola à noite e sendo apanhado, e se está confiando na ajuda de Crabbe e Goyle...

– Eles não são os únicos. Tenho mais gente do meu lado, gente melhor!

– Então por que não confiar em mim, posso...

– Sei o que está pretendendo! Você quer roubar a minha glória!

Houve mais uma pausa, então Snape disse com frieza:

– Você está falando como uma criança. Compreendo que a captura e a prisão do seu pai o tenham deixado perturbado, mas...

Harry teve menos de um segundo de aviso; ouviu os passos de Malfoy do outro lado da porta e se atirou para fora do caminho na hora em que a porta se escancarava; Malfoy afastou-se em passos largos pelo corredor, passou pela porta aberta da sala de Slughorn, contornou um canto distante e desapareceu de vista.

Mal ousando respirar, Harry continuou agachado vendo Snape sair lentamente da sala de aula. Com uma expressão insondável, ele voltou à festa. Harry permaneceu ali, oculto pela capa com os pensamentos em disparada.

16

UM NATAL
MUITO GELADO

— Então Snape estava se oferecendo para ajudar Malfoy? Sem a menor dúvida ele *estava se oferecendo para ajudar Malfoy?*
— Se você perguntar isso mais uma vez, vou enfiar este talo de couve...
— Só estou confirmando! — exclamou Rony. Os dois estavam sozinhos junto à pia da cozinha d'A Toca, limpando um monte de couves-de-bruxelas para a sra. Weasley. A neve passava voando pela janela à sua frente.
— Exatamente, *Snape estava se oferecendo para ajudar ele!* Disse que tinha prometido à mãe de Malfoy proteger ele, que tinha feito um Juramento Perpétuo ou coisa parecida...
— Um Voto Perpétuo? — admirou-se Rony. — Nah, não pode ser... você tem certeza?
— Claro que tenho. Que quer dizer isso?
— Bem, a gente não pode quebrar um Voto Perpétuo...
— Até aí eu concluí sozinho, por estranho que pareça. E o que acontece se a gente quebra?
— Morre — disse Rony com simplicidade. — Fred e Jorge tentaram me convencer a fazer um quando eu tinha cinco anos. E quase que fiz, eu estava segurando as mãos de Fred e tudo, quando papai nos encontrou. Ele pirou — contou Rony, recordando a cena com um brilho no olhar. — Foi a única vez que vi papai tão furioso como a mamãe. Fred diz que depois disso a nádega esquerda dele nunca mais foi a mesma.
— É, bem, deixando de lado a nádega esquerda de Fred...
— Perdão? — Ouviu-se a voz de Fred, e os gêmeos entraram na cozinha. — Aaah, Jorge, olha só isso. Eles estão usando facas e tudo. Deus os abençoe.
— Vou fazer dezessete anos dentro de dois meses e uns dias — retrucou Rony mal-humorado —, então vou poder usar magia para fazer isto.
— Mas, nesse meio-tempo — comentou Jorge, sentando-se à mesa da cozinha e descansando os pés em cima do móvel —, podemos apreciar a sua demonstração do uso correto de uma... epa!

— A culpa foi sua! — exclamou Rony zangado, chupando o corte no polegar. — Espere até eu fazer dezessete anos...

— Tenho certeza de que vai nos deixar deslumbrados com suas insuspeitadas habilidades em magia — concluiu Fred bocejando.

— E, por falar em insuspeitadas habilidades em magia, Ronald — aproveitou Jorge —, que história é essa, que estamos sabendo pela Gina, entre você e uma jovem chamada... a não ser que a informação esteja errada, Lilá Brown?

Rony corou um pouco, mas não pareceu aborrecido quando voltou a dar atenção às couves.

— Cuide da sua vida.

— Que resposta malcriada — disse Fred. — Não sei aonde vai buscá-las. Não, o que eu queria saber era... como foi que aconteceu?

— Que é que você quer dizer com isso?

— Ela teve um acidente ou coisa parecida?

— Quê?

— Bem, como foi que ela sofreu um dano cerebral tão extenso? Cuidado com isso!

A sra. Weasley entrou na cozinha em tempo de ver Rony atirando a faca de descascar legumes em Fred, que a transformou em um aviãozinho de papel, com um piparote displicente de varinha.

— Rony! — exclamou a bruxa furiosa. — Nunca mais me deixe ver você atirando facas!

— Não vou deixar — disse Rony — você ver — acrescentou baixinho, voltando ao monte de couves-de-bruxelas.

— Fred, Jorge, lamento, queridos, mas Remo vai chegar hoje à noite e Gui vai ter de se apertar no quarto de vocês!

— Não esquenta — respondeu Jorge.

— E, como Carlinhos não vem, isto deixa Harry e Rony no sótão, e se Fleur dividir o quarto com Gina...

— ... isso é que é um Feliz Natal! — murmurou Fred.

— ... e todos ficarão confortáveis. Bem, pelo menos terão uma cama — acrescentou a sra. Weasley, um pouco cansada e ansiosa.

— Então Percy não vai mesmo mostrar a carranca dele por aqui? — perguntou Fred.

A sra. Weasley virou de costas antes de responder.

— Não, ele está ocupado, imagino, no Ministério.

— Ah, ele é o maior babaca do mundo — comentou Fred, quando a mãe se retirou da cozinha. — Um dos dois maiores. Bem, vamos indo então, Jorge.

— Que é que vocês vão fazer? — perguntou Rony. — Será que não podiam ajudar a gente a limpar essas couves? É só usarem a varinha e ficaremos livres, também!

— Não, acho que não podemos fazer isso — respondeu Fred sério. — É bom para a formação do caráter, aprender a limpar couves-de-bruxelas sem recorrer à magia, faz você entender como é difícil para os trouxas e bruxos abortados...

— ... e se quiser que as pessoas o ajudem, Rony — acrescentou Jorge, atirando no irmão um aviãozinho de papel —, não deve ficar arremessando facas nelas. É só uma dica. Nós vamos à aldeia, tem uma garota bonita trabalhando na papelaria que acha que os meus truques com cartas são maravilhosos... até parecem magia de verdade...

— Idiotas — xingou Rony, sombriamente, observando Fred e Jorge atravessarem o quintal coberto de neve. — Gastariam só dez segundos, e então poderíamos sair também.

— Não eu — disse Harry. — Prometi a Dumbledore que não sairia enquanto estivesse aqui.

— Ah, é. — Rony limpou mais algumas couves, então perguntou: — Você vai contar ao Dumbledore o que ouviu Snape e Malfoy conversando?

— Vou. Vou contar a todo o mundo que puder acabar com isso, e Dumbledore é o primeiro da lista. Talvez eu dê mais uma palavrinha com o seu pai também.

— Pena que você não tenha ouvido o que Malfoy está realmente fazendo.

— Não foi possível, não é? Esse é o problema, ele estava se recusando a contar ao Snape.

Por um momento fez-se silêncio, em seguida Rony comentou:

— É claro que você sabe o que todos vão dizer, não? Papai, Dumbledore e todo o resto. Vão dizer que Snape não está realmente tentando ajudar Malfoy, estava só tentando descobrir o que Malfoy vai fazer.

— Eles não ouviram o que ele disse — disse Harry, sem emoção. — Ninguém representa tão bem, nem mesmo o Snape.

— É... só estou lembrando — disse Rony.

Harry virou-se para encarar o amigo, franzindo a testa.

— Mas você acha que eu tenho razão?

— Claro que acho! — apressou-se Rony a confirmar. — Estou falando sério! Mas eles estão convencidos de que Snape faz parte da Ordem, não é mesmo?

Harry não respondeu. Já lhe ocorrera que aquela seria a objeção mais provável ao novo indício; podia até ouvir Hermione dizendo:

"É óbvio, Harry, que ele estava fingindo ajudar para poder fazer Malfoy contar o que está fazendo..."

Isto era pura imaginação, porque ele não tinha tido oportunidade de contar a Hermione o que ouvira. A amiga tinha sumido da festa de Slughorn antes que ele voltasse, ou assim lhe informara um irado McLaggen, e já tinha ido dormir quando ele retornou à sala comunal. Quando ele e Rony viajaram para A Toca, cedo no dia seguinte, Harry mal tivera tempo para lhe desejar um Feliz Natal e dizer que tinha notícias muito importantes para contar quando voltassem das férias. Não estava muito seguro, porém, se Hermione o ouvira; Rony e Lilá estavam fazendo uma despedida totalmente não verbal às suas costas naquele momento.

Contudo, nem Hermione poderia negar: decididamente Malfoy estava fazendo alguma coisa, e Snape sabia disso, portanto Harry se sentia plenamente justificado em dizer "Eu bem que falei", como já fizera várias vezes para Rony.

Até a noite de Natal, Harry não teve oportunidade de conversar com o sr. Weasley, que estava trabalhando até mais tarde no Ministério. Os Weasley e seus convidados estavam sentados na sala de estar; Gina a decorara com tanto exagero que tinham a impressão de estar no meio de uma explosão de papel em cadeia. Fred, Jorge, Harry e Rony eram os únicos que sabiam que o anjo no alto da árvore era, na realidade, um gnomo de jardim que mordera o calcanhar de Fred quando ele arrancava cenouras para a ceia de Natal. Estupidificado, pintado de ouro, apertado em um minitutu, com asinhas coladas às costas, ele olhava de cara amarrada para todos, o anjo mais feio que Harry já vira, com uma cabeçorra pelada como uma batata e pés bem cabeludos.

Todos deviam estar ouvindo o programa de Natal apresentado pela cantora favorita da sra. Weasley, Celestina Warbeck, cuja voz saía tremida de um grande rádio com a caixa de madeira. Fleur, que aparentemente achava Celestina muito chata, falava tão alto a um canto que a sra. Weasley, aborrecida, a toda hora apontava a varinha para o botão do volume, fazendo com que Celestina berrasse cada vez mais. Aproveitando um número particularmente animado, "Um caldeirão cheio de amor quente e forte", Fred e Jorge começaram um joguinho de Snap Explosivo com Gina. Rony não parava de lançar olhares sorrateiros a Gui e Fleur, como se esperasse aprender umas dicas. Enquanto isso, Remo Lupin, mais magro e mais roto que nunca, estava sentado à lareira, contemplando suas profundezas como se não ouvisse a voz de Celestina.

"Ah, vem mexer o meu caldeirão,
E se mexer como deve ser
Faço procê um amor quente e forte
Para sua noite aquecer."

— Dançamos ao som dessa música quando tínhamos dezoito anos! — exclamou a sra. Weasley, enxugando os olhos no seu tricô. — Você lembra, Arthur?

— Hum? — respondeu o sr. Weasley, que estivera cochilando enquanto descascava uma tangerina. — Ah, sim... uma canção maravilhosa...

Com esforço, ele se sentou mais aprumado e olhou para Harry, que estava ao seu lado.

— Desculpe isso aí — disse ele, indicando com a cabeça o rádio no qual Celestina desatava a entoar o refrão. — Já vai terminar.

— Não se preocupe — respondeu Harry sorrindo. — O senhor tem tido muito trabalho no Ministério?

— Muito. Eu não me incomodaria se estivéssemos obtendo algum resultado, mas, nas três prisões que fizemos nos últimos dois meses, duvido que algum dos suspeitos fosse um autêntico Comensal da Morte... mas não repita isso, Harry — acrescentou ele depressa, parecendo subitamente bem mais acordado.

— Mas já soltaram o Lalau Shunpike, não? — perguntou Harry.

— Receio que não. Sei que Dumbledore tentou apelar diretamente para Scrimgeour no caso do Lalau... quero dizer, qualquer um que de fato tenha entrevistado o garoto concorda que ele é tão Comensal da Morte quanto esta tangerina... mas os figurões querem passar a imagem de que estamos fazendo progressos, e "três prisões" parecem melhor do que "três prisões equivocadas seguidas de solturas"... mas, repito, tudo isso é ultrassecreto...

— Não direi nada. — Harry hesitou um momento, imaginando a melhor maneira de abordar o que queria dizer; enquanto organizava seus pensamentos, Celestina Warbeck começou uma balada intitulada "Seu feitiço arrancou meu coração".

— Sr. Weasley, o senhor se lembra do que lhe contei na estação quando estávamos indo para a escola?

— Eu verifiquei, Harry — respondeu ele na mesma hora. — Revistei a casa dos Malfoy. Não encontrei nada, nem quebrado nem inteiro, que não devesse estar lá.

— É, eu sei, li no *Profeta* que o senhor tinha revistado... mas isto é diferente... bem, uma coisa mais...

E ele contou ao sr. Weasley a conversa que escutara entre Malfoy e Snape. Enquanto falava, viu a cabeça de Lupin virar um pouco para o seu lado, absorvendo cada palavra. Quando Harry terminou, fez-se silêncio, exceto pela cantoria de Celestina.

"*Ah, aonde foi parar o meu pobre coração?*
Abandonou-me por um feitiço..."

– Já lhe ocorreu, Harry – perguntou o sr. Weasley –, que Snape estivesse simplesmente fingindo...
– Fingindo oferecer ajuda, para poder descobrir o que Malfoy está fazendo? – completou Harry depressa. – É, achei que o senhor iria dizer isso. Mas como vamos saber?
– Não temos de saber – disse Lupin inesperadamente. Tinha dado as costas à lareira e encarava Harry do outro lado do sr. Weasley. – Dumbledore é quem tem. Ele confia em Severo, e isto deve ser suficiente para todos nós.
– Mas digamos... digamos que Dumbledore esteja enganado a respeito do Snape...
– Muita gente tem dito isso muitas vezes. A questão se resume em confiar ou não confiar no julgamento de Dumbledore. Eu confio; portanto, eu confio em Severo.
– Mas Dumbledore pode errar – argumentou Harry. – Ele mesmo diz isso. E você...
Ele olhou Lupin diretamente nos olhos.
– ... sinceramente, você gosta do Snape?
– Não gosto nem desgosto do Severo – respondeu Lupin. – Não, Harry, estou falando a verdade – acrescentou, ao ver a expressão descrente de Harry. – Talvez nunca sejamos amigos do peito; depois de tudo que aconteceu entre Tiago, Sirius e Severo, restou muita amargura. Mas não esqueço que, durante o ano que ensinei em Hogwarts, Severo preparou a Poção de Acônito para mim todos os meses, e com perfeição, para eu não precisar sofrer como normalmente sofro na lua cheia.
– Mas deixou escapar "sem querer" que você era um lobisomem, e você teve de ir embora! – lembrou Harry com raiva.
Lupin sacudiu os ombros.
– A notícia teria vazado de qualquer maneira. Nós dois sabemos que ele queria o meu lugar, mas ele poderia ter me causado mais mal se tivesse adulterado a poção. Ele me manteve saudável. Devo ser grato.

— Talvez ele não se atrevesse a adulterar a poção com Dumbledore de olho nele!

— Você está decidido a odiá-lo, Harry — disse Lupin com um leve sorriso. — E eu compreendo; tendo Tiago por pai e Sirius por padrinho, você herdou um velho preconceito. Não se detenha, conte a Dumbledore o que contou ao Arthur e a mim, mas não espere que ele concorde com seu ponto de vista; nem mesmo que se surpreenda com o que ouvir. Talvez Severo tenha até recebido ordem de Dumbledore para interrogar Draco.

"... *e você agora o despedaçou.*
Agradeço que devolva o meu coração!"

Celestina terminou a canção com uma nota muito longa e aguda, e ouviram-se estrondosos aplausos no rádio aos quais a sra. Weasley fez um coro entusiamado.

— Terrrminô? — perguntou Fleur em voz alta. — Grraças a Dês qu' cois horrro...

— Vamos tomar mais uma para encerrar? — ofereceu o sr. Weasley também em voz alta, levantando-se, ligeiro. — Quem aceita uma gemada?

— Que é que você tem feito ultimamente? — Harry perguntou a Lupin, enquanto o sr. Weasley se encarregava de apanhar a gemada, e os demais convidados recomeçavam a conversar.

— Ah, ando na clandestinidade. Quase literalmente. Por isso não tenho podido escrever; mandar cartas seria o mesmo que me denunciar.

— Como assim?

— Tenho vivido entre companheiros, meus iguais — respondeu Lupin. — Lobisomens — acrescentou ao ver o olhar de incompreensão de Harry. — Quase todos estão do lado de Voldemort. Dumbledore queria um espião e eu estava ali... pronto.

Sua voz pareceu um pouco amargurada, e talvez ele percebesse, porque sorriu mais calorosamente ao continuar:

— Não estou me queixando, é um trabalho necessário, e quem melhor do que eu para executá-lo? Mas tem sido difícil ganhar a confiança deles. Trago comigo sinais inconfundíveis de que tentei viver entre os bruxos, entende, enquanto eles evitaram a sociedade normal e vivem na marginalidade, roubando e por vezes matando, para comer.

— E por que eles gostam de Voldemort?

— Acham que, sob o domínio dele, terão uma vida melhor — respondeu Lupin. — É difícil argumentar com o Greyback lá fora...

— Quem é Greyback?
— Você nunca ouviu falar? — as mãos de Lupin se fecharam convulsivamente no colo. — Fenrir Lobo Greyback talvez seja o lobisomem mais selvagem que existe hoje. Encara como missão de sua vida morder e contaminar o maior número possível de pessoas; quer criar um número suficiente de lobisomens para superar os bruxos. Voldemort lhe prometeu vítimas como pagamento pelos seus serviços. Greyback se especializa em crianças... morda-as enquanto pequenas, diz, e as crie longe dos pais, faça com que odeiem os bruxos normais. Voldemort tem ameaçado lançá-lo contra os filhos das pessoas; é uma ameaça que normalmente produz bons resultados.

Lupin fez uma pausa, e então continuou:
— Foi Greyback quem me mordeu.
— Quê?! — exclamou Harry, perplexo. — Você quer dizer, quando você era criança?
— É. Meu pai o ofendeu. Durante muito tempo eu não soube a identidade do lobisomem que tinha me atacado; cheguei a sentir pena dele, achando que não pudera se controlar, já sabendo, então, o que a pessoa sentia quando se transformava. Mas Greyback não é assim. Na lua cheia, ele se coloca a curta distância da vítima para garantir que esteja bem próximo para atacar. Planeja cada detalhe. E é esse homem que Voldemort está usando para liderar os lobisomens. Não posso fingir que a argumentação que adoto esteja dando resultado contra a insistência de Greyback de que os lobisomens merecem sangue, que devem se vingar de quem é normal.

— Mas você é normal! — exclamou Harry com veemência. — Só tem um... um problema...

Lupin caiu na gargalhada.
— Às vezes você me lembra muito o Tiago. Quando havia pessoas por perto, ele dizia que eu tinha um "probleminha peludo". Muita gente pensava que eu tinha um coelhinho malcomportado.

Lupin aceitou um copo de gemada do sr. Weasley, agradecendo, e pareceu um pouco mais alegre. Harry sentiu uma onda de emoção: a menção do pai lembrou-lhe que havia uma coisa que estava querendo perguntar a Lupin.

— Você já ouviu falar de alguém que se intitula Príncipe Mestiço?
— Príncipe quê?
— Mestiço — disse Harry, observando-o com atenção, à procura de sinais de reconhecimento.

— Não há príncipes bruxos — respondeu Lupin, agora sorrindo. — Esse é o título que você está pensando em adotar? Eu teria achado que "O Eleito" já era o suficiente.

— Não, não tem nada a ver comigo! — exclamou ele indignado. — O Príncipe Mestiço é alguém que frequentou Hogwarts, tenho o livro de Poções que ele usou. Tem anotações sobre feitiços no livro todo, feitiços que ele inventou. Um deles foi o *Levicorpus*...

— Ah, esse aí esteve em grande moda em Hogwarts, no meu tempo — disse Lupin, lembrando-se. — Durante alguns meses, no meu quinto ano, a pessoa não podia andar sem ser pendurada no ar pelo tornozelo.

— Meu pai o usou. Vi na Penseira quando o usou contra Snape.

Harry tentou parecer displicente, como se aquele fosse um comentário sem real importância, mas não teve certeza de que obtivera o efeito pretendido; o sorriso de Lupin foi compreensivo demais.

— Usou, mas ele não foi o único. Como disse, foi muito popular... você sabe como esses feitiços vêm e vão...

— Mas parece que foi inventado enquanto você esteve na escola — insistiu Harry.

— Não necessariamente. Azarações entram e saem de moda como tudo o mais. — Ele encarou Harry e disse em voz baixa: — Tiago tinha sangue puro, Harry, e juro a você, ele nunca nos pediu para chamá-lo de "Príncipe".

Harry, abandonando os rodeios, perguntou:

— E não foi Sirius? Nem você?

— Decididamente não.

— Ah. — Harry contemplou as chamas da lareira. — Pensei... bem, ele me ajudou muito nas aulas de Poções, o Príncipe.

— Que idade tem o livro, Harry?

— Não sei, nunca olhei.

— Bem, talvez lhe dê uma pista da época em que o Príncipe esteve em Hogwarts.

Pouco depois, Fleur resolveu imitar Celestina cantando "Um caldeirão cheio de amor quente e forte", que todos entenderam, ao ver a expressão da sra. Weasley como uma deixa para se retirarem. Harry e Rony subiram até o quarto de Rony no sótão, onde tinha sido posta uma cama de armar para Harry.

Rony adormeceu quase imediatamente, mas Harry, antes de se deitar, foi procurar no malão, de onde tirou o exemplar de *Estudos avançados no preparo de poções*. Na cama, folheou as páginas com atenção, até encontrar, no início do livro, a data em que fora publicado. Tinha quase cinquenta anos. Nem seu pai nem seus amigos tinham frequentado Hogwarts há cinquenta anos.

Desapontado, Harry atirou o livro de volta ao malão, apagou o lampião e se virou para o lado oposto da cama, pensando em lobisomens e Snape, em Lalau Shunpike e no Príncipe Mestiço, mergulhando, por fim, em um sono inquieto, cheio de sombras furtivas e gritos de crianças mordidas...

— Ela tem de estar brincando...

Harry acordou assustado e deparou com uma meia estufada nos pés de sua cama. Pôs os óculos e olhou ao seu redor; a janela minúscula estava quase totalmente escurecida pela neve e diante dela estava Rony, sentado muito reto na cama, examinando um objeto que parecia um cordão de ouro.

— Que é isso? — perguntou Harry.

— É da Lilá — respondeu ele, parecendo revoltado. — Ela não pode pensar seriamente que eu usaria...

Harry se aproximou para olhar e soltou uma grande gargalhada. Pendurada no cordão, em grandes letras de ouro, havia a frase "Meu Namorado".

— Legal — comentou ele. — Estiloso. Decididamente, você tem de usar isso na frente de Fred e Jorge.

— Se você contar a eles — ameaçou Rony, fazendo o colar desaparecer embaixo do travesseiro —, eu... eu... eu vou...

— Gaguejar para mim? — respondeu Harry, rindo. — Ah, vai, você acha que eu faria isso?

— Mas como é que ela pôde pensar que eu ia gostar de uma coisa dessas? — perguntou Rony, parecendo muito chocado.

— Bem, procure se lembrar. Alguma vez você deixou escapar que gostaria de aparecer em público com as palavras "Meu Namorado" penduradas no pescoço?

— Bem... na realidade não conversamos muito — disse Rony. — Ficamos mais...

— Dando uns amassos — completou Harry.

— Bem, é. — Ele hesitou um momento, então perguntou: — A Hermione está realmente namorando o McLaggen?

— Não sei. Eles estiveram na festa de Slughorn juntos, mas acho que não foi muito legal.

Rony pareceu um pouco mais animado ao enfiar a mão no fundo da meia.

Os presentes de Harry incluíam um suéter com um grande pomo de ouro no peito, tricotado à mão pela sra. Weasley, uma grande caixa com produtos da Gemialidades Weasley, dada pelos gêmeos, e um embrulho ligeiramente úmido, cheirando a mofo, com uma etiqueta em que se lia: "Ao Senhor, do Monstro."

Harry arregalou os olhos.

— Você acha que é seguro abrir? — perguntou.

— Não pode ser nada perigoso, toda a nossa correspondência continua a ser verificada pelo Ministério — respondeu Rony, embora olhasse o embrulho com desconfiança.

— Não pensei em dar nada ao Monstro! Normalmente as pessoas dão presentes de Natal aos elfos domésticos? — tornou Harry, cutucando o embrulho com cautela.

— Hermione daria. Mas vamos esperar para ver o que é, antes de você começar a sentir remorsos.

Um instante depois, Harry dava um berro e pulava da cama; o pacote continha numerosas larvas de varejeira.

— Legal! — exclamou Rony às gargalhadas. — Quanta consideração!

— Prefiro as larvas a esse colar — disse Harry, fazendo Rony parar de rir na mesma hora.

Todos estavam usando suéteres novos quando se sentaram para o almoço de Natal, todos exceto Fleur (em quem, pelo visto, a sra. Weasley não quisera desperdiçar um) e a própria sra. Weasley, com um chapéu de bruxa novo, azul-noite, que brilhava com minúsculos diamantes estrelados, e um espetacular colar de ouro.

— Foram presentes de Fred e Jorge! Não são lindos?

— Bem, descobrimos que gostamos cada vez mais de você, mamãe, agora que temos de lavar as nossas meias — disse Jorge, com um leve aceno de mão. — Pastinaca, Remo?

— Harry, tem uma larva no seu cabelo — disse Gina alegre, debruçando-se sobre a mesa para retirá-la; Harry sentiu subirem pelo seu pescoço arrepios que não tinham relação alguma com a larva.

— Qu' horrrivell — exclamou Fleur, afetando um arrepio.

— É, não é, Fleur? — concordou Rony. — Molho, Fleur?

Em sua ânsia de ajudar, ele lançou o molho pelos ares; Gui fez um gesto com a varinha, e o molho pairou no ar e voltou obedientemente à molheira.

— Você é ton desastrrade quanto a Tonks — disse Fleur a Rony, quando terminou de beijar Gui para lhe agradecer. — Ela stá semprre derrrubande...

— Convidei a querida Tonks para vir hoje aqui — anunciou a sra. Weasley, pondo na mesa as cenouras, com desnecessária violência, e encarando Fleur. — Mas ela não aceitou. Você tem falado com ela ultimamente, Remo?

— Não, não tenho tido muito contato com ninguém — disse Lupin. — Mas Tonks tem família para visitar, não?

— Hummm. Talvez. Na realidade, tive a impressão de que estava planejando passar o Natal sozinha.

Molly lançou a Lupin um olhar irritado, como se fosse culpa dele que sua futura nora fosse Fleur em vez de Tonks. Ocorreu a Harry, ao olhar Fleur — que agora oferecia a Gui pedacinhos de peru com o próprio garfo –, que a sra. Weasley estava travando uma batalha há muito tempo perdida. Lembrou-se, no entanto, de uma pergunta que queria fazer sobre Tonks, e quem melhor para responder a ela do que Lupin, o homem que conhecia tudo sobre Patronos?

— O Patrono de Tonks mudou de forma — disse Harry a ele. — Pelo menos foi o que disse Snape. Eu não sabia que isto podia acontecer. Por que razão um Patrono mudaria?

Lupin demorou algum tempo mastigando o peru, e engoliu-o antes de responder lentamente.

— Às vezes... um grande choque... uma perturbação emocional...

— Parecia grande e era quadrúpede — comentou Harry, tendo uma súbita ideia e baixando a voz. — Ei... não poderia ser...?

— Arthur! — chamou a sra. Weasley de repente. Levantara-se da cadeira; sua mão apertava o peito e tinha os olhos fixos na janela da cozinha. — Arthur... é o Percy!

— Quê?

O sr. Weasley se virou. Todos olharam depressa para a janela; Gina ficou em pé para ver melhor. De fato, era Percy Weasley, avançando pelo quintal coberto de neve, seus óculos de aros de tartaruga refletindo o sol. Não vinha, porém, sozinho.

— Arthur, ele está... está com o ministro!

De fato, o homem que Harry vira no *Profeta Diário* acompanhava os passos de Percy, mancando levemente, a cabeleira grisalha e a capa preta salpicadas de neve. Antes que qualquer um pudesse dizer alguma coisa, antes que o sr. e a sra. Weasley pudessem trocar mais que um olhar surpreso, a porta dos fundos se abriu e ali estava Percy. Fez-se um momento de doloroso silêncio. Em seguida, Percy disse formalmente:

— Feliz Natal, mamãe.

— Ah, Percy! — exclamou a sra. Weasley, atirando-se em seus braços.

Rufo Scrimgeour parou à porta, apoiando-se na bengala e sorrindo, enquanto observava a comovente cena.

— Perdoem-me a intromissão — disse, quando a sra. Weasley virou-se para ele, sorrindo e enxugando as lágrimas. — Percy e eu estávamos nas vizinhanças, a trabalho, e ele não pôde resistir à tentação de passar para ver todos vocês.

Mas Percy não deu sinal algum de querer cumprimentar ninguém mais da família. Ficou parado, rígido, sem jeito, olhando por cima das cabeças de todos. O sr. Weasley, Fred e Jorge o observavam, impassíveis.

— Por favor, entre, ministro, sente! — alvoroçou-se a sra. Weasley, endireitando o chapéu. — *Voma* um pouco de *teru* ou um pouco de *tudim*..., quero dizer...

— Não, não, minha cara Molly — respondeu Scrimgeour. Harry imaginou que ele tivesse perguntado o nome dela a Percy antes de entrarem na casa.

— Não quero incomodar, não estaria aqui se Percy não tivesse querido tanto ver vocês...

— Ah, Percy! — exclamou a sra. Weasley chorosa, aproximando-se para beijá-lo.

— ... é só uma passadinha de cinco minutos, vou dar uma volta pelo quintal enquanto vocês põem a conversa em dia. Não, não, torno a afirmar que não quero ser inconveniente! Bem, alguém gostaria de me mostrar o seu encantador jardim... ah, aquele jovem já terminou, por que ele não me acompanha no passeio?

A atmosfera em volta da mesa mudou perceptivelmente. Todos olharam de Scrimgeour para Harry. Ninguém parecia achar convincente o ministro fingir que não sabia o nome de Harry, nem natural que o escolhesse para acompanhá-lo pelo jardim quando Gina, Fleur e Jorge também tinham os pratos vazios.

— Ah, eu vou — disse Harry no silêncio que se seguiu.

Ele não se deixara enganar; apesar de toda aquela conversa de Scrimgeour de que estavam nas proximidades, que Percy queria visitar a família, esta devia ser a verdadeira razão por que tinham vindo, para o ministro poder falar a sós com Harry.

— Tudo bem — disse Harry baixinho ao passar por Lupin, que fizera menção de se levantar da cadeira. — Tudo bem — acrescentou, quando o sr. Weasley abriu a boca para falar.

— Excelente! — disse Scrimgeour, afastando-se para deixar Harry passar primeiro pela porta. — Só vamos dar uma volta pelo jardim, e então Percy e eu vamos embora. Podem continuar!

Harry atravessou o quintal em direção ao jardim descuidado e coberto de neve, com Scrimgeour mancando ao seu lado. O garoto sabia que ele tinha sido chefe da Seção de Aurores; parecia durão e marcado pelas lutas, muito diferente do corpulento Fudge com o seu chapéu-coco.

– Encantador – comentou Scrimgeour, parando junto à cerca do jardim e contemplando o gramado coberto de neve e as plantas indistinguíveis.

– Encantador.

Harry ficou calado. Sabia que o ministro o observava.

– Há muito tempo que queria conhecê-lo – disse Scrimgeour após alguns instantes. – Você sabia?

– Não – respondeu Harry com sinceridade.

– Ah, sim, há muito tempo. Mas Dumbledore o protege muito. O que é natural, depois de tudo por que você passou... principalmente o que aconteceu no Ministério...

Ele esperou que Harry dissesse alguma coisa, mas o garoto não correspondeu, então continuou.

– Estou esperando uma oportunidade para conversar com você desde que assumi, mas Dumbledore tem, e, como digo, é compreensível, me impedido.

Ainda assim, Harry nada disse, aguardou.

– Os boatos que têm corrido! Bem, é claro que sabemos que as histórias acabam distorcidas... todos os rumores de uma profecia... de você ser "O Eleito"...

Estavam chegando mais perto agora, pensou Harry, da razão que levara Scrimgeour até ali.

– ... presumo que Dumbledore tenha discutido essas questões com você, não?

Harry debateu mentalmente se devia ou não mentir. Olhou para as pegadinhas dos gnomos em volta dos canteiros, e para um trecho pisoteado que assinalava o lugar onde Fred apanhara o gnomo que agora enfeitava o alto da árvore de Natal, vestido com um tutu. Por fim, decidiu-se pela verdade... ou por parte dela.

– É, temos discutido.

– Têm, têm... – animou-se Scrimgeour. Harry via pelo canto do olho que o ministro o observava de olhos semicerrados, então fingiu estar muito interessado em um gnomo que acabara de pôr a cabeça para fora de um rododendro congelado. – E que é que Dumbledore tem lhe dito, Harry?

– Desculpe, mas isto é só entre nós.

Ele procurou manter a voz a mais agradável possível, e o tom de Scrimgeour também foi leve e simpático quando disse:

— Ah, claro, são confidências, eu não iria querer que você as revelasse... não, não... e, de qualquer forma, faz diferença se você é ou não "O Eleito"?

Harry precisou remoer a pergunta alguns segundos antes de responder.

— Não sei o que o senhor quer realmente dizer, ministro.

— Bem, naturalmente, para *você*, fez uma enorme diferença — disse Scrimgeour dando uma risada. — Mas para a comunidade bruxa como um todo... é uma questão de percepção, não é? É aquilo em que as pessoas acreditam que é importante.

Harry não disse nada. Pensou ter percebido difusamente aonde iriam chegar, mas não ia ajudar Scrimgeour a chegar lá. O gnomo sob o rododendro agora escavava à procura de minhocas nas raízes da planta, e Harry manteve os olhos fixos nele.

— As pessoas acreditam que você é "O Eleito", entende? Acham que você é um herói, o que é claro, você é, Harry, eleito ou não! Quantas vezes você enfrentou Aquele-Que-Não-Deve-Ser-Nomeado até agora? Bem, seja como for — ele prosseguiu sem esperar resposta —, a questão é que você é um símbolo de esperança para muitos, Harry. A ideia de que tem alguém de sentinela que talvez possa, ou até talvez esteja *destinado* a destruir Aquele-Que-Não-Deve-Ser-Nomeado... bem é natural que isto revigore as pessoas. E não posso deixar de sentir que, quando perceber isto, você talvez considere, bem, quase como um dever, apoiar o Ministério e dar alento a todos.

O gnomo tinha acabado de pegar uma minhoca. Agora puxava-a com muita força, tentando extraí-la da terra gelada. Harry guardou silêncio por tanto tempo que Scrimgeour comentou, desviando o olhar dele para o gnomo:

— São umas criaturinhas engraçadas, não? Mas que me diz, Harry?

— Não compreendo exatamente o que o senhor quer — respondeu ele vagaroso. — Apoiar o Ministério... que quer dizer com isso?

— Ah, bem, nada muito oneroso, posso lhe assegurar. Se você fosse visto entrando e saindo do Ministério de vez em quando, por exemplo, daria a impressão correta. E, naturalmente, enquanto estivesse lá, você teria ampla oportunidade de conversar com Gawain Robards, meu sucessor na chefia da Seção de Aurores. Dolores Umbridge me disse que você alimenta a ambição de se tornar auror. Bem, isso poderia ser facilmente arranjado...

Harry sentiu a raiva borbulhar no fundo do estômago: então Dolores Umbridge continuava no Ministério?

— Então, basicamente — falou Harry, como se quisesse apenas esclarecer alguns pontos —, o senhor gostaria de dar a impressão de que estou trabalhando para o Ministério?

— Daria mais ânimo a todos pensar que você participa mais, Harry — disse Scrimgeour, parecendo aliviado que o garoto tivesse entendido tão rápido.

— "O Eleito" sabe... é uma questão de dar esperança às pessoas, a sensação de que há coisas emocionantes acontecendo...

— Mas se eu ficar entrando e saindo do Ministério — perguntou Harry, ainda se esforçando para manter um tom amigável —, não irá parecer que eu aprovo o que o Ministério está fazendo?

— Bem — respondeu Scrimgeour, franzindo ligeiramente a testa —, bem, sim, em parte é por isso que gostaríamos...

— Não, acho que não vai dar certo — disse Harry gentilmente. — Veja o senhor, não gosto de algumas coisas que o Ministério está fazendo. Prender o Lalau Shunpike, por exemplo.

Scrimgeour calou-se por um momento, mas sua expressão endureceu instantaneamente.

— Eu não esperaria que você compreendesse — disse ele, mas não foi tão bem-sucedido quanto Harry em ocultar sua raiva. — Vivemos tempos perigosos, e é preciso tomar certas medidas. Você tem dezesseis anos...

— Dumbledore tem muito mais de dezesseis anos e também acha que Lalau não devia estar em Azkaban. O senhor está transformando Lalau em bode expiatório do mesmo modo que quer me transformar em mascote.

Eles se encararam demorada e inflexivelmente. Por fim, Scrimgeour falou, sem fingir cordialidade:

— Entendo. Você prefere, como o seu herói Dumbledore, se desassociar do Ministério?

— Não quero ser usado.

— Alguns diriam que é seu dever se deixar usar pelo Ministério!

— É, e outros diriam que é seu dever verificar se as pessoas são realmente Comensais da Morte antes de metê-las na prisão — respondeu Harry se encolerizando. — O senhor está fazendo o mesmo que Bartô Crouch fez. Os senhores nunca entendem muito bem, não é? Ou temos Fudge, fingindo que tudo está ótimo enquanto as pessoas são assassinadas debaixo do nariz dele, ou temos o senhor, metendo as pessoas erradas na prisão e querendo fingir que "O Eleito" está trabalhando para o Ministério!

— Então você não é "O Eleito"? — indagou Scrimgeour.

— Pensei ter ouvido o senhor dizer que não faria diferença — respondeu Harry com uma risada amargurada. — Pelo menos, não para o senhor.

— Eu não devia ter dito isso — interpôs ligeiro Scrimgeour. — Foi falta de tato...

— Não, foi sincero. Uma das poucas coisas sinceras que o senhor me disse. O senhor não se importa que eu viva ou morra, mas faz questão que eu o ajude a convencer a todos que está ganhando a guerra contra Voldemort. Não esqueci, ministro...

Harry ergueu a mão direita. Ali, nas costas de sua mão fria, destacavam-se, lívidas, as cicatrizes que Dolores Umbridge o obrigara a gravar na própria carne: *Não devo contar mentiras.*

— Não me lembro do senhor ter corrido em minha defesa quando eu estava tentando dizer a todos que Voldemort tinha retornado. O Ministério não esteve tão interessado em ser meu amigo no ano que passou.

Os dois ficaram parados em um silêncio gelado como o chão sob seus pés. O gnomo finalmente conseguira retirar a minhoca e agora a chupava feliz, encostado nos galhos mais baixos do rododendro.

— Que anda fazendo o Dumbledore? — perguntou Scrimgeour bruscamente. — Aonde vai quando se ausenta de Hogwarts?

— Não faço a menor ideia — respondeu Harry.

— E não me diria se fizesse, não é?

— Não, não diria.

— Bem, então, terei de ver se descubro por outros meios.

— Pode tentar — disse Harry com indiferença. — Mas o senhor parece mais inteligente do que Fudge, por isso seria de imaginar que tivesse aprendido com os erros dele. Fudge tentou interferir em Hogwarts. O senhor deve ter reparado que ele não é mais ministro, mas Dumbledore continua a ser diretor. Eu deixaria Dumbledore em paz, se fosse o senhor.

Houve uma longa pausa.

— Bem, é evidente que ele fez um excelente trabalho com você — disse Scrimgeour, com o olhar frio e duro por trás dos óculos de aros de arame. — Você é por inteiro um homem de Dumbledore, não, Potter?

— Sou. Que bom que deixamos isto claro.

E dando as costas ao ministro da Magia, Harry saiu em direção a casa.

17

UMA LEMBRANÇA RELUTANTE

No final da tarde, poucos dias depois do Ano-Novo, Harry, Rony e Gina se enfileiraram ao lado do fogão da cozinha para regressar a Hogwarts. O Ministério providenciara essa conexão com a Rede de Flu para os estudantes poderem se transportar à escola com rapidez e segurança. Apenas a sra. Weasley estava presente para se despedir, porque o marido, Fred, Jorge, Gui e Fleur estavam no trabalho. A sra. Weasley debulhou-se em lágrimas no momento da separação. Nos últimos tempos, era preciso muito pouco para fazê-la chegar às lágrimas; andava chorando a toda hora desde que Percy se retirara bruscamente de casa no dia de Natal, com os óculos sujos de purê de pastinaca (pelo que Fred, Jorge e Gina se diziam responsáveis).

— Não chore, mamãe — consolava-a Gina, dando palmadinhas nas costas da mãe chorosa ao seu ombro. — Tá tudo bem.

— É, não se preocupe conosco — disse Rony, deixando a mãe plantar-lhe um beijo muito molhado na bochecha — nem com o Percy. Ele é tão babaca que não se perde grande coisa, não é?

A sra. Weasley soluçou ainda mais forte ao abraçar Harry.

— Prometa que vai se cuidar... não se meta em confusões...

— Eu sempre me cuido, sra. Weasley. Gosto de levar uma vida tranquila, a senhora me conhece.

Ela deu uma risada lacrimosa e se afastou.

— Comportem-se, então, todos vocês...

Harry entrou nas chamas verde-esmeralda e gritou:

— Hogwarts! — Ele teve uma última e fugaz visão da cozinha da sra. Weasley e do seu rosto molhado de lágrimas antes de ser envolvido pelas chamas; rodopiando velozmente, captou vislumbres difusos de outros aposentos de bruxos, que sumiam de vista antes que ele pudesse vê-los direito; por fim desacelerou e parou alinhado com a lareira da sala da professora McGonagall. Ela mal ergueu os olhos do seu trabalho quando ele saiu engatinhando da lareira.

— Noite, Potter. Procure não deixar muita cinza no tapete.

— Sim, professora.

Harry ajeitou os óculos e achatou os cabelos na hora em que Rony surgiu, rodopiando. Quando Gina chegou, os três saíram da sala de McGonagall e tomaram a direção da Torre da Grifinória. No caminho, Harry espiou pelas janelas do corredor; o sol já estava se pondo nos terrenos da escola cobertos por um tapete de neve mais alto do que o d'A Toca. Ao longe, viu Hagrid alimentando Bicuço na frente da cabana.

— *Bolas festivas* — disse Rony, confiante, quando chegaram ao quadro da Mulher Gorda, que estava bem mais pálida do que o normal e fez uma careta à voz alta do garoto.

— Não — respondeu ela.

— Como assim "não"?

— Há uma nova senha. E, por favor, não grite.

— Mas estivemos fora, como é que...?

— Harry! Gina!

Hermione corria em sua direção, de rosto muito corado, trajando capa, chapéu e luvas.

— Cheguei há umas duas horas, dei um pulinho lá embaixo para visitar Hagrid e Bicuço, quero dizer, Asafugaz — disse sem fôlego. — Tiveram um bom Natal?

— Tivemos — respondeu Rony na mesma hora —, bem movimentado, Rufo Scrimgeour...

— Tenho uma coisa para você, Harry — falou Hermione sem olhar para Rony, nem dar sinal de que o ouvira. — Ah, calma aí, a senha. *Abstinência*.

— Exatamente — confirmou a Mulher Gorda com voz fraca, e girou abrindo o buraco do retrato.

— Que é que ela tem? — perguntou Harry.

— Aparentemente exagerou no Natal — informou Hermione, olhando para o teto e abrindo caminho para a sala comunal repleta de alunos. — Ela e a amiga Violeta acabaram com aquele vinho no quadro dos monges bêbados junto ao corredor de Feitiços. Então...

Ela remexeu no bolso um instante e tirou um rolo de pergaminho com a caligrafia de Dumbledore.

— Legal! — exclamou Harry, desenrolando-o imediatamente e descobrindo que sua próxima aula com Dumbledore estava marcada para a noite seguinte. — Tenho um monte de coisas para contar a ele... e a você. Vamos sentar...

Mas naquele momento ouviram um guincho de "Uon-Uon!", e Lilá Brown apareceu correndo, ninguém sabe de onde, e atirou-se nos braços de Rony. Muitas pessoas ao redor abafaram risinhos. Hermione soltou uma risada tilintante e disse:

— Tem uma mesa ali adiante... você vem, Gina?

— Não, obrigada, prometi me encontrar com o Dino — respondeu a garota, embora Harry não pudesse deixar de notar que não parecia muito entusiasmada. Deixando Rony e Lilá atracados em uma espécie de luta livre vertical, Harry conduziu Hermione para a mesa vazia.

— Então, como foi o Natal?

— Ah, bom. — Ela sacudiu os ombros. — Nada especial. E como foi na casa do Uon-Uon?

— Conto num minuto — disse Harry. — Olhe, Hermione, será que você não pode...

— Não, não posso — respondeu ela taxativamente. — Por isso nem me peça.

— Pensei que talvez, sabe, durante as férias de Natal...

— Foi a Mulher Gorda que bebeu um barril de vinho de quinhentos anos, Harry, e não eu. Então, que notícias importantes eram essas que você queria me contar?

No momento ela parecia agressiva demais para discussões, então Harry deixou de lado o assunto Rony e relatou o que escutara Malfoy e Snape dizerem.

Quando ele terminou, Hermione refletiu por um instante e disse:

— Você não acha...?

— ... que ele estava fingindo oferecer ajuda para poder induzir Malfoy a lhe contar o que estava fazendo?

— Bem, é isso.

— O pai de Rony e Lupin acham que sim — concedeu Harry de má vontade. — Mas isto só prova que Malfoy está tramando alguma coisa, isto você não pode negar.

— Não, não posso — respondeu ela lentamente.

— E ele está agindo por ordens de Voldemort, exatamente como falei!

— Hum... algum dos dois chegou a mencionar o nome de Voldemort?

Harry franziu a testa, tentando lembrar.

— Não tenho certeza... Snape disse "o seu senhor", quem mais poderia ser?

— Não sei — respondeu Hermione mordendo o lábio. — Talvez o pai dele?

Ela fixou o olhar do lado oposto da sala, aparentemente perdida em pensamentos, sem sequer reparar que Lilá fazia cócegas em Rony.

— Como vai o Lupin?

— Nenhuma maravilha — respondeu Harry contando-lhe a missão de Lupin entre os lobisomens e as dificuldades que estava enfrentando. — Você já ouviu falar de Lobo Greyback?

— Já! — exclamou Hermione levando um susto. — E você também, Harry!

— Quando, em História da Magia? Você sabe muito bem que nunca prestei atenção...

— Não, não, não foi em História da Magia: Malfoy usou o Lobo para ameaçar Borgin! Lá na Travessa do Tranco, não se lembra? Ele disse que o Lobo Greyback era um velho amigo da família e que iria verificar o andamento do serviço!

Harry ficou boquiaberto.

— Eu tinha me esquecido! Mas isto comprova que Malfoy é um Comensal da Morte, de que outro modo ele poderia estar em contato com Greyback, e lhe dizer o que fazer?

— É muito suspeito — sussurrou Hermione. — A não ser que...

— Ah, fala sério — exclamou Harry exasperado —, não dá para você justificar essa!

— Bem... há uma possibilidade de que tenha sido uma falsa ameaça.

— Você é inacreditável, ah, é — disse Harry balançando a cabeça. — Você vai ver quem tem razão... você vai engolir o que está dizendo, Hermione, como fez o Ministério. Ah, sim, e também tive uma briga com Rufo Scrimgeour...

E o resto da noite se passou amigavelmente, com os dois xingando o ministro da Magia, porque Hermione, tal como Rony, achou que, depois de tudo que o Ministério tinha feito Harry sofrer no ano anterior, era muita cara de pau agora lhe pedir ajuda.

O novo trimestre começou na manhã seguinte com uma surpresa agradável para o sexto ano: um grande aviso fora pregado durante a noite nos quadros da sala comunal.

AULAS DE APARATAÇÃO

Se você tem dezessete anos, ou vai completá-los até 31 de agosto, inclusive, poderá se inscrever em um curso de Aparatação de doze aulas semanais com um instrutor do Ministério da Magia.

Se quiser participar, assine abaixo, por favor.

Custo: 12 galeões

Harry e Rony se juntaram à multidão que se acotovelava em volta do aviso, revezando-se para se inscrever no local indicado. Rony ia apanhando a caneta para assinar em seguida a Hermione quando Lilá se aproximou sorrateiramente pelas costas dele, cobriu seus olhos com as mãos e cantarolou "Adivinha quem é, Uon-Uon?". Harry virou-se e viu Hermione se afastar discretamente; foi em seu encalço porque não tinha o menor desejo de ficar para trás com Rony e Lilá, mas, para sua surpresa, Rony os alcançou um pouco adiante do buraco do retrato, com as orelhas em fogo e uma expressão aborrecida no rosto. Sem dizer uma palavra, Hermione se apressou para caminhar com Neville.

– Então, Aparatação – começou Rony, deixando perfeitamente claro pelo seu tom de voz que Harry não devia mencionar o que acabara de acontecer.

– Deve ser maneiro, eh?

– Não sei, não – disse Harry. – Talvez seja melhor quando a gente aparata sozinho, eu não gostei muito quando Dumbledore me levou de carona.

– Esqueci que você já aparatou... É bom eu passar no teste da primeira vez – comentou Rony parecendo ansioso. – Fred e Jorge passaram.

– Mas Carlinhos levou bomba, não foi?

– É, mas Carlinhos é maior do que eu – Rony esticou os braços para os lados como se fosse um gorila –, e com isso Fred e Jorge não gozaram muito com a cara dele... pelo menos não pela frente...

– Quando é que podemos fazer o teste real?

– Assim que completarmos dezessete anos. Para mim, isto quer dizer em março!

– É, mas você não poderia aparatar aqui, não no castelo...

– Não é o que está em jogo. Todo o mundo ia ficar sabendo que eu *poderia* aparatar se quisesse.

Rony não foi o único a ficar animado com a perspectiva de aparatar. Durante todo o dia falou-se muito sobre as futuras aulas; deu-se muita importância à habilidade de desaparecer e reaparecer à vontade.

– Vai ser maneiro quando a gente puder... – Simas estalou os dedos para indicar sumiço. – Meu primo Fergus faz isso só para implicar comigo, espere até eu poder fazer o mesmo... ele nunca mais vai ter um momento de paz na vida...

Perdido em visões dessa feliz perspectiva, ele agitou a varinha com excessivo entusiasmo, e em vez de produzir a fonte de água pura que era o objeto da aula de Feitiços daquele dia, materializou um jato de mangueira que ricocheteou no teto e derrubou o professor Flitwick de cara no chão.

— Harry já aparatou — Rony contou ao espantado Simas, depois que o professor se enxugou com um aceno da varinha e mandou-o escrever uma frase várias vezes ("*Sou um bruxo e não um babuíno empunhando uma varinha.*").

— Dum... ah... uma pessoa fez uma Aparatação-acompanhada com ele, sabe.

— Pô! — sussurrou Simas, e ele, Dino e Neville juntaram as cabeças para escutar como era uma Aparatação. Pelo resto do dia, Harry foi assediado com pedidos de outros sextanistas para descrever como alguém se sentia quando aparatava. Todos manifestavam assombro em vez de desapontamento quando contava o desconforto que era, e, ele ainda respondia a perguntas detalhadas às dez para as oito da noite, quando foi obrigado a inventar que precisava devolver um livro à biblioteca, para se livrar em tempo de ir à aula de Dumbledore.

Os lampiões no escritório do diretor estavam acesos, os retratos dos diretores anteriores roncavam suavemente em suas molduras e a Penseira estava mais uma vez pronta sobre a escrivaninha. As mãos de Dumbledore estavam dos lados da Penseira, a direita escura e queimada como sempre. Não parecia ter sarado, e Harry ficou imaginando, talvez pela centésima vez, o que teria causado aquele ferimento singular, mas não perguntou nada; Dumbledore dissera que lhe contaria no momento certo e, seja como for, havia outro assunto que ele queria discutir. Antes, porém, que Harry pudesse mencionar qualquer coisa sobre Snape e Malfoy, Dumbledore falou:

— Ouvi dizer que você se encontrou com o ministro da Magia no Natal.

— Verdade — respondeu Harry. — Ele não ficou muito satisfeito comigo.

— Não — suspirou Dumbledore. — Ele também não está muito satisfeito comigo. É preciso tentar não sucumbir sob o peso de nossas angústias, Harry, e continuar a lutar.

O garoto sorriu.

— Ele queria que eu dissesse à comunidade bruxa que o Ministério está fazendo um trabalho maravilhoso.

Dumbledore sorriu.

— Originalmente, essa ideia foi de Fudge, sabe. Nos últimos dias de Ministério, quando ele ainda tentava desesperadamente se manter no cargo, quis se encontrar com você, na esperança de receber seu apoio...

— Depois de tudo que ele fez no ano passado?! — exclamou Harry irritado. — Depois da *Umbridge*?

– Eu disse ao Cornélio que não havia a menor chance, mas a ideia não morreu quando ele deixou o cargo. Horas depois de Scrimgeour ser nomeado, nos encontramos e ele exigiu que eu marcasse uma reunião com você...
– Então foi por isso que os senhores se desentenderam! – deixou escapar Harry. – Deu no *Profeta Diário*.
– O *Profeta Diário* às vezes acaba noticiando a verdade, ainda que por acaso. Certo, foi por isso que discutimos. Bem, parece que finalmente Rufo descobriu um jeito de encurralar você.
– Ele me acusou de ser "por inteiro um homem de Dumbledore".
– Que grosseria a dele.
– Eu respondi a ele que era.
Dumbledore abriu a boca para falar e tornou a fechá-la. Às costas de Harry, Fawkes, a fênix, soltou um pio baixo, suave e melodioso. Para seu intenso constrangimento, Harry percebeu repentinamente que os olhos muito azuis de Dumbledore pareciam marejados, e depressa começou a encarar os próprios joelhos. Quando o diretor falou, porém, sua voz estava bem firme.
– Fico muito comovido, Harry.
– Scrimgeour queria saber aonde o senhor vai quando não está em Hogwarts – tornou Harry, ainda fixando os joelhos.
– É, ele anda muito curioso a respeito disso – disse Dumbledore, agora com a voz animada, e Harry achou que já era seguro erguer os olhos. – Chegou a tentar mandar me seguir. Na realidade, é engraçado. Pôs Dawlish no meu rastro. Não foi nada gentil. Já fui obrigado a azarar Dawlish uma vez; tive de fazer isto outra vez, lamentando muito.
– Então eles continuam sem saber aonde o senhor vai? – perguntou Harry esperando obter mais informações sobre sua intrigante ausência, mas os olhos de Dumbledore meramente sorriram por cima dos oclinhos de meia-lua.
– Continuam, e ainda não chegou a hora de você saber. Agora sugiro que nos apressemos, a não ser que tenha mais alguma coisa...?
– Na realidade tenho, sim, senhor. É sobre Malfoy e Snape.
– Professor Snape, Harry.
– Sim, senhor. Eu escutei os dois durante a festa do professor Slughorn... bem, para dizer a verdade, eu os segui...
Dumbledore ouviu impassível a história de Harry. Quando o garoto terminou, ele permaneceu calado por alguns momentos, depois disse:
– Obrigado por me contar, Harry, mas sugiro que você esqueça esse assunto. Acho que não tem grande importância.

— Não tem grande importância? — repetiu Harry incrédulo. — Professor, o senhor entendeu...?

— Claro, Harry, abençoado como sou com uma extraordinária capacidade intelectual, entendi tudo que me contou — disse Dumbledore, com uma certa rispidez. — Acho mesmo que você talvez devesse considerar a possibilidade de eu ter entendido mais do que você. Mais uma vez fico satisfeito que tenha confiado em mim, mas asseguro que você não me disse nada que possa me inquietar.

Harry ficou parado em furioso silêncio, olhando zangado para Dumbledore. Que estava acontecendo? Será que isto significava que, de fato, o diretor dera ordem a Snape para descobrir o que Malfoy estava fazendo, caso em que já teria sabido de tudo que Harry acabava de lhe contar pela boca do próprio Snape? Ou será que estava realmente preocupado com o que ouvira e fingia não estar?

— Então, senhor — perguntou Harry num tom que desejava que fosse educado e calmo —, o senhor decididamente ainda confia...?

— Já fui bastante tolerante em ter respondido a essa pergunta — replicou Dumbledore, mas sua voz já não parecia muito tolerante. — Minha resposta não mudou.

— Eu acharia que não — falou uma voz irônica; evidentemente era Fineus Nigellus que apenas fingia estar dormindo. Dumbledore não lhe deu atenção.

— E agora, Harry, devo insistir que nos apressemos. Tenho coisas mais importantes a discutir com você hoje à noite.

Harry sentiu-se revoltado. Que aconteceria se ele não permitisse a mudança de assunto, se insistisse em sua suspeita contra Malfoy? Como se tivesse lido a mente de Harry, Dumbledore balançou a cabeça.

— Ah, Harry, com que frequência isso ocorre até entre os melhores amigos! Cada qual acredita que o que tem a dizer é muito mais importante do que qualquer coisa que o outro tenha a contribuir!

— Eu não acho que seja pouco importante o que o senhor tem a dizer — disse Harry, formal.

— Bem, você tem toda razão, porque não é — respondeu o diretor com energia. — Tenho mais duas lembranças para lhe mostrar esta noite, ambas obtidas com enorme dificuldade, e creio que a segunda seja a mais importante que já recolhi.

Harry não fez comentários; ainda sentia raiva pela reação de Dumbledore às suas confidências, mas não via o que poderia ganhar se continuasse a discutir.

– Então – disse o diretor em tom ressonante –, na reunião desta noite daremos prosseguimento à história de Tom Riddle, que na última aula deixamos no limiar de sua entrada em Hogwarts. Você lembrará como ele ficou animado ao ouvir que era bruxo, que recusou a minha companhia para ir ao Beco Diagonal e que eu, por minha vez, o alertei contra a prática de furtos quando chegasse à escola.

"Bem, chegou o início do ano escolar e com ele veio Tom Riddle, um garoto quieto, com vestes de segunda mão, que se enfileirou com os outros calouros para a Seleção. Quase no instante em que o Chapéu Seletor tocou sua cabeça, ele foi colocado na Sonserina", continuou Dumbledore, indicando com a mão escurecida a prateleira acima de sua cabeça onde estava o Chapéu Seletor, antigo e imóvel. "Não sei em que momento Riddle soube que o famoso fundador da Casa era capaz de falar com as cobras, talvez naquela mesma noite. Este conhecimento só pode tê-lo alvoroçado e incentivado o seu senso de importância.

"Contudo, se estava assustando ou impressionando os colegas da Sonserina com demonstrações de ofidioglossia na sala comunal, os professores de nada souberam. Ele não manifestava nenhum sinal de arrogância ou agressividade. Sendo um órfão talentoso e muito bonito, é claro que atraiu a atenção e a solidariedade dos professores quase na hora em que chegou. Parecia educado, quieto e sedento de saber. Deixou praticamente todos bem impressionados."

– O senhor não contou a eles como era o Tom quando o conheceu no orfanato? – perguntou Harry.

– Não, não contei. Embora ele não tivesse demonstrado o menor remorso, era possível que estivesse arrependido pelo seu comportamento anterior e resolvido a virar a página. Preferi lhe dar essa oportunidade.

Dumbledore fez uma pausa e olhou curioso para Harry, que abrira a boca para falar. Ali estava novamente a sua tendência a confiar nas pessoas, apesar dos indícios avassaladores de que não mereciam sua confiança! Mas Harry então se lembrou de uma coisa...

– Mas o senhor não confiava nele *realmente*, não é? Ele me disse... o Riddle que saiu daquele diário disse: "Dumbledore nunca pareceu gostar tanto de mim quanto os outros professores."

– Digamos que eu não pressupus que ele fosse confiável – respondeu Dumbledore. – Conforme já mencionei, eu tinha decidido vigiá-lo de perto, e foi o que fiz. Não posso fingir que, a princípio, tenha conseguido grande coisa com as minhas observações. Ele era muito reservado comigo; percebia, sem dúvida, que, na emoção de descobrir sua verdadeira identidade falara demais. Cuidava-se para não tornar a revelar tanto, mas não podia retirar o que deixara escapar em sua empolgação nem o que a sra. Cole me confidenciara. Tinha, no entanto, o bom-senso de jamais tentar me cativar como fazia com tantos colegas meus.

"À medida que progredia na vida escolar, ele foi reunindo ao seu redor um grupo de 'amigos dedicados'; eu os chamo assim, na falta de um termo melhor, embora eu já tenha mencionado que inegavelmente Riddle não sentia afeto por nenhum deles. O grupo exercia uma espécie de fascinação sombria no castelo. Era uma coleção variada; uma mistura de fracos em busca de proteção, ambiciosos em busca de partilhar sua glória, e violentos que gravitavam em torno de um líder capaz de ensinar formas mais requintadas de crueldade. Em outras palavras, eles foram os precursores dos Comensais da Morte, e, na verdade, quando terminaram Hogwarts, alguns deles se tornaram os primeiros Comensais.

"Controlados com rigor por Riddle, nunca foram apanhados agindo mal abertamente, embora os sete anos que passaram em Hogwarts tivessem sido marcados por numerosos incidentes desagradáveis a que eles jamais foram comprovadamente ligados, entre os quais a abertura da Câmara Secreta – sem dúvida, o mais sério deles – que resultou na morte de uma garota. Hagrid, como você sabe, foi injustamente acusado desse crime.

"Não consegui encontrar muitas lembranças de Riddle em Hogwarts", disse Dumbledore, pousando a mão murcha na Penseira. "Poucos que o conheceram naquele tempo querem falar sobre ele; estão aterrorizados demais. Descobri o que sei depois de sua saída de Hogwarts, depois de penosos esforços, depois de localizar os poucos que poderiam ser induzidos a falar, depois de pesquisar em registros antigos e interrogar testemunhas bruxas e trouxas.

"Aqueles que consegui convencer a falar me contaram que Riddle tinha obsessão por sua ascendência. O que, naturalmente, é compreensível; tinha sido criado em um orfanato e naturalmente queria saber como fora parar lá. Parece que procurou em vão algum vestígio de Tom Riddle pai nos brasões da sala de troféus, nas listas de monitores nos antigos registros da escola, e até mesmo em livros de história bruxa. Por fim, foi forçado a aceitar que seu pai jamais pusera os pés em Hogwarts. Creio ter sido então que ele abandonou o seu nome para sempre, assumiu a identidade de Lorde Voldemort e começou a investigar a família de sua desprezada mãe – a mulher que, você lembrará, ele achava que não podia ser bruxa porque sucumbira à vergonhosa fraqueza humana da morte.

"Sua única pista era o nome 'Servolo', que, segundo soubera pelos que dirigiam o orfanato, era o nome do pai de sua mãe. Finalmente, depois de penosas pesquisas em velhos livros de famílias bruxas, ele descobriu a existência do ramo sobrevivente da família Slytherin. No verão de seu décimo sexto aniversário, saiu do orfanato ao qual retornava todo ano e foi procurar seus parentes Gaunt. E agora, Harry, se você se levantar..."

Dumbledore ergueu-se, e Harry viu que de novo segurava um frasquinho de cristal em que revolvia uma lembrança perolada.

— Tive muita sorte em recolher esta — disse, despejando a massa refulgente na Penseira. — Você entenderá a razão quando a tiver vivenciado. Vamos?

Harry se aproximou da bacia de pedra e se inclinou obedientemente até seu rosto afundar na superfície da lembrança; teve a conhecida sensação de cair no vácuo, e em seguida aterrissou em um piso de pedra suja envolto em quase total escuridão.

Ele precisou de vários segundos para reconhecer o lugar, tempo que levou para Dumbledore aterrissar ao seu lado. A casa dos Gaunt agora estava indescritivelmente mais imunda do que qualquer lugar que Harry já vira. O teto estava coalhado de teias de aranha, o chão coberto por uma camada de sujeira; havia comida mofada e podre sobre a mesa, em meio a várias panelas com crostas. A única luz vinha de uma vela derretida, colocada aos pés de um homem com cabelos e barba tão crescidos que Harry não conseguia distinguir nem olhos nem boca. Ele estava largado em uma poltrona junto à lareira, e o garoto se perguntou por um momento se estaria morto. Ouviu-se, então, uma forte batida na porta e o homem despertou instantaneamente, empunhando uma varinha na mão direita e uma faca curta na esquerda.

A porta se entreabriu, rangendo. Na soleira, segurando um lampião antiquado, encontrava-se um garoto que Harry reconheceu na hora: alto, pálido, os cabelos escuros, bonito — o Voldemort adolescente.

Seu olhar percorreu lentamente o casebre e deparou com o homem na poltrona. Por alguns segundos eles se encararam, então o homem se pôs de pé com dificuldade, as muitas garrafas a seus pés tombaram e retiniram no chão.

— VOCÊ! — berrou ele. — VOCÊ!

E ele se arremessou ebriamente contra Riddle, a varinha e a faca erguidas.

— Pare.

Riddle falou em linguagem de cobra. O homem derrapou e bateu na mesa, lançando as panelas emboloradas no chão, onde caíram com estré-

pito. Ele encarou Riddle. Fez-se um longo silêncio enquanto se estudavam. O homem perguntou:
— *Você sabe falar?*
— *Sei falar* — respondeu Riddle. Ele entrou na sala permitindo que a porta se fechasse às suas costas. Harry não pôde deixar de sentir uma admiração mesclada de ressentimento pelo completo destemor de Voldemort. Seu rosto expressava apenas desagrado e, talvez, desapontamento.
— *Onde está Servolo?* — perguntou ele.
— *Morreu. Morreu há anos, não foi?*
Riddle franziu a testa.
— *Quem é você, então?*
— *Sou Morfino, não sou?*
— *O filho de Servolo?*
— *Claro que sou, então...*
Morfino afastou os cabelos do rosto sujo, para enxergar Riddle melhor, e Harry notou que ele usava o anel de pedra escura na mão direita.
— *Pensei que você fosse aquele trouxa* — sussurrou Morfino. — *Você é a cara daquele trouxa.*
— *Que trouxa?* — perguntou Riddle com rispidez.
— *Aquele trouxa que minha irmã gostava, aquele trouxa que mora na casa grande mais adiante na estrada* — respondeu Morfino, e inesperadamente cuspiu no chão entre os dois. — *Você é igualzinho a ele. Riddle. Mas ele está mais velho agora, não é? Mais velho do que você, agora que estou pensando...*
Morfino pareceu ligeiramente atordoado e oscilou um pouco, ainda se apoiando na borda da mesa.
— *Ele voltou, sabe* — acrescentou tolamente.
Voldemort mirava Morfino como se avaliasse suas possibilidades. Aproximou-se um pouco mais e perguntou:
— *Riddle voltou?*
— *Ar, deixou ela, e foi bem feito, casar com ralé!* — explicou Morfino, e tornou a cuspir no chão. — *E roubou a gente, veja bem, antes de fugir! Onde está o medalhão, eh, onde está o medalhão de Slytherin?*
Voldemort não respondeu. Morfino foi se enraivecendo outra vez; brandiu a faca e gritou:
— *Ela desonrou a gente, foi o que ela fez, a vadia! E quem é você para entrar aqui e ficar fazendo perguntas sobre isso? Já acabou, não é... acabou...*
Ele desviou o olhar, cambaleando um pouco, e Voldemort se adiantou. Ao fazer isso, sobreveio uma escuridão anormal, que apagou a luz do lampião de Voldemort e a vela de Morfino, apagou tudo...

Os dedos de Dumbledore apertaram o braço de Harry e eles tornaram a voar para o presente. A claridade suave e dourada do escritório de Dumbledore pareceu ofuscar os olhos de Harry depois daquela escuridão impenetrável.

— É só isso? — perguntou o garoto imediatamente. — Por que ficou escuro, que aconteceu?

— Porque Morfino não conseguiu lembrar mais nada daquele ponto em diante — respondeu Dumbledore, fazendo um gesto para que Harry tornasse a sentar. — Quando ele acordou na manhã seguinte, estava deitado no chão, sozinho. O anel de Servolo desaparecera.

"Nesse meio-tempo, na aldeia de Little Hangleton, uma empregada corria pela rua principal gritando que havia três corpos caídos na sala de visitas da casa grande: Tom Riddle pai, e a mãe e o pai dele.

"As autoridades trouxas ficaram perplexas. Pelo que sei, até hoje não sabem como os Riddle morreram, porque a Maldição Avada Kedavra normalmente não produz dano visível... a exceção acha-se à minha frente", acrescentou Dumbledore, indicando a cicatriz de Harry. "Por outro lado, o Ministério percebeu na mesma hora que se tratava de um homicídio bruxo. Percebeu também que um sentenciado que odiava trouxas morava no vale do lado oposto à casa dos Riddle, um bruxo que já fora preso por atacar uma das pessoas assassinadas.

"Então o Ministério fez uma visita a Morfino. Não precisaram interrogá-lo nem usar Veritaserum nem Legilimência. Ele confessou o homicídio imediatamente, fornecendo detalhes que somente o assassino poderia conhecer. Disse que sentia orgulho de ter matado os trouxas, havia anos que esperava essa oportunidade. Ele entregou a varinha, e logo se comprovou que fora usada para matar os Riddle. E Morfino se deixou levar para Azkaban sem resistir. A única coisa que o perturbava era que o anel de seu pai desaparecera. 'Ele vai me matar por ter perdido o anel', repetia, sem parar, aos seus captores. E, aparentemente, isso foi tudo que voltou a dizer. Ele viveu o resto da vida em Azkaban, lamentando a perda da última peça herdada por Servolo, e foi enterrado ao lado da prisão com outros pobres coitados que expiraram em seu interior."

— Então Voldemort roubou a varinha de Morfino e a usou? — perguntou Harry, sentando-se ereto.

— Exatamente — respondeu Dumbledore. — Não temos lembranças para confirmar isto, mas acho que podemos ter razoável certeza do que aconteceu. Voldemort estupeficou o tio, apanhou sua varinha e atravessou o vale em direção "à casa grande mais adiante na estrada". Lá, ele matou o trouxa que abandonara sua mãe bruxa, e, por precaução, os avós trouxas, suprimindo, assim, os últimos membros da indigna família Riddle e vingando-se do pai que jamais o quisera. Voltou, então, ao casebre dos Gaunt, realizou o complexo feitiço de implantar uma falsa lembrança na mente do tio, colocou a varinha de Morfino ao lado do seu dono inconsciente, guardou o anel antigo que ele usava e partiu.

– E Morfino nunca percebeu que não tinha sido ele?
– Nunca. Como digo, ele fez uma confissão vaidosa e completa.
– Mas durante todo esse tempo guardou a lembrança verdadeira!
– Guardou, mas foi necessária uma boa dose de competente Legilimência para fazê-la aflorar. E por que alguém iria se deter mais tempo examinando a mente de Morfino se ele já confessara o crime? Contudo, consegui permissão para visitá-lo em suas últimas semanas de vida, época em que eu estava tentando descobrir o máximo possível sobre o passado de Voldemort. Extraí a lembrança com dificuldade. Quando vi o que continha, tentei usá-la para obter a libertação de Morfino de Azkaban. Mas, antes que o Ministério tomasse uma decisão, ele morreu.

– Mas por que o Ministério não percebeu que Voldemort tinha feito tudo isso a Morfino? – perguntou Harry indignado. – Ele era menor de idade à época, não era? Pensei que fossem capazes de detectar o uso de magia por menores.

– Você está certo... eles podem detectar a magia, mas não o seu autor: você está lembrado que o Ministério o culpou pelo Feitiço de Levitação que na verdade foi realizado por...

– Dobby – resmungou Harry; a injustiça ainda o exasperava. – Então, se um menor de idade usa a magia em um bruxo adulto ou na casa de um bruxo, o Ministério não fica sabendo?

– Certamente não saberá dizer quem realizou o feitiço – respondeu Dumbledore com ar de riso ao ver a grande indignação no rosto de Harry. – O Ministério confia que os pais bruxos exijam dos filhos que moram sob seu teto o cumprimento das leis.

– Ora que bobagem – retorquiu Harry. – Veja o que aconteceu neste caso, veja o que aconteceu a Morfino!

– Concordo. Por pior que fosse Morfino, ele não merecia morrer como morreu, culpado por crimes que não tinha cometido. Mas está ficando tarde, e quero que você veja mais uma lembrança antes de nos separarmos...

Dumbledore tirou de um bolso interno outro frasquinho de cristal, e Harry se calou mais uma vez, lembrando que o diretor lhe dissera que era a lembrança mais importante que tinha recolhido. O garoto reparou que foi difícil esvaziar o conteúdo do frasco na Penseira, como se estivesse levemente congelado; será que as lembranças talhavam?

– Esta vai ser rápida – disse Dumbledore, quando finalmente esvaziou o frasco. – Estaremos de volta antes que você perceba. Mais uma vez, mergulhe na Penseira, então...

E Harry atravessou mais uma vez a superfície prateada, aterrissando desta vez diante de um homem que ele reconheceu imediatamente.

Era um Horácio Slughorn mais jovem. Harry estava tão habituado a vê-lo careca que achou a visão de Slughorn com uma basta e brilhante cabeleira cor de palha muito desconcertante; dava a impressão de que mandara cobrir a cabeça de sapê, embora no topo já fosse visível uma tonsura calva e reluzente. Os bigodes, menos compactos do que os atuais, eram louro-avermelhados. Ele não era tão gordo quanto o Slughorn que Harry conhecia, embora os botões dourados do seu colete ricamente bordado já estivessem sob tensão. Com os pezinhos apoiados sobre um pufe de veludo, ele se encontrava sentado em uma confortável bergère, tendo um cálice de vinho em uma das mãos e a outra enfiada em uma caixa de abacaxi cristalizado.

Harry olhou ao redor quando Dumbledore apareceu ao seu lado e percebeu que estavam no escritório de Slughorn. Havia meia dúzia de garotos sentados ao redor do professor, todos em cadeiras mais duras e baixas do que a dele, e todos aparentando uns dezesseis anos. Harry reconheceu Riddle imediatamente. Tinha o rosto mais bonito, e parecia o mais descontraído dos garotos. Sua mão direita estava pousada negligentemente sobre o braço da cadeira; com um sobressalto, Harry viu que ele estava usando o anel ouro e preto de Servolo; já tinha matado o pai.

– Senhor, é verdade que a professora Merrythought está se aposentando? – perguntou Riddle.

– Tom, Tom, se eu soubesse não poderia lhe dizer – respondeu Slughorn, sacudindo um dedo açucarado para Riddle, num gesto de censura, embora estragasse esse efeito com uma ligeira piscadela. – Confesso que gostaria de saber onde você obtém suas informações, rapaz; sabe mais do que metade dos professores.

Riddle sorriu; os outros garotos riram e lhe lançaram olhares de admiração.

– Com a sua fantástica habilidade para saber o que não deve e a sua cuidadosa bajulação das pessoas certas... aliás, obrigado pelo abacaxi, você acertou, é o meu preferido...

Enquanto vários garotos abafavam risinhos, aconteceu algo muito estranho. A sala foi repentinamente tomada por uma densa névoa branca, impedindo Harry de ver outra coisa além do rosto de Dumbledore, que estava parado ao seu lado. Então, a voz de Slughorn ecoou através da névoa, anormalmente alta:

— ...*você vai acabar mal, rapaz, escute bem o que estou dizendo*.

A névoa desapareceu tão repentinamente quanto surgira, embora ninguém fizesse qualquer alusão nem parecesse ter visto nada diferente acontecer. Intrigado, Harry correu os olhos pela sala no mesmo instante em que um pequeno relógio de ouro em cima da escrivaninha de Slughorn batia onze horas.

— Santo Deus, já é tão tarde assim?! — exclamou o professor. — É melhor irem andando, rapazes, ou vamos todos nos meter em confusão. Lestrange, quero o seu trabalho até amanhã ou receberá uma detenção. O mesmo se aplica a você, Avery.

Slughorn levantou-se da poltrona com esforço e levou seu cálice vazio até a escrivaninha enquanto os garotos saíam. Riddle, no entanto, ficou para trás. Harry percebeu que o garoto se demorava de propósito, querendo ser o último na sala com o professor.

— Ande logo, Tom — disse Slughorn se virando e ainda encontrando-o ali. — Você não quer ser apanhado fora da cama depois da hora, ainda mais sendo monitor...

— Senhor, eu queria lhe perguntar uma coisa.

— Pois pergunte, meu rapaz, pergunte...

— Senhor, estive me perguntando o que o senhor sabe sobre... sobre Horcruxes?

E o mesmo fenômeno tornou a acontecer: o denso nevoeiro invadiu a sala de modo que Harry não pôde mais ver Slughorn nem Riddle; apenas Dumbledore sorrindo serenamente ao seu lado. Então a voz do professor ecoou exatamente como acontecera antes.

— *Não sei nada sobre Horcruxes e não lhe diria se soubesse! Agora saia daqui imediatamente e não me deixe apanhá-lo mencionando isso outra vez!*

— Bem, é só — anunciou Dumbledore placidamente ao lado de Harry. — Hora de partir.

E os pés de Harry saíram do chão e bateram, segundos depois, no tapete defronte à escrivaninha de Dumbledore.

— A lembrança é só isso? — perguntou Harry sem entender.

Dumbledore dissera que essa lembrança era a mais importante de todas, mas ele não conseguia ver o que tinha de tão significativo. Sem dúvida, o nevoeiro e o fato de que ninguém parecia tê-lo percebido eram esquisitos, mas afora isso nada mais acontecera além de Riddle ter feito uma pergunta e não ter recebido resposta.

– Você talvez tenha notado – disse Dumbledore tornando a se sentar à escrivaninha – que essa lembrança foi alterada.

– Alterada? – repetiu Harry, sentando-se também.

– Certamente. O professor Slughorn modificou as próprias recordações.

– Mas por que faria isso?

– Porque, em minha opinião, tem vergonha do que lembra. E tentou retrabalhar a lembrança para aparecer sob uma luz mais favorável, apagando as partes que não quer que eu veja. Fez isto, como você deve ter reparado, de modo muito tosco, o que foi muito bom, porque mostra que a lembrança verdadeira persiste sob as alterações.

"Então, pela primeira vez, vou lhe passar um dever de casa, Harry. Você deverá persuadir o professor Slughorn a revelar a lembrança verdadeira, que sem dúvida será a nossa informação mais crucial."

Harry arregalou os olhos para o diretor.

– Mas, com certeza, senhor – respondeu no tom de voz mais respeitoso possível –, o senhor não precisa de mim... o senhor pode usar Legilimência... ou Veritaserum...

– O professor Slughorn é um bruxo extremamente competente que estará prevenido contra ambos os recursos. Ele é muito mais competente em Oclumência do que o pobre Morfino Gaunt, e eu não me espantaria se estivesse carregando um antídoto contra o soro da verdade desde que o obriguei a me contar este arremedo de recordação.

"Não, acho que seria tolice tentar extrair a verdade do professor Slughorn à força, faria mais mal do que bem; não quero que ele abandone Hogwarts. Contudo, ele tem fraquezas como todos nós, e acredito que você seja o único que talvez possa penetrar suas defesas. É muito importante obtermos a lembrança verdadeira, Harry... e sua real importância nós só saberemos quando virmos o que de fato aconteceu. Então, boa sorte... e boa noite."

Um pouco surpreso ante a dispensa abrupta, Harry se pôs de pé ligeiro.

– Boa noite, senhor.

Ao fechar a porta atrás de si, ouviu distintamente o comentário de Fineus Nigellus:

– Não vejo por que o garoto seria capaz de fazer isso melhor que você, Dumbledore.

– Eu não esperaria que visse, Fineus – replicou Dumbledore, e Fawkes soltou outro pio baixo e melodioso.

18

SURPRESAS DE ANIVERSÁRIO

No dia seguinte, Harry confidenciou a Rony e Hermione o dever que Dumbledore lhe passara, a cada um, separadamente, porque Hermione ainda se recusava a permanecer na presença de Rony mais tempo do que o necessário para lhe lançar um olhar de desprezo.

Rony achou que era pouco provável que Harry tivesse alguma dificuldade com Slughorn.

— Ele adora você — disse durante o café da manhã, gesticulando com o garfo cheio de ovo frito. — Não vai lhe recusar nada, não é? Não ao seu pequeno Príncipe das Poções. É só ficar depois da aula hoje à tarde e perguntar a ele.

Hermione, no entanto, foi menos otimista.

— Ele deve estar decidido a esconder o que realmente aconteceu, se Dumbledore não conseguiu extrair nada dele — disse a amiga em voz baixa, quando estavam no pátio deserto e coberto de neve na hora do recreio. — Horcruxes... *Horcruxes*... nunca ouvi falar nisso...

— Não?

Harry ficou desapontado; esperara que Hermione pudesse lhe dar uma pista do que seriam Horcruxes.

— Deve ser magia das trevas realmente avançada ou, então, por que Voldemort iria querer saber? Acho que vai ser difícil obter a informação, Harry, você vai precisar de muita cautela quando abordar Slughorn, pense em uma estratégia...

— Rony acha que eu devia ficar na sala depois da aula de Poções hoje à tarde...

— Ah, bem, se Uon-Uon acha isso, então é melhor você fazer — retrucou ela, irritando-se. — Afinal, quando foi que a opinião de Uon-Uon esteve errada?

– Hermione, será que você não pode...
– Não! – exclamou ela com raiva e saiu bruscamente, deixando Harry sozinho com os pés enfiados na neve até os tornozelos.

As aulas de Poções eram bem constrangedoras ultimamente, uma vez que Harry, Rony e Hermione tinham de dividir a mesma mesa. Naquele dia, Hermione mudou a posição do caldeirão de modo a ficar perto de Ernesto, e ignorou os dois amigos.

– Que foi que *você* fez? – murmurou Rony para Harry, olhando para o perfil arrogante de Hermione.

Mas, antes que Harry pudesse responder, Slughorn pediu silêncio à frente da turma.

– Acomodem-se, acomodem-se, por favor! E depressa, temos muito o que fazer hoje à tarde! A Terceira Lei de Golpalott... quem sabe me dizer...? A srta. Granger sabe, é claro!

Hermione recitou-a em grande velocidade:

– A-Terceira-Lei-de-Golpalott-diz-que-o-antídoto-para-uma-mistura-venenosa-será-maior-do-que-a-soma-dos-antídotos-para-cada-um-de-seus-elementos.

– Exatamente! – exclamou sorridente o professor. – Dez pontos para a Grifinória. Agora, se considerarmos a Terceira Lei de Golpalott verdadeira...

Harry teria de aceitar a palavra de Slughorn de que a Terceira Lei de Golpalott era verdadeira porque não entendera nada. Ninguém, exceto Hermione, parecia estar acompanhando o que Slughorn disse a seguir.

– ... o que significa, naturalmente, que, supondo que tenhamos identificado corretamente os ingredientes da poção, com o Revelencanto de Scarpin, o nosso objetivo primário não é a simples seleção de antídotos para os ingredientes por si e de si, mas encontrar o componente adicional que, por um processo quase alquímico, transformará esses elementos díspares...

Rony estava sentado ao lado de Harry com a boca entreaberta, babando distraído sobre o seu exemplar novo de *Estudos avançados no preparo de poções*. Ele vivia esquecendo que não podia mais depender de Hermione para ajudá-lo a sair das dificuldades quando não conseguia entender o que estava acontecendo.

– ... e portanto – terminou Slughorn –, quero que cada um de vocês venha apanhar um dos frascos sobre a minha escrivaninha. E deverão criar um antídoto para o veneno que o frasco contém antes do fim da aula. Boa sorte, e não se esqueçam das luvas protetoras!

Hermione deixara o seu banco e estava a meio caminho da escrivaninha de Slughorn, antes que o restante da turma tivesse entendido que era hora de se mexer; e quando, finalmente, Harry, Rony e Ernesto voltaram à mesa, a garota já tinha despejado o conteúdo do frasco e estava acendendo um fogo sob o caldeirão.

— É uma pena que o Príncipe não vá lhe adiantar muito, Harry — disse ela animada ao se levantar. — Desta vez é preciso compreender os princípios envolvidos. Não existem atalhos nem colas!

Aborrecido, Harry desarrolhou o veneno rosa berrante que apanhara na escrivaninha de Slughorn, despejou-o no caldeirão e acendeu um fogo embaixo. Não tinha a menor ideia do que deveria fazer a seguir. Olhou para Rony, que agora estava parado ali com cara de bobo, depois de copiar tudo que Harry fizera.

— Você tem certeza de que o Príncipe não dá nenhuma dica? — murmurou Rony para Harry.

Harry apanhou seu confiável exemplar de *Estudos avançados no preparo de poções* e abriu-o no capítulo sobre antídotos. Ali estava a Terceira Lei de Golpalott, palavra por palavra, tal como Hermione a recitara, mas nem uma anotação esclarecedora na caligrafia do Príncipe explicando o seu significado. Pelo visto, o Príncipe, tal como Hermione, não tivera dificuldade em compreendê-la.

— Nada — respondeu Harry com tristeza.

Hermione agora acenava a varinha com entusiasmo sobre o caldeirão. Infelizmente, os dois não poderiam copiar o feitiço que ela estava executando porque agora se tornara tão boa em feitiços não verbais que não precisava pronunciar as palavras em voz alta. Ernesto Macmillan, porém, estava murmurando "*Specialis revelio!*" sobre o caldeirão, e o som parecia impressionante, por isso Harry e Rony se apressaram a imitá-lo.

Harry levou apenas cinco minutos para perceber que sua reputação de melhor preparador de poções da turma estava desmoronando à sua volta. Slughorn dera uma espiada esperançosa dentro do seu caldeirão, em sua primeira ronda pela masmorra, preparado para soltar exclamações de prazer como geralmente fazia, mas, em vez disso, erguera a cabeça depressa, tossindo, porque o cheiro de ovos estragados o sufocara. A expressão de Hermione não poderia ser mais presunçosa; ela detestava ficar em segundo lugar nas aulas de Poções. Agora, ela decantava os ingredientes do seu veneno, misteriosamente separados, em dez diferentes frasquinhos de cristal. Mais para evitar contemplar visão tão irritante do que por outro motivo, Harry se debruçou sobre o livro do Príncipe Mestiço e virou algumas páginas com desnecessária violência.

E ei-la, escrita em diagonal sobre uma longa lista de antídotos.

Meta-lhes um bezoar goela abaixo.

Harry fixou as palavras por um momento. Havia muito tempo, não ouvira falar em bezoares? Snape não os mencionara na primeira aula de Poções? *"Uma pedra tirada do estômago do bode, que o protegerá da maioria dos venenos?"*

Não era uma resposta ao problema de Golpalott, e, se Snape ainda fosse seu professor, Harry não teria se atrevido a fazer isso, mas o momento exigia medidas desesperadas. Ele correu ao armário de classe e procurou ali, afastando chifres de unicórnio e entrelaçados de ervas secas até encontrar, bem no fundo, uma caixinha de papelão em que havia escrita a palavra "Bezoares".

Abriu a caixa na hora em que Slughorn avisou: "Faltam dois minutos, turma!" Dentro dela havia meia dúzia de objetos castanhos e enrugados, parecendo mais rins secos do que pedras de verdade. Harry apanhou um deles, repôs a caixa no armário e voltou correndo ao seu caldeirão.

— Tempo... ENCERRADO! — anunciou Slughorn cordialmente. — Vamos ver como vocês se saíram! Blásio... que é que você tem aí?

Lentamente, Slughorn foi se deslocando pela sala, examinando os vários antídotos. Ninguém terminara o dever, embora Hermione estivesse tentando forçar mais alguns ingredientes para dentro do seu frasco antes de Slughorn passar. Rony desistira completamente, e apenas tentava evitar inalar os vapores fétidos que emanavam do seu caldeirão. Harry ficou parado aguardando, o bezoar apertado na mão ligeiramente suada.

Slughorn foi à sua mesa por último. Ele cheirou a poção de Ernesto e passou à de Rony com uma careta. Não se demorou sobre o caldeirão de Rony, antes recuou depressa, com uma ligeira ânsia de vômito.

— E você, Harry. Que tem para me mostrar?

O garoto estendeu a palma da mão com o bezoar.

Slughorn contemplou-o por longos dez segundos. Harry se perguntou, por um momento, se iria levar um berro do professor. Então, ele atirou a cabeça para trás às gargalhadas.

— Você é atrevido, rapaz! — trovejou ele, apanhando o bezoar e erguendo-o no ar para que toda a turma o visse. — Ah, você é como sua mãe... bem, não posso dizer que está errado... um bezoar certamente agiria como antídoto para todas essas poções!

Hermione, que tinha o rosto suado e fuligem no nariz, ficou lívida. Seu antídoto, ainda pela metade, que compreendia cinquenta e dois ingredientes inclusive uma mecha dos próprios cabelos, borbulhava devagarinho às costas de Slughorn, que não via mais ninguém senão Harry.

— E você pensou no bezoar sozinho, foi, Harry? — perguntou a amiga entre dentes.

— Esse é o espírito individual imprescindível a um verdadeiro preparador de poções! — exclamou Slughorn alegre, antes que Harry pudesse responder. — Igualzinho à mãe, Lílian tinha a mesma compreensão intuitiva do preparo de poções, sem dúvida ele herdou da mãe... certo, Harry, certo, se você tivesse um bezoar à mão, é claro que resolveria... mas, como bezoares não servem para tudo e são bem raros, ainda vale a pena saber preparar antídotos...

A única pessoa na sala que parecia mais irritada do que Hermione era Malfoy, que, para satisfação de Harry, derramara na roupa algo que lembrava vômito de gato. Antes, porém, que qualquer dos dois pudesse expressar sua fúria por Harry ter sido o melhor da turma sem se esforçar, a sineta tocou.

— Hora de guardar tudo! — disse Slughorn. — E mais dez pontos para Grifinória pela ousadia!

Ainda rindo, ele voltou gingando à sua escrivaninha à frente da masmorra. Harry se demorou, levando um tempo excessivo para arrumar a mochila. Nem Rony nem Hermione lhe desejaram boa sorte ao sair; os dois pareciam muito aborrecidos. Por fim, restaram apenas Harry e Slughorn na sala.

— Depressa, Harry, ou vai se atrasar para a próxima aula — disse Slughorn afavelmente, fechando com um estalo as presilhas de ouro de sua maleta de pele de dragão.

— Senhor — disse Harry, lembrando-se irresistivelmente de Voldemort —, eu queria lhe perguntar uma coisa.

— Pergunte, então, meu caro rapaz, pergunte...

— Senhor, será que o senhor saberia alguma coisa sobre... sobre Horcruxes?

Slughorn congelou. Seu rosto redondo pareceu afundar. Ele umedeceu os lábios com a língua e respondeu roucamente:

— Que foi que você disse?

— Perguntei se o senhor saberia alguma coisa sobre Horcruxes, senhor. O senhor entende...

— Dumbledore mandou você fazer isso — sussurrou Slughorn.

Sua voz mudara completamente. Já não era afável, mas chocada, aterrorizada. Ele apalpou o bolso do peito e puxou um lenço, enxugando a testa suada.

— Dumbledore lhe mostrou aquela... aquela lembrança — afirmou Slughorn. — Então, mostrou?

— Mostrou — respondeu Harry, decidindo imediatamente que era melhor não mentir.

— É, é claro — comentou Slughorn em voz baixa, ainda enxugando o rosto pálido. — É claro... bem, se você viu aquela lembrança, Harry, então sabe que eu não sei nada... *nada*... — e repetiu a palavra enfatizando-a — ... sobre Horcruxes.

E, apanhando a maleta, repôs o lenço no bolso e saiu em direção à porta da masmorra.

— Senhor — disse Harry, desesperado —, eu só achei que o senhor talvez pudesse acrescentar alguma coisa à lembrança...

— Achou? Pois enganou-se, não é? ENGANOU-SE!

Ele berrou a última palavra e, antes que Harry pudesse dizer mais alguma coisa, saiu batendo a porta da masmorra.

Nem Rony nem Hermione foram compreensivos quando Harry lhes contou a catastrófica entrevista. Hermione ainda estava espumando com o modo com que Harry saíra vitorioso sem ter feito realmente o trabalho. Rony estava chateado porque Harry não lhe oferecera um bezoar.

— Pareceria idiota se nós dois tivéssemos feito a mesma coisa! — respondeu Harry irritado. — Olhe, eu tinha de tentar amaciar o professor para poder lhe perguntar sobre Voldemort, não é? Ah, *se controla!* — acrescentou exasperado quando viu Rony estremecer ao som daquele nome.

Enfurecido com o seu fracasso e as atitudes de Rony e Hermione, nos dias que se seguiram Harry ficou remoendo o que fazer a respeito de Slughorn. Decidiu que por ora deixaria o professor pensar que ele esquecera as Horcruxes; com certeza seria melhor deixar Slughorn se acalmar e pensar que estava seguro antes de voltar à carga.

Ao ver que Harry não tornava a interrogá-lo, o professor de Poções reverteu ao tratamento afetuoso que lhe dispensava, e pareceu ter afastado o assunto de sua mente. O garoto esperou um convite para uma de suas festinhas noturnas, decidido desta vez a aceitá-lo, mesmo que tivesse de remarcar um treino de quadribol. Infelizmente, não veio convite algum. Harry verificou com Hermione e Gina: nenhuma das duas recebera convite e, pelo que sabiam, ninguém mais o recebera tampouco. Harry não pôde deixar de se perguntar se isto significaria que Slughorn não era tão esquecido quanto parecia ou simplesmente decidira não dar a Harry novas oportunidades para fazer perguntas.

Nesse meio-tempo, a biblioteca de Hogwarts, pela primeira vez na memória, deixara Hermione na mão. A garota ficou tão chocada, que até esqueceu que estava aborrecida com Harry por causa do bezoar.

— Não encontrei uma única explicação sobre o efeito das Horcruxes! — disse ela. — Nem umazinha! Consultei toda a Seção Reservada e até os livros mais horripilantes, que ensinam a preparar as poções mais *sinistras*... nada! A única coisa que encontrei foi isto aqui, na introdução de *Magia mui maligna*... escute só: "Sobre Horcruxes, a invenção mais perversa da magia, não falaremos, nem daremos instruções..." Então, para que mencionaram? — indagou com impaciência, fechando com força o velho livro que soltou um gemido fantasmagórico. — Ah, cala essa boca — disse com rispidez, enfiando-o na mochila.

A neve em torno da escola derreteu com a chegada de fevereiro e foi substituída por uma umidade fria e monótona. Nuvens cinza-arroxeadas pairavam à baixa altitude sobre o castelo, e uma chuva gelada contínua deixava os gramados escorregadios e lamacentos. O resultado disso foi que a primeira aula de Aparatação do sexto ano, programada para a manhã de sábado, para os alunos não faltarem às aulas normais, foi realizada no Salão Principal e não ao ar livre.

Quando Harry e Hermione chegaram ao Salão (Rony descera com Lilá), descobriram que as mesas tinham desaparecido. A chuva chicoteava as janelas altas e o teto encantado girava sombriamente no alto, quando eles se reuniram diante dos professores McGonagall, Snape, Flitwick e Sprout — diretores das quatro Casas —, e um bruxo miúdo que Harry acreditou ser o instrutor de Aparatação do Ministério. O bruxo era estranhamente descorado, com pestanas transparentes, cabelos ralos e um ar incorpóreo, como se uma única lufada de vento pudesse levá-lo. Harry ficou imaginando se as constantes Aparatações e Desaparatações teriam reduzido a sua solidez, ou se a sua frágil compleição seria a ideal para alguém que quisesse sumir.

— Bom dia — disse o bruxo do Ministério, quando todos os alunos haviam chegado e os diretores das Casas pediram silêncio. — Meu nome é Wilkie Twycross, e serei o seu instrutor ministerial de Aparatação nas próximas doze semanas. Espero poder prepará-los para o teste de Aparatação, neste prazo...

— Malfoy, sossegue e preste atenção! — vociferou a professora McGonagall.

Todos se viraram. Malfoy ficara rosa-escuro; estava enfurecido quando se afastou de Crabbe, com quem, pelo jeito, estivera discutindo aos cochichos. Harry olhou de relance para Snape, que também parecia irritado, embora tivesse fortes suspeitas de que fosse menos pela grosseria de Malfoy do que pelo fato de McGonagall ter repreendido alguém de sua Casa.

— ... prazo em que muitos de vocês talvez estejam prontos para fazer o teste — continuou Twycross, como se não tivesse havido interrupção.

— Como vocês talvez saibam, normalmente é impossível aparatar ou desaparatar em Hogwarts. O diretor suspendeu este encantamento, apenas no Salão Principal, por uma hora, para que vocês possam praticar. Aproveito para enfatizar que não poderão aparatar fora das paredes deste Salão, e que seria imprudente tentar.

"Gostaria agora que cada um se posicionasse deixando um metro e meio de espaço livre à frente."

Houve um grande empurra-empurra durante o qual as pessoas se separaram, colidiram e mandaram os colegas dar distância. Os diretores das Casas andavam entre os alunos, enfileirando-os em posição e interrompendo discussões.

— Harry, aonde você vai? — quis saber Hermione.

Mas Harry não respondeu; atravessou rápido a multidão, passou pelo lugar em que o professor Flitwick se esganiçava, fazendo tentativas de posicionar uns alunos da Corvinal que queriam ficar mais à frente, passou pela professora Sprout que aos gritos apressava os alunos da Lufa-Lufa a se enfileirarem, e por, fim, contornando Ernesto Macmillan, conseguiu se colocar atrás de todo mundo, bem perto de Malfoy, que aproveitava a confusão geral para continuar sua discussão com Crabbe, a metro e meio dele e parecendo revoltado.

— Não sei quanto tempo vai demorar, tá bem? — disparou Malfoy para ele, ignorando a presença de Harry postado às suas costas. — Está levando mais tempo do que pensei.

Crabbe abriu a boca, mas Malfoy pareceu adivinhar o que ele ia dizer.

— Escuta aqui, não é de sua conta o que estou fazendo, Crabbe, você e Goyle façam o que eu mando e fiquem de olhos abertos!

— Eu digo aos meus amigos o que estou fazendo, se quero que eles fiquem vigiando para mim — comentou Harry, suficientemente alto para que Malfoy ouvisse.

Malfoy girou nos calcanhares, a mão voando para a varinha, mas naquele exato momento os quatro diretores das Casas gritaram:

— Quietos! — E fez-se novamente silêncio. Malfoy virou-se lentamente para a frente.

— Obrigado — disse Twycross. — Agora então...

Ele acenou a varinha. Instantaneamente apareceram aros antiquados de madeira no chão em frente a cada estudante.

— É importante lembrar dos três Ds quando aparatamos! Destinação, Determinação e Deliberação!

"Primeiro: concentrem a mente na *destinação* desejada", disse Twycross. "No caso, o interior do seu aro. Agora, façam o favor de se concentrar nesta destinação."

Os alunos olharam para os lados furtivamente, para verificar se todos estavam olhando para o próprio aro, então obedeceram depressa. Harry fixou o espaço circular no chão empoeirado circunscrito pelo aro e fez força para não pensar em mais nada. Não foi possível porque não conseguia parar de imaginar o que Malfoy estaria fazendo para precisar de vigias.

— Segundo — disse Twycross —, focalizem a sua *determinação* de ocupar o espaço visualizado! Deixe este desejo fluir da mente para todas as partículas do seu corpo!

Harry olhou sorrateiramente ao redor. Um pouco à esquerda, Ernesto contemplava o aro com tanto empenho que seu rosto estava cor-de-rosa; parecia que estava tentando botar um ovo do tamanho de uma goles. Harry sufocou uma risada e voltou depressa o olhar para o próprio arco.

— Três — disse Twycross —, e somente quando eu der a ordem... girem o corpo, sentindo-o penetrar o vácuo, mexendo-se com *deliberação*! Quando eu mandar... um...

Harry tornou a olhar para os lados; muita gente estava decididamente assustada com a ordem de aparatar tão depressa.

— ... dois...

Harry tentou fixar seu pensamento novamente no aro; já esquecera o que significavam os três Ds.

— ... TRÊS!

Harry girou o corpo, desequilibrou-se e quase caiu. Não foi o único. O salão inteiro de repente se encheu de pessoas que cambaleavam; Neville estatelou-se de costas; Ernesto, por outro lado, atravessara o aro com uma espécie de pirueta e pareceu momentaneamente impressionado até ver Dino Thomas rindo dele às gargalhadas.

— Não faz mal, não faz mal — disse secamente Twycross, que não parecia ter esperado nada melhor. — Acertem os seus aros, por favor, e voltem à posição inicial...

A segunda tentativa não foi melhor do que a primeira. A terceira foi igualmente ruim. Somente na quarta aconteceu algo emocionante. Ouviu-se um terrível guincho de dor e todos se viraram, aterrorizados; viram Susana Bones, da Lufa-Lufa, bamboleando no arco com a perna esquerda ainda parada, a um metro e meio de distância, onde começara.

Os diretores das Casas correram para a garota; houve um forte estampido e uma baforada de fumaça púrpura que, ao se dissolver, revelou Susana soluçante, reintegrada à sua perna, mas horrorizada.

— Estrunchamento, ou separação casual de partes do corpo — explicou Twycross, sem demonstrar emoção —, ocorre quando a mente não tem *determinação* suficiente. É preciso concentrar continuamente em sua *destinação* e se mexer sem pressa, mas com *deliberação*... assim.

Twycross deu um passo à frente, girou o corpo com elegância mantendo os braços estendidos e sumiu em um rodopio de vestes, reaparecendo no fundo do Salão.

— Lembrem-se dos três Ds — disse o instrutor — e tentem outra vez... um... dois... três...

Mas uma hora depois, o Estrunchamento de Susana ainda era a coisa mais interessante que tinha acontecido. Twycross não pareceu desanimar. Abotoando a capa ao pescoço, disse com simplicidade:

— Até o próximo sábado, e não se esqueçam: *destinação, determinação e deliberação*.

E, dizendo isso, acenou a varinha fazendo os aros desaparecerem e saiu do Salão acompanhado pela professora McGonagall. Imediatamente as pessoas começaram a conversar e a se deslocar em direção ao Saguão de Entrada.

— Como foi com você? — perguntou Rony, correndo a se reunir a Harry.

— Acho que senti alguma coisa da última vez que tentei: uma espécie de formigamento nos pés.

— Acho que os seus tênis estão pequenos demais, Uon-Uon — disse uma voz às suas costas, e Hermione passou, risonha.

— Não senti nada — comentou Harry, ignorando a interrupção. — Mas não estou ligando para isso agora...

— Você quer dizer que não está ligando... que não quer aprender a aparatar? — perguntou Rony incrédulo.

— Não estou realmente preocupado. Prefiro voar — disse Harry, espiando por cima do ombro para ver onde estava Malfoy, e apressando o passo quando alcançaram o Saguão de Entrada. — Olha, quer fazer o favor de andar mais depressa, tem uma coisa que quero fazer...

Perplexo, Rony acompanhou Harry de volta à Torre da Grifinória, correndo. Foram temporariamente detidos por Pirraça, que emperrara a porta do quarto andar e se recusava a deixar as pessoas passarem a não ser que ateassem fogo às próprias calças, mas Harry e Rony simplesmente deram meia-volta e tomaram um dos seus atalhos confiáveis. Em cinco minutos, estavam passando pelo buraco do retrato.

— Então, vai me dizer o que estamos fazendo? — perguntou Rony um pouco ofegante.

— Lá em cima — respondeu Harry, atravessando a sala comunal e entrando pela porta que levava ao dormitório dos garotos.

O dormitório estava vazio, como Harry previra. Ele abriu o malão e começou a procurar alguma coisa, enquanto Rony observava impaciente.

— Harry...

— Malfoy está usando Crabbe e Goyle como vigias. Ele esteve brigando com Crabbe agora há pouco. Quero saber... ah-ah.

Ele o encontrara, um quadrado de pergaminho dobrado e aparentemente limpo, que em seguida abriu e tocou com a ponta da varinha.

— *Juro solenemente que não pretendo fazer nada de bom...* ou pelo menos é o que o Malfoy não pretende

Na mesma hora, o Mapa do Maroto se tornou visível na superfície do pergaminho. Ali estava uma planta detalhada de cada andar do castelo e, deslocando-se por ela, os minúsculos pontinhos pretos com rótulos que indicavam cada um dos ocupantes do castelo.

— Me ajude a localizar Malfoy — pediu Harry em tom de urgência.

Ele esticou o mapa em cima da cama, e os dois se debruçaram para procurar.

— *Ali!* — exclamou Rony depois de um minuto e pouco. — Ele está na sala comunal da Sonserina, olhe... com Parkinson e Zabini e Crabbe e Goyle...

Harry olhou desapontado, mas reanimou-se quase imediatamente.

— Bem, vou ficar de olho nele daqui para frente — disse com firmeza. — E, na hora em que o vir rondando por algum lugar com Crabbe e Goyle vigiando do lado de fora, vou vestir minha Capa da Invisibilidade e sair para descobrir o que ele...

Harry parou de falar quando Neville entrou no dormitório, espalhando um cheiro forte de tecido queimado, e começou a procurar calças limpas no malão.

Apesar de sua determinação de apanhar Malfoy em flagrante, Harry não teve sorte nas duas semanas seguintes. E, embora consultasse o mapa sempre que podia, por vezes fazendo visitas desnecessárias ao banheiro entre as aulas para dar uma olhada, nem uma vez viu Malfoy em qualquer lugar suspeito. É verdade que ele localizou Crabbe e Goyle andando sozinhos pelo castelo com maior frequência do que a normal, por vezes parando em corredores desertos, mas, nessas ocasiões, Malfoy nem sequer se encontrava por perto, e era até impossível localizá-lo no mapa. O que era um grande mistério. Harry brincou com a possibilidade de Malfoy estar saindo dos limites da escola, mas não conseguia ver como poderia fazer isso, dado o alto nível das medidas de segurança em vigor no castelo. Só poderia supor que não estava identificando Malfoy entre as centenas de minúsculos pontos pretos que apareciam no mapa. Quanto ao fato de Malfoy, Crabbe e Goyle darem a impressão de tomar caminhos diferentes quando costumavam ser inseparáveis, era comum isto acontecer quando as pessoas ficavam mais velhas: Rony e Hermione, refletiu Harry com tristeza, eram uma prova viva disso.

O mês de fevereiro foi se aproximando de março sem alteração no tempo, exceto que passou a ventar mais além de chover. Para indignação geral, foi afixado um aviso em todas as salas comunais: o passeio seguinte a Hogsmeade fora cancelado. Rony ficou furioso.

— Era no dia do meu aniversário! — exclamou. — Eu estava aguardando, ansioso!

— Mas não é uma surpresa tão grande, não é? — comentou Harry. — Não depois do que aconteceu com Katie.

A garota ainda não voltara do St. Mungus. Além disso, o *Profeta Diário* andara noticiando novos desaparecimentos, inclusive de parentes de alunos de Hogwarts.

— Agora só me resta aguardar aquela aula idiota de Aparatação! — replicou Rony rabugento. — Grande presente de aniversário...

Três aulas depois, a Aparatação continuava difícil como sempre, embora mais alguns alunos tivessem conseguido se Estrunchar. Havia muita frustração e uma certa má vontade com relação a Twycross e seus três Ds, que tinham inspirado numerosos apelidos, entre os quais os mais gentis eram Destrambelhado e Despirocado.

— Feliz aniversário, Rony — desejou-lhe Harry, quando foram acordados no primeiro dia de março com o barulho que fizeram Simas e Dino ao sair para o café da manhã. — Toma o seu presente.

Ele atirou na cama de Rony um embrulho que foi se juntar a uma pequena pilha que devia ter sido entregue pelos elfos domésticos durante a noite, supôs Harry.

— Falou — disse Rony sonolento, e, enquanto ele rasgava o papel, Harry se levantou, abriu o malão e começou a procurar o Mapa do Maroto, que sempre escondia, depois de usar. Tirou metade do conteúdo do malão antes de encontrá-lo, escondido sob as meias enroladas onde ainda guardava o frasco da poção da felicidade, a Felix Felicis.

— Certo — murmurou, e, levando-o para a cama, tocou-o com a varinha e sussurrou: — Juro solenemente que não pretendo fazer nada de bom... — Tão baixinho que Neville, que ia passando ao lado de sua cama, não ouviu.

— Beleza, Harry! — exclamou Rony entusiasmado, agitando o novo par de luvas de goleiro que o amigo lhe dera.

— Não esquenta — disse Harry, distraído, enquanto examinava atentamente o dormitório da Sonserina à procura de Malfoy. — Ei... acho que ele não está na cama dele...

Rony não respondeu, estava ocupado demais desembrulhando presentes, e soltando de vez em quando uma exclamação de prazer.

— Maior arrastão este ano! — anunciou, erguendo um pesado relógio de ouro com símbolos estranhos em volta do mostrador e estrelinhas móveis em vez de ponteiros. — Viu o que minha mãe e meu pai compraram para mim? Caramba, acho que vou me emancipar no ano que vem também...

— Legal — resmungou Harry, olhando o relógio de relance e voltando a estudar o mapa com mais atenção. Onde estava o Malfoy? Pelo jeito, não estava à mesa da Sonserina no Salão Principal, tomando o café da manhã... nem perto de Snape, sentado em seu escritório... nem nos banheiros, nem na ala hospitalar.

— Quer um? — perguntou Rony com a voz empastada, estendendo uma caixa de caldeirões de chocolate.

— Não, obrigado — respondeu Harry erguendo os olhos. — Malfoy desapareceu outra vez!

— Não pode ser — disse Rony, enfiando um segundo caldeirão na boca ao mesmo tempo que saía da cama para se vestir. — Anda, se você não se apressar terá de aparatar com a barriga vazia... quem sabe é mais fácil...

Rony olhou pensativo para a caixa de caldeirões de chocolate, depois sacudiu os ombros e se serviu de um terceiro bombom.

Harry tocou o mapa com a varinha, e resmungou: "Malfeito feito", embora não o tivesse feito, e se vestiu pensativo. Tinha de haver uma explicação para os sumiços periódicos de Malfoy, mas ele simplesmente não conseguia saber qual era. A melhor maneira de descobrir seria segui-lo, mas, mesmo com a Capa da Invisibilidade, a ideia não era prática; ele tinha aulas, treino de quadribol, deveres de casa e Aparatação; não poderia seguir Malfoy pela escola o dia inteiro sem que sua ausência fosse notada.

— Pronto? — perguntou a Rony.

Harry estava a meio caminho da porta do dormitório quando percebeu que Rony não se mexera, estava apoiado no pilar da cama com os olhos fixos na janela lavada de chuva e um olhar estranhamente desfocado no rosto.

— Rony! Café da manhã.

— Não estou com fome.

Harry encarou-o.

— Achei que você tinha acabado de dizer...?

— Bem, tudo bem, eu desço com você — suspirou Rony —, mas não quero comer.

Harry examinou-o desconfiado.

— Você acabou de comer metade de uma caixa de caldeirões de chocolate, não foi?

— Não é isso — Rony tornou a suspirar. — Você... não entenderia.

— Então tá... — respondeu Harry, embora intrigado, virando-se para abrir a porta.

— Harry! — Rony chamou de repente.

— Quê?

— Harry, não consigo suportar!

— Não consegue suportar o quê? — indagou Harry, agora decididamente começando a se assustar. Rony estava muito pálido como se fosse enjoar.

— Não consigo parar de pensar nela! — respondeu ele rouco.

Harry olhou-o boquiaberto. Não esperava uma coisa dessas e não estava muito seguro de que queria ouvi-la. Eram amigos, mas se Rony começasse a chamar Lilá de "Lá-lá", ele teria de resistir com firmeza.

— E em que isso impede você de tomar café? — perguntou Harry, tentando introduzir uma dose de bom-senso na negociação.

— Acho que ela não sabe que eu existo — respondeu o amigo com um gesto desesperado.

— Decididamente, ela sabe que você existe — replicou Harry, espantado.

— Ela não para de agarrar você, não é?

Rony abriu e fechou os olhos.

— De quem é que você está falando?

— De quem é que você está falando? — perguntou Harry, com a sensação crescente de que a conversa deixara de ser racional.

— Romilda Vane — respondeu Rony baixinho, e todo o seu rosto pareceu iluminar ao dizer este nome, como se um puríssimo raio de sol o tivesse atingido.

Os dois se encararam por quase um minuto e, por fim, Harry falou:
— Isto é uma brincadeira, certo? Você está brincando.
— Acho... Harry, acho que estou apaixonado por ela — disse Rony com a voz estrangulada.
— O.k. — concordou Harry, aproximando-se de Rony para examinar melhor os seus olhos vidrados e o rosto pálido. — O.k... diz isso outra vez de cara séria.
— Amo a Romilda — repetiu Rony de um fôlego. — Você notou os cabelos dela, são pretos e brilhantes e macios... e os olhos? Aqueles olhos enormes, pretos? E...
— É muito engraçado e tudo o mais — disse Harry impaciente —, mas chega de brincadeira, tá? Acabou.

Ele se virou para sair do dormitório; dera dois passos em direção à porta quando um golpe demolidor atingiu-o na orelha direita. Cambaleando, ele se virou. Rony já recuara o punho, seu rosto estava distorcido de raiva; ia dar outro murro.

Harry reagiu instintivamente; a varinha saiu do bolso e o encantamento aflorou à sua mente sem que ele percebesse: *Levicorpus!*

Rony urrou quando sentiu o seu calcanhar ser novamente puxado para o alto; ficou pendurado sem ação, de cabeça para baixo, as vestes caindo pelo avesso.

— Por que isso? — berrou Harry.
— Você a ofendeu, Harry! Você disse que era uma brincadeira! — gritou Rony, cujo rosto foi ficando gradualmente púrpura à medida que o sangue descia para a cabeça.
— Isso é uma piração! Que é que deu em...

E então ele viu a caixa aberta na cama de Rony, e a verdade o atingiu com a força de um trasgo desembestado.

— Onde você arranjou esses caldeirões de chocolate?
— Foram presente de aniversário! — gritou Rony, girando lentamente no ar tentando se desvencilhar. — Eu lhe ofereci um, não foi?
— Você simplesmente os apanhou no chão, não foi?
— Caíram da minha cama, tá bem? Me solte!
— Não caíram da sua cama, seu idiota, você não entende? Eles são meus, eu os atirei fora do malão quando estava procurando o mapa. São os caldei-

rões de chocolate que a Romilda me deu antes do Natal, e estão incrementados com uma poção de amor!

Mas apenas uma palavra de tudo que Harry dissera parecia ter penetrado a cabeça de Rony.

– Romilda? – repetiu ele. – Você disse Romilda? Harry... eu conheço ela? Você pode me apresentar?

Harry ficou olhando para o amigo pendurado, cujo rosto agora transparecia esperança, e refreou um intenso desejo de rir. Uma parte dele, a parte mais próxima da orelha direita que latejava, era favorável à ideia de deixar Rony descer e ficar assistindo às suas loucuras até os efeitos da poção passarem... mas, por outro lado, eles eram amigos; Rony estava fora de si quando o atacara, e Harry achou que mereceria outro soco, se o deixasse declarar seu imorredouro amor a Romilda Vane.

– É, vou lhe apresentar – disse Harry pensando rápido. – Vou descer você agora, o.k.?

Ele fez Rony despencar de volta ao chão (sua orelha doía à beça), mas Rony simplesmente se levantou ágil e sorridente.

– Ela deve estar no escritório de Slughorn – informou Harry com segurança, saindo primeiro em direção à porta.

– Por que ela deve estar lá? – perguntou Rony ansioso, correndo para alcançar o amigo.

– Ah, ela tem aulas extras de Poções com ele – respondeu Harry, fantasiando.

– Quem sabe eu também posso ter aulas junto com ela? – sugeriu Rony ansioso.

– Ótima ideia.

Lilá estava esperando ao lado do buraco do retrato, uma complicação que Harry não previra.

– Você está atrasado Uon-Uon! – disse, fazendo beicinho. – Comprei um presente de...

– Me deixa em paz – disse Rony impaciente. – Harry vai me apresentar a Romilda Vane.

E, sem dizer mais nada, saiu pelo buraco do retrato. Harry tentou fazer cara de quem pede desculpas, mas talvez tenha feito cara de riso porque Lilá parecia mais ofendida do que nunca quando a Mulher Gorda tornou a fechar a passagem.

Harry ficou um pouco apreensivo que Slughorn pudesse estar tomando café, mas o professor atendeu a porta do escritório à primeira batida, usando um roupão de veludo verde e um gorro igual, com olhos de quem não dormira direito.

— Harry — murmurou ele. — É muito cedo para fazer visitas... em geral durmo até tarde no sábado.

— Professor, lamento realmente incomodar o senhor — disse Harry com a voz mais baixa possível, enquanto Rony se erguia nas pontas dos pés tentando espiar a sala que o professor bloqueava —, mas o meu amigo Rony engoliu uma poção de amor por engano. Será que o senhor poderia preparar um antídoto para ele? Eu o levaria a Madame Pomfrey, mas é proibido ter artigos da Gemialidades Weasley e, o senhor entende... perguntas embaraçosas...

— Eu teria pensado que você fosse capaz de preparar um remédio em um minuto, Harry, um exímio preparador de poções como você, não? — questionou Slughorn.

— Ãh — começou Harry, meio distraído, porque Rony agora o acotovelava tentando forçar entrada no aposento —, bem, eu nunca preparei um antídoto para uma poção de amor, senhor, e até que eu acertasse, Rony poderia ter feito alguma coisa grave...

Por sorte, Rony escolheu esse momento para gemer:

— Não estou vendo ela, Harry... o professor está escondendo a Romilda?

— A poção estava dentro da validade? — perguntou Slughorn, examinando Rony com interesse profissional. — Ficam mais concentradas, sabe, quando guardadas por muito tempo.

— Isto explicaria muita coisa — ofegou Harry, agora positivamente resistindo a Rony para não deixá-lo derrubar Slughorn. — É aniversário dele, professor — acrescentou o garoto em tom de súplica.

— Ah, está bem, entrem, então, entrem — concordou Slughorn. — Tenho o que preciso aqui na bolsa, não é um antídoto trabalhoso...

Rony embarafustou pela porta do escritório superaquecido e supermobiliado de Slughorn, tropeçou em um tamborete com borlas para os pés, recobrou o equilíbrio agarrando Harry pelo pescoço e murmurou:

— Ela não viu isso, não é?

— Ela ainda não chegou — disse Harry, observando Slughorn abrir o estojo de poções e misturar umas pitadinhas disto e daquilo em um pequeno frasco de cristal.

— Que bom! — exclamou Rony com fervor. — Como é que estou?

— Bonitão — respondeu Slughorn sem hesitar, entregando a Rony um copo de líquido claro. — Agora beba, é um tônico para os nervos, para mantê-lo calmo quando ela chegar, sabe.

— Genial — Rony falou com ansiedade e engoliu ruidosamente o antídoto. Harry e Slughorn o observaram. Por um momento, Rony sorriu para ambos. Depois, aos poucos, seu sorriso murchou e desapareceu, e foi substituído por uma expressão de total horror.

— Então, voltou ao normal? — perguntou Harry sorrindo. Slughorn deu uma risada discreta. — Obrigado, professor.

— Não foi nada, meu rapaz, não foi nada — disse Slughorn, enquanto Rony desmontava em uma cadeira próxima, parecendo arrasado. — Um tônico, é do que ele precisa — continuou Slughorn, agora indo até uma mesa repleta de bebidas. — Tenho cerveja amanteigada, tenho vinho, tenho uma última garrafa de hidromel envelhecido em barril de carvalho... hum... ia presenteá-la a Dumbledore no Natal... ah bem... — sacudiu os ombros — ele não pode sentir falta do que nunca recebeu! Por que não a abrimos agora para comemorar o aniversário do sr. Weasley? Nada como uma boa bebida para curar as dores de um desapontamento amoroso...

Ele riu de novo, e Harry o acompanhou. Esta era a primeira vez que ele se encontrava quase sozinho com Slughorn desde a desastrosa tentativa de extrair do professor a lembrança verdadeira. Talvez, se ele pudesse manter Slughorn de bom humor... talvez se tomassem suficiente hidromel envelhecido em carvalho...

— Pronto, aqui têm — disse Slughorn, entregando a cada garoto uma taça de hidromel, antes de erguer a própria.

— Bem, um ótimo aniversário para você, Ralph...

— Rony... — sussurrou Harry.

Mas Rony, que não pareceu estar ouvindo o brinde, já virara o hidromel de um gole.

Transcorreu um segundo, pouco mais que uma pulsação, em que Harry notou que havia alguma coisa terrivelmente errada, e Slughorn, pelo visto, não percebeu.

— ... e que esta data se repita por muitos...

— Rony!

Rony tinha deixado cair a taça; fez menção de se levantar da cadeira e desmontou frouxamente, suas extremidades sacudindo descontroladas. Ele babava espuma e seus olhos saltavam das órbitas.

— Professor! — berrou Harry. — Faça alguma coisa!

Slughorn, porém, parecia paralisado pelo choque. Rony se contorceu e engasgou; sua pele começou a azular.

— Que... mas... — gaguejou Slughorn.

Harry saltou por cima de uma mesinha baixa em direção ao estojo de poções aberto, tirou frascos e bolsinhas, enquanto o medonho ruído da respiração gorgolejante de Rony enchia a sala. Então Harry a encontrou: a pedra com aspecto de rim murcho que entregara a Slughorn na aula de Poções.

Tornou a correr para junto de Rony, abriu sua boca e jogou dentro o bezoar. O amigo deu um estremeção, um arquejo estertorante, e seu corpo ficou mole e imóvel.

19

CAMPANA DE ELFOS

— Então, no geral, não foi um dos melhores aniversários do Rony, não é? – comentou Fred.

Era noite; a ala hospitalar estava silenciosa, as cortinas fechadas, as luzes acesas. A cama de Rony era a única ocupada. Harry, Hermione e Gina estavam sentados à sua volta; tinham passado o dia inteiro esperando do lado de fora das portas duplas, tentando espiar lá para dentro, sempre que alguém entrava ou saía. Madame Pomfrey só os deixara entrar às oito horas da noite. Fred e Jorge tinham chegado dez minutos depois.

– Não foi bem assim que imaginamos entregar nosso presente – disse Jorge, sério, deixando um grande embrulho na mesa de cabeceira de Rony e se sentando ao lado de Gina.

– É, quando imaginamos a cena, ele estava consciente – confirmou Fred.

– Estávamos em Hogsmeade, esperando para fazer uma surpresa a ele – falou Jorge.

– Vocês estavam em Hogsmeade? – admirou-se Gina, erguendo a cabeça.

– Estivemos pensando em comprar a Zonko's – respondeu Fred triste.

– Uma filial em Hogsmeade, sabe, mas não vai nos adiantar nada, se vocês não tiverem mais permissão de sair nos fins de semana e comprar os nossos artigos... mas deixa isso para lá.

Ele puxou uma cadeira ao lado de Harry e contemplou o rosto pálido de Rony.

– Como foi exatamente que isso aconteceu, Harry?

O garoto tornou a contar a história que tinha a impressão de já ter repetido cem vezes a Dumbledore, a McGonagall, a Madame Pomfrey, a Hermione e a Gina.

– ...então enfiei o bezoar na boca de Rony e a respiração dele melhorou um pouco, Slughorn correu para buscar ajuda, McGonagall e Madame Pomfrey apareceram e o trouxeram aqui para cima. Acham que vai se curar. Madame Pomfrey diz que terá de ficar aqui mais ou menos uma semana... tomando Essência de Arruda.

— Caramba, foi sorte você ter se lembrado do bezoar — disse Jorge em voz baixa.

— Sorte que tivesse um na sala — respondeu Harry, que gelava só de pensar no que teria acontecido se não tivesse conseguido obter a pedrinha.

Hermione deu uma fungada quase inaudível. Tinha estado excepcionalmente quieta o dia todo. Tendo se precipitado, lívida, ao encontro de Harry, à porta da ala hospitalar, e exigido saber o que acontecera, ela praticamente não participara da discussão obsessiva entre Harry e Gina sobre o modo como Rony fora envenenado; meramente se postara ao lado deles, com os dentes cerrados e uma expressão de medo até que, finalmente, receberam autorização para vê-lo.

— Mamãe e papai sabem? — perguntou Fred a Gina.

— Eles já viram o Rony, chegaram há uma hora; estão no escritório de Dumbledore, agora, mas vão voltar logo...

Houve uma pausa durante a qual todos ficaram observando Rony, adormecido, resmungar um pouco.

— Então o veneno estava na garrafa? — perguntou Jorge em voz baixa.

— Estava — respondeu Harry imediatamente; não conseguia pensar em nada mais, e a oportunidade de retomar a discussão o deixava feliz. — Slughorn serviu o hidromel...

— Ele poderia ter posto alguma coisa na taça de Rony sem você ver?

— Provavelmente, mas por que Slughorn iria querer envenenar Rony?

— Não faço a menor ideia — respondeu Fred, enrugando a testa. — Você acha que ele poderia ter trocado as taças por engano? Querendo envenenar você?

— Por que Slughorn iria querer envenenar Harry? — indagou Gina.

— Não sei — replicou Fred —, mas deve haver muita gente que gostaria de envenenar Harry, não? "O Eleito" e tudo o mais?

— Então você acha que Slughorn é um Comensal da Morte? — perguntou Gina.

— Tudo é possível — respondeu Fred sombriamente.

— Ele poderia estar dominado pela Maldição Imperius — sugeriu Jorge.

— Ou poderia ser inocente — tornou Gina. — O veneno poderia estar na garrafa, caso em que provavelmente era destinado ao próprio Slughorn.

— Quem iria querer matar Slughorn?

— Dumbledore acha que Voldemort queria o apoio de Slughorn — disse Harry. — O professor esteve escondido durante um ano antes de vir para Hogwarts. E... — ele pensou na lembrança que Dumbledore ainda não conseguira extrair dele — ... e talvez Voldemort queira tirar Slughorn do caminho, talvez ache que ele pode ser valioso para Dumbledore.

— Mas você disse que Slughorn tinha pensado em dar a garrafa a Dumbledore no Natal — Gina lembrou a Harry. — Então o envenenador poderia muito bem estar atrás do Dumbledore.

— Então o envenenador não conhecia Slughorn muito bem — falou Hermione pela primeira vez em horas, com voz de quem pegara um forte resfriado. — Qualquer um que conhecesse Slughorn saberia que havia grande probabilidade do professor guardar uma coisa gostosa daquela para si mesmo.

— Her-mi-o-ne — crocitou Rony inesperadamente.

Todos se calaram, observando-o ansiosos, mas, depois de resmungar palavras incompreensíveis por um momento, ele simplesmente começou a roncar.

As portas da enfermaria se escancararam, sobressaltando a todos: Hagrid entrou e se encaminhou para o grupo, sua cabeleira salpicada de chuva, o casaco de pelo de urso ondulando aos seus passos, um arco na mão, deixando no chão um rastro de pegadas lamacentas do tamanho de boias.

— Passei o dia todo na Floresta! — ofegou. — Aragogue piorou, estive lendo para ele... só me levantei para jantar agora há pouco, e a professora Sprout me contou o que aconteceu ao Rony. Como é que ele está?

— Nada mal — respondeu Harry. — Dizem que vai ficar bom.

— Somente seis visitas de cada vez! — avisou Madame Pomfrey, saindo depressa de sua sala.

— Com o Hagrid são seis — salientou Jorge.

— Ah... é... — concordou Madame Pomfrey, que, pelo jeito, contara Hagrid como várias pessoas, diante de sua corpulência. Para disfarçar seu embaraço, ela correu a limpar as pegadas com a varinha.

— Não acredito — disse Hagrid rouco, sacudindo a cabeça peluda enquanto olhava para Rony. — Simplesmente não acredito... olha só ele deitado aí... quem iria querer fazer mal a ele, eh?

— É justamente o que estamos discutindo — disse Harry. — Não sabemos.

— Será que alguém poderia estar com raiva da equipe de quadribol da Grifinória? — perguntou Hagrid ansioso. — Primeiro a Katie, agora o Rony...

– Não consigo ver ninguém tentando liquidar uma equipe de quadribol – comentou Jorge.
– Wood teria acabado com os jogadores da Sonserina se não tivesse de pagar pelo crime – respondeu Fred, querendo ser justo.
– Bem, acho que o motivo não é o quadribol, mas acho que há uma ligação entre os ataques – disse Hermione, baixinho.
– Como é que você chegou a essa conclusão? – perguntou Fred.
– Bem, primeiro, os dois casos deviam ter sido fatais, mas não foram, embora tenha sido por pura sorte. Por outro lado, nem o veneno nem o colar parecem ter atingido a pessoa que deviam matar. É claro – acrescentou ela pensativa – que de certa forma isto torna o mandante dos atentados ainda mais perigoso, porque parece que não se importa com o número de pessoas que liquida até realmente chegar à sua vítima.

Antes que alguém pudesse reagir a essa afirmação agourenta, as portas tornaram a se abrir, e o casal Weasley entrou apressado na enfermaria. Em sua última visita, tinham apenas se assegurado de que Rony se recuperaria totalmente: agora a sra. Weasley agarrou Harry e lhe deu um abraço apertado.

– Dumbledore nos contou como você salvou Rony com o bezoar – soluçou a bruxa. – Ah, Harry, que podemos dizer? Você salvou Gina... salvou Arthur... agora salvou Rony...

– Não precisa... eu não... – murmurou Harry sem jeito.

– Parece que metade da nossa família lhe deve a vida, agora que paro para pensar – falou o sr. Weasley com a voz embargada. – Bem, só o que posso dizer é que foi um dia de sorte para os Weasley quando Rony resolveu sentar no seu compartimento no Expresso de Hogwarts, Harry.

O garoto não soube o que responder e quase se alegrou quando Madame Pomfrey tornou a ralhar com eles porque só podiam permanecer seis visitas em torno da cama de Rony; ele e Hermione se levantaram na mesma hora para sair e Hagrid decidiu acompanhá-los, deixando Rony com a família.

– É terrível – resmungou Hagrid, quando os três caminhavam pelo corredor em direção à escadaria de mármore. – Todas essas novidades na segurança e os garotos continuam a ser atingidos... Dumbledore está morto de preocupação... ele não fala muito, mas dá para sentir...

– Ele não tem nenhuma ideia, Hagrid? – perguntou Hermione desesperada.

– Acho que tem centenas de ideias, um cérebro como o dele – disse Hagrid lealmente. – Mas não sabe quem mandou aquele colar nem quem envenenou o vinho, ou eles já teriam sido pegos, não acha? O que me preocupa

— continuou ele baixando a voz e espiando por cima do ombro (Harry, por precaução, verificou se Pirraça estaria no teto) – é quanto tempo Hogwarts pode continuar aberta se os garotos não param de ser atacados. É a Câmara Secreta outra vez, não é mesmo? Vai haver pânico, muitos pais vão tirar os filhos da escola e, quando a gente der pela coisa, o conselho diretor...

Hagrid se calou enquanto o fantasma de uma mulher de longos cabelos passava serenamente por eles, então retomou o que dizia num sussurro rouco:

– ... o conselho diretor vai começar a falar em nos fechar para sempre.

– Com certeza que não – contestou Hermione, preocupada.

– Temos que ver o ponto de vista deles – replicou Hagrid pesaroso.

– Quero dizer, sempre foi meio arriscado mandar um garoto para Hogwarts, não acham? A gente espera que haja acidentes, não é, centenas de bruxos de menor idade trancados juntos, mas tentativa de homicídio é outra coisa. Não admira que Dumbledore esteja aborrecido com o Sn...

Hagrid parou de repente, e uma expressão de culpa que os garotos conheciam tão bem tornou-se visível acima da emaranhada barba preta.

– Quê? – perguntou Harry depressa. – Dumbledore está aborrecido com o Snape?

– Eu nunca disse isso – protestou Hagrid, embora sua expressão de pânico não pudesse ser maior confirmação. – Olhem como é tarde, já é quase meia-noite, preciso...

– Hagrid, por que Dumbledore está aborrecido com Snape? – perguntou Harry em voz alta.

– Chiii! – disse Hagrid, parecendo ao mesmo tempo nervoso e zangado.

– Não grite essas coisas, Harry, você quer que eu perca o meu emprego? Não que eu ache que você se importaria, não é, agora que desistiu de estudar Trato das...

– Não tente me fazer sentir culpado, não vai funcionar! – exclamou Harry energicamente. – Que foi que Snape fez?

– Não sei, Harry, eu não devia nem ter ouvido! Ah... bem, eu ia saindo da Floresta uma noite dessas e ouvi os dois conversando... bem, discutindo. Não quis chamar atenção para a minha pessoa, então meio que me escondi e tentei não ouvir, mas foi uma... bem uma discussão inflamada, e foi difícil não ouvir.

– E aí? – insistiu Harry, enquanto o amigo arrastava os enormes pés pouco à vontade.

– Bem... eu só ouvi Snape dizer que o Dumbledore contava com muita coisa e talvez ele... Snape... não quisesse continuar a...

— O quê?

— Não sei, Harry, pareceu que o Snape estava se sentindo sobrecarregado, foi só... em todo caso, Dumbledore disse, sem rodeios, que ele tinha concordado em fazer alguma coisa e que era assunto encerrado. Foi bastante firme com ele. E então ele falou algo sobre Snape fazer investigações na Casa dele, na Sonserina. Bem, não vejo nada estranho nisso! — Hagrid apressou-se a acrescentar, enquanto Harry e Hermione trocavam olhares muito significativos. — Todos os diretores de Casas receberam ordem de investigar o caso do colar...

— É, mas Dumbledore não andou brigando com os outros, não é? — replicou Harry.

— Olhe — Hagrid torceu o arco nas mãos sem jeito; ouviu-se um forte estalo de madeira e o arco se partiu em dois —, eu sei o que você pensa do Snape, Harry, e não quero que entenda nessa história mais do que tem para entender.

— Cuidado — avisou Hermione bruscamente.

Eles se viraram em tempo de ver a sombra de Argo Filch se avultar na parede às suas costas antes que o homem, corcunda, de queixo trêmulo, aparecesse no canto do corredor.

— Oho! — exclamou num chiado. — Fora da cama tão tarde, isto vai significar detenção!

— Não vai, não, Filch — disse Hagrid secamente. — Eles estão comigo, não é mesmo?

— E que diferença faz isso? — perguntou Filch desaforado.

— Pombas, sou professor, não é mesmo, seu aborto fofoqueiro! — retrucou Hagrid, irritando-se.

Ouviu-se um sibilo agressivo à medida que Filch inchava de fúria; Madame Nor-r-ra apareceu, sem ninguém perceber, e se enroscou, sinuosa, nos tornozelos magros do dono.

— Vão andando — disse Hagrid pelo canto da boca.

Harry não precisou ouvir a segunda vez; ele e Hermione saíram ligeiros, ouvindo os ecos da altercação de Hagrid e Filch às suas costas enquanto corriam. Passaram por Pirraça antes de virarem para a Torre da Grifinória, mas o poltergeist voava feliz em direção à fonte da gritaria, rindo e cantarolando:

Quando tem conflito e quando tem barulho,
Chamem o Pirraça, ele dobra a confusão!

A Mulher Gorda estava tirando um cochilo e não gostou de ser acordada, mas girou, resmungando, para permitir que os garotos entrassem na sala comunal, felizmente vazia e tranquila. Pelo visto, as pessoas ainda não sabiam o que acontecera a Rony; Harry sentiu um grande alívio, já fora suficientemente interrogado aquele dia. Hermione lhe deu boa noite e foi para o dormitório das garotas. Harry, porém, ficou na sala, e se sentou junto à lareira, contemplando as brasas que iam se apagando.

Então Dumbledore discutira com Snape. Apesar de tudo que dissera a Harry, apesar de insistir que confiava inteiramente em Snape, perdera a paciência com ele... achava que Snape não se empenhara o suficiente para investigar os alunos da Sonserina... ou, talvez, investigar um único aluno: Malfoy?

Será que Dumbledore não queria que Harry fizesse uma tolice, resolvesse agir por conta própria, por isso fingira que não havia fundamento nas suspeitas do garoto? Era plausível. Podia até ser que Dumbledore quisesse evitar que Harry se desviasse de suas aulas ou de obter aquela lembrança de Slughorn. Talvez Dumbledore não achasse direito confiar suas suspeitas sobre professores a adolescentes de dezesseis anos...

— Aí está você, Potter!

Harry saltou, assustado, empunhando a varinha. Estava certo de que não havia ninguém na sala comunal; não estava preparado para ver um vulto colossal se erguer de repente de uma cadeira distante. Um olhar mais atento mostrou-lhe que era Córmaco McLaggen.

— Estive esperando você voltar — disse McLaggen, ignorando a varinha de Harry. — Devo ter adormecido. Olha, vi quando levaram Weasley para a ala hospitalar hoje cedo. E, pelo jeito, não estará em condições de jogar a partida da semana que vem.

Harry levou uns momentos para compreender o que McLaggen estava dizendo.

— Ah... certo... quadribol — disse, guardando a varinha no cós do jeans e passando a mão, cansado, pelos cabelos. — É... talvez ele não possa jogar.

— Bem, então, eu serei o goleiro, não é?

— É. É, presumo que sim...

Não conseguia pensar em nenhum argumento em contrário; afinal, McLaggen fora, sem dúvida, o segundo melhor nos testes.

— Excelente — disse McLaggen satisfeito. — Então, quando vai ser o treino?

— Quê? Ah... haverá um amanhã à noite.

— Ótimo. Escute aqui, Potter, acho que devíamos ter uma conversa antes. Tenho algumas ideias sobre estratégia que podem lhe ser úteis.

— Certo — concordou Harry sem entusiasmo. — Bem, você me fala amanhã então. Estou muito cansado agora... a gente se vê...

A notícia de que Rony fora envenenado se espalhou rapidamente no dia seguinte, mas não causou a mesma sensação do ataque a Katie. Aparentemente, as pessoas pensaram que poderia ter sido um acidente, e, considerando que ele estava na sala do professor de Poções naquele momento e que recebera logo um antídoto, não acontecera realmente mal algum. De fato, os alunos da Grifinória, de um modo geral, se mostravam bem mais interessados no jogo iminente contra a Lufa-Lufa, porque muitos queriam ver Zacarias Smith, que era o artilheiro da equipe, receber um bom castigo pelos seus comentários durante a partida de abertura da temporada contra a Sonserina.

Harry, no entanto, nunca estivera menos interessado em quadribol; estava se tornando aceleradamente obcecado por Draco Malfoy. Ainda observando o Mapa do Maroto sempre que podia, ele por vezes saía do seu caminho para ir onde Malfoy estivesse, sem, contudo, encontrá-lo fazendo qualquer coisa fora do comum. E continuava a haver aqueles momentos inexplicáveis em que Malfoy simplesmente desaparecia do mapa.

O garoto, porém, não teve muito tempo para refletir sobre o problema em face dos treinos de quadribol, dos deveres e do fato de que ele estava sendo perseguido aonde quer que fosse por Córmaco McLaggen e Lilá Brown.

Ele não conseguia decidir qual era o mais importuno. McLaggen despejava um fluxo constante de insinuações de que seria um goleiro titular melhor para a equipe do que Rony e que agora que Harry o veria jogar regularmente, com certeza, acabaria pensando o mesmo; Córmaco também gostava de criticar os outros jogadores e de fornecer a Harry esquemas detalhados de treinamento, forçando Harry, mais de uma vez, a lembrar-lhe quem era o capitão.

Enquanto isso, Lilá não parava de abordá-lo para falar sobre Rony, o que Harry achava mais estressante do que as preleções de McLaggen sobre quadribol. A princípio, Lilá ficara muito aborrecida que ninguém tivesse pensado em avisá-la de que Rony estava hospitalizado ("quero dizer, eu *sou* a namorada dele!"), mas, infelizmente, ela resolvera perdoar a Harry este lapso de memória, e estava preferindo manter com ele conversas frequentes e profundas sobre os sentimentos de Rony, uma experiência extremamente desconfortável que o garoto teria dispensado com prazer.

— Olha, por que você não conversa com Rony sobre tudo isso? — perguntou Harry, depois de um interrogatório particularmente longo de Lilá, que incluiu desde o que Rony dissera sobre suas novas vestes até a opinião de Harry se Rony estaria levando a "sério" o namoro dos dois.

– Bem, eu faria isso, mas ele está sempre dormindo quando vou à enfermaria! – respondeu Lilá impaciente.

– É mesmo?! – exclamou Harry, surpreso, pois encontrara Rony completamente acordado todas as vezes em que estivera na ala hospitalar, muito interessado em saber notícias da discussão entre Dumbledore e Snape, e em xingar McLaggen sempre que podia.

– Hermione Granger continua visitando Rony? – quis saber Lilá inesperadamente.

– Acho que sim. Bem, eles são amigos, não é? – respondeu Harry constrangido.

– Amigos, não me faça rir – comentou Lilá com desdém. – Ela deixou de falar com Rony durante semanas quando ele começou a sair comigo! Mas imagino que queira reatar agora que ele se tornou tão *interessante*...

– Você chama interessante alguém ser envenenado? De qualquer modo... me desculpe, tenho de ir andando... aí vem McLaggen para falar de quadribol – disse Harry, apressado, e se precipitou por uma porta lateral disfarçada de parede sólida e desceu por um atalho que o levaria à aula de Poções onde, felizmente, nem Lilá nem McLaggen poderiam segui-lo.

Na manhã do jogo de quadribol contra a Lufa-Lufa, Harry passou na ala hospitalar antes de seguir para o campo. Encontrou Rony muito agitado; Madame Pomfrey não queria deixá-lo ir assistir ao jogo, achando que poderia perturbá-lo demais.

– Então, como é que McLaggen está se saindo? – perguntou nervoso a Harry, aparentemente esquecido de que já fizera a mesma pergunta duas vezes.

– Já lhe disse – respondeu Harry pacientemente –, ele poderia ser um goleiro de primeira linha e, ainda assim, eu não iria querer ele na equipe. Ele não para de dizer a todo o mundo o que fazer, acha que poderia jogar em qualquer posição melhor do que a gente. Mal posso esperar para me livrar dele. E, por falar em se livrar de pessoas – acrescentou Harry, levantando-se e apanhando sua Firebolt –, quer parar de fingir que está dormindo quando a Lilá vem visitar você? Ela é outra que está me deixando maluco.

– Ah! – exclamou Rony, sem graça. – Tudo bem.

– Se você não quer mais namorar, é só dizer a ela.

– É... bem... não é tão fácil, não é? – Rony fez uma pausa. – Hermione vai passar aqui antes do jogo? – acrescentou displicente.

— Não, ela já foi para o campo com a Gina.
— Ah — tornou Rony, parecendo deprimido. — Certo. Bem, boa sorte. Espero que você dê uma surra no McLag... quero dizer, no Smith.
— Vou tentar — disse Harry, levando a vassoura ao ombro. — A gente se vê depois do jogo.

Ele saiu apressado pelos corredores desertos; a escola inteira estava lá fora ou sentada no estádio ou a caminho. Harry foi espiando pelas janelas ao passar, tentando avaliar quanto vento iam enfrentar, quando um barulho mais à frente chamou sua atenção; ele viu Malfoy andando em sua direção em companhia de duas garotas, ambas com ar de contrariedade e raiva.

Malfoy parou imediatamente ao ver Harry, então soltou uma risada curta e seca e continuou a andar.

— Aonde é que você vai? — quis saber Harry.

— É, vou mesmo lhe dizer, Potter, porque é da sua conta — debochou Malfoy. — É melhor você correr, devem estar esperando o "Capitão Eleito", o "Rapaz que Fez Gol", ou sei lá qual é o nome que lhe dão ultimamente.

Uma das garotas riu, contrafeita. Harry encarou-a. Ela corou. Malfoy passou por Harry, e ela e a amiga o seguiram quase correndo, viraram num canto e desapareceram de vista.

Harry ficou pregado ali, observando-os desaparecer. Isto era de enfurecer; estava em cima da hora para chegar ao estádio em tempo e via Malfoy, rondando pelos corredores enquanto o restante da escola estava ausente: a melhor chance que Harry tivera até o momento para descobrir o que Malfoy andava fazendo. Os segundos silenciosos passaram lentos e Harry continuou onde estava, paralisado, olhando para o lugar onde vira Malfoy desaparecer...

— Aonde é que você andou? — indagou Gina, quando Harry entrou correndo no vestiário. A equipe inteira estava uniformizada e pronta; Coote e Peakes, os batedores, balançavam os bastões nervosamente contra as pernas.

— Encontrei Malfoy — respondeu ele em voz baixa, enquanto enfiava as vestes vermelhas pela cabeça.

— E daí?

— E daí eu queria saber por que ele estava no castelo com duas garotas enquanto todo o mundo está aqui embaixo...

— E isso faz diferença agora?

— Bem, provavelmente não vou descobrir, não é mesmo? — respondeu ele, apanhando a Firebolt e endireitando os óculos. — Andem, vamos!

E sem dizer mais nada, entrou em campo sob vaias e aplausos ensurdecedores. Ventava pouco; as nuvens estavam esgarçadas; a intervalos, deixavam passar lampejos ofuscantes de sol.

— Condições enganosas! — disse McLaggen para estimular a equipe. — Coote, Peakes, vocês terão de voar evitando o sol, para eles não verem vocês se aproximando...

— Eu sou o capitão, McLaggen, pare de dar instruções! — exclamou Harry irritado. — Vai logo para junto das balizas!

Quando McLaggen se afastou, Harry se dirigiu a Cootes e Peakes.

— Procurem *realmente* voar evitando o sol — repetiu para os jogadores de má vontade.

Harry apertou a mão do capitão da Lufa-Lufa e, quando Madame Hooch apitou, deu impulso e levantou voo, ganhando uma altitude maior do que o resto da equipe, para sobrevoar os limites do campo à procura do pomo. Se conseguisse agarrá-lo bem cedo, talvez pudesse voltar ao castelo, apanhar o Mapa do Maroto e descobrir o que Malfoy estava fazendo...

"E lá vai Smith da Lufa-Lufa levando a goles", ecoou uma voz sonhadora pelos terrenos de Hogwarts. "Da última vez, foi ele quem narrou o jogo, é claro, e Gina Weasley colidiu com o pódio, provavelmente de propósito: ou assim me pareceu. Smith foi muito grosseiro nos comentários sobre a Grifinória, imagino que esteja arrependido agora que tem de enfrentar a equipe da Casa... ah, olhem, ele perdeu a posse da goles, Gina roubou-a dele, gosto dela, é muito boa..."

Harry olhou admirado para o pódio do locutor. Decerto, ninguém com o juízo perfeito deixaria Luna Lovegood narrar o jogo! Mas, mesmo ali do alto, não havia como confundir aqueles longos cabelos louro-sujos nem aquele colar de rolhas de cerveja amanteigada... Ao lado de Luna, a professora McGonagall parecia meio constrangida, como se de fato estivesse refletindo sobre tal escolha.

"... mas agora aquele grandalhão da Lufa-Lufa tirou a goles de Gina, não estou conseguindo lembrar o nome dele, é alguma coisa parecida com Bibble... não, Buggins..."

— É Cadwallader! — exclamou a professora McGonagall em voz alta ao lado de Luna. A multidão riu.

Harry correu os olhos ao redor, procurando o pomo; nem sinal. Instantes depois, Cadwallader marcou. McLaggen estivera aos berros, criticando Gina por perder a posse da goles, e, em consequência, não vira a grande bola vermelha passar voando por sua orelha direita.

— McLaggen, quer prestar atenção no que você devia estar fazendo e deixar os outros em paz?! — berrou Harry, dando meia-volta para ficar de frente para o seu goleiro.

— Grande exemplo você está dando! — gritou McLaggen em resposta, a cara vermelha de fúria.

"E Harry Potter agora está discutindo com o seu goleiro", irradiou Luna calmamente, enquanto as torcidas da Lufa-Lufa e da Sonserina, entre os espectadores, aplaudiam e vaiavam. "Acho que isso não vai ajudá-lo a localizar o pomo, mas talvez seja um estratagema bem sacado..."

Xingando enraivecido, Harry tornou a girar e recomeçou a contornar o campo, varrendo o céu à procura de um sinal da bolinha de ouro alada.

Gina e Demelza marcaram cada uma o seu gol, dando à torcida vermelho e ouro, lá embaixo, um motivo para se alegrar. Cadwallader tornou a golear, empatando o placar, mas Luna não pareceu notar; narrava como se não tivesse interessada em detalhes mundanos como o marcador, e todo o tempo tentava chamar a atenção da multidão para nuvens de formas curiosas e a possibilidade de Zacarias Smith, que até o momento não conseguira manter a posse da goles por mais de um minuto, estar sofrendo de uma doença chamada "fiascurgia".

"Setenta a quarenta para Lufa-Lufa!", anunciou a professora McGonagall ao megafone de Luna.

"Já?!", exclamou Luna distraída. "Ah, vejam! O goleiro da Grifinória arrancou o bastão de um dos batedores."

Harry se virou no ar. De fato, McLaggen, por motivos que só ele sabia, tirara o bastão de Peakes e parecia estar demonstrando como bater um balaço em Cadwallader, que se aproximava.

— Quer devolver o bastão dele e voltar às balizas?! — rugiu Harry, voando em direção a McLaggen, exatamente na hora em que ele golpeava com ferocidade um balaço e errava o alvo.

Uma dor nauseante de cegar... um lampejo... gritos distantes... e a sensação de despencar por um longo túnel...

Quando recuperou os sentidos, Harry se viu deitado em uma cama extraordinariamente quente e confortável, olhando para um lampião, no alto, que projetava um círculo de luz dourada no teto escuro. Harry ergueu a cabeça desajeitado. À sua esquerda, estava alguém de sardas e cabelos ruivos que lhe pareceu familiar.

— Que bom que veio me visitar — disse Rony rindo.

Harry piscou os olhos e olhou ao redor. Claro: encontrava-se na ala hospitalar. O céu lá fora estava azul-anil raiado de vermelho. O jogo devia ter acabado havia horas... tal como a esperança de encurralar Malfoy. Sua cabeça parecia estranhamente pesada; ele ergueu a mão e sentiu um turbante compacto de bandagens.

– Que aconteceu?

– Fratura no crânio – respondeu Madame Pomfrey, aproximando-se, enérgica, e obrigando-o a deitar de novo nos travesseiros. – Não precisa se preocupar, emendei tudo na hora, mas vou mantê-lo aqui até amanhã. Você não deve fazer maiores esforços por algumas horas.

– Não quero ficar aqui até amanhã – respondeu Harry, aborrecido, sentando-se e atirando as cobertas para longe. – Quero achar o McLaggen e matar ele.

– Creio que isso se enquadre entre "maiores esforços" – disse Madame Pomfrey, empurrando-o, com firmeza, na cama e erguendo sua varinha ameaçadoramente. – Você vai ficar aqui até que eu lhe dê alta, Potter, ou chamarei o diretor.

A bruxa voltou depressa para a sua sala, e Harry afundou nos travesseiros, espumando.

– Você sabe de quanto perdemos? – perguntou a Rony entre os dentes.

– Bem, sei – respondeu Rony em tom de quem pede desculpas. – O placar final foi trezentos e vinte a sessenta.

– Genial! – exclamou Harry com ferocidade. – Realmente genial! Quando eu pegar o McLaggen...

– Você não quer pegar o McLaggen, ele é do tamanho de um trasgo – argumentou Rony. – Pessoalmente, sou mais a favor de azarar ele com aquele feitiço do Príncipe, na unha do pé. De qualquer modo, quem sabe o resto da equipe já terá cuidado dele quando você sair daqui, ninguém ficou feliz...

Havia uma nota de mal contida alegria na voz de Rony; Harry percebeu que ele estava simplesmente vibrando que McLaggen tivesse metido os pés pelas mãos. Harry ficou ali, contemplando o retalho de luz no teto, sua cabeça recém-emendada não estava exatamente doída, mas parecia sensível sob aquelas bandagens.

– Ouvi a narração da partida daqui – disse Rony, a voz trêmula de riso. – Espero que seja sempre a Luna a comentar daqui para frente... *Fiascurgia*...

Harry, no entanto, continuava zangado demais para achar muita graça na situação, e pouco depois Rony parou de rir.

– Gina veio fazer uma visita quando você estava inconsciente – disse ele depois de uma longa pausa, e instantaneamente a imaginação de Harry disparou, montando uma cena em que Gina, chorando sobre o seu corpo sem vida, confessava sentir uma forte atração por ele enquanto Rony os abençoava... – Ela acha que você chegou em cima da hora para o jogo. Que aconteceu? Você saiu daqui bem cedo.

— Ah... — começou Harry enquanto a cena implodia em sua mente. — É...
bem, vi Malfoy se esgueirando pelo corredor com duas garotas que pareciam não estar querendo a companhia dele, e esta é a segunda vez que ele dá um jeito de não estar no estádio com o resto da escola. E ele também faltou ao último jogo, lembra? — suspirou Harry. — Eu gostaria de ter seguido o Malfoy, já que o jogo foi aquele fiasco...

— Não seja idiota — replicou Rony com rispidez. — Você não podia faltar a um jogo de quadribol só para seguir Malfoy, você é o capitão!

— Quero saber o que ele anda fazendo. E não me diga que isso é coisa da minha imaginação, não depois da conversa que escutei entre ele e o Snape...

— Eu nunca disse que você estava imaginando coisas — protestou Rony, erguendo-se sobre um cotovelo e franzindo a testa para Harry —, mas não existe regra que diga que somente uma pessoa de cada vez pode tramar coisas neste lugar! Você está ficando meio obcecado pelo Malfoy, Harry. Quero dizer, pensar em faltar um jogo só para seguir o cara...

— Quero apanhar Malfoy com a mão na massa! — respondeu Harry frustrado. — Quero dizer, aonde é que ele vai quando desaparece do mapa?

— Não sei... Hogsmeade? — sugeriu Rony, bocejando.

— Nunca o vi andando por nenhuma passagem secreta no mapa. Aliás, achei que todas elas estavam sendo vigiadas agora, não?

— Bem, então, não sei.

Fez-se silêncio entre os dois. Harry ficou olhando para o círculo de luz no alto, refletindo...

Se ao menos ele tivesse o poder de Rufo Scrimgeour, poderia mandar seguir Malfoy, mas infelizmente não tinha uma Seção de Aurores sob seu comando... ele pensou por um breve instante em montar alguma coisa com a AD, mas, de novo, haveria o problema de darem por falta dos alunos nas aulas; afinal, a maioria deles tinha horários apertados...

Ouviu-se um ronco surdo vindo da cama de Rony. Passado um tempo, Madame Pomfrey saiu de sua sala, desta vez trajando um grosso roupão. Era mais fácil fingir que estava dormindo; Harry virou para o lado e ouviu as cortinas se fecharem quando a bruxa acenou com a varinha. As luzes diminuíram e ela voltou à sua sala; ele ouviu o clique da porta ao fechar, e entendeu que ela se recolhera.

Esta, refletiu Harry no escuro, era a terceira vez que o traziam para a ala hospitalar por conta de um acidente de quadribol. Da última vez, ele caíra da vassoura por causa da presença dos dementadores em torno do campo, e, da vez anterior, perdera todos os ossos do braço pela incompetência incurável do professor Lockhart... fora de longe o seu acidente mais doloroso... ele se lembrou da agonia de restaurar todos os ossos do braço em uma noite, um mal-estar que só fez aumentar com a chegada de um visitante inesperado no meio da...

Harry se sentou de repente, o coração batendo forte, o turbante de bandagens enviesado. Finalmente encontrara a solução: *havia* uma maneira de seguir Malfoy... como podia ter esquecido, por que não pensara nisso antes?

Mas a questão era: como chamá-lo? Como se fazia isso?

Em voz baixa, hesitante, Harry falou para a noite:

– Monstro?

Ouviu um forte estalo e o ruído de guinchos e pés arrastados encheram a enfermaria. Rony acordou com um ganido.

– Que está...?

Harry apontou a varinha depressa para a porta da sala de Madame Pomfrey e murmurou *Abaffiato!*, para impedir que ela viesse correndo. Então, ele se arrastou até os pés da cama para ver melhor o que estava acontecendo.

Dois elfos domésticos estavam embolados no chão, no meio da enfermaria, um usava um pulôver castanho-avermelhado que encolhera e vários gorros de lã; o outro, um trapo velho e imundo preso nos quadris como uma tanga. Ouviu-se, então, mais um estalo e Pirraça, o poltergeist, apareceu sobrevoando os elfos engalfinhados.

– Eu estava assistindo, Potty! – disse indignado a Harry, apontando para os lutadores, e em seguida soltou uma grande gargalhada. – Olhe essas criaturinhas brigando, mordidinha, murrinho...

– Monstro não vai insultar Harry Potter na frente de Dobby, não vai, não, ou Dobby vai fechar a boca dele! – exclamou Dobby com a voz muito aguda.

– Chutinho, arranhãozinho! – exclamou Pirraça, alegre, agora atirando pedaços de giz nos elfos para enraivecê-los. – Torcidinha, cutucadinha!

– Monstro dirá o que quiser sobre o senhor dele, ah, dirá, e que senhor ele tem, um amigo nojento de Sangues Ruins, ah, o que diria a pobre senhora do Monstro...?

Exatamente o que a senhora de Monstro diria ninguém chegou a saber, porque naquele instante Dobby meteu o punho nodoso na boca de Monstro, fazendo saltar metade dos seus dentes. Harry e Rony pularam de suas camas e separaram os elfos, embora eles continuassem tentando chutar e esmurrar um ao outro, incentivados por Pirraça, que dançava em torno do lampião aos guinchos:

— Enfia os dedos no nariz dele, tira sangue e arranca as orelhinhas dele...

Harry apontou a varinha para Pirraça e disse:

— *Travalíngua!* — Pirraça levou as mãos à garganta, engoliu em seco e saiu voando da enfermaria, fazendo gestos obscenos, mas sem fala, porque sua língua acabara de grudar no céu da boca.

— Legal esse! — aprovou Rony, erguendo Dobby no ar para impedir que suas pernas agitadas continuassem a atingir o Monstro. — Mais um dos feitiços do Príncipe, não é?

— É — confirmou Harry, torcendo o braço fino de Monstro com uma chave de braço. — Certo: proíbo você de lutar com o Dobby. Dobby, eu sei que não posso lhe dar ordens...

— Dobby é um elfo doméstico livre e pode obedecer a quem ele quiser, e Dobby fará tudo que Harry Potter quiser! — disse o elfo, as lágrimas agora escorrendo pelo seu rosto enrugado e pingando no suéter.

— O.k., então — disse Harry, e ele e Rony soltaram os elfos, que caíram ao chão, mas não continuaram a lutar.

— O senhor me chamou? — crocitou Monstro, fazendo uma profunda reverência a Harry ao mesmo tempo que seu olhar lhe desejava claramente uma morte dolorosa.

— É, chamei — disse Harry, olhando de relance a porta de Madame Pomfrey para verificar se o *Abaffiato* continuava fazendo efeito; não viu sinal de que ela tivesse ouvido a agitação. — Tenho uma tarefa para você.

— Monstro fará o que o seu senhor mandar — e fez uma curvatura tão profunda que seus lábios quase tocaram os dedos de seus pés nodosos —, porque Monstro não tem opção, mas Monstro sente vergonha de ter um senhor assim, ora se tem...

— Dobby fará a tarefa, Harry Potter! — guinchou Dobby, seus olhos do tamanho de bolas de tênis ainda marejados de lágrimas. — Dobby se sentiria honrado de ajudar Harry Potter!

— Pensando bem, seria melhor que os dois fizessem — disse Harry. — O.k., então... quero que sigam o Draco Malfoy.

Sem dar atenção à expressão de simultânea surpresa e exasperação no rosto de Rony, ele continuou:

— Quero saber aonde ele vai, com quem se encontra e o que faz. Quero que o sigam vinte e quatro horas por dia.

— Sim, Harry Potter! — concordou Dobby imediatamente, seus olhos brilhando de animação. — E se Dobby errar, Dobby se atirará da torre mais alta, Harry Potter!

— Não precisará fazer nada disso — apressou-se Harry a dizer.

— O senhor quer que eu siga o mais jovem dos Malfoy? — crocitou Monstro. — O senhor quer que eu espione o sobrinho-neto de sangue puro da minha antiga senhora?

— Esse mesmo — disse Harry, prevendo um grande perigo, e decidido a impedi-lo imediatamente: — E você está proibido de avisar a ele, Monstro, ou mostrar a ele o que está fazendo, ou falar com ele, ou escrever mensagens para ele, ou... ou entrar em contato com ele de alguma forma. Entendeu?

Harry pensou perceber que Monstro se esforçava para encontrar uma brecha nas instruções que acabara de receber, e aguardou. Após alguns momentos, e para grande satisfação de Harry, Monstro se curvou e disse com amargurado rancor:

— O senhor pensa em tudo e Monstro tem de obedecer, mas Monstro preferia muito mais ser servo do rapaz Malfoy, ah, isto ele preferia...

— Então está acertado. Quero receber relatórios regularmente, mas verifiquem se estou sozinho quando vierem me procurar. Rony e Hermione são de confiança. E não comentem com ninguém o que estão fazendo. Colem em Malfoy como se fossem adesivos para remover verrugas.

20

O PEDIDO DE LORDE VOLDEMORT

Harry e Rony deixaram a ala hospitalar bem cedo na manhã de segunda-feira, com a saúde perfeita, graças aos cuidados de Madame Pomfrey, prontos para gozar os benefícios de terem sido, respectivamente, fraturado e envenenado, e, o que era melhor, Hermione reatara a amizade com Rony. A garota chegou a acompanhá-los quando desceram para o café da manhã, trazendo a notícia de que Gina tinha discutido com Dino. O animal adormecido no peito de Harry instantaneamente ergueu a cabeça e farejou o ar, esperançoso.

– E qual foi o motivo da discussão? – perguntou ele, tentando parecer desinteressado, quando entraram por um corredor deserto do sétimo andar, exceto por uma garotinha que estava examinando uma tapeçaria com trasgos usando tutus. Ela fez uma cara de terror ao ver os sextanistas se aproximarem, e deixou cair a pesada balança que estava carregando.

– Tudo bem! – disse Hermione gentilmente, correndo para ajudá-la. – Veja... – E tocou a balança partida com a varinha dizendo *Reparo!*.

A garota não agradeceu, continuou pregada no chão enquanto eles passavam, acompanhando, com o olhar, o grupo desaparecer de vista; Rony virou a cabeça para espiá-la.

– Juro que cada dia elas estão ficando menores – comentou.

– Esqueça a garota – disse Harry, um pouco impaciente. – Por que foi que Gina e Dino brigaram, Hermione?

– Ah, Dino estava rindo de McLaggen ter acertado aquele balaço em você – respondeu Hermione.

– Deve ter sido engraçado – comentou Rony sensatamente.

– Não foi nada engraçado! – replicou Hermione indignada. – Foi horrível, e se Coote e Peakes não tivessem agarrado Harry ele poderia ter se machucado seriamente!

– É, bem, Gina e Dino não precisavam ter rompido o namoro por causa disso – tornou Harry, ainda tentando parecer displicente. – Ou eles continuam juntos?

– Continuam... mas por que você está tão interessado? – perguntou Hermione, lançando a Harry um olhar penetrante.

– Não quero ver a equipe de quadribol bagunçada outra vez! – apressou-se a justificar, mas Hermione continuou desconfiada, e ele sentiu um grande alívio quando uma voz às suas costas gritou "Harry!", dando-lhe uma desculpa para virar as costas para ela.

– Ah, oi, Luna.

– Fui procurar você na ala hospitalar – disse Luna vasculhando a mochila. – Mas disseram que você já tinha saído...

Ela empurrou nas mãos de Rony uma coisa que parecia uma cebola verde, um grande chapéu-de-cobra e uma bolada de outra coisa que lembrava argila absorvente para caixa de dejetos de gatos, e, por fim, tirou um pergaminho meio sujo que entregou a Harry.

– ... mandaram lhe entregar isto.

Era um rolinho de pergaminho no qual Harry reconheceu imediatamente outro convite para uma aula com Dumbledore.

– Hoje à noite – informou ele a Rony e Hermione, quando abriu o pergaminho.

– Legal a sua narração no último jogo! – disse Rony a Luna, quando ela pegou de volta a cebola verde, o chapéu-de-cobra e a argila. A garota deu um sorriso indefinido.

– Você está caçoando de mim, não é? Todo o mundo disse que foi péssima.

– Não, estou falando sério! – replicou Rony com sinceridade. – Não me lembro de ter gostado tanto de uma narração! A propósito, que é isso? – acrescentou, erguendo a tal cebola à altura dos olhos.

– Ah, é raiz-de-cuia – disse ela, devolvendo a argila e o cogumelo à sua mochila. – Pode ficar com ela se quiser, tenho muito. É excelente para a gente se proteger das Dilátex Vorazes.

E ela se afastou, deixando Rony ainda segurando a raiz-de-cuia na mão e rindo.

– Sabe, ela acabou me conquistando, a Luna – comentou ele, quando recomeçaram a andar para o Salão Principal. – Sei que é maluca, mas é no bom...

Ele parou repentinamente de falar. Lilá Brown estava parada ao pé da escadaria de mármore com um ar tempestuoso.

— Oi — cumprimentou Rony nervoso.

— Vamos — murmurou Harry para Hermione, e eles deixaram os dois para trás depressa, mas não sem antes ter ouvido Lilá dizer:

— Por que você não me avisou que estava saindo hoje? E por que *ela* estava com você?

Rony parecia esquivo e aborrecido quando chegou para tomar café meia hora mais tarde e, embora sentasse com Lilá, Harry não os viu trocarem uma única palavra à mesa. Hermione agia como se estivesse indiferente à cena, mas uma ou duas vezes Harry percebeu um inexplicável ar de riso perpassar seu rosto. Durante todo aquele dia, ela pareceu particularmente bem-humorada e, à noite, na sala comunal, ela até consentiu em dar uma lida (em outras palavras, terminar de escrever) no trabalho de Herbologia de Harry, coisa que se recusara terminantemente a fazer até então, porque sabia que Harry deixaria Rony copiar seu trabalho.

— Valeu, Hermione — disse Harry, dando-lhe uma palmadinha apressada nas costas ao mesmo tempo em que consultava o relógio e constatava que já eram quase oito horas. — Escute, tenho de correr ou vou chegar atrasado à aula do Dumbledore...

Ela não respondeu, apenas cortou algumas frases menos adequadas com um ar cansado. Harry, rindo, passou rápido pelo buraco do retrato e saiu em direção ao escritório do diretor. A gárgula saltou para o lado ao ouvir falar em bombas de caramelo, e Harry, subindo a escada de dois em dois degraus, bateu na porta na hora em que o relógio marcou oito horas.

— Entre — falou Dumbledore, mas quando Harry estendeu a mão para empurrar a porta ela foi escancarada pelo lado de dentro. À sua frente estava a professora Trelawney.

— Ah-ah! — exclamou ela, apontando dramaticamente para Harry e piscando os olhos por trás das lentes que aumentavam seus olhos. — Então esta é a razão por que fui expulsa sem a menor cerimônia de seu escritório, Dumbledore!

— Minha cara Sibila — respondeu o diretor ligeiramente exasperado —, não é uma questão de expulsá-la sem a menor cerimônia de lugar algum, Harry tem uma hora marcada comigo, e realmente acho que já terminamos a nossa conversa...

— Muito bem — retrucou a professora Trelawney profundamente magoada. — Se você não quer banir o pangaré usurpador, então seja... talvez eu encontre uma escola onde os meus talentos sejam melhor apreciados...

Ela passou por Harry e desapareceu pela escada em espiral; eles a ouviram tropeçar na descida, e Harry imaginou que tivesse tropeçado em um dos seus longos xales.

— Por favor, feche a porta e sente, Harry — ordenou Dumbledore com a voz cansada.

O garoto obedeceu, reparando, ao sentar na cadeira habitual à frente da escrivaninha, que a Penseira estava mais uma vez entre os dois, bem como dois frasquinhos de cristal em que giravam lembranças.

— Então a professora Trelawney continua infeliz porque Firenze está dando aulas? — perguntou Harry.

— Continua — respondeu Dumbledore. — Adivinhação está me saindo uma disciplina bem mais complicada do que pude prever, uma vez que eu mesmo nunca a estudei. Não posso pedir a Firenze para retornar à Floresta, onde agora ele é um proscrito, nem posso pedir a Sibila Trelawney para sair. Aqui entre nós, ela não faz ideia do perigo que correria fora do castelo. A professora não sabe, e acho que não seria prudente esclarecer, que foi ela quem fez a profecia sobre você e Voldemort, entende.

Dumbledore deu um grande suspiro e disse:

— Mas vamos esquecer os meus problemas com os professores. Temos assuntos bem mais importantes a discutir. Primeiro: você cumpriu a tarefa que lhe dei ao concluirmos a nossa aula anterior?

— Ah — respondeu Harry, pego de surpresa. Com as aulas de Aparatação e o quadribol e o envenenamento de Rony e a fratura da própria cabeça, além da determinação em descobrir o que Draco Malfoy andava fazendo, ele quase se esquecera da lembrança que Dumbledore tinha lhe pedido que extraísse do professor Slughorn... — Bem, falei com o professor Slughorn sobre a lembrança, no final da aula de Poções, senhor, mas, ãh, ele não quis me dar.

Fez-se um breve silêncio.

— Entendo — respondeu por fim Dumbledore, fitando-o por cima dos oclinhos de meia-lua e dando a Harry a habitual sensação de que estava sendo radiografado. — E você acha que dedicou todos os seus esforços à questão? Que exerceu toda a sua enorme inventividade? Que não deixou de explorar nenhuma possibilidade em sua busca para recuperar a lembrança?

— Bem. — Harry procurou ganhar tempo, sem saber o que responder. Sua única tentativa de obter a lembrança pareceu-lhe, de repente, embaraçosamente medíocre. — Bem... no dia em que Rony tomou a poção do amor por engano, eu o levei ao professor Slughorn. Pensei que talvez, se deixasse o professor de muito bom humor...

— E isso deu resultado? — perguntou Dumbledore.

— Bem, não, senhor, porque Rony foi envenenado...

— ... o que naturalmente o fez esquecer completamente a tentativa de recuperar a lembrança; eu não teria esperado outra atitude enquanto o seu melhor amigo corria perigo. Mas, uma vez que ficou claro que o sr. Weasley ia se recuperar totalmente, eu teria esperado que você retomasse a tarefa que lhe dei. Pensei que tivesse deixado muito clara a importância daquela lembrança. De fato, fiz tudo que pude para convencê-lo de que essa é a lembrança mais crucial, e que sem ela estaremos perdendo o nosso tempo.

Uma sensação quente e incômoda de vergonha espalhou-se da cabeça aos pés de Harry. Dumbledore não erguera a voz, nem sequer falara aborrecido, mas Harry teria preferido que gritasse; este frio desapontamento era pior do que qualquer outra coisa.

— Senhor — disse ele, meio desesperado —, não é que eu não tenha me importado nem nada, é só que tive outras... outras coisas...

— Outras coisas na cabeça — Dumbledore concluiu a frase para ele. — Entendo.

Os dois ficaram novamente em silêncio, o mais constrangedor de sua vivência com o diretor; o silêncio parecia se prolongar indefinidamente, pontuado apenas pelos breves roncos que vinham do retrato de Armando Dippet, no alto da parede, às costas de Dumbledore. Harry se sentiu estranhamente pequeno, como se tivesse encolhido um pouco desde que entrara na sala.

Quando não conseguiu mais aguentar, ele disse:

— Professor Dumbledore, lamento sinceramente. Eu devia ter me esforçado mais... devia ter compreendido que o senhor não me pediria isso se não fosse realmente importante.

— Obrigado por dizer isso, Harry — falou Dumbledore em voz baixa.

— Posso, então, esperar que de hoje em diante você dará ao assunto maior prioridade? Não fará muito sentido nos reunirmos depois desta noite a não ser que tenhamos aquela lembrança.

— Pode, sim, senhor, obterei a lembrança — disse Harry honestamente.

— Então, por ora, não falaremos mais nisso — disse o diretor mais brandamente —, continuaremos a nossa história do ponto em que paramos. Você lembra onde foi?

— Lembro, sim, senhor — respondeu Harry prontamente. — Voldemort matou o pai e os avós e fez parecer que o culpado era o seu tio Morfino. Voltou, então, a Hogwarts e perguntou... perguntou ao professor Slughorn a respeito das Horcruxes — murmurou envergonhado.

— Muito bem. Agora, você lembra, espero que sim, de que falei logo no início das nossas reuniões que entraríamos no terreno da adivinhação e da especulação, certo?

— Sim, senhor.

— Até aqui, espero que concorde, mostrei-lhe fontes razoavelmente seguras para as minhas deduções sobre os passos de Voldemort até os dezessete anos.

Harry concordou com a cabeça.

— Agora, no entanto, Harry, as coisas se tornam mais obscuras e estranhas. Se foi difícil encontrar indícios sobre o garoto Riddle, tem sido quase impossível encontrar quem se disponha a se lembrar do homem Voldemort. De fato, duvido que haja um único ser vivente, além dele mesmo, que possa nos fornecer um relato completo de sua vida desde que deixou Hogwarts. Contudo, tenho duas últimas lembranças que gostaria de partilhar com você.

— Dumbledore indicou os dois frasquinhos de cristal que refulgiam ao lado da Penseira. — Depois, gostaria muito de saber se você acha prováveis as conclusões que extraí dessas lembranças.

A ideia de que Dumbledore desse tanto valor à sua opinião fez Harry se sentir mais profundamente envergonhado de não ter se desincumbido da tarefa de recuperar a lembrança sobre a Horcrux, e ele se mexeu na cadeira, constrangido, quando o diretor ergueu o primeiro dos dois frascos para examiná-lo contra a luz.

— Espero que você não esteja cansado de mergulhar nas lembranças de outras pessoas, porque estas duas são curiosas. A primeira vem de uma elfo doméstica muito velha, chamada Hóquei. Antes de vermos o que ela presenciou, preciso resumir rapidamente como foi a saída de Lorde Voldemort de Hogwarts.

"Ele concluiu o sétimo ano da escola, como seria de esperar, tendo obtido nota máxima em cada exame que prestou. Em sua volta, os colegas de turma estavam decidindo que empregos iriam procurar quando deixassem a escola. Quase todos esperavam feitos espetaculares de Tom Riddle, monitor, monitor-chefe, ganhador do Prêmio Especial por Serviços Prestados à Escola. Sei que vários professores, entre eles Slughorn, sugeriram que ele entrasse para o Ministério da Magia, se ofereceram para marcar entrevistas, apresentarem-lhe contatos úteis. Voldemort recusou todos os oferecimentos. Pouco depois, os professores souberam que ele estava trabalhando na Borgin & Burkes."

— Na Borgin & Burkes? — repetiu Harry atordoado.

— Na Borgin & Burkes — confirmou Dumbledore calmamente. — Acho que você entenderá as atrações que o lugar lhe oferecia quando entrarmos na lembrança da Hóquei. Esta, porém, não foi a primeira opção de emprego de Voldemort. Muito pouca gente soube, eu era um dos poucos em quem o diretor daquela época confiava, mas Voldemort procurou o professor Dippet e perguntou se poderia continuar em Hogwarts como professor.

— Ele quis continuar aqui? Por quê? — perguntou Harry, ainda mais espantado.

— Creio que houvesse vários motivos para isso, embora não tivesse confidenciado nenhuma delas ao professor Dippet. A primeira, e mais importante, creio que Voldemort era mais apegado à escola do que jamais foi a pessoa alguma. Hogwarts era o lugar em que fora mais feliz; o primeiro e único lugar em que tinha se sentido em casa.

Harry se sentiu ligeiramente incomodado ao ouvir essas palavras, porque era exatamente o que ele sentia com relação a Hogwarts.

— Segundo, o castelo é um reduto de magia antiga. Sem dúvida, Voldemort penetrara um número muito maior de segredos do que a maioria dos estudantes que passaram por aqui, mas ele talvez tivesse percebido que ainda havia mistérios a desvendar, fontes de magia a explorar.

"E terceiro, como professor, ele teria tido grande poder e influência sobre os jovens bruxos e bruxas. Talvez tenha adquirido esta noção com Slughorn, o professor com quem melhor se relacionava, que lhe mostrara o papel influente que um professor pode desempenhar. Não imagino, nem por um instante, que Voldemort tencionasse passar o resto da vida em Hogwarts, mas acho que viu na escola um valioso campo de recrutamento e um lugar onde poderia começar a reunir para si um exército."

— Mas ele não conseguiu o emprego, senhor?

— Não, não conseguiu. O professor Dippet lhe disse que era demasiado jovem aos dezoito anos, mas convidou-o a tornar a se candidatar dali a alguns anos, se ainda quisesses ensinar.

— Como é que ele se sentiu ao ouvir isso, senhor? — perguntou Harry hesitante.

— Muito contrafeito. Eu tinha alertado Armando contra a contratação, não lhe dei as razões que dei a você, porque o professor Dippet gostava muito de Voldemort e estava convencido de sua sinceridade, mas eu não queria que Lorde Voldemort voltasse a esta escola, principalmente em uma posição de poder.

— Qual era o cargo que ele queria, senhor? Qual era a disciplina que ele queria ensinar?

Por alguma razão, Harry sabia qual era a resposta mesmo antes que Dumbledore a desse.

— Defesa Contra as Artes das Trevas. Naquele tempo, era ensinada por uma professora antiga chamada Galateia Merrythought, que estava em Hogwarts havia quase cinquenta anos.

"Então Voldemort foi para a Borgin & Burkes, e todos os professores que o admiravam comentaram o desperdício que era, um jovem bruxo brilhante como ele trabalhar em uma loja. Contudo, Voldemort não era um mero balconista. Educado, bonitão e inteligente, logo passaram a encarregá-lo de certas tarefas que só existem em um lugar como a Borgin & Burkes, que se especializa, como você sabe, Harry, em objetos com propriedades poderosas e incomuns. Voldemort foi instruído a persuadir as pessoas a cederem seus tesouros aos sócios, para venda, e ele era, segundo todos dizem, muito talentoso nisso."

— Aposto que era — comentou Harry, incapaz de se conter.

— Bem, era mesmo — disse Dumbledore com um leve sorriso. — E agora chegou a hora de ouvir o que diz Hóquei, a elfo doméstica que trabalhou para uma bruxa muito velha e riquíssima chamada Hepzibá Smith.

Dumbledore tocou em um dos frascos com a varinha, a rolha saltou e ele despejou a lembrança espiralante na Penseira dizendo:

— Primeiro você, Harry.

O garoto se levantou e se curvou mais uma vez para o conteúdo prateado e ondulante da bacia de pedra até encostar o rosto nele. Despencou pelo vácuo escuro e aterrissou em uma sala de estar diante de uma velha imensamente gorda, de peruca ruiva, com um caprichoso penteado e um conjunto de brilhantes vestes cor-de-rosa que caíam à sua volta, dando-lhe a aparência de um bolo com o glacê derretido. Mirava-se em um espelhinho cravejado de pedras e passava ruge nas faces, já escarlates, com uma grande esponja de pó de arroz; enquanto isso, a elfo doméstica menor e mais velha que Harry já vira na vida calçava, nos pés carnudos da bruxa, apertadas pantufas de cetim.

— Depressa, Hóquei! — falou Hepzibá, autoritária. — Ele disse que viria às quatro horas, faltam só uns minutinhos, e até hoje ele nunca se atrasou!

Ela guardou a esponja quando a elfo doméstica se levantou. A cabeça dela mal chegava ao assento da cadeira de Hepzibá, e sua pele papirácea parecia pender dos ossos tal como o lençol engomado de linho que ela usava, drapejado, como uma toga.

— Que tal estou? — perguntou Hepzibá, virando a cabeça para se admirar de vários ângulos no espelho.

— Linda, madame — respondeu Hóquei esganiçada.

Harry só pôde supor que constava do contrato de Hóquei mentir descaradamente quando a dona lhe fizesse essa pergunta, porque, em sua opinião, Hepzibá Smith estava longe de ser linda.

Uma campainha tilintou, e a senhora e a elfo se sobressaltaram.

— Depressinha, Hóquei, ele chegou! — exclamou Hepzibá e a elfo saiu correndo da sala, tão atulhada de móveis e objetos que era difícil imaginar como alguém era capaz de navegar entre eles sem derrubar pelo menos uma dúzia de coisas: havia armários cheios de pequenas caixas de charão, estantes repletas de livros gravados em ouro, prateleiras de esferas e globos celestes, e muitas plantas verdejantes em cachepôs de latão; de fato, a sala parecia uma cruza de antiquário de magia e estufa de plantas.

A elfo doméstica voltou minutos depois, seguida por um rapaz alto em quem, sem a menor dificuldade, Harry reconheceu Voldemort. Vestia um terno preto muito simples; seus cabelos estavam um pouco mais compridos do que no tempo de escola e suas faces encovadas, mas tudo isso lhe assentava bem: parecia mais bonito que nunca. Atravessou a sala, desviando-se dos objetos com um ar de quem já estivera ali muitas vezes, e segurando a mão de Hepzibá fez uma profunda reverência e tocou-a levemente com os lábios.

— Trouxe flores para a senhora — disse ele em voz baixa, materializando um buquê.

— Menino levado, você não precisava! — guinchou a velha Hepzibá, embora Harry reparasse que havia um vaso pronto na mesinha mais próxima. — Você realmente estraga esta velha, Tom... sente-se, sente-se... onde foi a Hóquei... ah...

A elfo voltou correndo à sala, trazendo uma bandeja de bolinhos, que depositou ao lado do cotovelo de sua senhora.

— Sirva-se, Tom, sei como gosta dos meus bolos. Agora, como vai? Parece pálido. Fazem você trabalhar demais naquela loja, já disse isso mil vezes...

Voldemort sorriu mecanicamente, e Hepzibá retribuiu com um sorrisinho afetado.

— Bem, desta vez qual é a desculpa para sua visita? — perguntou ela pestanejando.

— O sr. Burke gostaria de fazer uma oferta melhor pela armadura fabricada pelos duendes — respondeu Voldemort. — Quinhentos galeões, ele acha mais do que justo...

— Ora, ora, vamos com calma ou pensarei que você só veio aqui por causa das minhas bugigangas! — disse Hepzibá, fazendo beicinho.

— Sou mandado aqui por causa delas — respondeu Voldemort em voz baixa. — Sou apenas um pobre balconista, madame, que precisa cumprir ordens. O sr. Burke quer que eu indague...

— Ah, fiau para o sr. Burke! — exclamou Hepzibá, fazendo um gesto de descaso com sua mãozinha. — Tenho uma coisa para lhe mostrar que jamais mostrei ao sr. Burke! Você é capaz de guardar um segredo, Tom? Promete que não contará ao sr. Burke o que tenho? Ele não me daria mais descanso se soubesse que lhe mostrei, e não quero vender nem ao Burke nem a ninguém! Mas você, Tom, você saberá apreciar a peça por sua história, não pelos galeões que poderá obter com sua venda...

— Teria prazer em ver qualquer coisa que a srta. Hepzibá me mostrasse — respondeu Tom sem alterar a voz, e a bruxa deu mais uma risadinha juvenil.

— Mandei Hóquei buscar... Hóquei, cadê você? Quero mostrar ao sr. Riddle o nosso mais belo tesouro... na verdade, aproveite e traga os dois...

— Aqui estão, madame — guinchou a elfo, e Harry viu dois estojos de couro, sobrepostos, deslocando-se pela sala como se tivessem vontade própria, embora ele soubesse que a minúscula elfo os carregava à cabeça, contornando mesas, pufes e banquinhos.

— Agora! — exclamou Hepzibá alegremente, recebendo os estojos da elfo e apoiando-os no colo para abrir o de cima. — Acho que você vai gostar, Tom... ah, se a minha família soubesse o que estou lhe mostrando... mal podem esperar para pôr as mãos nisso!

A bruxa abriu a tampa. Harry chegou um pouquinho à frente para poder ver melhor e deparou com um objeto que parecia uma tacinha de ouro com duas asas finamente lavradas.

— Será que você sabe o que é isso, Tom? Pegue, dê uma boa olhada! — sussurrou Hepzibá; Voldemort esticou seus dedos compridos e retirou a taça, pela asa, do encaixe de seda franzida. Harry achou ter percebido um fulgor vermelho em seus olhos escuros. Sua expressão cobiçosa refletiu-se curiosamente no rosto de Hepzibá, exceto que os olhinhos da bruxa estavam fixos nas belas feições de Voldemort.

— Uma insígnia — murmurou Voldemort, examinando a gravação na taça. — Então isto era...

— De Helga Hufflepuff, como você sabe muito bem, seu danadinho! — exclamou Hepzibá, inclinando-se para a frente, produzindo fortes estalos em seu espartilho e dando um beliscão na bochecha magra de Voldemort. — Eu não lhe disse que era uma descendente distante de Helga? A taça vem passando de uma geração a outra em nossa família há anos. Linda, não é? E possui vários poderes também, segundo dizem, mas não experimentei todos, me contento em guardá-la bem segura aqui...

Ela soltou a taça do longo indicador de Voldemort e devolveu-a gentilmente ao estojo, absorta demais em repô-la na posição correta para notar a sombra que perpassou o rosto de Voldemort quando tirou a taça da mão dele.

— Agora — disse Hepzibá alegre —, aonde foi a Hóquei? Ah, sim, aí está você... leve isto para guardar, Hóquei...

A elfo apanhou obedientemente o estojo, e Hepzibá voltou sua atenção para a outra caixa bem mais fina em seu colo.

— Acho que você vai gostar deste ainda mais, Tom — sussurrou ela. — Chegue mais perto, caro rapaz, para poder vê-lo... é claro que Burke sabe que tenho isto, comprei-o na mão dele e acho que ele adoraria recomprá-lo quando eu me for...

Ela empurrou o delicado fecho de filigrana e abriu a caixa. Ali, sobre o macio forro de veludo vermelho, havia um pesado medalhão de ouro.

Desta vez Voldemort estendeu a mão sem esperar convite e ergueu a peça à luz para examiná-la.

— É a marca de Slytherin — disse baixinho, quando a luz incidiu sobre um S floreado e serpentino.

— Exatamente! — exclamou Hepzibá, revelando-se encantada com a visão de Voldemort a admirar, fascinado, o seu medalhão. — Tive de pagar um braço e uma perna por ele, mas não podia deixar passar a ocasião, não de adquirir um verdadeiro tesouro como este, precisava tê-lo na minha coleção. Pelo que soube, Burke o comprou de uma mulher esfarrapada que pelo jeito o roubara, mas não tinha a menor ideia do seu real valor...

Desta vez não havia engano: os olhos de Voldemort produziram um lampejo vermelho ao ouvir essas palavras, e Harry viu os nós dos seus dedos, que seguravam a corrente do medalhão, embranquecerem.

— ... acho que Burke pagou à mulher uma ninharia, mas aí o tem... bonito, não é? E como o outro, atribuem a este todo o tipo de poder, embora eu apenas o guarde em segurança...

Ela estendeu a mão para retomar o medalhão. Por um momento, Harry pensou que Voldemort não ia deixar, mas logo o medalhão escorregava entre seus dedos e estava de volta ao acolchoado de veludo vermelho.

— Eis aí, Tom, querido, e espero que você tenha gostado!

A bruxa olhou-o diretamente no rosto e, pela primeira vez, Harry viu o sorriso tolo dela vacilar.

– Você está bem, querido?

– Ah, sim – respondeu Voldemort, quieto. – Estou muito bem...

– Pensei... deve ter sido uma ilusão de ótica – disse Hepzibá, parecendo nervosa, e Harry imaginou que a bruxa, também, vira o momentâneo brilho vermelho nos olhos de Voldemort. – Tome aqui, Hóquei, leve e tranque-os outra vez... os feitiços de sempre...

– Hora de partir, Harry – disse Dumbledore calmamente, e, quando a pequena elfo saía balançando o estojo na cabeça, Dumbledore mais uma vez segurou o braço de Harry e juntos atravessaram o olvido de volta ao escritório de Dumbledore.

– Hepzibá Smith morreu dois dias depois dessa breve cena – comentou Dumbledore, retomando seu lugar e indicando que Harry fizesse o mesmo.

– Hóquei, a elfo doméstica foi condenada pelo Ministério por ter envenenado o chocolate noturno de sua senhora, por engano.

– Nem pensar! – exclamou Harry enraivecido.

– Vejo que concordamos inteiramente. Com certeza há muitas semelhanças entre essa morte e a dos Riddle. Nos dois casos, outra pessoa levou a culpa, alguém que tinha perfeita lembrança de ter causado a morte...

– Hóquei confessou?

– Ela se lembrou de ter posto alguma coisa no chocolate de sua senhora, e descobriram que não era açúcar mas um veneno letal e pouco conhecido – explicou Dumbledore. – Concluíram que não houve intenção, mas por ser velha e confusa...

– Voldemort alterou a memória dela, exatamente como fez com Morfino!

– Foi o que concluí também – disse Dumbledore. – E tal como no caso de Morfino, o Ministério estava predisposto a suspeitar de Hóquei...

– ... porque era uma elfo doméstica – concluiu Harry. Poucas vezes sentira tanta simpatia pela sociedade que Hermione fundara, o F.A.L.E.

– Precisamente – disse Dumbledore. – Ela era velha, admitiu ter misturado a bebida, e ninguém no Ministério se deu ao trabalho de indagar mais nada. Como no caso do Morfino, quando finalmente localizei-a e consegui extrair esta lembrança, estava praticamente à morte... mas a lembrança, é claro, não prova nada exceto que Voldemort sabia da existência da taça e do medalhão.

"Quando finalmente Hóquei foi condenada, a família de Hepzibá já dera por falta de dois dos seus mais valiosos tesouros. Mas os herdeiros levaram algum tempo para se certificarem, porque a bruxa tinha muitos esconderijos e sempre guardara com muito zelo sua coleção. Antes, porém, que estivessem absolutamente seguros de que a taça e o medalhão haviam desaparecido, o balconista que trabalhara para a Borgin & Burkes, o jovem que visitara Hepzibá com tanta regularidade e a impressionara tão bem, tinha se demitido e se eclipsado. Seus empregadores não faziam ideia aonde fora; ficaram tão surpresos quanto os demais, com o seu sumiço. E, durante muito tempo, essa foi a última vez que alguém viu ou ouviu falar de Tom Riddle.

"Agora", continuou Dumbledore, "se você não se opuser, Harry, quero fazer outro parêntese para destacar certos pontos de nossa história. Voldemort tinha cometido mais um homicídio; se era o primeiro desde que matara os Riddle, eu não sei, mas acho que sim. Desta vez, como você deve ter percebido, ele não matou para se vingar, mas para lucrar. Queria os dois fabulosos troféus que aquela pobre mulher vaidosa lhe mostrou. Da mesma forma que, no passado, roubara as outras crianças no orfanato, da mesma forma que roubara o anel de seu tio Morfino, ele agora fugia com a taça e o medalhão de Hepzibá."

— Mas — interpôs Harry, franzindo a testa — me parece loucura... arriscar tudo, jogar o emprego para o alto, só para obter...

— Loucura para você, talvez, mas não para Voldemort. Espero que, com o tempo, você compreenda exatamente o que esses objetos significavam para ele, Harry, mas admita que não é difícil imaginar que ele considerou que pelo menos o medalhão era legitimamente dele.

— O medalhão talvez, mas por que levar a taça também?

— Tinha pertencido a outro dos fundadores de Hogwarts. Acho que ele ainda sentia uma grande atração pela escola e que não poderia resistir a um objeto tão impregnado com sua história. Penso que havia outras razões... e espero, com o tempo, poder comprová-las a você.

"E agora vamos à última lembrança que tenho para mostrar, pelo menos até que você consiga obter para nós a do professor Slughorn. Dez anos separam a lembrança de Hóquei desta outra, dez anos durante os quais podemos apenas imaginar o que Lorde Voldemort esteve fazendo..."

Harry se levantou mais uma vez enquanto Dumbledore esvaziava a última lembrança na Penseira.

— De quem é a lembrança? — perguntou ele.

— Minha — disse Dumbledore.

E Harry mergulhou depois de Dumbledore na instável massa de prata para aterrissar, em seguida, no mesmo escritório que acabara de deixar. Lá estava Fawkes, dormindo feliz em seu poleiro, e lá estava Dumbledore, à sua escrivaninha, muito parecido com este ao lado de Harry, embora tivesse as duas mãos sadias e o rosto talvez um pouco menos enrugado. A única diferença entre o escritório atual e este outro era que estava nevando no da lembrança; flocos azulados passavam flutuando pela janela escura e se acumulavam na aba externa da janela.

O Dumbledore mais jovem parecia estar à espera de alguém e, de fato, momentos depois de chegarem, ouviram uma batida na porta.

— Entre — disse Dumbledore.

Harry deixou escapar uma exclamação imediatamente reprimida. Voldemort entrara na sala. Suas feições não eram as que Harry vira emergir do grande caldeirão de pedra quase dois anos antes: não eram tão ofídias, os olhos ainda não eram vermelhos, o rosto ainda não era uma máscara, mas ele deixara de ser o bonito Tom Riddle. Era como se suas feições tivessem queimado e embaçado; estavam macilentas e estranhamente distorcidas, e o branco dos olhos parecia estar permanentemente injetado, embora as pupilas ainda não fossem as fendas que Harry sabia que viriam a ser. Ele trajava uma longa capa preta, e seu rosto estava branco como a neve que brilhava em seus ombros.

O Dumbledore à escrivaninha não demonstrou surpresa alguma. Evidentemente a visita fora marcada com antecedência.

— Boa noite, Tom — disse o diretor com simplicidade. — Não quer sentar?

— Obrigado — agradeceu Voldemort, e se sentou na cadeira que Dumbledore indicara: pelo visto, a mesma que Harry acabara de deixar no presente.

— Soube que se tornou diretor — sua voz estava um pouco mais aguda e mais fria do que antes —, uma escolha merecida.

— Fico satisfeito que você aprove — disse Dumbledore sorridente. — Posso lhe oferecer uma bebida?

— Seria bem-vinda. Vim de muito longe.

Dumbledore se levantou e foi até o armário onde agora guardava a Penseira, e que, então, estava cheio de garrafas. Tendo dado a Voldemort uma taça de vinho, e em seguida se servido, voltou ao seu lugar à escrivaninha.

— Então, Tom... a que devo o prazer?

Voldemort não respondeu de imediato, apenas tomou um golinho do vinho.

— Não me chamam mais de Tom. Hoje em dia sou conhecido como...

— Eu sei como você é conhecido — interrompeu-o Dumbledore com um sorriso agradável. — Mas, para mim, receio que você sempre será o

Tom Riddle. É uma das coisas irritantes nos antigos professores, eles nunca chegam a esquecer a juventude dos seus pupilos.

Ele ergueu a taça como se brindasse a Voldemort, cujo rosto permaneceu inexpressivo. Harry, no entanto, sentiu a atmosfera no aposento mudar sutilmente: a recusa de Dumbledore em usar o nome escolhido por Voldemort era uma recusa a permitir que ditasse os termos do encontro, e Harry percebeu que Voldemort assim entendera.

— Estou surpreso que tenha permanecido aqui tanto tempo — recomeçou Voldemort após uma breve pausa. — Eu sempre me perguntei por que um bruxo como você jamais quis deixar a escola.

— Bem — respondeu Dumbledore, ainda sorrindo —, para um bruxo como eu, não pode haver nada mais importante do que transmitir artes antigas, ajudar a afinar a mente dos jovens. Se me lembro corretamente, no passado você também se sentiu atraído pelo ensino.

— Ainda me sinto — disse Voldemort. — Simplesmente me perguntei por que você, a quem tantas vezes o Ministério tem pedido conselhos, e a quem já foi oferecido duas vezes, acho, o posto de ministro...

— Na realidade já foram três vezes. Mas o Ministério nunca me atraiu como carreira. Mais uma coisa que temos em comum, acho.

Voldemort curvou a cabeça sem sorrir e tomou mais um golinho do vinho. Dumbledore não quebrou o silêncio que se alongou entre os dois, antes aguardou que Voldemort falasse primeiro com uma expressão de cordial expectativa.

— Voltei — disse ele depois de algum tempo —, talvez mais tarde do que o professor Dippet esperava... mas voltei, mesmo assim, para tornar a solicitar o que ele certa vez me recusou dizendo que eu era jovem demais para ser. Vim procurá-lo para pedir que me permita retornar a este castelo como professor. Acho que você deve saber que vi e fiz muita coisa desde que saí. Poderia mostrar e contar coisas aos seus estudantes que não poderiam aprender com nenhum outro bruxo.

Dumbledore fitou Voldemort por cima de sua taça por um tempo antes de falar.

— Certamente sei que você viu e fez muita coisa desde que nos deixou — disse calmo. — Os rumores dos seus feitos alcançaram sua antiga escola, Tom. E eu lamentaria ter de acreditar sequer em metade deles.

A expressão de Voldemort não se alterou ao responder:

— A grandeza inspira a inveja, a inveja engendra o despeito, o despeito produz a mentira. Você deve saber disso, Dumbledore.

— Você chama de "grandeza" o que tem feito? — perguntou o diretor gentilmente.

— Sem dúvida. — Os olhos de Voldemort pareciam rutilar. — Fiz experiências; levei as possibilidades da magia a extremos a que jamais alguém levou...

— De alguns tipos de magia — corrigiu-o Dumbledore tranquilamente.

— De alguns. De outros você continua... me desculpe dizer... lamentavelmente ignorante.

Pela primeira vez Voldemort sorriu. Foi um esgar tenso, maligno, mais ameaçador do que uma expressão de cólera.

— O velho argumento — disse brandamente. — Mas nada que vi no mundo respaldou as suas famosas declarações de que o amor é mais poderoso do que o meu tipo de magia, Dumbledore.

— Talvez você tenha procurado nos lugares errados — sugeriu o diretor.

— Bem, então que melhor lugar para começar novas pesquisas do que aqui, em Hogwarts? — contrapôs Voldemort. — Você me deixará voltar? Você me deixará dividir meus conhecimentos com os seus estudantes? Coloco a minha pessoa e os meus talentos à sua disposição. Estou às suas ordens.

Dumbledore ergueu as sobrancelhas.

— E o que acontecerá àqueles que recebem as *suas* ordens? Que acontecerá àqueles que se intitulam, ou assim corre o boato, Comensais da Morte?

Harry percebeu que Voldemort não esperava que Dumbledore conhecesse esse nome; viu os olhos do bruxo tornarem a rutilar e suas narinas finas se alargarem.

— Meus amigos — respondeu ele após breve pausa — prosseguirão sem mim, tenho certeza.

— Fico contente em ouvir que os considera seus amigos. Tive a impressão de que eram mais seus servos.

— Está enganado.

— Então se eu fosse ao Cabeça de Javali hoje à noite, não encontraria um grupo deles, Nott, Rosier, Mulciber, Dolohov, aguardando a sua volta? Amigos verdadeiramente dedicados, que fazem com você uma viagem tão longa em uma noite de nevasca, meramente para lhe desejar boa sorte em sua tentativa de obter um cargo de professor.

Não poderia haver dúvida de que o conhecimento detalhado de Dumbledore sobre o grupo com quem Voldemort estava viajando foi ainda mais mal recebido; ele, porém, replicou quase imediatamente.

— Você continua onisciente como sempre, Dumbledore.

— Ah, não, apenas tenho boas relações com os donos de bares locais — respondeu ele descontraído. — Agora, Tom...

Dumbledore pousou o copo vazio e se empertigou na cadeira, unindo as pontas dos dedos em um gesto muito seu.

— ... vamos falar francamente. Por que veio aqui hoje, cercado de capangas, para pedir um emprego que ambos sabemos que você não quer?

Voldemort mostrou-se friamente surpreso.

— Um emprego que não quero? Pelo contrário, Dumbledore, quero e muito.

— Ah, você quer voltar a Hogwarts, mas quer tanto ensinar aqui quanto queria aos dezoito anos. Que é que você está procurando, Tom? Por que não experimenta pedir abertamente uma vez na vida?

Voldemort riu com desdém.

— Se você não quiser me dar um emprego...

— Claro que não quero. E não acho nem por um minuto que você esperava outra resposta. Contudo, você veio e pediu, logo deve ter uma razão.

Voldemort se levantou. Parecia menos que nunca o Tom Riddle, suas feições inchadas de fúria.

— Esta é a sua resposta definitiva?

— É — disse o diretor levantando-se também.

— Então não temos mais nada a conversar.

— Não, nada. — E uma grande tristeza se espalhou pelo rosto de Dumbledore. — Já se foi o tempo em que eu podia assustá-lo com um guarda-roupa em chamas e forçá-lo a compensar os seus crimes. Mas quem me dera poder, Tom... quem me dera poder.

Por um segundo, Harry esteve a ponto de gritar um aviso inútil: tinha certeza de que a mão de Voldemort tremera em direção ao bolso e à varinha; mas o momento passou, Voldemort deu as costas, a porta foi se fechando e ele partiu.

Harry sentiu a mão de Dumbledore fechar sobre o seu braço e momentos depois estavam parados quase no mesmo lugar, mas não havia neve se acumulando na aba da janela, e a mão do diretor estava escura e sem vida.

— Por quê? — perguntou Harry em seguida, encarando Dumbledore no rosto. — Por que ele voltou? O senhor chegou a descobrir?

— Tenho algumas ideias, mas não mais que ideias.

— Que ideias, senhor?

— Contarei a você quando tiver recuperado aquela lembrança do professor Slughorn. Quando você tiver aquela última peça do quebra-cabeça, tudo ficará claro, assim espero... para nós dois.

Harry continuava a arder de curiosidade e, embora Dumbledore tivesse ido até a porta e a mantivesse aberta para ele, o garoto não se mexeu logo.

– Ele queria novamente o cargo de Defesa Contra as Artes das Trevas, senhor? Ele não disse...

– Ah, sem a menor dúvida ele queria o cargo de professor de Defesa Contra as Artes das Trevas. O rescaldo do nosso breve encontro comprova isso. Observe que nunca conseguimos manter um professor de Defesa Contra as Artes das Trevas por mais de um ano desde que recusei o cargo a Lorde Voldemort.

21

A SALA
IMPENETRÁVEL

Na semana seguinte, Harry deu tratos à imaginação buscando um meio de convencer Slughorn a entregar a lembrança verdadeira, mas não lhe ocorreu nada parecido com uma tempestade cerebral, e ele foi compelido a fazer o que ultimamente fazia, e com crescente frequência, quando se sentia perdido: examinava com atenção o livro de Poções, na esperança de que o Príncipe tivesse feito às margens alguma anotação útil, como tantas vezes antes.

– Você não vai achar nada aí – disse Hermione com firmeza, já tarde, no domingo à noite.

– Não começa, Hermione. Se não fosse o Príncipe, Rony não estaria sentado aqui agora.

– Estaria, se você tivesse prestado atenção ao Snape no primeiro ano – retrucou Hermione conclusivamente.

Harry ignorou-a. Acabara de encontrar um encantamento (*Sectumsempra!*) escrito à margem, acima da surpreendente frase "Para os inimigos", e ficou em cócegas para experimentá-lo, mas achou melhor não fazê-lo na frente de Hermione. Então, dobrou discretamente o canto da página.

Os três estavam sentados junto à lareira na sala comunal; além deles, as únicas pessoas acordadas eram outros sextanistas. Mais cedo, ocorrera certo alvoroço quando voltavam do jantar e encontraram um novo aviso no quadro, marcando a data para o teste de Aparatação. Os que completassem dezessete anos até a data do primeiro teste, inclusive, vinte e um de abril, poderiam se inscrever para aulas práticas suplementares, que teriam lugar (sob rigorosa supervisão) em Hogsmeade.

Rony entrara em pânico ao ler o aviso: ainda não conseguira aparatar, e temia que não estivesse pronto para o teste. Hermione, que até então já conseguira aparatar duas vezes, sentia-se um pouco mais confiante, mas Harry, que só completaria dezessete anos em quatro meses, não poderia fazer o teste, quer estivesse pronto ou não.

— Mas pelo menos você consegue aparatar! — exclamou Rony tenso.

— Não terá problema em julho!

— Só consegui uma vez — lembrou Harry; ele finalmente desaparecera e reaparecera dentro do aro uma vez na aula anterior.

Depois de ter gasto um bom tempo comentando suas preocupações em voz alta, Rony agora se empenhava em terminar um trabalho barbaramente difícil passado por Snape, que Harry e Hermione já haviam concluído. Harry tinha plena certeza de que receberia uma nota baixa, porque discordara de Snape quanto à melhor maneira de enfrentar dementadores, mas nem ligava: no momento, a lembrança de Slughorn era o mais importante.

— Estou dizendo que esse Príncipe idiota não vai ajudar você Harry! — falou Hermione em voz mais alta. — Só tem uma maneira de forçar alguém a fazer o que a gente quer, é a Maldição Imperius, que é ilegal...

— É, eu sei, obrigado — disse Harry, sem tirar os olhos do livro. — É por isso que estou procurando alguma coisa diferente. Dumbledore diz que o Veritaserum não resolve, mas talvez haja outra coisa, uma poção ou um feitiço...

— Você está abordando o problema pelo ângulo errado — explicou Hermione. — Dumbledore diz que somente você pode obter a lembrança. Isto deve significar que você pode persuadir Slughorn enquanto as outras pessoas não. Não é uma questão de dar a ele uma poção, pois qualquer um poderia fazer isso...

— Como é que se escreve "beligerante"? — perguntou Rony, sacudindo com força sua pena sem tirar os olhos do seu pergaminho. — Não pode ser B-U-M.

— Não, não é — respondeu Hermione, puxando para perto o trabalho de Rony. — E "augúrio" também não começa com O-R-G. Que tipo de pena você está usando?

— Uma das Penas Autorrevisoras de Fred e Jorge... mas acho que o feitiço deve estar enfraquecendo...

— Talvez — disse Hermione, apontando para o título do trabalho —, porque o trabalho era descrever como enfrentaríamos dementadores e não "cava-charcos", e também não me lembro de você ter mudado seu nome para "Roonil Wazlib".

— Ah, não! — exclamou Rony, olhando horrorizado para o pergaminho. — Não me diga que vou ter de escrever tudo de novo!

— Não esquenta, a gente pode dar um jeito — disse Hermione, trazendo o trabalho para mais perto e tirando a varinha.

— Adoro você, Hermione — disse Rony, recostando-se na poltrona e esfregando os olhos, cansado.

Hermione ficou ligeiramente rosada, mas respondeu apenas:
— Não deixe a Lilá ouvir você dizendo isso.
— Não deixarei — falou ele, cobrindo a boca com as mãos. — Ou talvez deixe... aí ela me dá o fora...
— Por que você não dá o fora nela, se quer terminar? — indagou Harry.
— Você nunca terminou com ninguém, não é? — replicou Rony. — Você e Cho simplesmente...
— Meio que nos afastamos, sei — concordou Harry.
— Eu gostaria que isso acontecesse comigo e a Lilá – disse Rony sombriamente, enquanto observava Hermione tocar com a ponta da varinha cada uma das palavras erradas, fazendo com que se corrigissem. — Mas quanto mais insinuo que quero terminar, mais ela se agarra em mim. É como se eu estivesse namorando a lula-gigante.
— Pronto — disse Hermione, uns vinte minutos depois, devolvendo o trabalho de Rony.
— Valeu. Me empresta a sua pena para eu escrever a conclusão?

Harry, que até então não encontrara nada que lhe servisse nas anotações do Príncipe Mestiço, correu os olhos pela sala; agora só restavam os três ali, Simas tinha acabado de subir, xingando Snape e o trabalho. Os únicos ruídos eram as chamas crepitando e Rony arranhando o último parágrafo sobre os dementadores, com a pena de Hermione. Harry tinha acabado de fechar o livro do Príncipe Mestiço com um bocejo quando...

Craque.

Hermione soltou um gritinho; Rony respingou tinta por todo o pergaminho e Harry exclamou:
— Monstro!

O elfo doméstico fez uma profunda reverência e falou, encarando os próprios pés nodosos:
— O senhor disse que queria relatórios regulares sobre o que o garoto Malfoy está fazendo, por isso Monstro veio apresentar...

Craque.

Dobby apareceu ao lado de Monstro, o abafador de chá enviesado na cabeça.
— Dobby esteve ajudando também, Harry Potter! — guinchou, lançando a Monstro um olhar rancoroso. — E Monstro deve avisar a Dobby quando vem ver Harry Potter para podermos fazer os relatórios juntos!

— Que é isso? — perguntou Hermione ainda assustada com as repentinas aparições. — Que está acontecendo, Harry?

Ele hesitou antes de responder, porque não contara à amiga que mandara Monstro e Dobby seguirem Malfoy; elfos domésticos eram sempre um assunto muito melindroso com Hermione.

— Bem... eles estão seguindo Malfoy para mim — respondeu ele.

— Dia e noite — crocitou Monstro.

— Dobby não dorme há uma semana, Harry Potter! — informou Dobby com orgulho, balançando o corpo.

Hermione mostrou-se indignada.

— Você não tem dormido, Dobby? Mas, Harry, com certeza você não disse a ele para não...

— Não, é claro que não disse. Dobby, você pode dormir, certo? Mas algum de vocês descobriu alguma coisa? — apressou-se a perguntar antes que Hermione pudesse intervir novamente.

— O senhor Malfoy anda com uma nobreza que condiz com o seu sangue puro — crocitou imediatamente Monstro. — As feições dele lembram a ossatura delicada da minha senhora, e suas maneiras são as de...

— Draco Malfoy é um garoto mau! — esganiçou-se Dobby enraivecido.

— Um garoto mau que... que...

Ele estremeceu da borla do abafador de chá às pontas das meias e correu para a lareira, como se quisesse mergulhar nela; Harry, pego de surpresa, agarrou-o pela cintura e segurou-o firme. Durante alguns segundos Dobby se debateu e, em seguida, afrouxou o corpo.

— Obrigado, Harry Potter — ofegou o elfo. — Dobby ainda acha difícil falar mal dos seus antigos senhores...

Harry soltou-o; Dobby endireitou o abafador de chá e desafiou Monstro:

— Mas o Monstro devia saber que Draco Malfoy não é um bom senhor para um elfo doméstico!

— É, não precisamos ouvir você falar de sua paixão pelo Malfoy — disse Harry a Monstro. — Vamos passar adiante e falar sobre o que ele anda realmente fazendo.

Monstro tornou a se curvar, furioso e relatou:

— O senhor Malfoy come no Salão Principal, dorme no dormitório nas masmorras, assiste às aulas sobre vários...

— Dobby, me informe você — ordenou Harry, interrompendo o Monstro.

— Ele tem ido a algum lugar aonde não deveria ir?

— Harry Potter, senhor — guinchou Dobby, seus enormes olhos redondos refletindo a luz das chamas –, o rapaz Malfoy não está desrespeitando nenhuma regra que Dobby conheça, mas continua procurando evitar que o vejam. Tem feito visitas frequentes ao sétimo andar com uma variedade de estudantes que ficam vigiando enquanto ele entra...

— Na Sala Precisa! — exclamou Harry, dando uma forte pancada na testa com o *Estudos avançados no preparo de poções*. Hermione e Rony olharam-no espantados. — É aonde ele tem ido! É lá que está fazendo... seja lá o que for! E aposto que é por isso que vive desaparecendo do mapa: pensando bem, nunca vi a Sala Precisa lá!

— Vai ver os Marotos nunca souberam que a sala existia — disse Rony.

— Acho que deve fazer parte da magia da Sala — comentou Hermione. — Se você quer que não seja localizável, então não será.

— Dobby, você conseguiu entrar para ver o que Malfoy está fazendo? — perguntou Harry ansioso.

— Não, Harry Potter, isto é impossível.

— Não, não é — respondeu Harry imediatamente. — Malfoy entrou na nossa sede no ano passado, então posso entrar e espioná-lo também, sem problema.

— Mas acho que você não vai poder, Harry — disse Hermione lentamente. — Malfoy sabia exatamente para que usávamos a Sala, não é, porque a burra da Marieta deu com a língua nos dentes. Ele precisou que a Sala se transformasse na sede da AD, e isto aconteceu. Mas você não sabe em que se transforma a Sala quando Malfoy entra lá, então não vai poder pedir que a Sala se transforme.

— Encontrarei um jeito de contornar isso — respondeu Harry, sem fazer caso. — Você foi genial, Dobby.

— O Monstro também se saiu bem — aparteou Hermione gentilmente; mas longe de demonstrar gratidão, Monstro desviou seus enormes olhos injetados e crocitou para o teto:

— A Sangue Ruim está falando com o Monstro, o Monstro vai fingir que é surdo...

— Cai fora — mandou Harry com rispidez, e Monstro fez uma última reverência profunda e desaparatou. — É melhor você ir dormir um pouco também, Dobby.

— Obrigado, Harry Potter, senhor! — Dobby guinchou feliz e também sumiu.

— Que acham disso? — perguntou Harry entusiasmado, virando-se para Rony e Hermione no instante em que se livraram dos elfos. — Sabemos aonde Malfoy está indo! Agora nós o encurralamos!

— É, legal — respondeu Rony mal-humorado, tentando enxugar a papa de tinta em cima do que fora, até alguns instantes, um dever de casa quase concluído. Hermione puxou o pergaminho e começou a aspirar a tinta com a varinha.

— Mas que história é essa do Malfoy subir com uma "variedade de estudantes"? — perguntou Hermione. — Quantas pessoas estão sabendo do que acontece? Ninguém imaginaria que ele fosse confiar o que faz a tanta gente...

— É, é esquisito — concordou Harry, franzindo a testa. — Ouvi Malfoy dizendo ao Crabbe que não era da conta dele o que estava fazendo... então o que está dizendo a todos esses... todos esses...

A voz de Harry foi morrendo; ele olhava fixamente para as chamas.

— Deus, que burrice a minha — comentou baixinho. — É óbvio, não é? Tinha um grande barril de poção lá embaixo na masmorra... ele pode ter afanado um pouco durante a aula...

— Afanado o quê? — perguntou Rony.

— Poção Polissuco. Ele roubou um pouco da Poção Polissuco que Slughorn nos mostrou na primeira aula... não tem uma variedade de estudantes montando guarda para Malfoy... É só o Crabbe e o Goyle, como sempre... é, agora tudo se encaixa! — exclamou Harry se levantando de um salto e começando a caminhar de lá para cá diante da lareira. — Eles são suficientemente burros para fazer o que são mandados fazer, mesmo que Malfoy não conte a eles do que se trata... mas, como não quer que sejam vistos rondando a Sala Precisa, fez os dois tomarem a Poção Polissuco para parecerem outras pessoas... aquelas duas garotas que vi com Malfoy quando ele faltou à partida de quadribol: ah! Crabbe e Goyle!

— Você quer dizer — falou Hermione baixinho —, que aquela garotinha da balança que eu consertei...?

— É, claro! — confirmou Harry em voz alta, olhando para a amiga. — Óbvio! Malfoy devia estar dentro da Sala naquele momento, então ela... que foi que eu disse?... *ele* deixou cair a balança avisando a Malfoy para não sair, porque tinha gente ali! E teve também a outra garota que largou no chão as ovas de sapo. Passamos por eles o tempo todo sem perceber!

— Ele está obrigando Crabbe e Goyle a se transformarem em garotas? — perguntou Rony às gargalhadas. — Caramba... não admira que eles não andem nada felizes ultimamente... Fico surpreso que não mandem o Malfoy tomar...

— Bem, eles não mandariam, não é, se Malfoy tiver mostrado a Marca Negra que tem — lembrou Harry.

— A Marca Negra que não sabemos se existe — contrapôs Hermione, descrente, enrolando o trabalho de Rony antes que mais alguma coisa acontecesse, e devolvendo-o ao garoto.

— Veremos — disse Harry confiante.

— É, veremos — replicou Hermione levantando e se espreguiçando. — Mas, Harry, antes que você fique todo animado, continuo achando que não vai conseguir entrar na Sala Precisa se não souber primeiro o que tem lá dentro. E acho que você não devia esquecer — Hermione pôs a mochila no ombro e olhou muito séria para Harry — que você *devia* estar se concentrando em obter a lembrança do Slughorn. Boa noite.

Harry observou Hermione se retirar, sentindo uma ligeira irritação. Quando a porta do dormitório das garotas se fechou, ele se virou para Rony.

— Que é que você acha?

— Que eu gostaria de desaparatar como um elfo doméstico — respondeu, olhando para o lugar em que Dobby sumira. — Aquele teste de Aparatação estaria no papo.

Harry não dormiu bem aquela noite. Teve a sensação de ficar acordado horas, imaginando para que Malfoy estaria usando a Sala Precisa e o que ele, Harry, veria quando entrasse lá no dia seguinte, porque, a despeito do que Hermione dissera, era certo que, se Malfoy pudera ver a sede da AD, ele também poderia ver a sala de Malfoy... e seria o quê? Um local de encontro? Um esconderijo? Um depósito? Uma oficina? A mente de Harry trabalhou febrilmente, e seus sonhos, quando ele finalmente adormeceu, foram interrompidos e perturbados por imagens de Malfoy, que se transformava em Slughorn, que se transformava em Snape...

Harry estava num estado de grande ansiedade no café da manhã seguinte; tinha um período livre antes de Defesa Contra as Artes das Trevas e estava decidido a usá-lo para tentar entrar na Sala Precisa. Hermione mostrava ostensivo desinteresse por seus cochichos sobre os planos para arrombar a Sala Precisa, o que o irritou, porque Harry achava que ela poderia ajudar muito, se quisesse.

— Olhe — disse ele baixinho, inclinando-se para a frente e pondo a mão no *Profeta Diário* que ela acabara de tirar de uma coruja-correio, procurando impedir que Hermione o abrisse e desaparecesse atrás dele. — Não esqueci o Slughorn, mas não faço ideia de como vou obter aquela lembrança e, até que me ocorra uma tempestade cerebral, por que não posso descobrir o que Malfoy está fazendo?

— Já lhe disse, você precisa persuadir Slughorn. Não é uma questão de induzir ou enfeitiçar o professor, ou Dumbledore poderia ter feito isso em um segundo. Em vez de ficar rondando a Sala Precisa — ela puxou o *Profeta* que Harry segurava e abriu-o para olhar a primeira página —, você deveria procurar o Slughorn e começar a apelar para os bons instintos dele.

— Alguém que conhecemos...? — perguntou Rony, enquanto Hermione passava os olhos pelas manchetes.

— Sim! — exclamou Hermione fazendo Harry e Rony se engasgarem com a comida —, mas está tudo bem, ele não morreu: é sobre o Mundungo, ele foi preso e mandado para Azkaban! Parece que andou fingindo ser morto-vivo em uma tentativa de arrombamento... e alguém chamado Otávio Pepper desapareceu... ah, que coisa horrível, um garoto de nove anos foi preso por tentar matar os avós, acham que ele estava dominado pela Maldição Imperius...

Eles terminaram o café da manhã em silêncio. Hermione seguiu imediatamente para a aula de Runas Antigas, Rony, para a sala comunal, onde ainda precisava redigir a conclusão do trabalho sobre dementadores para Snape, e, Harry, para o corredor do sétimo andar e o trecho de parede defronte à tapeçaria de Barnabás, o Amalucado ensinando balé a trasgos.

Harry cobriu-se com a Capa da Invisibilidade quando encontrou um corredor vazio, mas não precisava ter se preocupado. Quando chegou ao destino, não havia ninguém. Ficou em dúvida se suas chances de entrar na Sala seriam melhores com Malfoy dentro ou fora dela, mas pelo menos sua primeira tentativa não ia ser atrapalhada pela presença de Crabbe ou de Goyle travestidos de garotas de onze anos.

Ele fechou os olhos ao se aproximar do local onde se ocultava a porta da Sala Precisa. Sabia o que era necessário fazer; especializara-se nisso no ano anterior. Concentrando-se com todas as suas forças, pensou: *Preciso ver o que Malfoy está fazendo aí dentro... Preciso ver o que Malfoy está fazendo aí dentro... Preciso ver o que Malfoy está fazendo aí dentro...*

Três vezes ele passou pela porta, então, com o coração batendo forte de tanta animação, ele abriu os olhos e olhou... mas continuou vendo uma comuníssima parede lisa.

Ele se aproximou e experimentou empurrá-la.

— O.k. — disse Harry em voz alta. — O.k... pensei a coisa errada...

Ele refletiu por um momento e, então, recomeçou de olhos fechados, concentrando-se o máximo possível.

Preciso ver o lugar aonde Malfoy sempre vem secretamente...
Depois de ir e vir três vezes, ele abriu os olhos, ansioso.
Não havia porta alguma.
— Ah, pode parar — disse ele à parede, irritado. — Dei uma ordem bem clara... ótimo...
Ele se concentrou durante vários minutos antes de sair andando mais uma vez.
Preciso que você se transforme no lugar que se transforma para Draco Malfoy...
Harry não abriu os olhos imediatamente ao terminar de ir e vir; apurou os ouvidos como se fosse possível ouvir a porta se materializar com um estalo. Mas não ouviu nada, exceto os pios distantes dos passarinhos lá fora. Abriu os olhos.
Continuava a não haver porta alguma.
Harry xingou. Alguém gritou. Ele se virou para olhar e viu um bando de calouros barulhentos voltando depressa para o corredor de onde vinham, aparentemente acreditando ter acabado de topar com um fantasma de boca muito suja.
Harry tentou todas as variações do "preciso ver o que Draco Malfoy está fazendo aí dentro" que lhe ocorreram em uma hora, ao fim da qual foi forçado a concordar que Hermione talvez estivesse certa: a Sala simplesmente não queria se abrir para ele. Frustrado e aborrecido, foi para a aula de Defesa Contra as Artes das Trevas, tirando a Capa da Invisibilidade e enfiando-a na mochila durante o trajeto.
— Outra vez atrasado, Potter — disse Snape friamente, quando Harry entrou, apressado, na sala iluminada por velas. — Menos dez pontos para a Grifinória.
Harry amarrou a cara para o professor ao se atirar no assento ao lado de Rony; metade da turma ainda estava em pé, apanhando livros e se organizando; seu atraso não podia ser muito maior do que o dos outros colegas.
— Antes de começarmos, quero ver os seus trabalhos sobre dementadores — ordenou o professor, acenando displicentemente com a varinha e fazendo vinte e cinco pergaminhos levantarem voo e aterrissar em uma pilha ordeira sobre sua escrivaninha. — E espero, em seu benefício, que estejam melhores do que o chorrilho que tive de ler sobre a resistência à Maldição Imperius. Agora, queiram abrir seus livros na página... que foi, sr. Finnigan?
— Senhor — disse Simas —, como é que se pode diferenciar um morto-vivo ou Inferius de um fantasma? Por que saiu no *Profeta* uma notícia sobre um Inferius...

— Não, não saiu — respondeu Snape entediado.
— Mas, senhor, ouvi comentários...
— Se o senhor tivesse lido realmente a notícia em questão, sr. Finnigan, saberia que o assim chamado Inferius não passava de um ladrãozinho infecto chamado Mundungo Fletcher.
— Pensei que Snape e Mundungo estivessem do mesmo lado, não? — murmurou Harry para Rony e Hermione. — Ele não deveria estar aborrecido com a prisão de Mundungo...?
— Mas Potter parece ter muito a dizer sobre o assunto — falou Snape, apontando subitamente para o fundo da sala, seus olhos pretos fixos em Harry. —Vamos perguntar a Potter como ele descreveria a diferença entre um morto-vivo e um fantasma.

A turma inteira se virou para Harry, que tentou rapidamente lembrar o que Dumbledore lhe dissera na noite em que tinham ido visitar Slughorn.
— Ah... bem... fantasmas são transparentes... — respondeu ele.
— Oh, muito bem — interrompeu-o Snape, encrespando desdenhosamente os lábios. — Sim, é fácil verificar que não desperdiçamos quase seis anos de estudos de magia com você, Potter. *Fantasmas são transparentes*.

Pansy Parkinson soltou uma risadinha aguda. Vários outros alunos sorriam debochados. Harry inspirou fundo e continuou calmamente, embora fervesse por dentro:
— Sim, fantasmas são transparentes, mas Inferi são corpos sem vida, certo? Então seriam sólidos...
— Uma criança de cinco anos poderia ter nos dito isso — zombou Snape.
— Um Inferius é um morto que foi reanimado por meio de um feitiço das trevas. Não está vivo, é meramente usado como uma marionete para cumprir as ordens do bruxo. Um fantasma, como espero que a esta altura todos saibam, é uma impressão deixada por um morto na terra... e é claro, como diz Potter tão sabiamente, é *transparente*.

— Bem, o que Harry disse é muito útil para diferenciarmos os dois! — comentou Rony. — Quando nos defrontarmos com uma aparição em um beco escuro, vamos olhar depressa para ver se é sólido, não é, não vamos perguntar: "Com licença, o senhor é uma impressão deixada por uma alma que partiu?"

Uma onda de risos percorreu a sala, mas foi imediatamente paralisada pelo olhar que Snape lançou à turma.
— Outros dez pontos a menos para a Grifinória — disse o professor. — Eu não esperaria nada mais sofisticado do senhor, Ronald Weasley, um rapaz tão sólido que é incapaz de aparatar dois centímetros em uma sala.

— Não! — sussurrou Hermione, agarrando Harry pelo braço, quando ele abriu a boca, enfurecido. — Não vale a pena, você vai acabar cumprindo mais uma detenção, deixa para lá!

— Agora abram os livros na página duzentos e treze — disse o professor com um sorrisinho — e leiam os primeiros dois parágrafos sobre a Maldição Cruciatus...

Rony ficou anormalmente quieto durante toda a aula. Quando por fim ouviram a sineta, Lilá alcançou Rony e Harry (Hermione sumira misteriosamente de vista à sua aproximação), e xingou Snape indignada por seu comentário maldoso sobre a Aparatação de Rony, mas, pelo visto, conseguiu apenas irritar o garoto, que se livrou dela entrando pelo banheiro masculino com Harry.

— Mas Snape tem razão, não é? — comentou Rony após se mirar em um espelho rachado por uns dois minutos. — Não sei se vale a pena fazer o teste. Simplesmente não consigo pegar o jeito da Aparatação.

— Seria bom você frequentar as aulas suplementares em Hogsmeade e ver se faz algum progresso — sugeriu Harry sensatamente. — Pelo menos, será mais interessante do que tentar entrar em um arco ridículo. E, se mesmo assim você não estiver... sabe... tão bom quanto gostaria de estar, pode adiar o teste, fazer comigo no ver... Murta, isso é um banheiro de garotos!

O fantasma de uma menina tinha se erguido de um boxe às costas deles e agora flutuava no ar, encarando os dois através de seus óculos grossos, brancos e redondos.

— Ah! — exclamou ela mal-humorada. — São vocês dois.

— Quem é que você estava esperando? — perguntou Rony, olhando-a pelo espelho.

— Ninguém — respondeu Murta, cutucando pensativa uma espinha no queixo. — Ele disse que voltaria para me ver, mas *você* também disse que daria uma passadinha para me visitar... — ela lançou a Harry um olhar de censura —... e não vejo você há meses sem conta. Já aprendi a não esperar muita coisa dos garotos.

— Pensei que você morava naquele banheiro das meninas — disse Harry, que havia anos tomara o cuidado de dar bastante distância daquele lugar.

— Moro — respondeu Murta encolhendo os ombros, sentida —, mas isso não quer dizer que não possa *visitar* outros lugares. Eu vim uma vez e vi você tomando banho, se lembra?

— Como se fosse hoje.

— Mas pensei que ele gostava de mim — continuou a fantasma queixosa.
— Quem sabe se vocês dois saíssem, ele voltaria... temos muito em comum... com certeza ele sentiu isso...

E ela olhou esperançosa para a porta.

— Quando diz que vocês têm muito em comum — perguntou Rony achando muita graça —, você quer dizer que ele também frequenta o hospício?

— Não — protestou Murta em tom de desafio, que ecoou sonoramente pelo velho banheiro azulejado. — Quero dizer que ele é sensível, as pessoas implicam com ele também, e ele se sente solitário e não tem com quem conversar, e ele não tem medo de mostrar seus sentimentos e chorar!

— Esteve aqui um menino chorando? — perguntou Harry curioso. — Um garotinho?

— Não é da sua conta! — retrucou Murta, seus olhos miúdos e lacrimosos fixos em Rony, que agora não escondia o riso. — Prometi que não contaria a ninguém e vou levar o segredo dele para o...

— ... não para o túmulo, não é? — debochou ele, abafando uma risada.

— Para a tubulação talvez...

Murta soltou um uivo de dor e tornou a mergulhar no vaso, fazendo a água transbordar no chão. Implicar com a fantasma pareceu ter dado a Rony um novo ânimo.

— Você tem razão — disse ele jogando a mochila sobre o ombro —, vou me inscrever nas aulas práticas de Hogsmeade e depois decidir se vou fazer o teste.

Assim, no fim de semana seguinte, Rony se reuniu a Hermione e aos outros sextanistas que completariam dezessete anos em tempo de fazer o teste dali a quinze dias. Harry sentiu certa inveja de vê-los se aprontar para ir a Hogsmeade; sentia falta dos passeios até a aldeia, e fazia um dia particularmente belo de primavera, um dos primeiros de céu claro nos últimos tempos. Ele resolvera, no entanto, aproveitar o tempo para tentar mais um assalto à Sala Precisa.

— Você faria melhor — retrucou Hermione quando o amigo confessou sua ideia a ela e Rony no Saguão de Entrada — se fosse direto ao escritório de Slughorn e tentasse obter a lembrança.

— Estou tentando! — defendeu-se Harry irritado, porque era a absoluta verdade. No fim de cada aula de Poções daquela semana demorara-se na masmorra tentando encurralar Slughorn, mas o professor sempre saía tão rápido que Harry não conseguia alcançá-lo. Duas vezes Harry fora ao seu escritório e batera na porta, mas não recebera resposta, embora na segunda vez ele tivesse certeza de que ouvira o som de um velho gramofone, em seguida abafado. – Ele não quer falar comigo, Hermione! Já percebeu que andei tentando ficar a sós com ele e não vai deixar que isto aconteça!

– Bem, você vai ter de continuar insistindo, não é mesmo?

A pequena fila de alunos aguardando passar por Filch, que fazia o seu costumeiro número de cutucar todo o mundo com o Sensor de Segredos, avançou alguns passos, e Harry não respondeu para evitar que o zelador o ouvisse. Desejou boa sorte a Rony e Hermione, então se virou para subir a escadaria de mármore, decidido, apesar dos conselhos de Hermione, a dedicar umas duas horas à Sala Precisa.

Uma vez longe do Saguão de Entrada, Harry apanhou o Mapa do Maroto e a sua Capa da Invisibilidade na mochila. Ocultando-se, deu um toque de varinha no mapa e murmurou: "Juro solenemente que não pretendo fazer nada de bom", e examinou-o com atenção.

Por ser domingo de manhã, quase todos os alunos estavam em suas salas comunais, os da Grifinória em uma torre, os da Corvinal em outra, os da Sonserina nas masmorras e os da Lufa-Lufa no porão próximo às cozinhas. Aqui e ali, uma pessoa andava pela biblioteca ou por um corredor... havia pouca gente nos jardins... e ali, sozinho no corredor do sétimo andar, estava Gregório Goyle. Não havia sinal da Sala Precisa, mas Harry não estava preocupado com isto; se Goyle estava montando guarda, a Sala estava aberta, quer o mapa registrasse o fato ou não. Ele, portanto, subiu correndo as escadas e só diminuiu a marcha quando alcançou o canto do corredor, ponto em que começou a se esgueirar muito lentamente ao encontro da mesmíssima garotinha com a pesada balança que Hermione tão gentilmente ajudara quinze dias atrás. Ele esperou chegar às costas dela antes de se curvar e sussurrar:

– Olá... você é bem bonitinha, não é?

Goyle soltou um grito agudo de terror, atirou a balança para o ar e saiu desembalado, desaparecendo de vista antes que o estrondo da balança ao bater no chão parasse de ecoar no corredor. Às gargalhadas, Harry se virou para estudar a parede lisa atrás da qual Draco Malfoy certamente estaria agora paralisado, consciente de que havia alguém indesejável lá fora, mas sem ousar aparecer. Isto deu a Harry uma agradável sensação de poder, enquanto tentava lembrar quais as frases que ainda não experimentara.

Contudo, sua esperança não durou muito. Meia hora depois, tendo experimentado outras tantas variações do seu pedido para ver o que Malfoy estava fazendo, a parede continuava sólida. Harry se sentiu incrivelmente frustrado; Malfoy talvez estivesse a poucos passos, e ele continuava a não ter o menor indício do que o garoto fazia lá dentro. Perdendo completamente a paciência, Harry avançou para a parede e chutou-a.

— Ai!

Ele achou que talvez tivesse quebrado o dedo do pé; enquanto o segurava dando pulos com o outro pé, a Capa da Invisibilidade escorregou do seu corpo.

— Harry?

Ele se virou ainda num pé só e desabou. E ali, para seu absoluto espanto, vinha Tonks caminhando em sua direção como se habitualmente frequentasse aquele corredor.

— Que é que você está fazendo aqui? — perguntou ele, erguendo-se depressa; por que será que ela sempre o encontrava caído no chão?

— Vim ver Dumbledore.

Harry achou que ela estava com uma aparência horrível; mais magra do que o normal, seus cabelos baços e lambidos.

— O escritório dele não é aqui — informou Harry —, é do outro lado do castelo, atrás da gárgula...

— Eu sei — respondeu Tonks. — Ele não está lá. Aparentemente viajou outra vez.

— Viajou? — admirou-se Harry, tornando a apoiar o pé machucado cuidadosamente no chão. — Ei, por acaso você não sabe aonde ele vai?

— Não.

— Que é que você queria com o Dumbledore?

— Nada importante — respondeu Tonks, brincando, aparentemente sem perceber, com a manga das vestes. — Pensei que ele talvez soubesse o que está acontecendo... ouvi boatos... teve gente machucada...

— É, eu sei, saiu nos jornais. O garotinho que tentou matar os...

— O *Profeta* muitas vezes dá notícias com atraso — disse Tonks, que parecia não estar ouvindo Harry. — Você recebeu cartas de alguém da Ordem recentemente?

— Ninguém da Ordem me escreve mais, desde que Sirius...

Ele notou que os olhos de Tonks se encheram de lágrimas.

— Desculpe — murmurou sem graça. — Quero dizer... eu também sinto falta dele...

— Quê?! — exclamou Tonks sem entender, como se não o tivesse ouvido.

— Bem... a gente se vê por aí, Harry...

Ela deu as costas de repente, e saiu andando pelo corredor, deixando Harry sem resposta. Passado pouco mais de um minuto, ele tornou a se cobrir com a Capa da Invisibilidade e retomou seus esforços para entrar na Sala Precisa, mas perdera o interesse. Por fim, uma sensação de vazio no estômago e a noção de que Rony e Hermione logo voltariam para almoçar levaram-no a abandonar a tentativa e deixar o corredor livre para Malfoy, que, na melhor das hipóteses, continuaria apavorado demais para sair durante algumas horas.

Ele encontrou Rony e Hermione no Salão Principal, e eles já estavam na metade de um almoço antecipado.

— Consegui... bem, mais ou menos! — Rony contou entusiasmado a Harry assim que o avistou. — Eu tinha de aparatar até a porta do salão de chá de Madame Puddifoot e errei por pouco, fui parar próximo à Loja de Penas Escriba, mas pelo menos me desloquei!

— Legal! — exclamou Harry. — E você, como foi, Hermione?

— Ah, ela foi perfeita, é óbvio — informou Rony antes que Hermione pudesse responder. — Deliberação, Divinação e Desesperação, ou que nome tenham as cacas, perfeitas... depois a turma foi tomar um drinque rápido no Três Vassouras, e você devia ouvir o que o Twycross disse dela... vai ser uma surpresa se ele não fizer aquela pergunta logo, logo...

— E você? — perguntou Hermione, ignorando Rony. — Ficou lá em cima na Sala Precisa esse tempão?

— Fiquei, e adivinhe quem eu encontrei lá? Tonks!

— Tonks? — repetiram Rony e Hermione juntos, admirados.

— É, ela disse que tinha vindo visitar Dumbledore...

— Se você quer saber a minha opinião — disse Rony quando Harry acabou de relatar a conversa que tivera com Tonks —, ela está pirando. Perdeu a coragem depois do que aconteceu no Ministério.

— É meio estranho — comentou Hermione, que por alguma razão pareceu muito preocupada. — Ela devia estar guardando a escola, por que é que abandonou de repente o posto para vir ver Dumbledore se ele nem está aqui?

— Pensei numa coisa — disse Harry hesitante. Era estranho estar dizendo isso; era muito mais a área de Hermione do que a dele. — Você acha que ela talvez fosse... sabe... apaixonada pelo Sirius?

Hermione arregalou os olhos para ele.

— De onde foi que você tirou essa ideia?

— Não sei — respondeu Harry sacudindo os ombros —, mas ela estava quase chorando quando mencionei o nome dele... e o Patrono dela agora é um quadrúpede... fiquei pensando se não teria se transformado... sabe... nele.

— É uma ideia — disse Hermione lentamente. — Mas continuo sem saber por que ela adentraria o castelo de repente para ver Dumbledore, se este era realmente o motivo por que estava aqui...

— O que nos traz de volta ao que eu disse, não é? — falou Rony, que agora enchia a boca de purê de batatas. — Ela ficou esquisita. Se acovardou. Mulheres — sentenciou ele para Harry. — Elas se perturbam à toa.

— Ainda assim — continuou Hermione despertando de suas divagações —, duvido que você encontre uma mulher que fique meia hora emburrada porque Madame Rosmerta não riu da piada que ela contou sobre a bruxa, o curandeiro e a Mimbulus mimbletonia.

Rony amarrou a cara.

22

DEPOIS DO ENTERRO

Retalhos de céu muito azul estavam começando a aparecer sobre as torres do castelo, mas estes indícios da aproximação do verão não melhoraram o humor de Harry. Ele se frustrara tanto nas tentativas de descobrir o que fazia Malfoy quanto em seus esforços para iniciar uma conversa com Slughorn que pudesse levar o professor a lhe entregar a lembrança que aparentemente vinha reprimindo havia muitas décadas.

– Pela última vez, esquece o Malfoy – disse Hermione a Harry com firmeza.

Os três amigos estavam sentados a um canto ensolarado do pátio depois do almoço. Hermione e Rony seguravam um panfleto do Ministério da Magia: *Como evitar erros comuns em Aparatação*, porque iam fazer o teste naquela tarde, mas, em geral, os panfletos não tinham se mostrado eficazes para acalmar os nervos. Rony assustou-se e tentou se esconder atrás de Hermione ao ver uma garota entrar no pátio.

– Não é a Lilá – disse Hermione, impaciente.

– Ah, bom! – exclamou Rony relaxando.

– Harry Potter? – perguntou a garota. – Me pediram para lhe entregar isso.

– Obrigado...

Harry sentiu-se apreensivo ao receber o rolinho de pergaminho. Quando a garota se distanciou, ele comentou:

– Dumbledore disse que não teríamos mais aulas até eu conseguir a lembrança!

– Talvez ele queira saber como você está indo? – arriscou Hermione, enquanto Harry desenrolava o pergaminho; mas, em vez da letra longa, fina e inclinada de Dumbledore, ele deparou com uma caligrafia irregular e espalhada, muito difícil de se ler devido à presença de grandes borrões nos lugares em que a tinta escorrera.

Caros Harry, Rony e Hermione,
   Aragogue morreu ontem à noite. Harry e Rony, vocês o conheceram, e sabem como ele era especial. Hermione, eu sei que você teria gostado dele. Significaria muito para mim se vocês dessem uma passada aqui mais tarde para o enterro. Pretendo fazer isso ao crepúsculo, que era a hora do dia que ele mais gostava. Sei que é proibido saírem tão tarde, mas podem usar a Capa. Eu não pediria se pudesse enfrentar esse momento sozinho.
   Hagrid

— Dá uma olhada nisso — disse Harry, entregando o bilhete a Hermione.
— Ah, pelo amor de Deus! — exclamou ela, correndo os olhos pelo bilhete e passando-o a Rony, que o leu com uma expressão de crescente incredulidade.
— Ele é maluco! — exclamou furioso. — Aquela coisa mandou a turma dele nos devorar! Disse para se servirem! E agora Hagrid espera que a gente vá lá embaixo chorar por aquele defunto peludo!
— E não é só isso — acrescentou Hermione. — Ele está nos pedindo para sair do castelo à noite, sabendo que a segurança está mil vezes mais rigorosa e que nos meteríamos em uma baita encrenca se fôssemos apanhados.
— Já descemos para ver Hagrid à noite antes — lembrou Harry.
— Mas por um motivo desse? — replicou Hermione. — Já nos arriscamos muito para ajudar o Hagrid, afinal o Aragogue morreu. Se fosse uma questão de salvar a vida dele...
— Eu teria ainda menos vontade de ir — interpôs Rony com firmeza. — Você não o conheceu, Hermione. Pode acreditar, morto ele deve estar bem melhor.
   Harry recolheu o bilhete e olhou para os borrões de tinta. Sem dúvida, tinham caído lágrimas no pergaminho, grossas e sucessivas...
— Harry, você *não pode* estar pensando em ir — falou Hermione. — Não tem o menor sentido pegar uma detenção por uma coisa dessas.
   Harry suspirou.
— É, sei disso. Presumo que o Hagrid vá ter de enterrar Aragogue sem a nossa presença.
— Vai — disse Hermione aliviada. — Olhem, a aula de Poções vai estar quase vazia hoje à tarde, todos estaremos fazendo os testes... aproveite para amaciar o Slughorn um pouco!
— Sorte na quinquagésima sétima vez, é isso? — perguntou Harry amargurado.
— Sorte! — exclamou Rony de repente. — Harry, é isso aí: mude a sorte!

— Como assim?
— Use a sua poção da sorte!
— Rony, é isso... isso aí! — concordou Hermione, com voz de espanto.
— Claro! Por que não pensei nisso antes?
Harry encarou os dois.
— Felix Felicis? Não sei... estava meio que guardando...
— Para quê? — indagou Rony, incrédulo.
— Que pode ser mais importante do que essa lembrança, Harry? — perguntou Hermione.

O garoto não respondeu. A ideia daquele frasquinho dourado tinha pairado na periferia de sua imaginação por um bom tempo; planos vagos e não formulados que envolviam Gina romper o namoro com Dino, e Rony se alegrar de vê-la com um novo namorado, tinham fermentado nas profundezas do seu cérebro, inconfessados exceto em sonhos ou durante a sonolência que antecede o sono e o despertar...

— Harry? Você ainda está com a gente? — perguntou Hermione.
— Quê...? Claro — respondeu ele, voltando ao presente. — Bem... o.k. Se eu não conseguir fazer Slughorn falar hoje à tarde, vou tomar um pouco da Felix e tentar novamente à noite.
— Está decidido, então — aprovou Hermione com energia, ficando em pé e executando uma graciosa pirueta. — Destinação... determinação... deliberação — murmurou.
— Ah, pode parar — pediu Rony a ela. — Eu já estou até nauseado... rápido, me esconde!
— Não é a Lilá! — disse Hermione, impaciente, quando mais duas garotas chegaram ao pátio e Rony mergulhou atrás dela.
— Legal — disse o garoto, espiando por cima do ombro de Hermione para verificar. — Caramba, elas não parecem nada felizes, não é?
— São as irmãs Montgomery, e é claro que não estão nada felizes, você não soube o que aconteceu com o irmãozinho delas? — perguntou Hermione.
— Para ser sincero, já perdi a conta do que está acontecendo com os parentes de todo o mundo — disse Rony.
— Bem, o irmão delas foi atacado por um lobisomem. Corre o boato de que a mãe se recusou a ajudar os Comensais da Morte. O garoto só tinha cinco anos e morreu no St. Mungus, não conseguiram salvá-lo.
— Morreu? — repetiu Harry, chocado. — Mas com certeza os lobisomens não matam, só transformam a pessoa em um deles.
— Às vezes matam — disse Rony, que parecia anormalmente sério agora. — Ouvi falar que isso acontece quando o lobisomem se empolga.

– Qual era o nome do lobisomem? – perguntou Harry imediatamente.

– Bem, dizem que foi o Lobo Greyback – disse Hermione.

– Eu sabia: o maníaco que gosta de atacar crianças, o Lupin me falou dele! – comentou Harry com indignação.

Hermione olhou-o triste.

– Harry, você precisa obter aquela lembrança. Vai servir para paralisar o Voldemort, não é? Essas coisas horrendas que estão acontecendo são culpa dele...

A sineta tocou no castelo, e Hermione e Rony se ergueram de um salto com um ar apavorado.

– Vocês vão se sair bem – disse Harry aos dois quando se dirigiam ao Saguão de Entrada para se reunir aos outros alunos que iam fazer o teste de Aparatação. – Boa sorte.

– E para você também! – disse Hermione com um olhar expressivo quando Harry tomou a direção das masmorras.

Só havia três alunos na sala de Poções aquela tarde; Harry, Ernesto e Draco Malfoy.

– Todos jovens demais para aparatar? – perguntou Slughorn cordialmente. – Ainda não fizeram dezessete anos?

Eles sacudiram a cabeça.

– Ah, bem – disse Slughorn animado –, como somos tão poucos, vamos nos divertir. Quero que vocês preparem alguma coisa engraçada!

– Parece uma boa ideia, senhor – bajulou Ernesto, esfregando as mãos. Malfoy, por sua vez, nem ao menos sorriu.

– Que é que o senhor quer dizer com alguma coisa "engraçada"? – perguntou com irritação.

– Ah, me façam uma surpresa – respondeu Slughorn, despreocupado.

Malfoy abriu seu exemplar de *Estudos avançados no preparo de poções* de mau humor. Não podia ser mais evidente que, em sua opinião, a aula seria um desperdício de tempo. Sem dúvida, pensou Harry, observando-o por cima do próprio livro, Malfoy estava cedendo de má vontade o tempo que poderia gastar na Sala Precisa.

Era sua imaginação ou Malfoy, como Tonks, parecia mais magro? Com certeza, estava mais pálido, sua pele conservava aquele tom acinzentado, provavelmente porque nos últimos tempos era raro ele ver a luz do dia. Mas não havia presunção, nem animação, nem superioridade em seu rosto; tampouco a segurança que aparentara no Expresso de Hogwarts, quando se gabara abertamente da missão que tinha recebido de Voldemort... só podia haver uma conclusão, na opinião de Harry: a missão, qualquer que fosse, não estava indo bem.

Animado por este pensamento, correu os olhos pelo seu exemplar de *Estudos avançados no preparo de poções* e descobriu uma versão do Elixir para Induzir Euforia cheia de anotações do Príncipe, que parecia não somente corresponder às instruções de Slughorn, como também (e o coração de Harry deu um salto só de pensar) deixaria o professor tão bem-humorado que ele ficaria no ponto de entregar a lembrança, se Harry o persuadisse a provar um pouquinho da poção...

— Ora, então, esta poção parece absolutamente maravilhosa! — exclamou Slughorn batendo palmas, hora e meia depois, ao inspecionar o conteúdo amarelo-sol do caldeirão de Harry. — Euforia, presumo. E que cheiro é esse que estou sentindo? Hummm... você acrescentou um galhinho de menta, não foi? Heterodoxo, mas que sopro de inspiração, Harry. Claro, poderia compensar os efeitos colaterais, as excessivas cantorias e coceiras no nariz... eu realmente não sei onde você arranja essas ideias luminosas, meu rapaz... a não ser...

Harry empurrou o livro do Príncipe com o pé, mais para dentro da mochila.

— ... que sejam os genes de sua mãe se revelando em você!

— Ah... é, quem sabe — disse Harry aliviado.

Ernesto estava com um ar muito rabugento; decidido a brilhar mais que Harry ao menos uma vez, apressadamente inventara uma poção que talhara e formara uns grumos roxos no fundo do caldeirão. Malfoy já estava guardando seu material, de cara amarrada; Slughorn declarara a sua Solução dos Soluços apenas "passável".

A sineta tocou, e Ernesto e Malfoy saíram logo.

— Senhor — começou Harry, mas Slughorn imediatamente espiou por cima do ombro do garoto; ao ver a sala vazia, exceto por ele e Harry, apressou-se o máximo que pôde.

— Professor... professor... o senhor não quer provar a minha po...? — chamou o garoto desesperado.

Mas Slughorn se fora. Desapontado, Harry esvaziou o caldeirão e guardou o material, em seguida saiu da masmorra e se dirigiu lentamente à sala comunal.

Rony e Hermione retornaram no final da tarde.

— Harry! — exclamou Hermione ao passar pelo buraco do retrato. — Harry, passei!

— Parabéns! – disse ele. – E Rony?

– Ele... ele não passou *por pouco* – sussurrou Hermione ao ver Rony entrar na sala de ombros caídos e mal-humorado.

– Foi realmente falta de sorte, uma coisinha à toa, o examinador notou que ele tinha deixado metade de uma sobrancelha para trás... como foi com o Slughorn?

– Melou – respondeu Harry, quando Rony ia chegando. – Você deu azar, cara, mas da próxima vez vai passar... podemos fazer o teste juntos.

– É, presumo que sim – respondeu o amigo, rabugento. – Mas por *meia sobrancelha*! Como se isso fizesse diferença!

– Eu sei – consolou-o Hermione –, parece realmente rigoroso demais...

Os três passaram a maior parte do jantar xingando sem meias palavras o examinador de Aparatação, e Rony parecia um tantinho mais animado quando voltaram à sala comunal, agora discutindo o problema, ainda sem solução, de Slughorn e sua lembrança.

– Então, Harry, você vai ou não vai usar a Felix Felicis? – perguntou Rony.

– É, presumo que é o jeito. Acho que não vou precisar tomar toda, não a dose para doze horas, não pode levar a noite inteira... Vou tomar só um gole. Duas ou três horas devem ser suficientes.

– É uma sensação incrível quando a gente toma – comentou Rony lembrando-se. – Como se não fosse possível fazer nada errado.

– Do que é que você está falando? – perguntou Hermione rindo. – Você nunca tomou!

– É, mas *pensei* que tinha tomado, não é? – replicou Rony como se explicasse o óbvio. – Dá no mesmo...

Como tinham acabado de ver Slughorn entrar no Salão Principal e sabiam que o professor gostava de se demorar à mesa, eles fizeram uma horinha na sala comunal; o plano era Harry ir ao escritório de Slughorn depois de lhe darem tempo de voltar para lá. Quando o sol poente atingiu as copas das árvores da Floresta Proibida, os garotos resolveram que chegara o momento e, depois de verificar que Neville, Dino e Simas estavam na sala comunal, subiram discretamente ao dormitório dos garotos.

Harry tirou do fundo do malão as meias enroladas e apanhou o minúsculo frasco cintilante.

– Bom, lá vai! – exclamou Harry, erguendo o frasquinho e tomando uma dose cuidadosamente medida.

– Qual é a sensação? – cochichou Hermione.

Harry não respondeu logo. Então, gradual mas inegavelmente, invadiu-o a sensação de euforia em que tudo é possível; sentiu que poderia fazer qualquer coisa, qualquer coisa no mundo... e extrair a lembrança de Slughorn pareceu de repente não apenas possível, mas decididamente fácil... Ele se levantou sorrindo, transbordando confiança.

— Excelente. Realmente excelente. Certo... vou até a cabana do Hagrid.
— Quê!? — exclamaram Rony e Hermione, perplexos.
— Não, Harry: você tem de ir ver o Slughorn, lembra? — disse Hermione.
— Não — respondeu ele seguro. — Vou à cabana do Hagrid, este pensamento produz em mim uma sensação boa.
— Pensar em enterrar uma aranha gigante produz em você uma sensação boa? — perguntou Rony estarrecido.
— Produz — respondeu Harry tirando a Capa da Invisibilidade da mochila. — Sinto que é o lugar onde devo estar hoje à noite, entendem o que quero dizer?
— Não! — exclamaram os dois amigos ao mesmo tempo, parecendo agora positivamente alarmados.
— Isto aqui é a Felix Felicis, presumo? — perguntou Hermione, ansiosa, segurando o frasco contra a luz. — Você não apanhou outro frasquinho cheio de... sei lá...
— Essência de Insanidade? — sugeriu Rony quando Harry jogou a Capa nos ombros.

Harry deu uma risada, e Rony e Hermione ficaram ainda mais alarmados.

— Confiem em mim. Sei o que estou fazendo... ou pelo menos... — ele rumou para a porta, confiante — a Felix Felicis sabe.

Ele puxou a Capa da Invisibilidade sobre a cabeça e desceu as escadas, com Rony e Hermione acompanhando-o, apressados. Ao pé da escada, Harry se esgueirou pela porta aberta.

— Que é que você estava fazendo lá em cima com *ela*? — guinchou Lilá Brown, sem ver Harry, encarando Rony e Hermione que emergiam juntos do dormitório dos garotos. Harry ouviu Rony gaguejar enquanto disparava pela sala, deixando os amigos para trás.

Passar pelo buraco do retrato foi simples; ao se aproximar, Gina e Dino entravam e Harry pôde sair entre os dois. Ao fazer isso, roçou sem querer em Gina.

— *Não* me empurra, Dino, por favor — disse a garota em tom aborrecido.
— Você sempre faz isso, posso perfeitamente entrar sozinha...

O retrato girou, fechando a abertura à passagem de Harry, mas não antes que ele ouvisse a resposta enraivecida de Dino... com a sensação de euforia aumentando, Harry saiu pelo castelo. Não precisou ter cautela porque não encontrou ninguém no caminho, mas isto não o surpreendeu: esta noite, ele era o indivíduo mais sortudo de Hogwarts.

Por que sabia que ir à cabana de Hagrid era a coisa certa, Harry não fazia a menor ideia. É como se a poção estivesse iluminando uns poucos passos do seu caminho de cada vez: ele não conseguia ver seu destino final, não conseguia ver onde entrava Slughorn, mas sabia que estava agindo corretamente para obter a lembrança. Quando chegou ao Saguão de Entrada, descobriu que Filch se esquecera de trancar a porta da entrada do castelo. Sorrindo, Harry escancarou-a e inspirou o cheiro de ar puro e grama por um momento, antes de descer as escadas e sair para a noite que caía.

Foi quando chegou ao último degrau que lhe ocorreu que seria muito agradável passar pela horta a caminho da cabana de Hagrid. Não ficava exatamente no caminho, mas lhe pareceu claro que era um capricho a que devia obedecer, então dirigiu imediatamente os seus passos para a horta, e ficou satisfeito, embora não de todo surpreso, ao topar com o professor Slughorn conversando com a professora Sprout. Harry se escondeu atrás de uma mureta de pedra, sentindo-se em paz com o mundo e escutando a conversa dos dois.

– ... agradeço muito por me ceder seu tempo, Pomona – dizia Slughorn educadamente. – A maioria das autoridades concorda que elas são mais eficazes quando colhidas ao crepúsculo.

– Ah, concordo inteiramente – respondeu a professora Sprout cordial.
– Essas são suficientes?

– São mais do que suficientes – respondeu Slughorn; Harry viu que o professor carregava uma braçada de plantas folhosas. – Dará para distribuir algumas folhas a cada aluno do terceiro ano e ainda sobrará para quem as cozinhar demais... bem, boa noite para você, e, mais uma vez, muito obrigado!

A professora Sprout saiu pela escuridão que se adensava em direção às suas estufas, e Slughorn foi andando para o lugar em que estava Harry, invisível.

Tomado de um desejo imediato de se revelar, Harry despiu a Capa com um gesto dramático.

– Boa noite, professor.

– Pelas barbas de Merlim, você me assustou – disse Slughorn, parando de súbito, com ar cauteloso. – Como foi que saiu do castelo?

— Filch deve ter esquecido de trancar as portas — respondeu Harry, animado, e ficou satisfeito de ver Slughorn amarrar a cara.

— Vou dar parte desse homem, ele se preocupa mais com bobagens do que com a verdadeira segurança, se você quer saber... mas por que está aqui fora, Harry?

— Bem, senhor, é o Hagrid — respondeu Harry, sabendo que o certo naquele momento era dizer a verdade. — Ele está muito chateado... mas o senhor não vai contar a ninguém, não é professor? Não quero criar problema para ele...

Evidentemente Slughorn ficou curioso.

— Bem, não posso lhe prometer isso — respondeu com impaciência. — Mas sei que Dumbledore confia em Hagrid até a medula dos ossos, por isso tenho certeza de que não pode estar fazendo nada muito ruim...

— Bem, é uma aranha gigante que ele tinha há anos... vivia na Floresta... falava e tudo...

— Ouvi rumores de que havia acromântulas na Floresta — comentou Slughorn baixinho, olhando para a massa de árvores escuras. — É verdade, então?

— É. Mas a tal, Aragogue, a primeira que Hagrid conseguiu, morreu ontem à noite. Ele está arrasado. Quer companhia para fazer o enterro, e eu disse que iria.

— Comovente, comovente — disse Slughorn distraído, seus grandes olhos de pálpebras enrugadas fixos nas luzes distantes da cabana de Hagrid. — Mas o veneno da acromântula é muito valioso... se o artrópode acabou de morrer, talvez ainda não tenha secado... claro, eu não gostaria de fazer nada desrespeitoso se Hagrid está perturbado... mas se houvesse algum meio de obter algum... quero dizer, é quase impossível obter veneno de uma acromântula viva...

Slughorn parecia estar falando mais para si do que para Harry agora.

— ... parece um terrível desperdício não recolhê-lo... pode chegar a alcançar cem galeões por meio litro... para ser franco, o meu salário não é alto...

E Harry viu claramente o que precisava fazer.

— Bem — disse ele, hesitando de modo convincente —, bem, se o senhor quiser ir, professor, Hagrid provavelmente ficaria muito satisfeito... fazer uma despedida melhor, entende...

— Claro! — exclamou Slughorn, seus olhos agora faiscando de entusiasmo. — Faremos o seguinte, Harry, encontro você lá embaixo com umas duas garrafas... beberemos... não à saúde da pobre criatura... bem... mas, em todo caso, faremos uma despedida em grande estilo, depois do enterro. E vou trocar a minha gravata, esta é um pouco berrante para a ocasião...

Ele voltou ligeiro para o castelo, e Harry correu para a cabana de Hagrid, satisfeitíssimo.

– Você veio! – exclamou Hagrid rouco, quando abriu a porta e viu à sua frente Harry, emergindo da Capa da Invisibilidade.

– É... mas Rony e Hermione não puderam vir – disse Harry. – Eles realmente lamentam.

– Não faz... não faz mal... ele teria ficado sensibilizado por você ter vindo, Harry...

Hagrid deixou escapar um grande soluço. Tinha feito uma braçadeira preta, que parecia uma tira de pano mergulhada em graxa de sapato, e seus olhos estavam inchados e vermelhos. Harry consolou-o com palmadinhas no cotovelo, que era a altura máxima do amigo que ele conseguia atingir sem esforço.

– Onde vamos enterrá-lo? – perguntou. – Na Floresta?

– Caramba, não – protestou Hagrid, enxugando os olhos que não paravam de lacrimejar com a fralda da camisa. – As outras aranhas não me deixarão nem chegar perto das teias, agora que Aragogue partiu. Fiquei sabendo que só as ordens dele evitavam que me comessem. Dá para acreditar, Harry?

A resposta sincera seria "sim"; Harry lembrou, sem dificuldade, a cena em que ele e Rony se viram cara a cara com a acromântula: ficara bem evidente que Aragogue era a única coisa que as impedia de devorar Hagrid.

– Nunca teve antes uma área da Floresta a que eu não pudesse ir – comentou Hagrid balançando a cabeça. – Não foi nada fácil tirar o cadáver de Aragogue de lá, acredite... elas costumam comer os mortos, entende... mas eu queria dar a ele um enterro decente... uma despedida digna...

Ele desatou a soluçar, e Harry recomeçou a afagar seu cotovelo, dizendo (porque a poção parecia indicar que era o que devia ser feito) ao mesmo tempo:

– O professor Slughorn me encontrou quando eu ia descendo, Hagrid.

– Você não se encrencou, não? – perguntou Hagrid, alarmado. – Não devia estar fora do castelo à noite, eu sei, a culpa é minha...

– Não, não, quando ele soube aonde eu ia, disse que também gostaria de vir prestar as últimas homenagens a Aragogue. Ele foi vestir uma roupa mais apropriada, acho... e disse que traria umas garrafas para podermos beber à memória de Aragogue...

— Verdade?! – exclamou Hagrid, parecendo ao mesmo tempo espantado e comovido. – É... é muita bondade dele, é sim, e também não entregar você. Eu nunca tive realmente muito contato com Horácio Slughorn antes... mas ele vem se despedir do velho Aragogue, eh? Bem... ele teria gostado disso, o Aragogue...

Harry pensou com seus botões que o que Aragogue teria gostado mais em Slughorn era a fartura de carne comestível que ele oferecia, mas limitou-se a ir até a janela dos fundos da cabana de Hagrid, de onde teve a sinistra visão da enorme aranha que jazia de costas com as pernas encolhidas e entrelaçadas.

— Vamos enterrar Aragogue aqui, Hagrid, na sua horta?

— Logo depois do canteiro de abóboras, pensei – respondeu ele com a voz embargada. – Já cavei a... entende... sepultura. Para podermos dizer alguma coisa simpática sobre ele... lembranças felizes, entende...

Sua voz tremeu e falhou. Houve uma batida na porta e ele se virou para atender, assoando o nariz no grande lenço manchado. Slughorn apressou-se a entrar, trazendo várias garrafas nos braços e usando um sóbrio lenço preto ao pescoço.

— Hagrid – disse ele com voz grave e profunda. – Lamento muito a sua perda.

— É muita gentileza sua – respondeu Hagrid. – Muito obrigado. E muito obrigado por não dar uma detenção a Harry...

— Eu nem sonharia. Noite triste, noite triste... onde está o coitado?

— Lá fora – informou Hagrid com a voz trêmula. – Vamos... vamos começar, então?

Os três saíram para o quintal. A lua brilhava palidamente entre as árvores e sua claridade se misturava à luz que saía da janela de Hagrid para iluminar o cadáver de Aragogue, à beira de uma enorme cova ladeada por um monte de terra recém-cavada, de três metros.

— Magnífico – disse Slughorn, aproximando-se da cabeça da aranha, onde oito olhos leitosos contemplavam inutilmente o céu e duas enormes pinças curvas brilhavam imóveis ao luar. Harry pensou ouvir o tinido de frascos quando Slughorn se curvou para as pinças, aparentemente examinando a enorme cabeça peluda.

— Não é todo o mundo que sabe apreciar como elas são bonitas – comentou Hagrid às costas de Slughorn, as lágrimas escorrendo dos seus olhos enrugados. – Eu não sabia que você tinha interesse em criaturas como o Aragogue, Horácio.

— Interesse? Meu caro Hagrid, tenho veneração por elas – respondeu o professor, afastando-se do corpo. Harry viu o reflexo de um frasco desaparecer sob sua capa, embora Hagrid, secando os olhos mais uma vez, não notasse nada. – Agora... vamos prosseguir com o enterro?

Hagrid acenou a cabeça concordando, e se adiantou. Ergueu a gigantesca aranha nos braços e, com um enorme gemido, derrubou-a na cova escura. O corpo bateu no fundo, com um baque feio e triturante. Hagrid recomeçou a chorar.

– Claro, é difícil para você que o conhecia melhor – disse Slughorn, que, como Harry, só conseguia alcançar o cotovelo de Hagrid, mas deu-lhe umas palmadinhas assim mesmo. – Que tal eu dizer umas palavrinhas?

Ele devia ter retirado muito veneno de boa qualidade de Aragogue, pensou Harry, porque tinha um ar satisfeito quando se aproximou da cova e disse, em voz lenta e comovente:

– Adeus, Aragogue, rei dos aracnídeos, cuja longa e fiel amizade os que o conheceram jamais esquecerão! Embora o seu corpo se desintegre, o seu espírito permanecerá nas teias tranquilas de sua Floresta natal. Que os seus descendentes multioculares prosperem e seus amigos humanos encontrem consolo pela perda que sofreram.

– Foi... foi... lindo! – berrou Hagrid, desmontando em cima da estrumeira aos prantos.

– Vamos, vamos – disse Slughorn, e acenou com a varinha, fazendo uma grande quantidade de terra se elevar e cair com um ruído abafado sobre a aranha morta, formando um monte liso. – Vamos entrar e beber alguma coisa. Pegue do outro lado dele, Harry... isso... em pé, Hagrid... muito bem...

Eles sentaram Hagrid em uma cadeira à mesa. Canino, que estivera escondido em seu cesto durante o enterro, agora veio pisando macio até eles e descansou a pesada cabeça no colo de Harry, como sempre fazia. Slughorn desarrolhou uma das garrafas de vinho que trouxera.

– Testei *todas* à procura de veneno – garantiu ele a Harry, servindo a primeira garrafa quase toda em uma das canecas tamanho-balde de Hagrid e entregando-a a ele. – Mandei um elfo doméstico provar cada garrafa depois do que aconteceu ao coitado do seu amigo Rupert.

Harry imaginou a expressão de Hermione se algum dia ela viesse a saber deste abuso contra elfos domésticos, e decidiu que jamais o mencionaria à amiga.

– Uma para Harry... – disse Slughorn, dividindo uma segunda garrafa em duas canecas – ... e uma para mim. Bem – ele ergueu a caneca –, ao Aragogue.

– Aragogue – repetiram juntos, Harry e Hagrid.

Slughorn e Hagrid tomaram um grande gole. Harry, porém, com o seu próximo passo iluminado pela Felix Felicis, percebeu que não devia beber, então fingiu apenas tomar um gole e em seguida devolveu a caneca à mesa.

— Eu o criei a partir de um ovo, sabem — disse Hagrid sombriamente.
— Uma coisinha à toa quando saiu da casca. Mais ou menos do tamanho de um pequinês.
— Que encanto — comentou Slughorn.
— Eu costumava guardar Aragogue em um armário na escola até que... bem...

Passou uma sombra pelo rosto de Hagrid, e Harry entendeu o porquê: Tom Riddle tinha tramado para Hagrid ser expulso da escola, culpado de ter aberto a Câmara Secreta. Slughorn, porém, não parecia estar ouvindo; contemplava o teto, de onde pendiam vários tachos de latão, bem como uma sedosa mecha de pelos muito brancos.

— Isso não pode ser pelo de unicórnio, Hagrid, pode?
— Ah, é — respondeu ele com indiferença. — Arrancado da cauda deles, os pelos se agarram nos galhos e plantas da Floresta, entende...
— Mas, meu caro, você sabe quanto *vale* isso?
— Uso para prender bandagens e outras coisas, quando algum bicho se machuca — disse Hagrid sacudindo os ombros. — É útil à beça... muito forte, mesmo.

Slughorn tomou mais um grande gole da caneca, seus olhos agora percorrendo a cabana atentamente, à procura, Harry percebeu, de mais tesouros que ele pudesse converter em um copioso suprimento de hidromel envelhecido em carvalho, abacaxi cristalizado e paletós de smoking de veludo. Ele tornou a encher a caneca de Hagrid e a sua própria, e interrogou-o sobre as criaturas que viviam na Floresta atualmente, e como viviam, e se ele dava conta de cuidar de todas. Hagrid, tornando-se expansivo sob a influência da bebida e do interesse lisonjeiro de Slughorn, parou de enxugar os olhos e embarcou feliz em uma longa explicação sobre a criação de tronquilhos.

A essa altura, a Felix Felicis deu um toque em Harry, e ele reparou que o suprimento de bebida que Slughorn trouxera estava se esgotando com rapidez. Harry ainda não conseguira realizar o Feitiço de Reposição sem pronunciar o encantamento em voz alta, mas a ideia de que fosse incapaz de realizá-lo esta noite era risível: de fato, Harry riu interiormente quando, sem que Hagrid nem Slughorn (agora trocando casos sobre o comércio clandestino de ovos de dragão) o vissem, apontou a varinha por baixo da mesa para as garrafas vazias e elas imediatamente tornaram a encher.

Decorrida mais ou menos uma hora, os dois professores começaram a fazer brindes extravagantes: a Hogwarts, a Dumbledore, ao vinho dos elfos e a...

– Harry Potter! – berrou Hagrid, babando um pouco do vinho no queixo, ao esvaziar sua décima quarta caneca.

– Com certeza! – exclamou Slughorn com a voz meio pastosa. – Parry Otter, o Garoto Eleito Que... bem... alguma coisa assim – murmurou ele esvaziando sua caneca também.

Não demorou muito, Hagrid recomeçou a chorar e insistiu que Slughorn ficasse com a cauda do unicórnio inteira, que o professor embolsou aos gritos de "À amizade! À generosidade! A dez galeões o pelo!".

E durante algum tempo, Hagrid e Slughorn se sentaram lado a lado, abraçados, cantando uma música lenta e triste sobre um bruxo moribundo chamado Odo.

– Arre, os bons morrem jovens – murmurou Hagrid, debruçando-se sobre a mesa, um pouco vesgo, enquanto Slughorn continuava a gorjear o refrão "Meu pai não tinha idade para morrer... nem a sua mãe nem o seu pai, Harry...".

Lágrimas enormes tornaram a vazar dos cantos dos olhos enrugados de Hagrid; ele agarrou o braço de Harry e sacudiu-o.

– ... melhor bruxo e bruxa da idade deles que já conheci... uma desgraça... uma desgraça...

Slughorn cantava melancolicamente:

"*E Odo o herói foi levado para casa*
Para o lugar que jovem conhecera
E sepultado com o chapéu pelo avesso
E a varinha partida ao meio, que tristeza."

– ... uma desgraça – resmungou Hagrid, e sua enorme cabeça desgrenhada rolou para o lado sobre os braços cruzados, e ele adormeceu roncando profundamente.

– Desculpe – disse Slughorn com um soluço. – Não consigo cantar afinado nem para salvar a vida.

– Hagrid não estava falando do seu modo de cantar – explicou Harry em voz baixa. – Estava falando da morte dos meus pais.

— Ah! — exclamou Slughorn reprimindo um grande arroto. — Ah, nossa. Aquilo foi... foi de fato terrível. Terrível... terrível...

Parecia não encontrar o que dizer e optou por tornar a encher as canecas.

— Suponho que você... não se lembre, não é, Harry? — perguntou ele sem jeito.

— Não... bem eu só tinha um ano quando eles morreram — respondeu Harry, seus olhos fixos na chama da vela que bruxuleava com os fortes roncos de Hagrid. — Mas descobri com bastante exatidão o que aconteceu. Meu pai morreu primeiro. O senhor sabia?

— Não... não sabia — disse Slughorn com a voz abafada.

— É... Voldemort matou-o e em seguida passou por cima do cadáver dele em direção a minha mãe.

Slughorn estremeceu violentamente, mas não parecia capaz de despregar o olhar horrorizado do rosto de Harry.

— Disse a ela para sair do caminho — continuou Harry, sem piedade. — Voldemort me contou que minha mãe não precisava ter morrido. Ele só queria a mim. Ela poderia ter fugido.

— Nossa — murmurou Slughorn. — Ela podia ter... ela não precisava... que horror...

— Não é mesmo? — concordou Harry, num sussurro quase inaudível.

— Mas ela não se mexeu. Papai já estava morto, mas ela não queria que eu morresse também. Tentou suplicar ao Voldemort... mas ele apenas riu...

— Basta! — exclamou Slughorn repentinamente, erguendo a mão trêmula. — Realmente, meu caro rapaz, basta... Sou um velho... não preciso ouvir... não quero ouvir...

— Me esqueci — mentiu Harry, a Felix Felicis orientando-o. — O senhor gostava dela, não?

— Gostava dela? — repetiu Slughorn, seus olhos tornando a se encher de lágrimas. — Não consigo imaginar alguém que a conhecesse e não gostasse dela... muito corajosa... muito engraçada... foi pavoroso.

— Mas o senhor não quer ajudar o filho dela — continuou Harry. — Ela deu a vida por mim, mas o senhor não quer me dar uma lembrança.

Os roncos trovejantes de Hagrid ecoavam pela cabana. Harry encarava sem vacilar os olhos lacrimosos de Slughorn. O professor de Poções parecia incapaz de desviar o olhar.

— Não diga isso — sussurrou ele. — Não é uma questão... se fosse para ajudá-lo, é claro... mas não vai adiantar nada...

– Vai – disse Harry em voz alta e clara. – Dumbledore precisa de informações. Eu preciso de informações. Ele sabia que estava seguro: a Felix lhe dizia que o professor não lembraria nada pela manhã. Olhando direto nos olhos de Slughorn, Harry se inclinou ligeiramente para ele.

– Eu sou O Eleito. Tenho de matá-lo. Preciso daquela lembrança.

Slughorn ficou mais pálido que nunca; o suor brilhava em sua testa lisa.

– Você é O Eleito?

– Claro que sou – respondeu Harry calmamente.

– Mas então... meu caro rapaz... você está me pedindo muito... você está me pedindo, de fato, que o ajude em sua tentativa de destruir...

– O senhor não quer se livrar do bruxo que matou Lílian Evans?

– Harry, Harry, claro que quero, mas...

– O senhor tem medo que ele descubra que me ajudou?

Slughorn não respondeu; estava aterrorizado.

– Seja corajoso como a minha mãe, professor...

Slughorn ergueu a mão gorducha e levou os dedos trêmulos à boca; por um instante pareceu um bebê que crescera demais.

– Não me orgulho – sussurrou ele entre os dedos. – Tenho vergonha do que... do que aquela lembrança mostra... acho que eu talvez tenha causado um grande estrago naquele dia...

– O senhor compensaria o que fez me entregando aquela lembrança. Seria um ato de grande coragem e nobreza.

Hagrid, adormecido, se mexeu e continuou a roncar. Slughorn e Harry olhavam-se fixamente por cima da vela gotejante. Fez-se um silêncio extremamente longo, mas a Felix Felicis disse a Harry que não o quebrasse, que aguardasse.

Então, muito lentamente, Slughorn levou a mão ao bolso e puxou sua varinha. Enfiou a outra mão por dentro da capa e tirou um frasquinho vazio. Ainda sustentando o olhar de Harry, Slughorn tocou a têmpora com a ponta da varinha e retirou-a, fazendo com que o longo fio prateado de lembrança saísse, também, preso na ponta da varinha. A lembrança foi se esticando, se esticando, até partir, e balançar luminosa e prateada da varinha. O professor colocou-a no frasco onde ela se enroscou, depois se expandiu espiralando como um gás. Ele arrolhou o vidro com a mão trêmula e passou-o por cima da mesa para Harry.

– Muito obrigado, professor.

— Você é um bom rapaz — disse Slughorn, com as lágrimas escorrendo pelas bochechas gordas e entrando em seus bigodes de leão-marinho. — E você tem os olhos dela... só não pense muito mal de mim depois que vir...

E ele também descansou a cabeça sobre os braços, deu um profundo suspiro e adormeceu.

23

HORCRUXES

Harry sentiu o efeito da Felix Felicis começar a passar enquanto se esgueirava sorrateiro de volta ao castelo. A porta da frente permanecia destrancada, mas, no terceiro andar, encontrou Pirraça, e por pouco evitou ser detido mergulhando em um dos seus atalhos laterais. Quando finalmente chegou ao quadro da Mulher Gorda e despiu a Capa da Invisibilidade, não se surpreendeu com a sua grande má vontade em atendê-lo.

— Que horas você acha que são?

— Eu realmente lamento... tive de sair para uma coisa importante...

— Bem, a senha mudou à meia-noite, e você terá de dormir no corredor, não é assim?

— A senhora está brincando — replicou Harry. — Por que mudaram a senha à meia-noite?

— Porque mudaram — respondeu a Mulher Gorda. — Se não gostou, vá reclamar com o diretor, foi ele que reforçou a segurança.

— Fantástico — retrucou Harry com amargura, examinando o chão duro à sua volta. — Realmente genial. É, eu iria realmente reclamar com Dumbledore se ele estivesse aqui, porque foi ele quem quis que eu...

— Ele está aqui — disse uma voz às suas costas. — O professor Dumbledore retornou à escola há uma hora...

Nick Quase Sem Cabeça flutuou em direção a Harry, sua cabeça balançando como sempre em cima da gola de tufos engomados.

— Soube pelo Barão Sangrento que o viu chegar — informou Nick. — Parecia muito animado, segundo o barão, embora um pouco cansado, é claro.

— E onde ele está? — perguntou Harry, com o coração aos saltos.

— Ah, gemendo e arrastando correntes na Torre de Astronomia, é um dos seus passatempos preferidos...

— Não, não o Barão Sangrento, Dumbledore!

— Ah... no escritório dele. Acredito, pelo que me disse o barão, que tem de cuidar de uns assuntos antes de se recolher...

– É, tem mesmo – disse Harry, a animação incendiando o seu peito ante a perspectiva de contar a Dumbledore que obtivera a lembrança. Ele deu meia-volta e saiu correndo, sem dar atenção à Mulher Gorda que o chamava.

– Volte aqui! Está bem, eu menti! Fiquei aborrecida porque você me acordou! A senha ainda é "solitária"!

Harry, porém, já disparava pelo corredor, e, minutos depois, estava dizendo "bombas de caramelo" à gárgula do diretor, que saltou para o lado e admitiu-o à escada em espiral.

– Entre – mandou Dumbledore, quando Harry bateu. Pela voz, parecia exausto.

Harry empurrou a porta. Ali estava o escritório de Dumbledore com a aparência de sempre, exceto pela vista do céu escuro e estrelado através das janelas.

– Céus, Harry – disse o diretor surpreso. – A que devo este prazer tão tardio?

– Senhor... consegui. Consegui a lembrança de Slughorn.

Harry tirou o frasquinho e mostrou-o a Dumbledore. Por um momento, o diretor pareceu aturdido. Então, seu rosto se iluminou com um grande sorriso.

– Harry, que notícia espetacular! Muito bem mesmo! Eu sabia que você conseguiria!

Aparentemente esquecido da hora tardia, rapidamente ele contornou a escrivaninha, apanhou o frasco com a lembrança de Slughorn com a mão boa e foi até o armário onde guardava a Penseira.

– E agora – disse Dumbledore, colocando a bacia de pedra em cima da escrivaninha e despejando nela o conteúdo do frasco –, agora finalmente veremos, Harry, vamos...

Harry se curvou obedientemente para a Penseira e sentiu os pés abandonarem o chão do escritório... mais uma vez ele caiu pelo vácuo escuro e aterrissou na antiga sala de Horácio Slughorn muitos anos atrás.

Ali estava o professor muito mais jovem, com seus cabelos cor de palha, espessos e brilhantes, e seus bigodes arruivados, sentado na confortável bergère em sua sala, os pés apoiados no pufe de veludo, uma das mãos segurando uma tacinha de vinho e a outra enfiada em uma caixa de abacaxi cristalizado. E ali estavam, ao redor de Slughorn, meia dúzia de adolescentes, Tom Riddle entre eles, com o anel ouro e preto de Servolo brilhando no dedo.

Dumbledore aterrissou ao lado de Harry na hora em que Riddle perguntava:

— Senhor, é verdade que a professora Merrythought está se aposentando? — perguntou Riddle.

— Tom, Tom, se eu soubesse não poderia lhe dizer — respondeu Slughorn, sacudindo um dedo açucarado para Riddle, num gesto de censura, embora estragasse esse efeito com uma ligeira piscadela. — Confesso que gostaria de saber onde você obtém suas informações, rapaz; sabe mais do que metade dos professores.

Riddle sorriu; os outros garotos riram e lhe lançaram olhares de admiração.

— Com a sua fantástica habilidade para saber o que não deve e a sua cuidadosa bajulação das pessoas certas... aliás, obrigado pelo abacaxi, você acertou, é o meu preferido...

Vários meninos tornaram a rir.

— ...estou seguro que chegará a Ministro da Magia em vinte anos. Quinze, se continuar a me mandar abacaxis. Tenho excelentes contatos no Ministério.

Tom Riddle apenas sorriu enquanto os colegas davam gostosas risadas. Harry reparou que ele não era de modo algum o mais velho do grupo, mas todos os garotos pareciam considerá-lo seu líder.

— Não sei se a política me conviria, senhor — respondeu ele quando cessaram as risadas. — Primeiro porque não pertenço às famílias bem-nascidas.

Uns dois garotos trocaram sorrisos debochados. Harry teve certeza de que se divertiam com uma piada secreta: sem dúvida ligada ao que sabiam, ou suspeitavam, a respeito do famoso antepassado do líder da gangue.

— Tolice — replicou Slughorn energicamente —, não poderia ser mais evidente que você descende de boa família bruxa, com as habilidades que tem. Não, você irá longe, Tom, até hoje jamais me enganei a respeito de um aluno.

O pequeno relógio de ouro sobre a escrivaninha de Slughorn bateu onze horas às suas costas, e ele se virou.

— Céus, já é tão tarde assim? — exclamou o professor. — É melhor irem andando, rapazes, ou todos ficaremos encrencados. Lestrange, quero o seu trabalho até amanhã ou receberá uma detenção. O mesmo se aplica a você, Avery.

Um a um, os garotos saíram da sala. Slughorn levantou-se da poltrona com esforço e levou seu cálice vazio até a escrivaninha. Um movimento atrás do professor o fez virar-se; Riddle continuava parado ali.

— Ande logo, Tom, você não quer ser apanhado fora da cama depois da hora, ainda mais sendo monitor...

— Senhor, eu queria lhe perguntar uma coisa.
— Então pergunte, meu rapaz, pergunte...
— Senhor, estive imaginando o que o senhor saberia sobre... sobre Horcruxes.

Slughorn encarou-o, acariciando distraidamente a haste da taça de vinho com os dedos grossos.

— Um trabalho para a Defesa Contra as Artes das Trevas, eh?

Mas Harry percebeu que Slughorn sabia perfeitamente bem que não era trabalho escolar.

— Não exatamente, senhor. Encontrei o termo em um livro, e não entendi muito bem.

— Não... bem... você estaria num apuro para encontrar em Hogwarts um livro com detalhes sobre Horcruxes, Tom. É feitiço das trevas, realmente das trevas.

— Mas obviamente o senhor conhece bem todos eles, não? Quero dizer, um bruxo como o senhor... me desculpe, quero dizer, se o senhor não puder me falar, obviamente... achei que se alguém pudesse, seria o senhor... então pensei em perguntar...

A coisa foi muito bem-feita, pensou Harry, a hesitação, o tom descontraído, a adulação discreta, nada excessivo. Ele, Harry, tinha experiência demais em tentativas para extrair informações de gente relutante, para não reconhecer um mestre em ação. Percebia que Riddle queria a informação, e muito; talvez tivesse gastado semanas se preparando para aquele momento.

— Bem — falou Slughorn sem olhar para Riddle, mas brincando com a fita da caixa de abacaxis cristalizados —, bem, é claro que não pode haver mal algum em lhe dar uma ideia geral. Só para você entender o termo. Horcrux é a palavra usada para um objeto em que a pessoa ocultou parte da própria alma.

— Mas não entendo muito bem como se faz isso, senhor.

A voz de Riddle estava cuidadosamente controlada, mas Harry sentiu sua animação.

— Bem, a pessoa divide a alma, entende — explicou Slughorn —, e esconde uma metade dela em um objeto externo ao corpo. Então, mesmo que seu corpo seja atacado ou destruído, a pessoa não poderá morrer, porque parte de sua alma continuará presa à terra, intacta. Mas, naturalmente, a existência sob tal forma...

O rosto de Slughorn murchou, e Harry se viu relembrando palavras que ouvira havia quase dois anos.

"Fui arrancado do meu corpo, me tornei menos que um espírito, menos que o fantasma mais insignificante... mas ainda assim, continuei vivo."

— ... poucas pessoas iriam querer, Tom, muito poucas. A morte seria preferível.

Mas a sofreguidão de Riddle naquele momento era visível; sua expressão era ávida, ele já não conseguia esconder seu desejo.

— E como é que se divide a alma?

— Bem — respondeu Slughorn, constrangido —, você precisa compreender que a alma deve permanecer intocada e una. A divisão é um ato de violação, é contra a natureza.

— Mas como é que se faz?

— Por meio de uma ação maligna: a suprema maldade. Matando alguém. Matar rompe a alma. O bruxo que desejasse criar uma Horcrux usaria essa ruptura em seu proveito: encerraria a parte que se rompeu...

— Encerraria? Mas como...?

— Há um feitiço, não me pergunte, eu não conheço! — respondeu Slughorn, sacudindo a cabeça como um velho elefante importunado por mosquitos. — Tenho cara de quem já experimentou isso... tenho cara de homicida?

— Não, senhor, naturalmente que não — apressou-se a dizer Riddle. — Desculpe... não pretendi ofender o senhor...

— Tudo bem, tudo bem, não me ofendi — disse o professor bruscamente. — É natural sentir alguma curiosidade por essas coisas... bruxos de certo calibre sempre se sentiram atraídos por este aspecto da magia...

— Sim, senhor. Mas o que não entendo... só por curiosidade... quero dizer, será que uma Horcrux serve para alguma coisa? Pode-se dividir a alma apenas uma vez? Não seria melhor, fortaleceria mais a pessoa, se ela dividisse a alma em várias partes? Quero dizer, por exemplo, sete não é o número mágico mais poderoso, será que sete...?

— Pelas barbas de Merlim, Tom! — ganiu Slughorn. — Sete! Já não é bastante ruim pensar em matar uma pessoa? E em todo caso... bastante ruim romper a alma uma vez... mas rompê-la em sete partes...

Slughorn parecia agora profundamente perturbado: fitava Riddle como se nunca o tivesse visto direito, e Harry percebia que estava começando a se arrepender de ter entrado naquela conversa.

— É claro — murmurou —, isto é uma hipótese, o que estamos discutindo, não é mesmo? Uma questão acadêmica...

— É claro que sim, senhor — concordou Riddle imediatamente.

— Ainda assim, Tom... não repita para ninguém o que eu disse... ou seja, o que discutimos. As pessoas não gostariam de pensar que estivemos conversando sobre Horcruxes. É um assunto proibido em Hogwarts, sabe... Dumbledore é particularmente rigoroso nisso...

— Não direi uma palavra, senhor — prometeu Riddle se retirando, mas não antes de Harry ter visto de relance o seu rosto, em que se espalhava aquela mesma felicidade delirante do dia em que descobrira que era bruxo, o tipo de felicidade que não realçava suas bonitas feições, mas, por alguma razão, as tornava menos humanas...

— Obrigado, Harry — disse Dumbledore em voz baixa. — Vamos.

Quando Harry voltou ao escritório, Dumbledore já estava sentado à escrivaninha. O garoto sentou-se, também, e esperou o diretor falar.

— Há muito tempo estou esperando obter esta prova — disse ele por fim. — Confirma a teoria em que venho trabalhando, me diz que tenho razão, e também quanto chão ainda precisamos percorrer...

Harry de repente reparou que cada um dos retratos dos antigos diretores e diretoras nas paredes estava acordado e atento à conversa. Um bruxo corpulento, de nariz vermelho, chegara a apanhar uma corneta acústica.

— Bem, Harry — recomeçou o diretor. — Estou certo de que você compreendeu o significado do que acabou de ouvir. À mesma idade que você, com uma diferença de poucos meses a mais ou a menos, Tom Riddle estava fazendo tudo que podia para descobrir como se tornar imortal.

— O senhor, então, acha que ele conseguiu? Ele fez uma Horcrux? E foi por isso que não morreu, quando me atacou? Tinha uma Horcrux escondida em algum lugar? Um pedacinho de sua alma estava segura?

— Um pedacinho... ou muitos. Você ouviu Voldemort: o que ele queria de Slughorn era uma opinião sobre o que aconteceria ao bruxo que criasse mais de uma Horcrux, que aconteceria ao bruxo tão decidido a evitar a morte que se dispusesse a matar muitas vezes, romper a alma seguidamente, para poder guardá-la em várias Horcruxes secretas e separadas. Nenhum livro teria lhe dado tal informação. Até onde sei, até onde estou certo que Voldemort sabia, nenhum bruxo jamais rompera a alma em mais de dois pedaços.

Dumbledore fez uma pausa momentânea para coordenar os pensamentos, então disse:

— Há quatro anos, recebi o que considero uma prova decisiva de que Voldemort dividiu sua alma.

— Onde? — perguntou Harry. — Como?

— Recebi-a de você, Harry. O diário de Riddle, o que dava instruções para reabrir a Câmara Secreta.

— Não compreendo, senhor.

— Bem, embora eu não tivesse visto o Riddle que saiu do diário, o que você me descreveu foi um fenômeno que eu jamais presenciara. Uma simples lembrança começar a agir e pensar por conta própria? Uma simples lembrança exaurir a vida da menina em cujas mãos fora parar? Não, alguma coisa muito mais sinistra vivia naquele livro... um fragmento de alma, disso eu estava quase seguro. O diário era uma Horcrux. Mas isto levantava o mesmo número de perguntas que respondia. O que mais me intrigava e assustava é que o diário tinha sido planejado não apenas como uma arma, mas como uma salvaguarda.

— Continuo sem entender — disse Harry.

— Bem, ele produzia o efeito que se espera de uma Horcrux; em outras palavras, o fragmento de alma oculto no diário foi resguardado e, sem dúvida, desempenhou o seu papel de impedir a morte do dono. Mas não podia restar dúvida de que Riddle realmente queria que alguém lesse aquele diário, queria que aquela parte de sua alma habitasse ou possuísse outra pessoa, de modo que o monstro de Slytherin pudesse mais uma vez ser solto.

— Bem, ele não queria desperdiçar todo o seu esforço. Queria que as pessoas soubessem que ele era herdeiro de Slytherin, coisa que ele não pôde assumir naquela época.

— Correto — disse Dumbledore, assentindo com a cabeça. — Mas você não percebe, Harry, que se ele pretendia que futuramente o diário passasse a um aluno de Hogwarts ou fosse plantado nele, estava sendo extraordinariamente insensível com relação ao precioso fragmento de sua alma ali escondido? Uma Horcrux, como explicou o professor Slughorn, serve para guardar uma parte do eu em lugar secreto e seguro, não para o bruxo atirá-la aos pés de alguém correndo o risco de vê-la destruída, como de fato ocorreu: aquele determinado fragmento de alma não existe mais; você cuidou dele.

"O pouco caso com que Voldemort tratou essa Horcrux me pareceu um péssimo agouro. Pareceu-me um indício de que ele devia ter, ou planejava ter, mais Horcruxes, por isso a perda da primeira não causaria grande prejuízo. Eu não queria acreditar, mas nada mais parecia fazer sentido.

"Então você me contou, dois anos depois, que, na noite em que Voldemort retomou seu corpo, ele tinha feito uma afirmação alarmante e muito esclarecedora aos Comensais da Morte: 'Eu que cheguei mais longe do que qualquer outro no caminho que leva à imortalidade.' Foram essas as palavras que você me relatou. 'Mais longe do que qualquer outro.' E pensei ter entendido o que isto queria dizer, embora os Comensais da Morte não tenham. Ele estava se referindo às suas Horcruxes, no plural, Harry, o que acredito que nenhum outro bruxo jamais tenha possuído. Contudo, se encaixava perfeitamente: com a passagem do tempo, Lorde Voldemort parecia ter se tornado menos humano, e as transformações que ele sofrera só me pareciam explicáveis se sua alma estivesse mutilada além da esfera do que chamaríamos de maldade normal..."

— Então ele se tornou imperecível matando outras pessoas? — perguntou Harry. — Por que ele não fez uma Pedra Filosofal, ou roubou uma, se estava tão interessado na imortalidade?

— Bem, sabemos que foi exatamente isto que ele tentou fazer, cinco anos atrás — afirmou Dumbledore. — Mas há várias razões pelas quais, em minha opinião, a Pedra Filosofal seria menos desejável por Lorde Voldemort do que Horcruxes.

"Embora o Elixir da Vida de fato prolongue a vida, precisa ser tomado regularmente, para sempre, se quem o beber quiser conservar a imortalidade. Portanto, Voldemort ficaria inteiramente dependente do Elixir, mas, se ele se esgotasse ou fosse contaminado, ou se a Pedra fosse roubada, Voldemort morreria como qualquer outro homem. Lembre-se de que ele gosta de agir sozinho. Acredito que teria achado a ideia de depender, ainda que fosse do Elixir, intolerável. Naturalmente estava disposto a bebê-lo, se isso o livrasse da semivida a que tinha sido condenado depois que atacou você, apenas para recuperar um corpo. A partir daí, estou convencido de que ele pretendia continuar a depender de suas Horcruxes: nada mais seria necessário, se ao menos pudesse recuperar a forma humana. Já era imortal, entende... ou quase tão imortal quanto um homem pode ser.

"Mas agora, Harry, munido desta informação, a lembrança crucial que você conseguiu obter para nós, estamos mais próximos do segredo para liquidar Lorde Voldemort do que alguém já esteve antes. Você ouviu o que ele disse, Harry: 'Não seria melhor, fortaleceria mais a pessoa, se ela dividisse a alma em várias partes... sete não é o número mágico mais poderoso... *Sete não é o número mágico mais poderoso?*' Sim, acho que a ideia de uma alma em sete partes agradaria muito a Lorde Voldemort."

— Ele fez *sete* Horcruxes? — questionou Harry, horrorizado, enquanto vários retratos nas paredes soltaram exclamações semelhantes, de susto e indignação. — Mas elas poderiam estar em qualquer parte do mundo... escondidas... enterradas ou invisíveis...

— Fico satisfeito que você avalie a amplitude do problema — disse Dumbledore calmamente. — Mas, primeiro, não, Harry, não são sete Horcruxes: são seis. A sétima parte da alma, por mais desfigurada que esteja, habita o seu corpo regenerado. Foi a parte dele que viveu uma existência espectral por tantos anos durante o seu exílio; sem essa, ele não possui eu algum. Essa sétima parte é a última que quem quiser matar Lorde Voldemort deverá atacar: a parte que vive em seu corpo.

— Mas as seis Horcruxes, então — perguntou Harry meio desesperado —, como é que vamos encontrá-las?

— Está esquecendo... você já destruiu uma. E eu destruí outra.

— Foi? — perguntou o garoto ansioso.

— Sem dúvida — respondeu Dumbledore, erguendo a mão escura, que parecia queimada. — O anel, Harry. O anel de Servolo. E também uma terrível maldição que havia nele. Se não fosse, me desculpe a aparente falta de modéstia, a minha prodigiosa habilidade e a oportuna intervenção do professor Snape quando retornei a Hogwarts, desesperadamente ferido, eu não teria sobrevivido para contar a história. Contudo, a mão murcha não me parece um preço exorbitante a pagar por um sétimo da alma de Voldemort. O anel deixou de ser uma Horcrux.

— Mas como foi que o senhor descobriu?

— Bem, como você sabe, faz muitos anos que me incumbi de descobrir o máximo possível sobre o passado de Voldemort. Viajei extensamente, visitando os lugares que ele conheceu. Encontrei, por acaso, o anel escondido nas ruínas da casa de Gaunt. Parece que, ao conseguir encerrar uma parte de sua alma no anel, ele não quis mais usá-lo. Escondeu-o, protegido por vários encantamentos poderosos, no casebre em que seus antepassados tinham vivido (Morfino já fora levado para Azkaban, é claro), sem nunca suspeitar que eu pudesse um dia me dar ao trabalho de visitar a ruína, ou estar atento a vestígios de ocultamento mágico.

"No entanto, não devemos nos felicitar com excessivo entusiasmo. Você destruiu o diário e, eu, o anel, mas, se estivermos certos em nossa teoria de uma alma dividida em sete partes, restam quatro Horcruxes."

— E elas poderiam ser qualquer coisa? Poderiam ser latas velhas ou, sei lá, frascos de poções vazios...?

— Você está pensando em Chaves de Portal, Harry, que devem ser objetos comuns, que não chamem atenção. Mas Lorde Voldemort usaria latas ou velhos frascos de poção para guardar sua preciosa alma? Você está esquecendo o que lhe mostrei. Lorde Voldemort gostava de colecionar troféus, e preferia objetos com uma convincente história mágica. Seu orgulho, sua crença na própria superioridade, sua determinação de abrir para si um lugar surpreendente na história da magia; tudo isto me sugere que Voldemort escolheria suas Horcruxes com algum cuidado, favorecendo objetos que merecessem tal honra.

— O diário não era tão especial assim.

— O diário, como você mesmo disse, provava que ele era o herdeiro de Slytherin; tenho certeza de que Voldemort considerava isto de extraordinária importância.

— E as outras Horcruxes? O senhor acha que sabe o que são?

— Só posso imaginar — respondeu Dumbledore. — Pelas razões que já lhe dei, acredito que Lorde Voldemort daria preferência a objetos que, em si, possuíssem certo esplendor. Portanto, repassei a vida de Voldemort procurando provas do desaparecimento de certos artefatos à sua volta.

— O medalhão! — exclamou Harry em voz alta. — A taça de Hufflepuff!

— Certo — disse Dumbledore sorrindo. — Eu estaria pronto a apostar, talvez não a minha outra mão, mas uns dois dedos, que esses foram transformados nas Horcruxes três e quatro. As duas restantes, presumindo mais uma vez que ele tenha criado seis totais, são mais problemáticas, mas eu arriscaria o palpite de que, uma vez que obteve objetos de Hufflepuff e Slytherin, ele saiu em busca de outros que tivessem pertencido a Gryffindor ou Ravenclaw. Estou certo de que quatro objetos dos quatro fundadores teriam exercido uma forte atração na imaginação de Voldemort. Não sei dizer se ele conseguiu achar alguma coisa de Ravenclaw. Atrevo-me a afirmar, porém, que a única relíquia conhecida de Gryffindor continua a salvo.

Dumbledore apontou os dedos escuros para a parede às suas costas, onde uma espada incrustada de rubis descansava em uma caixa de vidro.

— O senhor acha que essa é a verdadeira razão por que ele queria voltar a Hogwarts: para tentar encontrar alguma coisa de um dos outros fundadores?

— Exatamente o que pensei. Mas, infelizmente, isso não nos leva muito longe, porque ele foi recusado, ou assim acredito, sem ter tido oportunidade de dar uma busca na escola. Sou forçado a concluir que ele nunca satisfez a sua ambição de colecionar objetos dos quatro fundadores. Inegavelmente possuía dois, talvez tenha encontrado um terceiro, isto é o melhor que podemos afirmar por ora.

— Mesmo que ele tenha encontrado alguma coisa de Ravenclaw ou de Gryffindor, ainda falta a sexta Horcrux — disse Harry, contando nos dedos. — A não ser que tenha conseguido as duas?

— Creio que não — replicou Dumbledore. — Acho que sei qual é a sexta Horcrux. Fico imaginando o que você dirá se eu confessar que há algum tempo sinto curiosidade pelo comportamento da cobra Nagini.

— A cobra? — espantou-se Harry. — Pode-se usar animais como Horcruxes?

— Bem, não é aconselhável fazer isso, porque confiar uma parte da alma a algo que pode pensar e se locomover, obviamente, é muito arriscado. Contudo, se o meu cálculo estiver correto, faltava a Voldemort pelo menos uma Horcrux para completar as seis que pretendia, quando entrou na casa de seus pais com a intenção de matar você.

"Ele parece ter reservado o processo de criar Horcruxes a mortes particularmente significantes. Você certamente estaria neste caso. Ele acreditava que matando-o eliminaria o perigo descrito na profecia. Acreditava que se tornaria invencível. Tenho certeza de que pretendia fazer a última Horcrux com a sua morte.

"Sabemos que ele fracassou. Mas, depois de um intervalo de alguns anos, Voldemort usou Nagini para matar um velho trouxa e talvez lhe ocorresse transformá-la em sua última Horcrux. A cobra enfatiza a ligação com Slytherin, que, por sua vez, realça a mística de Lorde Voldemort. Acho que ele talvez goste tanto dela quanto é capaz de gostar de alguma coisa; sem dúvida gosta de mantê-la por perto, e parece exercer um controle incomum sobre ela, até mesmo para um ofidioglota."

— Então — disse Harry —, o diário já foi, o anel também. A taça, o medalhão e a cobra continuam intactos, e o senhor acha que talvez haja uma Horcrux que, no passado, pertenceu a Ravenclaw ou Gryffindor?

— Um resumo admiravelmente sucinto e exato — aprovou Dumbledore, inclinando a cabeça.

— Então... o senhor ainda está procurando as Horcruxes? É atrás delas que o senhor tem ido quando se ausenta da escola?

— Correto. Faz muito tempo que as procuro. Acho... talvez... eu esteja próximo de encontrar mais uma. Há sinais promissores.

— E se encontrar — perguntou Harry ligeiro —, posso ir com o senhor e ajudá-lo a se livrar dela?

Dumbledore fitou Harry atentamente por um momento antes de responder:

— Acho que sim.

— Posso?! — exclamou Harry muito surpreso.

— Pode — confirmou o diretor, com um leve sorriso. — Acho que você conquistou esse direito.

Harry criou ânimo novo. Era muito bom não ouvir palavras acautelatórias e protetoras, para variar. Os diretores e diretoras nas paredes pareceram menos impressionados com a decisão de Dumbledore; Harry viu alguns deles balançarem negativamente a cabeça e Fineus Nigellus rir pelo nariz.

— Voldemort sabe quando uma Horcrux é destruída, senhor? É capaz de sentir? — perguntou Harry, não dando atenção aos quadros.

— Uma pergunta muito interessante, Harry. Acredito que não. Acredito que Voldemort esteja tão impregnado de maldade, e essas partes essenciais tenham sido destacadas dele há tanto tempo, que ele não sinta como nós. Talvez, quando estiver à beira da morte, ele tome consciência de sua perda... mas ele não percebeu, por exemplo, que o diário tinha sido destruído até obrigar Lúcio Malfoy a confessar a verdade. Quando Voldemort descobriu que o diário fora mutilado e perdera todos os poderes, me contaram que foi horrível presenciar a sua cólera.

— Mas pensei que ele queria que Lúcio Malfoy trouxesse o diário para Hogwarts.

— É verdade, ele quis quando estava certo de que poderia criar mais Horcruxes; mas, ainda assim, Lúcio devia aguardar uma ordem dele que jamais chegou, porque Voldemort desapareceu pouco depois de lhe entregar o diário. Sem dúvida, ele achou que Lúcio Malfoy não se atreveria a fazer nada com a Horcrux exceto guardá-la com cuidado, mas ele confiou demais no medo que Lúcio teria de um senhor ausente havia anos e que Lúcio pensava estar morto. Naturalmente, Lúcio não sabia o que era aquele diário. Pelo que sei, Voldemort tinha lhe dito que o diário faria a Câmara Secreta reabrir, porque fora engenhosamente encantado. Se Lúcio soubesse que tinha em mãos uma porção da alma do seu senhor sem dúvida a teria tratado com maior respeito; ao invés, ele deu prosseguimento ao plano antigo para seus próprios fins: ao plantar o diário na filha de Arthur Weasley, ele esperava desacreditar Arthur, me ver demitido de Hogwarts e se livrar de um objeto muito incriminador de um único golpe. Ah, coitado do Lúcio... com a fúria de Voldemort por ele ter se desfeito da Horcrux para seu lucro pessoal e o fiasco do ano passado no Ministério, eu não me surpreenderia se, no momento, ele estivesse secretamente feliz de se ver seguro em Azkaban.

Harry ficou pensativo por um momento, então perguntou:

— Então, se todas as Horcruxes fossem destruídas, Voldemort *poderia* ser morto?

— Acho que sim — respondeu Dumbledore. — Sem as Horcruxes, Voldemort será um homem mortal, com uma alma mutilada e diminuída. Mas não se esqueça jamais que, embora a alma dele esteja irrecuperavelmente danificada, seu cérebro e seus poderes mágicos permanecem intactos. Serão necessárias perícia e poder incomuns para matar um bruxo como Voldemort, mesmo sem as Horcruxes.

— Mas eu não tenho perícia e poder incomuns — protestou Harry, sem conseguir se refrear.

— Tem, sim — disse Dumbledore com firmeza. — Você tem um poder que Voldemort nunca teve. Você pode...

— Eu sei! — interpôs Harry impaciente. — Sou capaz de amar! — E foi com extrema dificuldade que deixou de acrescentar: "Grande coisa!"

— É, Harry, você é capaz de amar — replicou Dumbledore, que parecia saber perfeitamente o que Harry evitara dizer. — O que, considerando tudo que lhe aconteceu, é um sentimento poderoso e notável. Você ainda é jovem demais, Harry, para compreender a pessoa extraordinária que você é.

— Então, quando a profecia diz que terei "um poder que o Lorde das Trevas desconhece", quer dizer apenas... amor? — perguntou Harry, um pouco desapontado.

— Isso mesmo... apenas amor. Mas, Harry, nunca esqueça que os dizeres da profecia só têm significação porque Voldemort fez com que tivessem. Eu lhe disse isto no final do ano passado. Voldemort destacou você como a pessoa que ofereceria maior perigo para ele; e, ao fazer isso, *transformou-o* na pessoa que ofereceria maior perigo para ele!

— Mas isto acaba dando no...

— Não, não acaba! — disse Dumbledore, agora parecendo impaciente. E, apontando a mão escura e murcha para Harry: — Você está valorizando demais a profecia!

— Mas — engrolou Harry —, mas o senhor falou que a profecia quer dizer...

— Se Voldemort nunca tivesse sabido da profecia, será que ela teria se cumprido? Será que teria tido alguma significação? Claro que não! Você acha que todas as profecias na Sala da Profecia se cumpriram?

— Mas — replicou Harry aturdido —, mas no ano passado o senhor falou que um de nós teria de matar o outro...

— Harry, Harry, só porque Voldemort cometeu um grave erro e agiu segundo as palavras da professora Trelawney! Se ele nunca tivesse matado seu pai, será que teria despertado em você um furioso desejo de vingança? Claro que não! Se ele não tivesse forçado sua mãe a morrer por você, será que teria lhe conferido uma proteção mágica que ele não poderia penetrar? Claro que não, Harry. Você não está entendendo? O próprio Voldemort criou seu pior inimigo, como fazem os tiranos em todo o mundo! Você tem ideia do medo que os tiranos sentem do povo que eles oprimem? Todos eles percebem que, um dia, entre suas muitas vítimas, com certeza haverá uma que se rebelará e revidará! Voldemort não é diferente! Ele sempre esteve atento ao aparecimento daquele que o desafiaria. Ele soube da profecia e entrou imediatamente em ação, e, em consequência, não apenas escolheu o homem com maior probabilidade de liquidá-lo, mas lhe deu armas singularmente letais!

– Mas...

– É essencial que você compreenda o que ocorreu! – disse Dumbledore se erguendo e começando a andar pelo escritório, suas vestes fulgurantes farfalhando a cada passo; Harry nunca o vira tão agitado. – Ao tentar matá-lo, Voldemort destacou a pessoa notável que está sentada à minha frente e lhe deu os instrumentos para a tarefa! É culpa de Voldemort que você seja capaz de ler seus pensamentos, suas ambições, e até mesmo que você entenda a linguagem das cobras em que ele transmite suas ordens; contudo, Harry, apesar da visão privilegiada que você tem do mundo dele (que, por sinal, é uma dádiva que qualquer Comensal da Morte mataria para ter), você nunca se deixou seduzir pelas Artes das Trevas, nunca, nem por um segundo, manifestou o menor desejo de se tornar um dos seguidores de Voldemort!

– Claro que não! – confirmou Harry indignado. – Ele matou os meus pais!

– Resumindo, você está protegido por sua capacidade de amar! – disse Dumbledore em voz alta. – A única proteção eficaz contra a fascinação por um poder como o de Voldemort! Apesar de todas as tentações que você suportou, de todo o sofrimento, o seu coração permanece puro, tão puro quanto era aos onze anos, quando você se mirou no espelho que refletia o maior desejo de seu coração, e ele lhe mostrou apenas o caminho para frustrar Lorde Voldemort em vez de imortalidade ou riqueza. Harry, você faz ideia de como são raros os bruxos que poderiam ter visto o que você viu naquele espelho? Voldemort deveria ter percebido, então, com quem estava lidando, mas não percebeu!

"Mas ele agora sabe. Você perpassou a mente de Lorde Voldemort sem sofrer o menor dano, mas ele não pode possuir a sua sem sofrer uma agonia mortal, como descobriu no Ministério. Acho que ele não compreende por quê, Harry, ele teve tanta pressa de mutilar a própria alma, que nem sequer parou para compreender o poder incomparável de uma alma imaculada e inteira."

– Mas, senhor – disse Harry, fazendo valentes esforços para não parecer que argumentava –, no final dá tudo no mesmo, não? Eu tenho de tentar matá-lo ou...

– Tem? – perguntou Dumbledore. – Claro que tem! Mas não por causa da profecia! Mas porque você, no íntimo, jamais descansará enquanto não tentar! Nós dois sabemos disso! Imagine, por favor, apenas por um momento que você nunca tivesse sabido daquela profecia! Quais seriam os seus sentimentos com relação a Voldemort agora? Pense!

Harry ficou observando Dumbledore andar para lá e para cá à sua frente, e pensou. Pensou em sua mãe, em seu pai e em Sirius. Pensou em Cedrico Diggory. Pensou em todos os terríveis feitos de Lorde Voldemort que conhecia. Uma labareda pareceu saltar do seu peito e queimar sua garganta.

— Eu iria querer que Voldemort fosse liquidado. E iria querer fazer isso pessoalmente.

— Claro que sim! — exclamou Dumbledore. — A profecia não significa que você tem de fazer nada, entende! Mas a profecia levou Lorde Voldemort a *marcá-lo como seu igual*... em outras palavras, você é livre para escolher o próprio caminho, livre para dar as costas à profecia! Voldemort, no entanto, continua a valorizar a profecia. E continuará a persegui-lo... o que de, fato, transforma em certeza que...

— Que um de nós vai acabar matando o outro — completou Harry. — Eu sei.

Mas ele finalmente entendeu o que Dumbledore estivera tentando lhe dizer. Era, pensou Harry, a diferença entre ser arrastado para a arena para enfrentar uma luta mortal e entrar na arena de cabeça erguida. Algumas pessoas diriam, talvez, que a escolha era mínima, mas Dumbledore sabia — e eu também, pensou Harry, com súbito orgulho, bem como meus pais — que aí residia toda a diferença do mundo.

24

SECTUMSEMPRA

Exausto, mas feliz, com o trabalho daquela noite, Harry contou tudo o que acontecera a Rony e Hermione durante a aula de Feitiços na manhã seguinte (tendo primeiro lançado o feitiço *Abaffiato* sobre os colegas que estavam mais próximos). Os dois ficaram bem impressionados com o modo com que ele extraíra a memória de Slughorn, e decididamente assombrados com o seu relato sobre as Horcruxes de Voldemort e a promessa de Dumbledore de levá-lo em sua companhia, se encontrasse outra.

– Uau! – exclamou Rony, quando o amigo finalmente terminou de contar tudo; Rony acenava com a varinha em direção ao teto, sem prestar a mínima atenção ao que estava fazendo. – Uau. Você vai realmente acompanhar Dumbledore... e tentar destruir... uau.

– Rony, você está fazendo nevar – avisou Hermione, pacientemente, agarrando o pulso do garoto e desviando sua varinha do teto, de onde, de fato, tinham começado a cair grandes flocos de neve. Harry notou que Lilá Brown, de uma das mesas vizinhas, observava Hermione com raiva e olhos muito vermelhos, e que Hermione largou imediatamente o braço de Rony.

– Ah, é! – exclamou Rony, olhando para seus ombros vagamente surpreso. – Desculpem... parece que agora todos estamos com uma caspa horrível...

Ele espanou um pouco da falsa neve dos ombros de Hermione. Lilá caiu no choro. Rony pareceu sentir uma imensa culpa e deu as costas para a garota.

– Nós terminamos – disse ele a Harry pelo canto da boca. – Na noite passada. Quando me viu saindo do dormitório com a Hermione. Obviamente, ela não pôde ver você, então pensou que estávamos sozinhos.

– Ah! – exclamou Harry. – Bem... você não está ligando para isso, está?

– Não – admitiu Rony. – Foi bem chato ouvir os gritos dela, mas pelo menos eu não precisei terminar.

– Covarde – disse Hermione, embora parecesse achar graça. – Bem, foi uma noite ruim para os namoros em geral. Gina e Dino também terminaram, Harry.

Harry achou que havia uma expressão de entendimento nos olhos de Hermione ao dizer aquilo, mas era impossível que ela soubesse que suas entranhas repentinamente começaram a dançar uma conga; mantendo os músculos do rosto imóveis e a voz o mais indiferente possível, ele perguntou:

– Por quê?

– Ah, por uma coisa realmente boba... Gina falou que ele estava sempre querendo ajudar na hora de passar pelo buraco do retrato, como se ela não soubesse subir sozinha... mas o namoro já estava balançando há um tempão.

Harry olhou para Dino do lado oposto da sala de aula. Certamente o garoto parecia muito infeliz.

– Claro que isto deixa você num dilema, não é?

– Como assim? – perguntou Harry imediatamente.

– A equipe de quadribol. Se Gina e Dino não estão se falando...

– Ah... ah, é – concordou Harry.

– Flitwick – alertou Rony. O minúsculo professor de Feitiços vinha saltitando em direção a eles, e Hermione era a única que conseguira transformar vinagre em vinho; seu balão de ensaio estava cheio de um líquido muito vermelho, enquanto os de Harry e Rony continuavam castanho-turvos.

– Vamos, vamos, rapazes – censurou-os o professor Flitwick com sua voz fininha. – Menos conversa e um pouco mais de ação... quero ver vocês experimentarem.

Juntos, eles ergueram as varinhas, concentrando-se ao máximo, e apontaram-nas para os balões. O vinagre de Harry virou gelo; o balão de Rony explodiu.

– Então... para casa... – disse o professor Flitwick, saindo debaixo da mesa e tirando estilhaços de vidro do chapéu – *praticar*.

Os três amigos tiveram um dos seus raros períodos livres em comum depois de Feitiços, e voltaram juntos para a sala comunal. Rony parecia estar positivamente descontraído com o fim do seu relacionamento com Lilá, e Hermione também parecia animada, embora, quando lhe perguntassem por que estava sorrindo, ela respondesse simplesmente: "Está fazendo um belo dia." Nenhum dos dois parecia notar que uma feroz batalha devastava o cérebro de Harry.

Ela é irmã do Rony.

Mas ela deu o fora no Dino!

Ela continua sendo irmã do Rony.

Eu sou o melhor amigo dele!

Isso só vai piorar as coisas.
E se eu falasse com ele primeiro...
Ele bateria em você.
E se eu não ligar?
Ele é o seu melhor amigo!

Harry nem reparou que estavam passando pelo buraco do retrato para entrar na ensolarada sala comunal, e apenas registrou vagamente a rodinha de alunos do sétimo ano até que Hermione gritou:

— Katie! Você voltou! Você está o.k.?

Harry arregalou os olhos: era de fato Katie Bell, parecendo completamente saudável e cercada por amigos radiantes.

— Estou realmente boa! — disse ela feliz. — Eles me deram alta no St. Mungus na segunda-feira, passei uns dias em casa com meus pais e voltei para Hogwarts hoje de manhã. Liane acabou de me contar o que o McLaggen fez no último jogo, Harry...

— É, bem, agora que você já voltou e Rony está em forma, teremos uma chance decente de dar uma surra na Corvinal, o que significa que ainda poderíamos estar na disputa pela Copa. Escuta, Katie...

Harry não pôde esperar para lhe fazer a pergunta; a curiosidade chegou a varrer temporariamente Gina do seu cérebro. Ele baixou a voz quando os amigos de Katie começaram a juntar seus pertences; pelo jeito estavam atrasados para a aula de Transfiguração.

— ... aquele colar... você agora lembra quem lhe deu?

— Não — respondeu Katie, sacudindo a cabeça pesarosa. — Todo o mundo está me perguntando, mas não faço a menor ideia. A última coisa de que me lembro é que entrei no banheiro feminino no Três Vassouras.

— Então, definitivamente você entrou no banheiro? — indagou Hermione.

— Bem, eu sei que abri a porta, então imagino que quem me lançou a Maldição Imperius estava parado ali atrás. Depois disso, minha memória apagou tudo até as duas últimas semanas no St. Mungus. Escutem, é melhor eu ir andando, a McGonagall é bem capaz de me passar uma frase de castigo, mesmo sendo o primeiro dia da minha volta...

Katie apanhou a mochila e seus livros e correu atrás dos amigos, deixando Harry, Rony e Hermione se sentarem a uma das mesas junto à janela para pensar no que ela acabara de contar.

— Então deve ter sido uma garota ou uma mulher quem deu o colar a Katie — arriscou Hermione —, para estar no banheiro feminino...

— Ou alguém com a aparência de uma garota ou de uma mulher — interpôs Harry. — Não esqueça que existe um caldeirão de Polissuco em Hogwarts. Sabemos que roubaram um pouco... Mentalmente, Harry viu um desfile de Crabbes e Goyles passando, todos transformados em garotas.

— Acho que vou tomar outra dose de Felix — anunciou Harry —, e fazer uma nova tentativa para entrar na Sala Precisa.

— Isto seria um completo desperdício de poção — disse Hermione taxativamente, descansando o exemplar do *Silabário de Spellman* que acabara de retirar da mochila. — A sorte só pode levar uma pessoa até certo ponto, Harry. A situação com Slughorn foi diferente; você sempre teve habilidade para convencer o professor, só precisou dar um empurrãozinho nas circunstâncias. Mas não basta sorte para você passar por um poderoso encantamento. Não gaste à toa o resto da sua poção! Vai precisar de toda a sorte que puder arranjar, se Dumbledore levar mesmo você com ele... — Sua voz transformou-se num sussurro.

— Será que não podíamos preparar mais um pouco? — Rony perguntou a Harry ignorando Hermione. — Seria o máximo ter um estoque de poção... dê uma olhada no livro...

Harry apanhou seu exemplar de *Estudos avançados no preparo de poções* na mochila e procurou a Felix Felicis.

— Caramba, é a maior complicação! — exclamou, correndo os olhos pela lista de ingredientes. — E leva seis meses... é preciso deixar cozinhar em fogo lento...

— Só podia ser — comentou Rony.

Harry ia guardando o livro de novo quando notou o canto de página dobrado; abrindo-a, viu o feitiço *Sectumsempra*, com a legenda "Para inimigos", que ele marcara algumas semanas antes. Ainda não descobrira para que servia, principalmente porque não queria testá-lo perto de Hermione, mas estava pensando em experimentar em McLaggen da próxima vez que encontrasse o garoto de costas, distraído.

A única pessoa que não ficou muito feliz ao ver Katie Bell voltar à escola foi Dino Thomas, porque não precisaria mais substituí-la como artilheiro. Ele suportou o golpe estoicamente quando Harry lhe deu a notícia, limitando-se a resmungar e sacudir os ombros, mas Harry teve a nítida impressão, ao se afastar, de que Dino e Simas estavam reclamando, inconformados, às suas costas.

A quinzena seguinte registrou os melhores treinos de quadribol que Harry conhecera como capitão. Sua equipe estava tão satisfeita de se livrar de

McLaggen, tão contente de ter Katie finalmente de volta, que todos estavam voando excepcionalmente bem.

Gina não parecia nem um pouco chateada com o fim do namoro com Dino; pelo contrário, era a vida e a alma da equipe. Suas imitações de Rony, subindo e descendo na frente das balizas quando a goles vinha em sua direção, ou de Harry, berrando ordens a McLaggen antes de ser nocauteado, divertiam constantemente os jogadores. Harry, rindo com os outros, ficava satisfeito de ter um motivo inocente para olhar Gina; ele recebera outros tantos balaços durante os treinos porque não estava mantendo os olhos no pomo.

A batalha continuava a devastar o seu cérebro: Gina ou Rony? Por vezes, ele achava que o Rony pós-Lilá talvez não se importasse tanto se ele convidasse Gina para sair, então se lembrava da expressão do amigo quando vira a irmã beijando Dino, e tinha certeza de que Rony consideraria uma vil traição se ele sequer segurasse a mão de Gina...

Contudo, Harry não podia deixar de falar com Gina, rir com ela e voltar do treino, caminhando, com a garota; por mais que sua consciência doesse, ele vivia imaginando a melhor maneira de encontrá-la a sós: o ideal teria sido Slughorn dar uma de suas festinhas, onde Rony não estaria por perto. Infelizmente, o professor parecia ter desistido das reuniões. Uma ou duas vezes, Harry considerou pedir a ajuda de Hermione, mas achou que não aguentaria o ar de presunção que veria no rosto da amiga; pensou já tê-lo visto quando Hermione o surpreendia olhando para Gina ou rindo de suas brincadeiras. E, para complicar, havia a preocupação insistente de que, se não a convidasse, logo alguém certamente o faria: pelo menos, ele e Rony estavam de acordo que Gina era popular demais para seu próprio bem.

De um modo geral, a tentação de tomar outro gole de Felix Felicis tornava-se mais forte a cada dia que passava, porque, sem dúvida, este era um caso, segundo dissera Hermione, de "dar um empurrãozinho nas circunstâncias", não? Os dias mornos e agradáveis foram desfilando mansamente pelo mês de maio, e Rony parecia estar colado em seu ombro toda vez que ele via Gina. Harry viu-se desejando um feliz acaso que fizesse Rony perceber que nada lhe agradaria mais do que seu melhor amigo e sua irmã se apaixonarem e deixar os dois sozinhos por mais do que uns poucos segundos. Parecia, no entanto, não haver chance de nada disso acontecer nas vésperas da última partida de quadribol da temporada; Rony queria discutir táticas com Harry o tempo todo, e praticamente não pensava em outra coisa.

Neste particular, Rony não era original; o interesse pela partida Grifinória-Corvinal aumentava extraordinariamente em toda a escola, porque o confronto decidiria o campeonato, que continuava em aberto. Se a Grifinória vencesse a Corvinal por uma margem de trezentos pontos (uma tarefa difícil, embora Harry nunca tivesse visto sua equipe voar melhor), o campeonato seria deles. Se vencessem por menos de trezentos pontos, terminariam em segundo lugar, atrás da Corvinal; se perdessem por uma diferença de até cem pontos, chegariam em terceiro lugar, atrás da Lufa-Lufa, e, se perdessem por mais de cem pontos, ficariam em quarto lugar e ninguém, pensava Harry, nunca, jamais o deixaria esquecer que fora o capitão que levara a Grifinória à lanterna do campeonato nos últimos dois séculos.

Os dias que precederam essa partida crítica apresentaram todos os problemas costumeiros: os jogadores das Casas rivais tentavam intimidar as equipes adversárias nos corredores; cantavam refrões grosseiros sobre os jogadores à sua passagem; os membros das equipes se exibiam pela escola, deliciando-se com as atenções ou correndo ao banheiro nos intervalos das aulas para vomitar. Por alguma razão, na mente de Harry, o jogo se tornara indissociável do sucesso ou fracasso de seus planos em relação a Gina. Ele não podia deixar de sentir que, se ganhassem por mais de trezentos pontos, as cenas de euforia e uma estrondosa comemoração pós-jogo seriam tão eficazes quanto uma boa dose de Felix Felicis.

Em meio a toda essa preocupação, Harry não se esquecera de sua outra ambição: descobrir o que Malfoy fazia na Sala Precisa. Ele ainda consultava o Mapa do Maroto e, como muitas vezes não conseguia localizar o garoto, deduzia que ele ainda passasse um bom tempo na Sala. E, embora estivesse perdendo a esperança de conseguir um dia entrar ali, sempre que estava nas vizinhanças fazia nova tentativa; mas, por mais que refraseasse o seu pedido, a parede permanecia sólida.

Poucos dias antes da partida com a Corvinal, Harry viu-se descendo sozinho da sala comunal para jantar, Rony saíra correndo outra vez para vomitar no banheiro mais próximo, e Hermione dera uma fugida para consultar a professora Vector a respeito de um possível erro no último trabalho de Aritmancia. Mais por hábito do que por outro motivo, Harry fez o desvio habitual pelo sétimo andar, verificando o Mapa do Maroto enquanto andava. Por um momento, não conseguiu localizar Malfoy em parte alguma, e presumiu que ele estivesse na Sala Precisa. Então, viu o pontinho do garoto em um banheiro masculino no andar abaixo, acompanhado, não de Crabbe ou Goyle, mas da Murta Que Geme.

Harry só parou de olhar fixamente para esta improvável parceria quando colidiu em cheio com uma armadura. O estrondo o despertou do seu devaneio; fugindo da cena antes que Filch aparecesse, ele desceu correndo a escadaria de mármore e entrou pelo corredor abaixo. Do lado de fora do banheiro, colou o ouvido à porta. Não conseguiu ouvir nada. Então, empurrou-a silenciosamente.

Draco Malfoy estava parado de costas, com as mãos apoiadas dos lados da pia e a cabeça loura curvada.

— Não — murmurou a Murta Que Geme, de um dos boxes. — Não... me conte qual é o problema... posso ajudar você...

— Ninguém pode me ajudar — respondeu Malfoy. Todo o seu corpo tremia. — Não posso fazer isso... não posso... não vai dar certo... e se eu não fizer logo... ele diz que vai me matar...

E Harry percebeu, com um choque tão colossal que pareceu pregá-lo no chão, que o garoto estava chorando, realmente chorando, as lágrimas escorriam do seu rosto pálido para a pia encardida. Malfoy ofegou e engoliu em seco e, então, com um estremeção, olhou para o espelho rachado e viu Harry encarando-o por cima do seu ombro.

Malfoy girou nos calcanhares puxando a varinha. Instintivamente, Harry sacou a dele. O feitiço de Malfoy passou a centímetros dele e quebrou um lampião na parede ao seu lado; Harry se atirou para um lado, mentalizou *Levicorpus*! e acenou com a varinha, mas Malfoy bloqueou o feitiço e ergueu a varinha para revidar...

— Não! Não! Parem com isso! — guinchou a Murta Que Geme, sua voz ecoando nos azulejos do banheiro. — Parem! PAREM!

Houve um forte estampido, e a lata de lixo atrás de Harry explodiu; Harry experimentou um Feitiço da Perna Presa, que ricocheteou na parede do lado da orelha de Malfoy e partiu a cisterna embaixo da Murta, fazendo-a berrar; a água vazou para todo lado, e Harry escorregou na hora em que Malfoy, de rosto contorcido, exclamou:

— Cruci!...

— SECTUMSEMPRA! — urrou Harry do chão, agitando a varinha freneticamente.

O sangue espirrou do rosto e do peito de Malfoy como se ele tivesse sido cortado por uma espada invisível. Ele recuou, vacilante, e caiu no chão inundado, espalhando água e deixando cair a varinha da mão direita frouxa.

— Não!... — exclamou Harry.

Ele se levantou, escorregando e cambaleando, e se precipitou para Malfoy, cujo rosto agora brilhava escarlate, suas mãos pálidas apalpavam o peito encharcado de sangue.

– Não... eu não...

Harry não sabia o que estava dizendo; caiu de joelhos ao lado de Malfoy, que tremia, descontrolado, em uma poça do próprio sangue. A Murta Que Geme soltou um urro ensurdecedor.

– CRIME! CRIME! CRIME NO BANHEIRO! CRIME!

A porta se escancarou e Harry ergueu a cabeça, aterrorizado: Snape invadira o banheiro com o rosto lívido. Empurrando Harry com violência, ajoelhou-se ao lado de Malfoy, tirou a varinha e passou-a por cima dos profundos cortes que o feitiço de Harry produzira, murmurando um encantamento que parecia quase uma canção. O fluxo de sangue pareceu diminuir; Snape limpou o coágulo do rosto do garoto e repetiu o encantamento. Agora os cortes pareciam estar fechando.

Harry continuava a olhar horrorizado o que fizera, sem se dar conta de que ele também estava empapado de água e sangue. A Murta Que Geme soluçava e gemia. Depois de executar o contrafeitiço pela terceira vez, Snape ajudou Malfoy a se levantar.

– Você precisa da ala hospitalar. Talvez fiquem muitas cicatrizes, mas, se tomar ditamno imediatamente, talvez possamos evitar até isso... venha...

Ele amparou Malfoy pelo banheiro, virando-se à porta para dizer com a voz gelada de fúria:

– E você, Potter... você espere por mim aqui.

Nem por um segundo ocorreu a Harry desobedecer. Ergueu-se lentamente, trêmulo, e olhou para o chão molhado. Havia manchas de sangue boiando como flores carmim à superfície. Ele nem sequer conseguiu arranjar forças para mandar a Murta Que Geme sossegar, pois ela continuava a chorar e soluçar, com visível e crescente prazer.

Snape voltou dez minutos mais tarde. Entrou no banheiro e fechou a porta ao passar.

– Saia – disse à Murta, e imediatamente ela mergulhou de volta em seu vaso, deixando um silêncio ressonante à sua saída.

– Não tive intenção – disse Harry na mesma hora. Sua voz ecoou pelo espaço frio e molhado. – Eu não sabia qual era o efeito daquele feitiço.

Mas Snape fingiu não ouvir.

– Aparentemente eu o subestimei, Potter – disse suavemente. – Quem teria pensado que você conhecia magia das trevas? Quem lhe ensinou aquele feitiço?

– Eu... li em algum lugar.

– Onde?

— Foi... num livro da biblioteca — inventou Harry. — Não me lembro do título...

— Mentiroso — retrucou o professor. A garganta de Harry secou. Ele sabia o que Snape ia fazer, e nunca fora capaz de impedir...

O banheiro pareceu tremeluzir ao seu olhar; ele lutou para bloquear todos os pensamentos, porém, por mais que tentasse, o exemplar do *Estudos avançados no preparo de poções* que pertencia ao Príncipe Mestiço flutuava indistinto para o primeiro plano de sua mente...

E então ele voltara a encarar Snape, no meio do banheiro destruído e encharcado. Fixou os olhos pretos do professor, esperando, desesperado, que não tivesse visto o que ele, Harry, receava, mas...

— Vá apanhar sua mochila — disse o professor baixinho — e todos os seus livros escolares. *Todos*. Traga-os para mim aqui. Agora!

Não adiantava discutir. Harry virou-se prontamente e saiu do banheiro espalhando água. Uma vez no corredor, começou a correr para a Torre da Grifinória. A maioria das pessoas vinha em direção contrária; admiravam-se ao vê-lo encharcado de água e sangue, mas ele não respondeu a nenhuma das perguntas que lhe fizeram quando passou desembalado.

Sentia-se aturdido; era como se um bicho muito estimado tivesse de repente se tornado feroz. Em que o Príncipe estava pensando ao copiar um feitiço daquele em seu livro? E que aconteceria quando Snape visse? Será que contaria a Slughorn — o estômago de Harry embrulhou — como ele obtivera resultados tão bons em Poções o ano inteiro? Será que o professor confiscaria ou destruiria o livro que lhe ensinara tanta coisa... o livro que se tornara uma espécie de guia e amigo? Harry não podia deixar isso acontecer... simplesmente não podia...

— Onde é que você...? Por que está todo molhado...? Isso é *sangue*?

Rony estava parado no alto da escada, espantado de ver o amigo.

— Preciso do seu livro — ofegou Harry. — O seu livro de Poções. Depressa... me dá aqui...

— E o do Príncipe Mestiço?

— Depois eu explico!

Rony tirou o seu exemplar de *Estudos avançados no preparo de poções* da mochila e entregou-o ao amigo; Harry disparou de volta à sala comunal. Ali, pegou sua mochila, ignorando os olhares espantados dos colegas que já haviam terminado de jantar, atirou-se pelo buraco do retrato e desembestou pelo corredor do sétimo andar.

Parou, derrapando, ao lado da tapeçaria dos trasgos dançarinos, fechou os olhos e começou a caminhar.

Preciso de um lugar para esconder o meu livro... preciso de um lugar para esconder o meu livro... preciso de um lugar para esconder o meu livro...

Três vezes ele foi e voltou diante da parede lisa. Quando abriu os olhos, ali estava finalmente: a porta para a Sala Precisa. Harry escancarou-a, atirou-se para dentro e bateu a porta.

Ficou sem fôlego. Apesar da pressa, do pânico e do medo do que o aguardava no retorno ao banheiro, não pôde deixar de se assombrar com o que via. Achava-se em uma sala do tamanho de uma grande catedral, cujas altas janelas lançavam raios de luz sobre uma verdadeira cidade de elevadas muralhas construídas com objetos, percebia Harry, escondidos por gerações de habitantes de Hogwarts. Havia travessas e ruas margeadas por pilhas mal equilibradas de móveis gastos e partidos, guardados, talvez, para esconder provas de magia malfeita, ou então por elfos domésticos orgulhosos de seus castelos. Havia alguns milhares de livros, sem dúvida, proibidos ou rabiscados ou roubados. Havia catapultas aladas e Frisbees-dentados, alguns com suficiente energia para pairar indiferentes sobre montanhas de outros objetos proibidos; havia frascos lascados com poções congeladas, chapéus, joias, capas; havia coisas que pareciam cascas de ovos de dragão, garrafas arrolhadas cujos conteúdos ainda refulgiam malignamente, várias espadas enferrujadas e um machado sujo de sangue.

Harry avançou ligeiro por uma das muitas travessas entre tantos tesouros escondidos. Virou à direita depois de um enorme trasgo empalhado, correu uma pequena distância, embicou para a esquerda junto ao Armário Sumidouro quebrado, onde Montague se perdera no ano anterior, e finalmente parou em frente a um grande armário que dava a impressão de ter recebido ácido em sua superfície cheia de bolhas. Ele abriu uma das portas emperradas do armário: já fora usada como esconderijo para algum bicho engaiolado que morrera muito tempo atrás; o esqueleto tinha cinco pernas. Ele enfiou o livro do Príncipe Mestiço atrás da gaiola e bateu a porta. Parou um instante, com o coração barbaramente acelerado, e correu o olhar pela montoeira... será que conseguiria reencontrar este lugar no meio de todo esse lixo? Apanhando o busto lascado de um bruxo velho e feio de cima de um caixote próximo, colocou-o no alto do armário em que escondera o livro, encarrapitou uma velha peruca empoeirada e uma tiara oxidada na cabeça da estátua para poder distingui-la, então voltou correndo pelas travessas de guardados o mais rápido que pôde, refez o caminho até a porta, saiu e, ao batê-la, às suas costas, viu-a transformar-se mais uma vez em pedra.

Harry correu sem parar em direção ao banheiro do andar abaixo, enfiando o exemplar de Rony de *Estudos avançados no preparo de poções* na mochila, enquanto corria. Um minuto depois, estava novamente diante de Snape, que estendeu a mão em silêncio para receber a mochila de Harry. O garoto entregou-a, ofegando, sentindo uma dor ardida no peito, e aguardou.

Snape tirou os livros de Harry, um a um, e examinou-os. Por fim, restou apenas o livro de poções, que ele olhou muito atentamente antes de perguntar:

— Este é o seu exemplar de *Estudos avançados no preparo de poções*, é, Potter?

— É — respondeu Harry, ainda respirando com esforço.

— Você tem certeza, não é, Potter?

— Tenho — respondeu o garoto em tom mais atrevido.

— Este é o exemplar de *Estudos avançados no preparo de poções* que você comprou na Floreios e Borrões?

— É — respondeu ele com firmeza.

— Então, por que tem o nome "Roonil Wazlib" escrito na segunda capa?

O coração de Harry parou um instante.

— Esse é o meu apelido.

— Seu apelido — repetiu Snape.

— É... é assim que meus amigos me chamam.

— Eu sei o que é um apelido. — Os olhos frios e escuros de Snape perfuravam mais uma vez os de Harry; o garoto tentou não encarar os do professor. *Feche sua mente... feche sua mente...* mas ele nunca aprendera a fazer isso direito...

— Você sabe o que eu acho, Potter? — disse Snape, muito calmamente. — Acho que você é um mentiroso e um trapaceiro, e merece ficar detido comigo todos os sábados até o final do trimestre. Que é que você acha, Potter?

— Eu... eu não concordo, senhor — disse Harry, ainda se recusando a encarar Snape nos olhos.

— Bem, veremos o que sente depois de suas detenções. Dez horas, sábado de manhã, Potter. Meu escritório.

— Mas, senhor... — protestou Harry, erguendo os olhos desesperado. — Quadribol... o último jogo da...

— Dez horas — sussurrou Snape, com um sorriso que revelou seus dentes amarelados. — Coitada da Grifinória... a lanterna deste ano, receio que seja...

E saiu do banheiro sem dizer mais nada, deixando Harry diante do espelho partido, sentindo-se mais enjoado do que Rony jamais se sentira na vida, disto ele tinha plena certeza.

— Não vou dizer "Eu bem que disse" — lembrou Hermione, uma hora depois na sala comunal.

— Não encarna, Hermione — retrucou Rony com raiva.

Harry não chegara a tempo para jantar; não sentia fome alguma. Acabara de contar a Rony, Hermione e Gina o que acontecera, não que isso fosse necessário. As notícias tinham corrido muito rápido: aparentemente a Murta Que Geme se encarregara de aparecer em cada banheiro do castelo para contar a história; Malfoy já fora visitado na ala hospitalar por Pansy Parkinson, que não perdera tempo e saíra difamando Harry por toda a escola, e Snape informara aos professores exatamente o que acontecera: Harry já fora chamado na sala comunal para enfrentar quinze minutos extremamente desagradáveis na presença da professora McGonagall, que lhe dissera que tinha sorte em não ser expulso, e que ela apoiava integralmente a decisão de detê-lo todos os sábados até o fim do trimestre.

— Eu disse que tinha alguma coisa errada com aquele tal Príncipe — comentou Hermione, evidentemente incapaz de se conter. — E tinha razão, não é?

— Não, acho que não — teimou Harry.

Ele já estava se sentindo péssimo sem os sermões de Hermione, a cara dos jogadores da Grifinória quando ele contou que não poderia jogar no sábado fora o pior castigo. Sentia o olhar de Gina agora, mas evitou-o; não queria ver nele desapontamento nem raiva. Acabara de lhe dizer que ia jogar de apanhadora no sábado, e que Dino voltaria à equipe, no lugar dela, como artilheiro. Talvez, se a Grifinória vencesse, Gina e Dino fizessem as pazes durante a euforia pós-jogo... a ideia atravessou a mente de Harry como uma faca gelada...

— Harry — recomeçou Hermione —, como você ainda pode defender aquele livro quando o feitiço...

— Quer parar de falar naquele livro? — retrucou Harry. — O Príncipe apenas copiou o feitiço! Não é o mesmo que aconselhar alguém a usar! E, pelo que sabemos, ele podia até estar anotando uma coisa que foi usada contra ele.

— Eu não acredito! — exclamou Hermione. — Você está mesmo defendendo...

— Não estou defendendo o que fiz! — protestou Harry imediatamente. — Gostaria de não ter feito, e não só porque recebi uma tonelada de detenções. Você sabe que eu não teria usado um feitiço daqueles, nem mesmo contra o Malfoy, mas você não pode culpar o Príncipe, ele não escreveu "Experimente este, é realmente bom"... eram anotações pessoais, não é? Não era para mais ninguém...

— Você está me dizendo — perguntou Hermione — que você vai voltar...?

— Para apanhar o livro? Vou — disse Harry com energia. — Escuta aqui, sem o Príncipe eu jamais teria ganhado a Felix Felicis. Jamais saberia como salvar Rony do envenenamento, jamais...

— ... conquistaria a reputação de gênio em Poções que não merece — concluiu Hermione maldosamente.

— Dá um tempo, Hermione! — exclamou Gina, e Harry ficou tão admirado, tão agradecido, que ergueu a cabeça. — Pelo jeito, Malfoy estava tentando usar uma Maldição Imperdoável, você devia ficar feliz que Harry tivesse um trunfo na manga!

— Bem, é claro que estou contente que Harry não tenha sido amaldiçoado! — respondeu Hermione, visivelmente ofendida. — Mas você não pode dizer que aquele *Sectumsempra* é um trunfo, Gina, olhe só a confusão em que meteu o Harry! E eu imaginaria, vendo as consequências para suas chances no jogo...

— Ah, não começa a agir como se entendesse de quadribol — respondeu Gina com aspereza —, você só vai se complicar.

Harry e Rony olharam espantados: Hermione e Gina, que sempre tinham se dado tão bem, agora estavam sentadas de braços cruzados e cara amarrada, olhando em direções opostas. Rony lançou um olhar nervoso para Harry, então apanhou um livro qualquer e se escondeu atrás dele. Harry, embora soubesse que não merecia, sentiu, de repente, uma inacreditável animação, embora nenhum deles voltasse a falar o resto da noite.

Sua animação durou pouco. Teve de aturar insultos dos alunos da Sonserina no dia seguinte, sem falar na raiva dos colegas da Grifinória, que se sentiam infelicíssimos que o seu capitão tivesse provocado a própria suspensão do jogo de final da temporada. Quando chegou a manhã de sábado, apesar do que ele pudesse ter dito a Hermione, Harry teria trocado de boa vontade toda a Felix Felicis do mundo para estar a caminho do campo de quadribol com Rony, Gina e os outros. Foi quase insuportável dar as costas à massa de estudantes que saía para o sol, todos usando rosetas e chapéus e agitando estandartes e echarpes, e descer a escada de pedra para as masmorras e ir andando até que os ruídos distantes da multidão se extinguissem, sabendo que não conseguiria ouvir nem uma palavra da narração, nem aplauso, nem protesto.

— Ah, Potter — disse Snape, quando Harry bateu à porta e entrou no escritório desagradavelmente familiar que o professor, apesar de dar aulas andares acima, ainda não desocupara; estava mal iluminado como sempre, e os mesmos objetos viscosos e mortos flutuavam em poções coloridas nas paredes. E, mau sinal, havia muitas caixas cobertas de teias de aranha empilhadas sobre a mesa à que Harry deveria sentar; emanavam uma aura de trabalho monótono, árduo e inútil.

— O sr. Filch esteve procurando alguém para limpar esses arquivos antigos — disse Snape brandamente. — São os registros de outros transgressores de Hogwarts e os castigos que receberam. Onde a tinta desbotou, ou os cartões foram danificados por ratos, gostaríamos que você copiasse os crimes e castigos de novo e, depois de verificar se estão em ordem alfabética, tornasse a guardá-los nas caixas. Não deverá usar magia.

— Certo, professor — respondeu Harry, com o maior desprezo que conseguiu colocar nas três últimas sílabas.

— Achei que podia começar — disse Snape, com um sorriso malicioso nos lábios — com as caixas que vão de mil e doze a mil e cinquenta e seis. Encontrará aí alguns nomes conhecidos, o que deve emprestar interesse à sua tarefa. Veja aqui...

O professor retirou um cartão de uma das caixas no alto da pilha com um gesto teatral e leu:

— "Tiago Potter e Sirius Black. Detidos pelo uso de azaração ilegal em Bertram Aubrey. A cabeça de Aubrey está o dobro do tamanho normal. Detenção dupla." — Snape deu um sorriso desdenhoso. — Deve ser um consolo pensar que, embora já tenham partido, reste um registro dos seus grandes feitos...

Harry sentiu a familiar sensação fervendo no fundo do estômago. Mordendo a língua para não retorquir, sentou-se à frente das caixas e puxou uma para perto.

Era, como Harry previra, um trabalho monótono e inútil, pontuado (o que fora visivelmente planejado por Snape) por um constante solavanco no estômago, ao ler os nomes do pai e de Sirius, em geral associados em vários delitos menores, por vezes acompanhados por Remo Lupin e Pedro Pettigrew. E, enquanto transcrevia as várias transgressões e os castigos, ficou imaginando o que estaria acontecendo lá fora, onde a partida devia estar iniciando... Gina jogando na posição de apanhadora contra Cho...

Harry olhou várias vezes para o grande relógio que tiquetaqueava na parede. Parecia trabalhar com a metade da velocidade de um relógio normal; será que Snape o teria enfeitiçado para andar bem devagar? Não podia estar ali apenas há meia hora... uma hora... uma hora e meia...

O estômago de Harry começou a roncar quando o relógio marcou meio-dia e meia. Snape, que se mantinha calado desde que passara a tarefa para Harry, finalmente ergueu a cabeça a uma hora e dez minutos.

— Acho que já basta — anunciou friamente. — Marque o ponto em que parou. Continuará no próximo sábado, às dez horas.

— Sim, senhor.

Harry enfiou aleatoriamente um cartão dobrado na caixa e saiu depressa, porta afora, antes que Snape pudesse mudar de ideia; subiu correndo a escada, apurando os ouvidos para algum ruído do campo, mas estava tudo silencioso... então o jogo acabara...

Ele hesitou à porta do Salão Principal lotado, e subiu correndo a escadaria de mármore; quer a Grifinória tivesse ganhado ou perdido, a equipe costumava comemorar ou lamentar na sala comunal.

— *Quid agis?* — experimentou Harry dizer à Mulher Gorda, imaginando o que encontraria lá dentro.

Sua expressão estava indecifrável quando ela respondeu:

— Você verá.

E o quadro girou.

Um urro de comemoração explodiu do buraco às suas costas. Harry parou boquiaberto quando, ao avistá-lo, as pessoas começaram a gritar; várias mãos puxaram-no para dentro.

— Vencemos! — berrou Rony, pulando à sua frente, sacudindo a Taça de prata. — Vencemos! Quatrocentos e cinquenta a cento e quarenta! Vencemos!

Harry olhou para os lados; lá estava Gina correndo ao seu encontro; tinha uma expressão dura e intensa no rosto ao atirar os braços ao seu pescoço. E, sem pensar, sem planejar, sem se preocupar com o fato de que cinquenta pessoas estavam olhando, Harry a beijou.

Decorridos longos minutos, ou talvez tenha sido meia hora, ou possivelmente vários dias ensolarados, eles se separaram. A sala ficara muito silenciosa. Várias pessoas assoviaram e houve uma erupção de risadinhas nervosas. Harry olhou por cima da cabeça de Gina e viu Dino Thomas segurando um copo esmagado na mão, e Romilda Vane com cara de quem queria atirar alguma coisa neles. Hermione sorria exultante, mas o olhar de Harry procurou Rony. Encontrou-o finalmente, ainda segurando a Taça com a expressão de quem levara uma bordoada na cabeça. Por uma fração de segundo eles se olharam, então Rony fez um discreto aceno com a cabeça que Harry entendeu como "Bem, se não tem jeito".

A criatura em seu peito rugiu triunfante, Harry sorriu para Gina e fez um gesto mudo indicando a saída do buraco do retrato. Um longo passeio pelos jardins parecia o mais indicado, durante o qual, se tivessem tempo, poderiam discutir o jogo.

25

A VIDENTE
ENTREOUVIDA

O fato de Harry Potter estar saindo com Gina Weasley parecia interessar a muitas pessoas, a maioria garotas, Harry, porém, sentiu-se, de uma forma nova e feliz, indiferente às fofocas, nas semanas que se seguiram. Afinal de contas, era bem agradável ser assunto de conversas por algo que o deixava mais contente do que lembrava haver sido em muito tempo, em vez de por sua participação em terríveis cenas de magia das trevas.

– Eu achava que as pessoas teriam mais o que fofocar – comentou Gina, no chão da sala comunal, recostada nas pernas de Harry e lendo o *Profeta Diário*. – Três ataques de dementadores em uma semana, e só o que a Romilda Vane me pergunta é se é verdade que você tem um hipogrifo tatuado no peito.

Rony e Hermione caíram na gargalhada. Harry fingiu não ouvir.

– Que foi que você respondeu?

– Que era um rabo-córneo húngaro – informou Gina, virando lentamente a página do jornal. – Muito mais macho.

– Obrigado – disse Harry rindo. – E o que foi que você disse a ela que o Rony tem?

– Um mini-pufe, mas eu não disse onde.

Rony ficou sério, enquanto Hermione rolava de rir.

– Olha – ameaçou ele, apontando para Harry e Gina. – Só porque dei licença não quer dizer que não possa retirar...

– "Licença" – caçoou Gina. – Desde quando você dá licença para eu fazer alguma coisa? Aliás, foi você mesmo que disse que preferia o Harry ao Miguel ou o Dino.

– Preferia mesmo – concordou Rony de má vontade. – E desde que vocês não comecem a se agarrar em público...

– Seu hipócrita nojento! E você e a Lilá que ficavam se enroscando feito um par de enguias por toda a escola? – quis saber Gina.

Mas a tolerância de Rony não seria posta à prova porque começou junho, e o tempo de Harry e Gina juntos foi se tornando mais limitado. Os N.O.M.s dela estavam próximos e, com isto, ela era obrigada a rever a matéria noite adentro. Em uma dessas noites, em que Gina se recolhera à biblioteca e Harry se sentou junto à janela da sala comunal, supostamente para terminar o dever de Herbologia, mas na realidade revivendo uma hora muito feliz que passara com Gina à beira do lago na hora do almoço, Hermione largou-se na cadeira entre ele e Rony com uma expressão desagradavelmente decidida no rosto.

— Quero falar com você, Harry.

— Sobre o quê? — perguntou ele, desconfiado. Ainda na véspera, Hermione o censurara por distrair Gina, quando ela devia estar estudando a sério para os exames.

— O tal do Príncipe Mestiço.

— Ah, outra vez, não — gemeu ele. — Quer esquecer isso?

Harry não ousara voltar à Sala Precisa para recuperar o livro, e o seu desempenho em Poções estava sofrendo proporcionalmente (embora Slughorn, que aprovava Gina, atribuísse isso, brincando, ao fato de Harry estar apaixonado). Mas ele tinha certeza de que Snape ainda não perdera a esperança de pôr as mãos no livro do Príncipe, por isso resolvera deixá-lo onde o guardara, enquanto o professor estivesse vigiando.

— Não vou esquecer — respondeu Hermione com firmeza — enquanto você não escutar tudo. Então, estive investigando um pouco quem poderia ter o passatempo de inventar feitiços das trevas...

— Não era um passatempo para ele...

— Ele, ele... quem disse que era ele?

— Já discutimos isso — retrucou Harry irritado. — *Príncipe*, Hermione, *Príncipe*!

— Certo! — disse Hermione, manchas vermelhas afogueando seu rosto enquanto tirava uma notícia de jornal muita antiga do bolso e a batia na mesa diante de Harry. — Olhe isto aqui! Olhe a foto!

Harry apanhou o pedaço de papel quebradiço e estudou a foto animada, que o tempo amarelara; Rony se inclinou para ver também. A foto mostrava uma garota magricela de uns quinze anos. Não era bonita; seu rosto expressava, ao mesmo tempo, raiva e mau humor, com sobrancelhas grossas e um rosto pálido e comprido. Sob a foto, havia a legenda: *Eileen Prince, Capitã do Time de Bexigas*.

— E daí? — perguntou Harry, passando os olhos pela pequena notícia que a foto ilustrava; era uma história meio sem graça sobre competições interescolares.

— O nome dela era Eileen Prince.

— Príncipe, Harry.

Os dois se entreolharam, e Harry entendeu o que Hermione estava tentando dizer. Ele caiu na gargalhada.

— Nem pensar.

— Quê?

— Você acha que ela era o Príncipe...? Ah, qual é?

— E por que não? Harry, não existem príncipes de verdade no mundo bruxo. Ou é um apelido, um título que alguém inventou, ou até mesmo o sobrenome verdadeiro, não? Não, escute! Vamos dizer que o pai dela fosse um bruxo com o sobrenome "Prince", e a mãe fosse uma trouxa, isso faria dela um "Príncipe Mestiço"!

— Ah, muito engenhoso, Hermione...

— Mas faria! Talvez ela sentisse orgulho de ser meio Príncipe!

— Escute aqui, Hermione, sei que não é uma garota. Simplesmente sei a diferença.

— A verdade é que você acha que uma garota não seria inteligente o bastante — retrucou Hermione, zangada.

— Como é que eu poderia conviver com você durante cinco anos e achar que garotas não são inteligentes? — perguntou Harry ofendido. — É o jeito de ele escrever. Sei que o Príncipe era um cara, sei a diferença. Essa garota não tem nada a ver com a história. Mas, afinal, onde foi que você arranjou esta notícia?

— Na biblioteca — respondeu Hermione previsivelmente. — Tem uma coleção completa de *Profetas* antigos. Bem, vou descobrir mais sobre a Eileen Prince, se puder.

— Divirta-se — desejou Harry irritado.

— Pode deixar — respondeu Hermione. — E o primeiro lugar onde vou procurar — atirou para Harry, ao chegar ao buraco do retrato — é nos registros dos prêmios de Poções!

Harry acompanhou-a com um olhar feio por um momento, então voltou à contemplação do céu que escurecia.

— Hermione jamais conseguiu se conformar que você seja melhor do que ela em Poções — disse Rony, retomando a leitura do seu exemplar de *Mil ervas e fungos mágicos*.

— Você não acha que eu sou maluco por querer o livro de volta, acha?

— Claro que não — respondeu Rony lealmente. — Ele era um gênio, o Príncipe. Aliás... sem aquela dica do bezoar... — ele riscou a garganta com o dedo significativamente —, eu não estaria aqui para discutir isso, não é? Quero dizer, não estou dizendo que aquele feitiço que você usou contra o Malfoy foi legal...

— Nem eu — Harry se apressou em concordar.

— Mas ele se recuperou, não foi? Pronto para outra num instante.

— É — concordou Harry. Era a pura verdade, embora sua consciência continuasse a doer um pouquinho. — Graças ao Snape...

— Você ainda tem uma detenção com ele nesse sábado? — continuou Rony.

— Tenho, e no sábado seguinte e no sábado depois do sábado seguinte — suspirou Harry. — E, agora, ele anda insinuando que, se eu não terminar todas as caixas até o fim do trimestre, continuaremos no próximo ano.

Harry estava achando essas detenções particularmente chatas porque consumiam o tempo já limitado que ele poderia passar com Gina. Na verdade, ultimamente ele tinha se perguntado muitas vezes se Snape não saberia disso, porque estava liberando Harry cada vez mais tarde e fazia comentários mordazes de que Harry estava deixando de aproveitar o tempo claro e as várias oportunidades que oferecia.

Harry foi despertado dessas amargas reflexões pelo aparecimento de Jaquito Peakes, que lhe estendia um rolinho de pergaminho.

— Obrigado, Jaquito... ei, é do Dumbledore! — exclamou Harry, animado, desenrolando e lendo o pergaminho. — Ele quer que eu vá ao escritório dele o mais rápido que puder!

Os garotos se entreolharam.

— Caramba — sussurrou Rony. — Você supõe que... será que ele achou...?

— É melhor ir ver, não é? — disse Harry, pondo-se em pé de um salto.

Ele saiu correndo da sala comunal e continuou pelo corredor do sétimo andar o mais rápido que pôde, sem encontrar ninguém exceto Pirraça, que passou voando na direção oposta, atirando pedacinhos de giz em Harry, de um jeito meio rotineiro, e soltando grandes gargalhadas ao se desviar das azarações defensivas do garoto. Quando Pirraça desapareceu, o silêncio voltou aos corredores; faltando apenas quinze minutos para o toque de recolher, a maioria das pessoas já voltara para suas salas comunais.

Então Harry ouviu um grito e um baque. Ele parou abruptamente e apurou os ouvidos.

— Como... é... que... você... *se... atreve...* aaaaarre!

O estardalhaço vinha de um corredor vizinho; Harry acorreu, empunhando a varinha, virou um canto e viu a professora Trelawney esparramada no chão, a cabeça coberta com seus muitos xales, várias garrafas de xerez caídas a um lado, uma delas quebrada.

— Professora...

Harry adiantou-se depressa e ajudou a professora Trelawney a se pôr de pé. Alguns de seus colares cintilantes tinham embaraçado em seus óculos. Ela soluçou alto, ajeitou os cabelos e se levantou apoiada no braço que Harry oferecia.

— Que aconteceu, professora?

— É mesmo de se perguntar! – respondeu ela esganiçada. – Eu estava andando, refletindo sobre certos portentos das trevas que por acaso vislumbrei...

Mas Harry não estava prestando muita atenção. Acabara de reparar onde estavam parados: ali, à direita, encontrava-se a tapeçaria dos trasgos dançarinos e, à esquerda, aquele trecho liso e impenetrável de parede que ocultava...

— Professora, a senhora estava tentando entrar na Sala Precisa?

— ... oráculos que me foram confiados... quê?

Ela pareceu repentinamente esquiva.

— A Sala Precisa – repetiu Harry. – A senhora estava tentando entrar aí?

— Eu... bem... não sabia que alunos tinham conhecimento...

— Nem todos. Mas que aconteceu? A senhora gritou... como se tivesse se machucado...

— Eu... bem – disse a professora, cobrindo-se defensivamente com os xales, e fixando em Harry os olhos imensamente aumentados pelas lentes. — Eu queria... ah... depositar... hum... certos pertences meus na Sala... — E murmurou alguma coisa sobre "acusações perversas".

— Certo – concordou Harry, olhando para as garrafas de xerez dela. – Mas a senhora não conseguiu entrar para escondê-los?

Harry achou isto muito estranho; afinal, a Sala abrira-se para ele, quando quisera esconder o livro do Príncipe Mestiço.

— Ah, eu entrei sem problema – explicou a professora Trelawney, olhando aborrecida para a parede. – Mas já havia alguém lá dentro.

— Alguém lá...? Quem? – quis saber o garoto. – Quem estava lá dentro?

— Não faço ideia – respondeu a professora, parecendo um pouco assustada com a urgência na voz de Harry. – Entrei na Sala e ouvi uma voz, o que nunca me aconteceu em todos esses anos em que escondi... em que usei a Sala, quero dizer.

— Uma voz? Dizendo o quê?
— Não sei se estava dizendo alguma coisa. Estava dando... vivas.
— *Vivas?*
— Gritos de alegria. — Ela confirmou com a cabeça.
Harry olhou-a espantado.
— Homem ou mulher?
— Eu arriscaria dizer que era homem.
— E parecia feliz?
— Muito feliz — disse a professora fungando.
— Como se estivesse comemorando?
— Sem a menor dúvida.
— E então...?
— Então perguntei: "Quem está aí?"
— A senhora não poderia descobrir sem perguntar? — questionou-a Harry, ligeiramente frustrado.
— O Olho Interior — replicou a professora com dignidade, ajeitando seus xales e os muitos fios de contas reluzentes — estava contemplando questões muito distantes da esfera mundana de vozes que gritam de alegria.
— Certo — apressou-se Harry a dizer; já ouvira falar demais no Olho Interior da professora Trelawney. — E a voz respondeu quem era?
— Não, não respondeu. Ficou tudo escuro como breu e, no momento seguinte, eu estava sendo arremessada de cabeça para fora da Sala!
— E a senhora não previu isso?! — exclamou Harry, incapaz de se conter.
— Não, não previ, como disse, ficou tudo escuro como... — A professora parou e olhou-o desconfiada.
— Acho melhor a senhora contar ao professor Dumbledore — sugeriu Harry. — Ele precisa saber que Malfoy está comemorando... quero dizer, que alguém arremessou a senhora para fora da Sala.
Para sua surpresa, a professora Trelawney empertigou-se ao ouvir sua sugestão, com ar de superioridade.
— O diretor insinuou que preferia receber menos visitas minhas — disse ela friamente. — Não sou pessoa de impor a minha presença àqueles que não a apreciam. Se Dumbledore prefere ignorar os avisos dados pelas cartas...
Sua mão ossuda agarrou subitamente o pulso de Harry.
— Repetidamente, seja qual for o modo com que eu as ponha...
E, dramaticamente, Trelawney puxou uma carta debaixo dos xales.
— ...A Torre atingida pelo raio — sussurrou ela. — Calamidade. Catástrofe. Cada dia mais próxima...

– Certo – concordou Harry outra vez. – Bem... continuo achando que a senhora deveria contar a Dumbledore sobre a voz e a Sala escurecer de repente e a senhora ser arremessada para fora...

– Você acha? – A professora Trelawney pareceu considerar a questão por um momento, mas Harry percebeu que ela gostara da ideia de tornar a contar sua pequena aventura.

– Estou indo vê-lo agora – disse Harry. – Tenho uma reunião com ele. Poderíamos ir juntos.

– Ah, bem, neste caso – replicou a professora Trelawney com um sorriso. Ela se abaixou, recolheu suas garrafas de xerez e atirou-as sem cerimônia dentro de um grande vaso azul e branco em um nicho próximo.

– Sinto falta de você nas minhas aulas, Harry – disse ela comovida, quando começaram a andar. – Você nunca foi grande coisa como vidente... mas era um Objeto de estudo maravilhoso...

Harry não respondeu; detestara ser o Objeto de estudo dos contínuos vaticínios catastróficos da professora Trelawney.

– Receio – continuou ela – que aquele pangaré... desculpe, centauro... não saiba nada de cartomancia. Perguntei-lhe, de um vidente para outro, se também não tinha sentido as distantes vibrações do advento da catástrofe. Mas, pelo jeito, ele me acha quase cômica. Isso mesmo, cômica!

Sua voz alteou-se histericamente, e Harry sentiu uma forte baforada de xerez, embora as garrafas tivessem sido deixadas para trás.

– Talvez o cavalo tenha ouvido pessoas dizerem que não herdei o dom das minhas tataravós. Há anos os invejosos têm espalhado esses boatos. Sabe qual a minha resposta para essa gente, Harry? Será que Dumbledore teria me deixado ensinar nesta grande escola, confiado em mim todos esses anos, se eu não tivesse comprovado o meu valor?

Harry murmurou alguma coisa inaudível.

– Lembro-me muito bem da minha primeira entrevista com Dumbledore – continuou a professora Trelawney, com a voz rouca. – Ele ficou profundamente impressionado, é claro, profundamente impressionado... eu estava hospedada no Cabeça de Javali, que, aliás, não recomendo... percevejos, meu caro rapaz... mas eu estava sem recursos. Dumbledore fez a gentileza de ir até o meu quarto na estalagem. Interrogou-me... devo confessar que, a princípio, achei que parecia pouco favorável à Adivinhação... e lembro que comecei a me sentir meio estranha, não tinha comido quase nada naquele dia... mas então...

E agora, pela primeira vez, Harry estava realmente prestando atenção, porque sabia o que tinha acontecido: a professora Trelawney fizera uma profecia que alterara o curso de toda a sua vida, a profecia sobre ele e Voldemort.

– ... então fomos rudemente interrompidos por Severo Snape!

– Quê?

– Sim, houve uma agitação no corredor, a porta do quarto se escancarou, e lá estava aquele barman rude, parado com Snape, que tentava confundi-lo, dizendo que se enganara ao subir, embora eu ache que ele foi apanhado escutando a minha entrevista com Dumbledore; você entende, ele próprio estava procurando emprego à época, e com certeza esperava ouvir umas dicas! Bem, depois disso, entende, Dumbledore pareceu bem mais disposto a me contratar, e não pude deixar de pensar, Harry, que ele deve ter percebido o violento contraste entre o meu jeito modesto e o meu talento discreto comparados aos do rapaz cavador e intrometido, que se dispunha a escutar às portas... Harry, querido?

Trelawney olhou por cima do ombro, pois acabara de perceber que Harry não estava mais com ela; o garoto parara e agora havia três metros de distância entre eles.

– Harry? – repetiu a professora insegura.

Talvez o rosto dele estivesse branco, para fazê-la parecer tão preocupada e assustada. Harry estava paralisado, sentindo o impacto de ondas de choque, onda após onda, que obliteravam tudo, exceto a informação que lhe haviam negado por tanto tempo...

Snape é quem tinha ouvido a profecia. Snape é quem tinha levado a notícia da profecia a Voldemort. Snape e Pedro Pettigrew, juntos, tinham feito Voldemort sair caçando Lílian, Tiago e seu filho...

Nada mais importava a Harry no momento.

– Harry? – chamou de novo a professora. – Harry... pensei que íamos ver o diretor juntos?

– A senhora fica aqui – disse Harry, com os lábios dormentes.

– Mas, querido... eu ia contar a ele que fui atacada na Sala...

– A senhora fica aqui! – repetiu Harry com raiva.

Trelawney fez um ar assustado quando ele passou correndo por ela, entrou pelo corredor de Dumbledore, onde a gárgula solitária montava guarda. Harry gritou a senha para a gárgula e subiu correndo a escada móvel em espiral, três degraus de cada vez. Ele não bateu à porta de Dumbledore, esmurrou-a; e a voz calma respondeu "Entre", depois que Harry já se precipitara para dentro da sala.

Fawkes, a fênix, girou a cabeça, seus olhos vivos e pretos refletindo o dourado do sol poente. Dumbledore estava parado à janela, contemplando os terrenos da escola, uma longa capa de viagem nos braços.

— Bem, Harry, prometi que você poderia vir comigo.

Por um momento, Harry não compreendeu; a conversa com Trelawney varrera tudo o mais de sua cabeça, e seu cérebro parecia estar funcionando muito vagarosamente.

— Ir... com o senhor...?

— Somente se você quiser, é claro.

— Se eu...

E então Harry se lembrou por que inicialmente estivera ansioso para vir ao escritório de Dumbledore.

— O senhor encontrou uma? Encontrou uma Horcrux?

— Creio que sim.

A fúria e o ressentimento entraram em conflito com o choque e a animação; por um longo momento, Harry não conseguiu falar.

— É natural ter medo — disse Dumbledore.

— Não estou apavorado! — retrucou Harry imediatamente, e era a absoluta verdade: medo não era uma emoção que ele estivesse sentindo. — Qual é a Horcrux? Onde está?

— Não tenho certeza qual é, embora pense que podemos excluir a cobra... acredito que esteja escondida em uma caverna na costa, a muitos quilômetros daqui, uma caverna que venho tentando localizar há muito tempo: a caverna em que, no passado, Tom Riddle aterrorizou duas crianças do orfanato no passeio anual que faziam, lembra-se?

— Lembro. Como está protegida?

— Não sei; tenho algumas suspeitas que talvez estejam completamente erradas. — Dumbledore hesitou, em seguida disse: — Harry, prometi que você poderia vir comigo, e mantenho a promessa, mas seria um grande erro se eu não o prevenisse de que será excepcionalmente perigoso.

— Eu vou — disse Harry, quase antes de Dumbledore terminar de falar. Enfurecido com Snape, seu desejo de fazer alguma coisa extrema e insensata redobrara nos últimos minutos. Isto talvez tenha transparecido em seu rosto, porque Dumbledore se afastou da janela e olhou mais atentamente para Harry, uma leve ruga entre suas sobrancelhas prateadas.

— Que aconteceu com você?

— Nada — mentiu Harry prontamente.

— Que foi que o perturbou?

– Não estou perturbado.

– Harry, você nunca foi um bom Oclumente...

A palavra foi a faísca que desencadeou a fúria de Harry.

– Snape! – disse ele muito alto, e Fawkes soltou um leve grasnido às suas costas. – Snape foi o que me aconteceu! Ele contou a Voldemort sobre a profecia, foi *ele, ele* escutou à porta do quarto, Trelawney me contou!

A expressão de Dumbledore não se alterou, mas Harry teve a impressão de que seu rosto empalidecia à claridade avermelhada do sol poente. Por um longo momento, o diretor nada disse.

– Quando foi que descobriu isso? – perguntou ele por fim.

– Agora! – respondeu Harry, que, com enorme dificuldade, reprimia a vontade de gritar. Então, de repente, não conseguiu mais se conter: – E O SENHOR DEIXOU ELE ENSINAR AQUI E ELE DISSE A VOLDEMORT PARA ATACAR OS MEUS PAIS!

Ofegando como se lutasse, Harry se afastou de Dumbledore, que ainda não movera um único músculo, e começou a andar para cima e para baixo no escritório, esfregando os nós dos dedos nas mãos e exercendo todo o seu controle para não derrubar nada. Queria explodir com Dumbledore, mas também queria acompanhá-lo para tentar destruir a Horcrux; queria dizer ao diretor que ele era um velho tolo por confiar em Snape, mas estava aterrorizado que Dumbledore não o levasse se não dominasse sua raiva...

– Harry – disse Dumbledore em voz baixa. – Por favor, me escute.

Era tão difícil parar de andar quanto se conter para não gritar. Harry hesitou, mordendo o lábio, e encarou o rosto enrugado de Dumbledore.

– O professor Snape cometeu um terrível...

– Não me diga que foi um engano, senhor, ele estava escutando à porta!

– Por favor, me deixe terminar. – Dumbledore aguardou até ver Harry assentir bruscamente com a cabeça, então prosseguiu: – O professor Snape cometeu um terrível engano. Ele ainda estava a serviço de Voldemort na noite em que ouviu a primeira metade da profecia da professora Trelawney. Naturalmente, correu a contar o que ouvira, porque afetava profundamente o seu senhor. Mas ele não sabia, não tinha a menor possibilidade de saber, qual era o garoto que Voldemort iria perseguir daquele dia em diante ou que os pais que ele destruiria em sua busca homicida eram pessoas que ele próprio conhecia, que eram seu pai e sua mãe...

Harry soltou uma gargalhada sombria.

— Ele odiava meu pai como odiava Sirius! O senhor não reparou, professor, como as pessoas a quem Snape odeia têm uma tendência a aparecer mortas?

— Você não faz ideia do remorso que o professor Snape sentiu quando percebeu como Lorde Voldemort interpretara a profecia, Harry. Acredito que tenha sido o maior arrependimento da vida dele, e o motivo por que voltou...

— Mas *ele* é um Oclumente muito bom, não é, senhor? — contrapôs Harry, cuja voz tremia com o esforço de mantê-la firme. — E, Voldemort não está convencido de que Snape está do lado dele, ainda hoje? Professor... como o senhor pode ter *certeza* de que o Snape está do nosso lado?

Dumbledore ficou calado por um momento; parecia estar tentando tomar uma decisão. Por fim, disse:

— Tenho certeza. Confio plenamente em Severo Snape.

Harry respirou fundo por alguns momentos, esforçando-se para se controlar. Não adiantou.

— Bem, eu não! — bradou ele como antes. — Ele está tramando alguma coisa com Draco Malfoy neste instante, bem debaixo do seu nariz, e o senhor continua...

— Já discutimos isso antes, Harry. — E seu tom retomou a severidade anterior. — Dei-lhe a minha opinião.

— O senhor vai sair da escola esta noite, e aposto como nem considerou que Snape e Malfoy podem decidir...

— O quê? — perguntou Dumbledore, com as sobrancelhas erguidas. — Que é que você suspeita que eles estejam fazendo, exatamente?

— Eles estão armando alguma coisa! — insistiu Harry, fechando os punhos ao dizer isso. — A professora Trelawney acabou de entrar na Sala Precisa, tentando esconder garrafas de xerez, e ouviu Malfoy dando vivas, comemorando! Ele está tentando consertar alguma coisa perigosa lá dentro e, se o senhor quer saber, ele finalmente conseguiu, e o senhor daqui a pouco vai sair porta afora sem...

— Basta. — Dumbledore falou calmo, mas Harry calou-se imediatamente; percebeu que enfim ultrapassara alguma linha invisível. — Você acha que deixei a escola desprotegida uma única vez nas minhas ausências deste ano? Não. Hoje à noite, quando eu viajar, mais uma vez teremos proteção adicional instalada. Por favor, não insinue que eu não levo a sério a segurança dos meus estudantes, Harry.

— Eu não... — murmurou Harry, um pouco envergonhado, mas Dumbledore interrompeu-o.

— Não quero mais discutir este assunto.

Harry engoliu o que ia dizer, receoso de que tivesse ido longe demais, de que tivesse estragado sua chance de acompanhar o diretor, mas este prosseguiu:

— Você quer ir comigo hoje à noite?

— Quero — respondeu Harry prontamente.

— Muito bem, então ouça.

Dumbledore aprumou-se.

— Levo você com uma condição: que você obedeça a qualquer ordem que eu lhe dê, imediatamente e sem fazer perguntas.

— Claro.

— Entenda bem, Harry. Estou dizendo que deverá obedecer até a ordens como "corra", "se esconda" ou "volte". Você me dá sua palavra?

— Eu... é claro.

— Se eu mandar que se esconda, você fará isso?

— Farei.

— Se eu o mandar fugir, você obedecerá?

— Obedecerei.

— Se eu lhe disser para me abandonar e se salvar, você fará o que mandei?

— Eu...

— Harry?

Eles se encararam por um momento.

— Farei, sim, senhor.

— Muito bem. Então, quero que você vá buscar a sua Capa da Invisibilidade e me encontre no Saguão de Entrada dentro de cinco minutos.

Dumbledore voltou a contemplar a janela flamejante; o sol era um clarão vermelho-rubi na linha do horizonte. Harry saiu depressa do escritório e desceu a escada espiral. De repente, sua mente ficou estranhamente clara. Sabia o que fazer.

Rony e Hermione estavam sentados juntos na sala comunal quando ele retornou.

— Que é que o Dumbledore quer? — perguntou Hermione ao vê-lo. — Harry, você está o.k.? — acrescentou ela, ansiosa.

— Estou ótimo — respondeu ele brevemente, passando apressado. Correu escada acima e entrou no dormitório; ali, escancarou o malão e tirou o Mapa do Maroto e um par de meias enroladas. Então, tornou a se precipitar pela escada e voltar à sala comunal, derrapando diante de Rony e Hermione, que observavam perplexos.

– Não tenho muito tempo – ofegou Harry. – Dumbledore acha que estou só apanhando a Capa da Invisibilidade, escutem...

Em poucas palavras, contou-lhes aonde estava indo e por quê. Não parou nem diante das exclamações de horror de Hermione nem das perguntas apressadas de Rony; eles poderiam deduzir os detalhes sozinhos depois.

– ... estão entendendo o que isto significa? – Harry terminou ligeiro. – Dumbledore não estará aqui hoje à noite, portanto Malfoy estará livre para tentar o que quer que esteja tramando. *Não, me escutem!* – sibilou ele zangado, quando Rony e Hermione deram sinais de querer interrompê-lo. – Sei que era o Malfoy comemorando na Sala Precisa. Tomem... – Ele empurrou o Mapa do Maroto na mão de Hermione. – Vocês têm de vigiá-lo e têm de vigiar Snape também. Usem quem puderem reunir da AD. Hermione, aqueles galeões de contato ainda estão funcionando, certo? Dumbledore diz que instalou proteção adicional na escola, mas, se Snape estiver envolvido, ele saberá qual foi a proteção e como evitá-la... mas ele não estará esperando que vocês estejam de guarda, não é?

– Harry – começou Hermione, seus olhos arregalados de medo.

– Não tenho tempo para discutir – cortou-a Harry. – Tome isto também... – Ele empurrou as meias nas mãos de Rony.

– Obrigado – disse Rony. – Ãh... para que preciso de meias?

– Precisa do que está embrulhado nelas, é a Felix Felicis. Dividam entre vocês e a Gina também. Se despeçam dela por mim. É melhor eu ir, Dumbledore está me esperando...

– Não! – exclamou Hermione, quando Rony desembrulhou o frasquinho de poção dourada, parecendo assombrado. – Não queremos a poção, leve com você, quem sabe o que irá enfrentar.

– Estarei bem, estarei com o Dumbledore – respondeu Harry. – Quero ter certeza de que vocês estejam o.k... não me olhe assim, Hermione, vejo vocês mais tarde...

E ele se foi, atravessou o buraco do retrato e rumou para o Saguão de Entrada.

Dumbledore aguardava-o junto às portas de carvalho. Virou-se quando Harry apareceu derrapando e pisou o degrau mais alto da escadaria, muito ofegante, sentindo uma pontada ardida do lado.

– Gostaria que você usasse sua Capa da Invisibilidade, por favor – pediu o diretor, e esperou até Harry se cobrir, antes de dizer: – Muito bem. Vamos?

Dumbledore começou a descer imediatamente os degraus de pedra, sua capa de viagem quase imóvel no ar parado do verão. Harry corria a seu lado, sob a Capa da Invisibilidade, ainda ofegando e suando muito.

— Mas que é que as pessoas vão pensar quando o virem saindo, professor? — perguntou Harry, pensando em Malfoy e Snape.

— Que vou a Hogsmeade beber alguma coisa — respondeu Dumbledore brincando. — Às vezes, dou preferência a Rosmerta, outras visito o Cabeça de Javali... ou finjo visitar. É uma boa maneira de disfarçar o verdadeiro destino.

Eles foram descendo pela estrada da escola à claridade crepuscular. O ar estava impregnado de aromas de capim aquecido, água do lago e fumaça de madeira da cabana de Hagrid. Era difícil acreditar que estavam caminhando para algo perigoso ou assustador.

— Professor — disse Harry baixinho, quando avistaram os portões no início da estrada —, vamos aparatar?

— Vamos. Você já sabe aparatar, creio eu.

— Sei, mas ainda não tenho licença.

Harry achou melhor ser honesto; e se estragasse tudo desaparatando a quilômetros do lugar onde devia?

— Não faz mal — disse o diretor. — Posso ajudá-lo novamente.

À saída dos portões, eles viraram para a estrada deserta de Hogsmeade. A escuridão foi descendo rapidamente durante a caminhada e, quando por fim alcançaram a rua principal, já era quase noite. As luzes brilhavam nas janelas sobre as lojas, e, assim que se aproximaram do Três Vassouras, ouviram gritos estridentes.

— ... e fique fora daqui! — gritava Madame Rosmerta, expulsando, à força, um bruxo malvestido. — Ah, olá, Alvo... saindo tarde...

— Boa noite, Rosmerta, boa noite... me desculpe, estou indo ao Cabeça de Javali... não se ofenda, mas gostaria de um ambiente mais tranquilo hoje à noite...

Um minuto mais tarde, eles viraram para uma rua lateral onde o letreiro do Cabeça de Javali balançava, rangendo, suavemente, embora não houvesse brisa. Ao contrário do Três Vassouras, o bar parecia estar completamente vazio.

— Não precisaremos entrar — murmurou Dumbledore, olhando para os lados. — Desde que as pessoas não nos vejam desaparecendo... agora, apoie a mão no meu braço, Harry. Não precisa apertar com muita força, vou apenas guiá-lo. Quando eu contar três: um... dois... três.

Harry se virou. Na mesma hora teve aquela horrível sensação de que o empurravam à força para dentro de um grosso cano de borracha; não conseguia respirar, cada parte de seu corpo comprimia-se insuportavelmente, então, quando pensou que ia sufocar, a cinta invisível pareceu se romper, e ele se viu parado em fria escuridão, enchendo os pulmões de ar fresco e salgado.

26

A CAVERNA

Harry sentiu o cheiro de sal e o marulho das ondas; uma brisa leve e gelada despenteou seus cabelos quando ele se virou para contemplar o mar enluarado e o céu de estrelas. Estava parado no alto de uma rocha escura, sob a qual a água espumava e se revolvia. Ele olhou por cima do ombro. Às suas costas, erguia-se um penhasco, escarpado, escuro e indistinto. Algumas rochas, como aquela em que Harry e Dumbledore se achavam, pareciam ter se destacado da face do penhasco em algum momento do passado. Era uma paisagem desolada e agreste; a monotonia do mar e da rocha sem árvore, capim ou areia a interrompê-la.

– Que é que você acha? – perguntou Dumbledore. Era como se estivesse pedindo a opinião de Harry sobre um bom lugar para um piquenique.

– Eles traziam os garotos do orfanato para cá? – perguntou Harry, que não conseguia imaginar um local menos convidativo para um passeio.

– Não era bem para cá. Há uma aldeiazinha a meio caminho dos rochedos às nossas costas. Acredito que traziam os órfãos para tomar um pouco de ar e ver as ondas. Não, acho que apenas Tom Riddle e suas jovens vítimas algum dia visitaram este lugar. Trouxas não poderiam chegar aqui, a não ser que fossem alpinistas excepcionais, e barcos não podem se aproximar das pedras; as águas ao redor são muito perigosas. Imagino que Riddle tenha descido; a magia teria sido mais útil do que as cordas. E trouxe com ele duas crianças pequenas, provavelmente pelo prazer de aterrorizá-las. Acho que só a viagem em si teria bastado, não?

Harry tornou a erguer os olhos para o penhasco e sentiu arrepios.

– Mas o destino final de Tom, e o nosso, fica um pouco mais adiante. Vamos.

Dumbledore fez sinal a Harry para se aproximar da borda da rocha em que vários nichos pontudos serviam para apoiar os pés e davam acesso às pedras arredondadas e semissubmersas na água junto ao paredão rochoso.

Era uma descida traiçoeira, e Dumbledore, ligeiramente estorvado pela mão murcha, movia-se com lentidão. As pedras mais abaixo escorregavam por causa da água do mar. Harry sentia os salpicos de água salgada baterem em seu rosto.

– Lumus – disse Dumbledore, ao chegar à pedra mais próxima do paredão. Centenas de pontinhos de luz dourada faiscaram na superfície preta do mar a menos de um metro abaixo do lugar em que estava agachado; a parede preta do rochedo iluminou-se também.

– Está vendo? – perguntou o diretor em voz baixa, erguendo um pouco mais a varinha. Harry viu uma fissura no penhasco onde a água escura remoinhava.

– Você não se importa de se molhar um pouco?

– Não – respondeu Harry.

– Então, tire a sua Capa da Invisibilidade, não é necessária agora, e vamos dar um mergulho.

E, com a súbita agilidade de um homem mais jovem, Dumbledore escorregou pela pedra, caiu no mar e começou a nadar de peito, com movimentos perfeitos, em direção à fenda na face do penhasco, a varinha acesa presa entre os dentes. Harry tirou a capa, enfiou-a no bolso e acompanhou-o.

A água estava gelada; as roupas pesadas de água enfunavam-se em torno dele e o puxavam para baixo. Sorvendo profundamente o ar que enchia suas narinas com um travo de sal e algas, Harry nadou em direção à luz bruxuleante que diminuía à medida que adentrava a caverna.

A fenda logo se alargou, formando um túnel escuro que Harry sabia que se encheria de água na maré alta. As paredes limosas tinham menos de um metro entre si e refulgiam como piche molhado à passagem da luz empunhada por Dumbledore. Um pouco mais para dentro, a passagem fazia uma curva para a esquerda, e Harry viu que se embrenhava profundamente na rocha. Continuou a nadar na esteira do diretor, as pontas de seus dedos dormentes roçando a rocha úmida e áspera.

Então ele o viu sair da água mais adiante, sua cabeleira prateada e as vestes escuras refulgindo. Quando Harry chegou ao mesmo ponto, deparou com degraus que conduziam a uma ampla caverna. Subiu a escada, a água escorrendo de suas vestes encharcadas, e emergiu, tremendo descontroladamente, no ar parado e enregelante.

Dumbledore estava de pé no meio da caverna, a varinha no alto, e girava lentamente no mesmo lugar, examinando as paredes e o teto.

– É, é este o lugar – confirmou Dumbledore.

— Como o senhor pode saber? — perguntou Harry num sussurro.
— Tem magia conhecida — respondeu Dumbledore com simplicidade.

Harry não conseguia definir se os arrepios que sentia se deviam ao frio que penetrava seus ossos ou à mesma percepção de encantamentos. Apenas observava enquanto Dumbledore continuava a girar, evidentemente concentrando-se em coisas que Harry não era capaz de ver.

— Isto é apenas a antecâmara, o saguão de entrada — disse Dumbledore, passados alguns instantes. — Precisamos penetrar a câmara interior... agora os obstáculos erguidos por Voldemort é que barrarão o nosso caminho, e não os que a natureza criou...

O diretor se aproximou da parede da caverna e acariciou-a com os dedos escurecidos, murmurando palavras em uma língua estranha que Harry não entendeu. Duas vezes Dumbledore andou ao redor da caverna, tocando a maior área da rocha áspera que pôde, parando ocasionalmente, correndo os dedos para frente e para trás em um determinado ponto, até parar finalmente, a mão espalmada contra a parede.

— Aqui — disse ele. — Passaremos por aqui. A entrada está oculta.

Harry não perguntou a Dumbledore como sabia. Nunca vira um bruxo resolver as coisas assim, simplesmente com o olhar e o toque; mas o garoto já descobrira, havia muito tempo, que estampidos e fumaça eram, em geral, marcas de inépcia e não de capacidade.

Dumbledore se afastou e apontou a varinha para a parede rochosa da caverna. Por um instante, apareceu ali o contorno de um arco, fulgurante e branco como se houvesse uma forte luz por trás da fresta.

— O senhor conseguiu! — exclamou Harry entre os dentes que castanholavam de frio, mas, antes mesmo que as palavras saíssem de sua boca, o contorno desapareceu, deixando a rocha mais nua e sólida que antes. Dumbledore se virou.

— Harry, desculpe, me esqueci. — E apontou imediatamente a varinha para o garoto, cujas roupas ficaram instantaneamente quentes e secas como se tivessem sido penduradas diante de um fogo escaldante.

— Obrigado — agradeceu Harry, mas Dumbledore já voltara sua atenção para a parede maciça da caverna. Não tentou outros feitiços, simplesmente ficou ali, parado, observando a parede com atenção, como se nela estivesse escrito alguma coisa de extraordinário interesse. Harry ficou muito quieto; não queria perturbar a concentração de Dumbledore.

Então, passados dois minutos completos, o diretor disse baixinho:

— Ah, certamente que não. Tão grosseiro!

— O quê, professor?

— Está me parecendo — disse Dumbledore, enfiando a mão boa nas vestes e tirando uma faquinha de prata do tipo que Harry usava para cortar ingredientes para poções — que precisamos pagar para passar.

— Pagar?! — exclamou Harry. — O senhor tem de dar alguma coisa à porta?

— Tenho. Sangue, se não estiver muito enganado.

— *Sangue*?

— Eu disse que era grosseiro — comentou Dumbledore, em tom desdenhoso e até desapontado, como se Voldemort se mostrasse aquém dos padrões esperados. — A ideia, como certamente você terá captado, é que o inimigo deve se enfraquecer para entrar. Mais uma vez, Lorde Voldemort não conseguiu compreender que há coisas bem mais terríveis do que a lesão física.

— Bem, mas se for possível evitar... — replicou Harry, que já sentira dor suficiente para não querer mais.

— Às vezes, porém, é inevitável — disse Dumbledore, jogando para cima a manga das vestes e expondo o antebraço da mão machucada.

— Professor! — protestou Harry, adiantando-se depressa ao ver Dumbledore erguendo a faca. — Eu faço isso, sou...

Ele não sabia o que dizer: mais jovem, mais apto? Dumbledore, porém, apenas sorriu. Houve um lampejo prateado e um esguicho escarlate; a face da rocha pontilhou-se de gotas escuras e brilhantes.

— Você é muito bom, Harry — disse o diretor, agora passando a ponta da varinha no corte profundo que fizera no próprio braço, fechando-o instantaneamente, da mesma maneira que Snape curara os ferimentos de Malfoy. — Mas o seu sangue vale mais do que o meu. Ah, parece que deu resultado, não?

O contorno fulgurante de um arco reapareceu na parede e, desta vez, não se apagou: a rocha suja de sangue circunscrita pelo arco simplesmente sumiu, deixando uma abertura para uma aparente e absoluta escuridão.

— Depois de mim, acho — disse Dumbledore, e ele cruzou o arco com Harry em seus calcanhares, acendendo depressa a varinha ao entrar.

Eles depararam com uma cena extraordinária: estavam à beira de um grande lago preto, tão vasto que Harry não conseguia divisar suas margens distantes, em uma caverna tão alta que seu teto não era visível. Uma luz verde e indistinta brilhava ao longe, talvez no meio do lago; refletia-se na água imóvel abaixo. O brilho verde e a luz das duas varinhas eram as únicas coisas que rompiam a escuridão aveludada, embora seus raios não tivessem um alcance tão longo quanto Harry esperara. A escuridão era de certo modo mais densa do que a escuridão normal.

— Vamos caminhar — disse Dumbledore em voz baixa. — Cuidado para não pisar na água. Fique junto de mim.

Ele saiu margeando o lago, e Harry seguiu logo atrás. Seus passos ecoavam como tapas na estreita orla de pedra que contornava o lago. Caminharam uma boa distância, mas a paisagem não variava: de um lado, a áspera parede da caverna; do outro, a vastidão sem fim da escuridão espelhada, no meio da qual havia aquele misterioso brilho verde. Harry achou o lugar e o silêncio opressivos, enervantes.

— Professor? — perguntou ele por fim. — O senhor acha que a Horcrux está aqui?

— Ah, sim. Tenho certeza que está. A questão é, como chegar a ela?

— Não podíamos... não podíamos simplesmente tentar um Feitiço Convocatório? — perguntou Harry, convencido de que era uma sugestão idiota, mas querendo, mais do que admitiria, sair o mais depressa possível daquele lugar.

— Certamente que poderíamos — respondeu Dumbledore, parando tão de repente que Harry quase colidiu com ele. — Por que você não tenta?

— Eu? Ah... O.k.

Harry não esperara por isso, mas pigarreou e ordenou em voz alta, a varinha no ar:

— *Accio Horcrux!*

Com um ruído de explosão, algo muito grande e claro irrompeu da água escura a uns seis metros de distância; antes que Harry pudesse ver o que era, a coisa tornou a mergulhar na água com um estrondo que produziu ondas largas e profundas na superfície lisa do lago. Harry saltou para trás assustado e bateu na parede; seu coração ainda retumbava quando ele se virou para Dumbledore.

— Que foi aquilo?

— Alguma coisa, acho, que está pronta a reagir se tentarmos nos apossar da Horcrux.

Harry olhou novamente para o lago. Sua superfície retomara a aparência vítrea, escura e brilhante: as ondas tinham desaparecido anormalmente rápido; o coração de Harry, no entanto, continuou a bater com força.

— O senhor achava que ia acontecer isso?

— Achei que *alguma* coisa aconteceria se fizéssemos uma tentativa óbvia de nos apoderar da Horcrux. Foi uma boa ideia, Harry; o modo mais simples de descobrirmos o que estamos enfrentando.

— Mas não sabemos que coisa era aquela — replicou Harry, olhando para a água sinistramente lisa.

— Que coisas são aquelas, você quer dizer — corrigiu-o Dumbledore.
— Duvido muito que seja apenas uma. Vamos continuar a andar?
— Professor?
— Que foi, Harry?
— O senhor acha que vamos precisar entrar no lago?
— Entrar? Só se tivermos muito azar.
— O senhor acha que a Horcrux está no fundo?
— Ah, não... Acho que está no meio.

E Dumbledore apontou para a luz verde e indistinta no centro do lago.
— Então teremos de atravessar o lago para chegar até a Horcrux?
— Acho que sim.

Harry não disse nada. Seus pensamentos resumiam-se em monstros lacustres, serpentes gigantescas, demônios, cavalos-marinhos e fadas...

— Ah-ah! — exclamou Dumbledore, tornando a parar; desta vez, Harry realmente colidiu com ele; por um momento, o garoto oscilou na beira da água escura, e a mão sã do diretor agarrou-o fortemente pelo braço e o puxou de volta. — Desculpe, Harry, eu devia ter avisado. Fique junto à parede, por favor; acho que encontrei o lugar.

Harry não fazia ideia do que Dumbledore queria dizer; até onde podia perceber, este trecho de margem escura era exatamente igual a qualquer outro, mas o professor Dumbledore, pelo visto, detectara alguma coisa diferente. Desta vez, ele estava passando a mão, não na parede rochosa, mas no ar, como se esperasse encontrar e agarrar alguma coisa invisível.

— Oho! — exclamou ele feliz, segundos depois. Sua mão agarrara no ar alguma coisa que Harry não conseguia ver. Dumbledore se aproximou mais da água; o garoto observou, nervoso, as pontas dos sapatos de fivela do diretor chegarem até o limite da borda rochosa do lago. Mantendo a mão fechada no ar, Dumbledore ergueu a varinha com a outra e deu uma pancadinha no próprio punho.

Imediatamente apareceu no ar uma corrente grossa de cobre esverdeado que se alongou do fundo do lago até a mão fechada de Dumbledore. Ele bateu na corrente, que começou a deslizar por dentro de sua mão fechada como uma cobra e a se enroscar no chão com um ruído metálico que ecoou vibrantemente nas paredes rochosas, e foi puxando alguma coisa das profundezas do lago escuro. Harry ofegou quando a proa fantasmagórica de um barquinho veio à tona, tão verde e brilhante quanto a corrente, e flutuou quase sem marolas até o ponto da margem em que Harry e Dumbledore estavam parados.

— Como é que o senhor soube que o barco estava ali? — perguntou Harry espantado.

— A magia sempre deixa vestígios — respondeu o diretor, quando o barco bateu suavemente na margem —, vestígios por vezes muito característicos. Fui professor de Tom Riddle. Conheço o estilo dele.

— O barco é... é seguro?

— Ah, acho que sim. Voldemort precisava criar um meio de atravessar o lago sem atrair a cólera das criaturas que colocou nele, caso um dia quisesse visitar ou remover sua Horcrux.

— Então as coisas na água não nos farão mal se atravessarmos no barco de Voldemort?

— Acho que devemos nos conformar com a ideia de que, em algum momento, elas perceberão que não somos Lorde Voldemort. Até aqui, porém, temos nos saído bem. Elas nos deixaram erguer o barco.

— Mas por que deixaram? — perguntou Harry, que não conseguia esquecer a visão de tentáculos emergindo da água escura quando se distanciaram da margem.

— Voldemort devia estar razoavelmente confiante de que ninguém, exceto um grande bruxo, seria capaz de encontrar o barco. Penso que estaria disposto a arriscar a improvável possibilidade de alguém conseguir isto, porque sabia que deixara mais à frente outros obstáculos que somente ele poderia superar. Veremos se tinha razão.

Harry examinou o barco. Era realmente muito pequeno.

— Não parece ter sido construído para duas pessoas. Será que nos aguentará? Não será peso demais?

Dumbledore riu.

— Voldemort não deve ter se preocupado com o peso, mas com o poderio mágico que cruzasse o seu lago. Eu pensaria que ele deve ter lançado um encantamento sobre o barco de tal ordem que apenas um bruxo por vez poderá usá-lo.

— Mas então...?

— Acho que você não conta, Harry: é menor de idade e não qualificado. Voldemort jamais esperaria que um adolescente de dezesseis anos chegasse aqui: acho improvável que os seus poderes sejam considerados, se comparados aos meus.

Tais palavras não ajudaram a levantar o moral de Harry, e Dumbledore, talvez percebendo isso, acrescentou:

— Um erro de Voldemort, Harry, um erro de Voldemort... a velhice é tola e esquecida quando subestima a juventude... desta vez, você embarca primeiro, e tenha cuidado para não tocar na água.

Dumbledore se afastou para um lado e Harry subiu cautelosamente no barco. O professor subiu também, enrolando a corrente no fundo. Os dois ficaram espremidos; Harry não pôde se sentar confortavelmente, agachou-se, deixando os joelhos para fora do barco, que se pôs imediatamente em movimento. Não se ouvia outro som exceto o sussurro da proa cortando a água; o barco se deslocava sem ajuda, como se uma corda invisível o puxasse em direção à luz no centro. Em pouco tempo, deixaram de avistar as paredes da caverna; eles poderiam estar no mar não fosse pela falta de ondas.

Harry baixou os olhos e viu o reflexo dourado da luz de sua varinha faiscar e cintilar na água escura enquanto avançavam. O barco esculpia fundas rugas na superfície vidrada, sulcos no espelho escuro...

Então Harry a viu, branca como mármore, boiando a centímetros da superfície.

— Professor! — exclamou, e sua voz assustada ecoou sonoramente pela água silenciosa.

— Harry?

— Acho que vi uma mão na água, uma mão humana!

— Sei, tenho certeza de que viu — respondeu Dumbledore calmamente.

Harry olhou espantado para a água à procura da mão que desaparecera, uma sensação de náusea subindo-lhe à garganta.

— Então aquela coisa que saltou da água...

Harry obteve a resposta antes que Dumbledore pudesse falar; a luz da varinha deslizara por um novo trecho da água e, desta vez, lhe mostrou um defunto de cara para cima centímetros abaixo da superfície: seus olhos abertos toldados como se tivessem teias de aranha, seus cabelos e suas vestes girando em torno dele como fumaça.

— Tem cadáveres aí dentro! — disse Harry, e sua voz saiu muito mais aguda e diferente do que o normal.

— Tem — respondeu Dumbledore placidamente —, mas por ora não precisamos nos preocupar com eles.

— Por ora? — respondeu Harry, despregando o olhar da água para fixá-lo em Dumbledore.

— Não enquanto estiverem apenas boiando tranquilamente abaixo de nós. Nada temos a recear de um cadáver, Harry, como nada temos a recear da escuridão. Lorde Voldemort, que naturalmente tem um receio íntimo de ambos, discorda. Mas, de novo, ele revela sua própria falta de sabedoria. É o desconhecido que receamos quando olhamos para a morte e a escuridão, nada mais.

Harry não respondeu; não queria discutir, mas achava pavorosa a ideia de que havia cadáveres flutuando em volta e abaixo deles, e, além disso, não acreditava que não fossem perigosos.

– Mas um deles saltou – disse ele tentando manter a voz estável e calma como a de Dumbledore. – Quando tentei convocar a Horcrux, um cadáver pulou do lago.

– Verdade... E estou seguro que, quando apanharmos a Horcrux, veremos que são menos pacíficos. Mas, como muitas criaturas que habitam o frio e a escuridão, eles temem a luz e o calor que evocaremos em nosso auxílio, se houver necessidade. Fogo, Harry – Dumbledore acrescentou com um sorriso, em resposta à expressão atordoada de Harry.

– Ah... certo – concordou ele rápido. E virou a cabeça para olhar a luz verde, destino inexorável do barco. Agora, Harry não podia fingir que não estava apavorado. O grande lago preto coalhado de cadáveres... parecia fazer horas que ele encontrara a professora Trelawney, que dera a Rony e Hermione a Felix Felicis... desejou de repente ter se despedido melhor deles... nem ao menos vira Gina...

– Quase lá – anunciou Dumbledore animado.

De fato, a luz verde parecia estar finalmente aumentando, e minutos depois o barco parou, batendo suavemente em alguma coisa que Harry a princípio não pôde ver, mas, quando ergueu a varinha iluminada, constatou que tinham chegado a uma ilhota de rocha lisa no centro do lago.

– Cuidado para não tocar na água – tornou a recomendar Dumbledore quando Harry desembarcou.

A ilha não era maior do que o escritório de Dumbledore: uma extensão de rocha plana e escura em que não havia nada exceto a fonte daquela luz verde, que parecia muito mais forte vista de perto. Harry semicerrou os olhos; a princípio pensou que fosse algum tipo de lampião, mas logo percebeu que a luz vinha de uma bacia de pedra muito parecida com a Penseira, apoiada sobre um pedestal.

Dumbledore se aproximou da bacia, seguido por Harry. Lado a lado, eles a examinaram. A bacia estava cheia de um líquido verde-esmeralda que emitia uma luz fosforescente.

– Que é isso? – perguntou Harry em voz baixa.

– Não tenho bem certeza – respondeu Dumbledore. – Alguma coisa mais preocupante do que sangue e cadáveres.

Dumbledore empurrou para cima a manga das vestes que lhe cobria a mão escurecida e esticou as pontas dos dedos queimados para a superfície da poção.

— Senhor, não, não toque...!

— Não posso tocar — informou Dumbledore com um ar de riso. — Está vendo? Só posso chegar até aqui. Tente.

De olhos arregalados, Harry levou a mão à bacia e tentou tocar a poção. Bateu em uma barreira invisível a uns três centímetros que o impedia de se aproximar mais. Por mais que empurrasse, aparentemente seus dedos não encontravam nada, exceto ar sólido e inflexível.

— Afaste-se, por favor, Harry — pediu Dumbledore.

O professor ergueu a varinha e fez gestos complicados sobre a superfície da poção, murmurando silenciosamente. Nada aconteceu, a não ser, talvez, o brilho da poção se intensificar. Harry guardou silêncio enquanto Dumbledore trabalhava, mas, passado algum tempo, o diretor recolheu a varinha e Harry achou que era seguro falar.

— O senhor acha que a Horcrux está aí dentro?

— Ah, sim. — Dumbledore examinou a bacia mais de perto. Harry viu seu rosto refletido, de cabeça para baixo, na superfície lisa da poção verde. — Mas como alcançá-la? A poção não aceita ser penetrada à mão, desaparecida ou dividida ou apanhada ou aspirada, nem pode ser transfigurada, encantada, tampouco alterada em sua natureza.

Quase distraído, Dumbledore tornou a erguer a varinha, girou-a no ar e recolheu uma taça de cristal que acabara de conjurar do nada.

— Só posso concluir que essa poção deve ser bebida.

— Quê?! — exclamou Harry. — Não!

— Penso que sim: somente bebendo-a posso esvaziar a bacia e ver o que guarda no fundo.

— Mas e se... e se a poção matar o senhor?

— Ah, duvido que produzisse tal efeito — disse Dumbledore tranquilo. — Lorde Voldemort não iria querer matar a pessoa que alcançasse sua ilha.

Harry não conseguiu acreditar. Seria mais um exemplo da insana determinação de Dumbledore de ver o bem em todas as pessoas?

— Senhor — disse Harry, tentando manter a voz equilibrada —, senhor, é o *Voldemort* que estamos...

— Desculpe, Harry; eu devia ter dito que ele não iria querer matar *imediatamente* a pessoa que alcançasse sua ilha — corrigiu Dumbledore. — Iria querer mantê-la viva tempo suficiente para descobrir como conseguiu penetrar tão fundo suas defesas e, o que é mais importante, por que queria tanto esvaziar a bacia. Não esqueça que Lorde Voldemort acredita que somente ele sabe sobre suas Horcruxes.

Harry fez menção de falar, mas desta vez Dumbledore ergueu a mão pedindo silêncio, franzindo ligeiramente a testa para o líquido esmeralda, evidentemente refletindo.

— Sem dúvida — disse por fim —, esta poção deve produzir um efeito tal que me impeça de levar a Horcrux. Deve me paralisar, me fazer esquecer o que vim fazer, causar tanta dor que me distraia ou me incapacitar de alguma forma. Assim sendo, Harry, sua tarefa será garantir que eu não pare de beber, mesmo que tenha de virar a poção na minha boca enquanto eu protesto. Compreendeu?

Seus olhos se encontraram por cima da bacia; cada rosto pálido iluminado por aquela estranha luz verde. Harry não respondeu. Teria sido por isso que fora convidado a vir, para forçar Dumbledore a beber uma poção que talvez lhe causasse dor insuportável?

— Você lembra — disse Dumbledore — a condição que impus para trazê-lo?

Harry hesitou, fixando seus olhos azuis que tinham esverdeado à luz refletida pela bacia.

— Mas e se...?
— Você jurou obedecer a qualquer ordem que eu lhe desse, não foi?
— Jurei, mas...
— Eu o preveni, não foi, que poderia haver perigo?
— Foi — respondeu Harry —, mas...
— Bem, então — tornou Dumbledore mais uma vez, jogando para cima as mangas das vestes e erguendo a taça vazia —, já recebeu as minhas ordens.
— Por que não posso beber a poção em seu lugar? — perguntou o garoto desesperado.
— Porque sou muito mais velho, muito mais esperto e muito menos valioso. De uma vez por todas, Harry, você me dá sua palavra de que fará tudo que puder para não me deixar parar de beber?
— Será que eu não poderia...?
— Dá?
— Mas...
— *Sua palavra, Harry.*
— Eu... está bem, mas...

Antes que Harry pudesse continuar protestando, Dumbledore mergulhou a taça de cristal na poção. Por uma fração de segundo, Harry teve esperança de que ele não conseguisse tocar na poção com a taça, mas o cristal afundou na superfície que nada conseguira tocar; quando a taça se encheu até em cima, Dumbledore levou-a à boca.

– À sua saúde, Harry.

E esvaziou a taça. Harry observou-o, aterrorizado, suas mãos apertando a borda da bacia com tanta força que as pontas dos seus dedos ficaram dormentes.

– Professor? – chamou ele, ansioso, quando Dumbledore baixou a taça vazia. – Como está se sentindo?

Dumbledore sacudiu a cabeça, os olhos fechados. Harry se perguntou se estaria sentindo dores. Dumbledore tornou a mergulhar a taça na bacia às cegas, encheu-a e bebeu-a.

Em silêncio, Dumbledore bebeu três taças da poção. Então, na metade da quarta taça, ele cambaleou e caiu contra a bacia. Seus olhos continuaram fechados e sua respiração se tornou ofegante.

– Professor Dumbledore? – chamou Harry com a voz tensa. – O senhor está me ouvindo?

Dumbledore não respondeu. Seu rosto se contraía, como se ele dormisse profundamente, mas experimentasse um terrível pesadelo. A mão com que segurava a taça foi afrouxando: a poção ia derramar. Harry estendeu a mão e agarrou a taça de cristal, mantendo-a em pé.

– Professor, o senhor está me ouvindo? – repetiu ele alto, sua voz ecoando pela caverna.

Dumbledore ofegou, e em seguida falou com um timbre irreconhecível, porque Harry jamais ouvira Dumbledore amedrontado daquela forma.

– Não quero... não me force...

Harry olhou para o rosto pálido que ele conhecia tão bem, para o nariz torto e os oclinhos de meia-lua, e não soube o que fazer.

– ... não gosto... quero parar... – lamentou-se Dumbledore.

– O senhor... o senhor não pode parar, professor. O senhor tem de continuar a beber, lembra? O senhor me disse que não podia parar de beber. Tome...

Odiando-se, sentindo repulsa pelo que estava fazendo, Harry forçou a taça a encostar à boca de Dumbledore e virou-a, fazendo com que o professor bebesse o que restava.

– Não... – gemeu ele, quando Harry mergulhou a taça mais uma vez na bacia e encheu-a. – Não quero... não quero... me deixe...

– Tudo bem, professor – disse Harry com a mão trêmula. – Tudo bem, estou aqui...

— Faça isso parar, faça isso parar — gemeu Dumbledore.
— Sim... sim, isto fará parar — mentiu Harry. E virou o conteúdo da taça na boca aberta do professor.

Dumbledore berrou; o ruído ecoou ao redor da vasta câmara e atravessou a água escura e parada.

— Não, não, não... não... não posso... não posso, não me force, não quero...
— Está tudo bem, professor, está tudo bem! — disse Harry em voz alta, suas mãos tremendo tanto que teve dificuldade em encher a sexta taça de poção; a bacia agora estava pela metade. — Nada está acontecendo com o senhor, o senhor está seguro, nada disso é real, juro que não é real... agora tome, tome...

E, obedientemente, Dumbledore bebeu, como se Harry estivesse lhe oferecendo um antídoto, mas, ao esvaziar a taça, ele caiu de joelhos, tremendo, descontrolado.

— É tudo minha culpa, tudo minha culpa — soluçou —, por favor, pare com isso, sei que errei, ah, por favor pare com isso e eu nunca, nunca mais...

— Isto fará parar, professor — disse Harry, sua voz falhando ao virar a sétima taça de poção na boca de Dumbledore.

O professor começou a se encolher como se torturadores invisíveis o cercassem; a mão que ele sacudia quase derrubou a taça, novamente cheia, das mãos trêmulas de Harry, gemendo.

— Não os machuquem, não os machuquem, por favor, por favor, a culpa é minha, machuquem a mim...

— Aqui, beba isso, beba isso, o senhor vai ficar bom — disse Harry desesperado, e mais uma vez Dumbledore obedeceu, abrindo a boca, embora mantivesse os olhos fechados e tremesse violentamente da cabeça aos pés.

Então, ele caiu para a frente, berrando, esmurrando o chão, enquanto Harry enchia a nona taça.

— Por favor, por favor, por favor, não... isso não, isso não, farei qualquer coisa...

— Beba, professor, beba...

Dumbledore bebeu como uma criança morta de sede, mas, quando terminou, voltou a berrar como se suas entranhas estivessem em chamas.

— Não, por favor, chega...

Harry encheu a décima taça de poção e sentiu o cristal arranhar o fundo da bacia.

— Falta pouco, professor, beba, beba...

Ele amparou Dumbledore pelos ombros, e mais uma vez o professor esvaziou a taça; Harry tornou a se levantar, e, quando estava enchendo a taça, Dumbledore começou a gritar mais angustiado do que antes:

– Quero morrer! Quero morrer! Pare com isso, pare com isso, quero morrer!

– Beba, professor, beba...

Dumbledore bebeu, e mal terminara berrou:

– MATE-ME!

– Esta... esta fará parar! – ofegou Harry. – Beba... já vai passar... já vai passar!

Dumbledore engoliu o conteúdo da taça até a última gota e então, com um enorme arquejo, rolou de borco.

– Não! – gritou Harry, que se pusera de pé para encher mais uma vez a taça; em lugar disso, largou-a na bacia, atirou-se no chão ao lado de Dumbledore e virou-o de barriga para cima; os óculos do professor estavam tortos, sua boca aberta, seus olhos fechados. – Não – disse Harry, sacudindo Dumbledore –, não, o senhor não está morto, o senhor disse que não era veneno, acorde, acorde: *Rennervate!* – gritou o garoto, apontando a varinha para o peito de Dumbledore; houve um lampejo vermelho, mas nada aconteceu.

– *Rennervate...* senhor... por favor...

Os olhos de Dumbledore piscaram; o coração de Harry saltou no peito.

– Senhor, o senhor está...?

– Água – pediu Dumbledore rouco.

– Água – ofegou Harry – ... sim...

Ele ficou em pé de um salto e agarrou a taça que largara na bacia; mal registrou o medalhão de ouro com a corrente enroscada embaixo da taça.

– *Aguamenti!* – ordenou Harry, espetando a taça com sua varinha.

A taça se encheu de água cristalina; Harry caiu de joelhos ao lado de Dumbledore, ergueu sua cabeça e levou a taça aos seus lábios, mas estava vazia. Dumbledore gemeu e começou a ofegar.

– Mas eu pus... espere... *Aguamenti!* – tornou Harry a ordenar, apontando a varinha para a taça. Mais uma vez, por um segundo, a água brilhou dentro dela, mas, quando a aproximou da boca de Dumbledore, a água novamente desapareceu.

"Senhor, estou tentando, estou tentando!", exclamou Harry, desesperado, mas achou que o professor não podia ouvi-lo; ele rolara para um lado e inspirava profunda e ruidosamente parecendo agonizar. "*Aguamenti...Aguamenti...AGUAMENTI!*"

A taça se enchia e tornava a esvaziar. A respiração de Dumbledore foi enfraquecendo. Com o cérebro girando de pânico, Harry percebeu, instintivamente, a única maneira possível de obter água, porque assim tinha planejado Voldemort...

Ele se atirou para a margem rochosa e mergulhou a taça no lago, erguendo-a, totalmente cheia, com água gelada que não desapareceu.

— Senhor... aqui! — gritou Harry e, precipitando-se para Dumbledore, virou a água, desajeitado, em seu rosto.

Foi o melhor que pôde fazer, porque a sensação gélida em seu braço livre não era o frio prolongado da água. Uma mão branca e escorregadia agarrara seu pulso, e a criatura a quem pertencia puxava-o pela rocha lentamente de volta ao lago. A superfície não era mais um espelho; revolvia-se, e para todo lado que Harry olhava, cabeças e mãos brancas emergiam da água escura, homens, mulheres e crianças, com olhos encovados e cegos, moviam-se em direção à rocha: um exército de mortos ressurgindo do lago preto.

— *Petrificus Totalus!* — berrou Harry, lutando para se agarrar à superfície lisa e molhada da ilha enquanto apontava a varinha para o Inferius que segurava seu braço: o morto-vivo soltou-o e tornou a cair espalhando água. Harry se levantou; mas outros tantos Inferi já estavam subindo na rocha, cravando suas mãos ossudas na superfície escorregadia, seus olhos cegos e esbranquiçados fixos nele, seus trapos encharcados arrastando pelo chão, os rostos encovados rindo debochadamente.

— *Petrificus Totalus!* — tornou a urrar Harry, recuando e varrendo o ar com a varinha; seis ou sete mortos tombaram, mas outros tantos vinham em sua direção. — *Impedimenta! Incarcerous!*

Alguns tropeçaram, uns dois foram imobilizados com cordas, mas aqueles que galgavam a rocha atrás deles simplesmente pulavam por cima ou pisavam nos corpos caídos. Ainda cortando o ar com a varinha, Harry berrou:

— *Sectumsempra! SECTUMSEMPRA!*

Embora aparecessem cortes nos trapos encharcados e em sua pele gélida, eles não tinham sangue para derramar: continuavam a avançar, insensíveis, as mãos enrugadas estendidas para ele, e, ao recuar para mais longe, Harry sentiu que o abraçavam pelas costas, braços finos e descarnados, frios como a morte, e seus pés perderam o chão quando o ergueram e levaram seguramente, para a água, e ele percebeu que não o soltariam, que ele se afogaria e se tornaria mais um guardião morto do fragmento da alma partida de Voldemort...

Então, o fogo irrompeu na escuridão: carmim e ouro, um círculo de fogo que cercou a ilha e fez os Inferi que imobilizavam Harry tropeçarem e vacilarem; eles não ousaram atravessar as chamas para chegar à água. Largaram Harry; ele bateu no chão, escorregou pela rocha e caiu, arranhando os braços, mas tornou a se pôr de pé, ergueu a varinha e olhou assustado para os lados.

Dumbledore estava mais uma vez de pé, pálido como qualquer dos Inferi em volta, porém mais alto que todos, as chamas dançando em seus olhos; sua varinha estava erguida como uma tocha e da ponta saíam chamas, como um imenso laço, envolvendo todos em calor.

Os mortos-vivos colidiram entre si, tentando, às cegas, fugir do fogo que os encerrava...

Dumbledore apanhou o medalhão no fundo da bacia de pedra e guardou-o nas vestes. Em silêncio, fez sinal a Harry para juntar-se a ele. Distraídos pelas chamas, os Inferi pareciam não registrar que suas vítimas estavam deixando a ilha; Dumbledore levava Harry para o barco, o anel de fogo deslocava-se com eles, cercava-os, os atordoados mortos-vivos acompanharam-nos até a beira do lago onde mergulharam, agradecidos, em suas águas escuras.

Harry, completamente trêmulo, achou por um momento que Dumbledore não fosse capaz de subir no barco; o professor cambaleou um pouco ao tentar; aparentemente, todos os seus esforços convergiam para manter o anel protetor de fogo à sua volta. Harry segurou-o e ajudou-o a sentar. Quando já estavam espremidos e seguros a bordo, o barco começou a se deslocar pela água escura, afastando-se da rocha ainda envolta naquele anel de fogo; embaixo, os Inferi enxameavam, mas não se atreviam a emergir.

– Senhor – ofegou Harry Potter –, senhor eu me esqueci... do fogo... eles avançaram para mim e entrei em pânico...

– Muito compreensível – murmurou Dumbledore. O garoto alarmou-se ao ouvir a voz do professor tão fraca.

Eles tocaram na margem com uma batidinha, e Harry saltou, voltando-se ligeiro para ajudar Dumbledore. No momento em que chegou à margem, o bruxo baixou a mão da varinha; o anel de fogo desapareceu, mas os mortos-vivos não tornaram a emergir da água. O barquinho afundou no lago mais uma vez; se entrechocando, a corrente metálica também deslizou para dentro do lago. Dumbledore deu um grande suspiro e encostou-se à parede da caverna.

– Estou fraco...

— Não se preocupe, senhor — disse Harry imediatamente, ansioso com a extrema palidez do professor e seu ar de exaustão. — Não se preocupe, levarei nós dois de volta... se apoie em mim, senhor...

E, puxando o braço bom de Dumbledore por cima dos ombros, Harry guiou o diretor pela margem do lago, carregando grande parte do seu peso.

— A proteção foi... afinal... bem engendrada — disse Dumbledore baixinho. — Uma pessoa sozinha não teria conseguido... você se portou bem, muito bem, Harry...

— Não fale agora — disse Harry, apreensivo com a voz pastosa e os passos arrastados de Dumbledore —, poupe suas energias, senhor... logo estaremos fora daqui...

— O arco deverá ter se lacrado outra vez... minha faca...

— Não é preciso, eu me cortei na rocha — falou Harry com firmeza —, só me diga onde...

— Aqui...

Harry esfregou o braço arranhado na pedra: uma vez recebido o tributo de sangue, o arco reabriu-se instantaneamente. Eles atravessaram a caverna externa, e Harry ajudou Dumbledore a entrar na água gelada do mar que enchia a fenda no penhasco.

— Vai dar tudo certo, senhor — Harry repetia sem parar, mais preocupado com o silêncio de Dumbledore do que estivera com a fraqueza de sua voz. — Estamos quase chegando... Posso Aparatar com o senhor para voltarmos... não se preocupe...

— Não estou preocupado, Harry — disse Dumbledore, sua voz um pouco mais forte apesar da frieza da água. — Estou com você.

27

A TORRE
ATINGIDA
PELO RAIO

De volta à noite estrelada, Harry carregou Dumbledore para cima do pedregulho mais próximo e ajudou-o a ficar de pé. Encharcado e trêmulo, ainda sustentando o peso de Dumbledore, Harry se concentrou como nunca fizera antes em sua destinação: Hogsmeade. Fechando os olhos e apertando, com toda a força, o braço de Dumbledore, ele mergulhou naquela sensação de horrível compressão.

O garoto percebeu que dera certo antes de abrir os olhos: o cheiro de sal e brisa marinha haviam desaparecido. Ele e Dumbledore estavam tremendo e pingando água no meio da escura rua principal de Hogsmeade. Por um terrível momento, sua imaginação lhe mostrou mais Inferi que surgiam dos lados das lojas e se arrastavam em sua direção, mas ele piscou e viu que nada se movia; tudo estava quieto, a escuridão era total, exceto por uns poucos lampiões e janelas iluminadas no primeiro andar.

— Conseguimos, professor! — sussurrou Harry com dificuldade; ele percebeu, de repente, que sentia uma pontada ardida no peito. — Conseguimos! Encontramos a Horcrux!

Dumbledore vacilou de encontro a Harry. Por um momento, o garoto pensou que sua Aparatação amadora tivesse desequilibrado o professor; então viu o rosto de Dumbledore, mais pálido e úmido que nunca, à luz distante do lampião de rua.

— Senhor, o senhor está bem?

— Já estive melhor — respondeu Dumbledore com a voz sumida, embora os cantos de sua boca tentassem sorrir. — Aquela poção não era uma bebida saudável...

E, para horror de Harry, o professor caiu ao chão.

— Senhor... tudo o.k., senhor, o senhor vai ficar bom, não se preocupe...

Ele olhou em volta, desesperado, procurando ajuda, mas não havia ninguém à vista, e só conseguia pensar que, de alguma maneira, tinha de levar Dumbledore, depressa, para a ala hospitalar.

— Precisamos levar o senhor para a escola, senhor... Madame Pomfrey...
— Não — contestou Dumbledore. — É... do professor Snape que preciso... mas acho que não... posso ir muito longe no momento...
— Certo... senhor, escute... vou bater em uma porta, encontrar um lugar em que possa ficar... e então correr para buscar Madame...
— Severo — repetiu Dumbledore claramente. — Preciso do Severo...
— Muito bem, então, Snape... mas vou ter de abandonar o senhor um momento para poder...

Antes, porém, que Harry pudesse fazer qualquer movimento, ele ouviu os passos de alguém correndo. Seu coração pulou: alguém vira, alguém sabia que eles precisavam de ajuda; e, ao olhar à sua volta, viu Madame Rosmerta correndo pela rua escura em sua direção, usando sandálias altas de pelúcia e um roupão bordado com dragões.

— Vi vocês aparatarem quando estava fechando as cortinas do quarto! Graças a Deus, graças a Deus, não podia imaginar o que... mas que aconteceu com o Alvo?

Ela parou de repente, ofegando, e encarou Dumbledore de olhos arregalados.

— Ele está passando mal — disse Harry. — Madame Rosmerta, será que ele pode ficar no Três Vassouras enquanto vou até a escola buscar ajuda?

— Você não pode ir lá sozinho! Você não percebe... você não viu?

— Se a senhora me ajudar a carregá-lo — falou Harry, sem ouvi-la —, acho que podemos levá-lo para dentro...

— Que aconteceu? — perguntou Dumbledore. — Rosmerta, que está havendo?

— A... a Marca Negra, Alvo.

E ela apontou para o céu, em direção a Hogwarts. Harry foi tomado de pavor ao ouvir essas palavras... ele se virou e olhou.

Lá estava no céu sobre a escola: o crânio verde chamejante com uma língua de cobra, a marca deixada pelos Comensais da Morte sempre que entravam em um prédio... sempre que matavam...

— Quando foi que apareceu? — perguntou o diretor, e sua mão se fechou dolorosamente no ombro de Harry na tentativa de se pôr de pé.

— Deve ter sido há poucos minutos, não estava lá quando pus o gato para fora, mas quando cheguei ao primeiro andar...

— Precisamos voltar ao castelo imediatamente. Rosmerta. — E, embora oscilasse um pouco, Dumbledore parecia estar em pleno comando da situação. — Precisamos de transporte... vassouras...

— Tenho umas duas atrás do bar — respondeu a bruxa, parecendo muito assustada. — Quer que eu vá buscar...?

— Não, Harry pode fazer isso.

Harry ergueu a varinha na mesma hora.

— *Accio vassouras de Rosmerta.*

Um segundo depois, ele ouviu um forte estampido, e a porta do bar se escancarou; duas vassouras voaram para a rua, apostando corrida para chegar ao lado de Harry, onde pararam de chofre, estremecendo, à altura de sua cintura.

— Rosmerta, por favor, mande uma mensagem ao Ministério — disse Dumbledore, montando a vassoura mais próxima. — Pode ser que ninguém em Hogwarts tenha percebido que há um problema... Harry, ponha a sua Capa da Invisibilidade.

Harry tirou a capa do bolso e atirou-a sobre o corpo antes de montar sua vassoura; Madame Rosmerta já estava voltando com passinhos vacilantes para o seu bar quando Harry e Dumbledore deram impulso no chão e levantaram voo. Enquanto voavam, velozes, para o castelo, Harry olhava de esguelha para o professor, pronto a agarrá-lo se caísse, mas a visão da Marca Negra tivera efeito estimulante em Dumbledore: ele estava curvado sobre a vassoura, os olhos fixos na Marca, seus longos cabelos e barba prateados esvoaçando às suas costas, à brisa noturna. E Harry, também, olhava para a caveira à frente, e o medo crescia dentro dele como uma bolha venenosa, comprimindo seus pulmões, varrendo qualquer outro desconforto de sua mente...

Quanto tempo haviam passado fora? Será que a sorte de Rony, Hermione e Gina, a esta altura, já teria acabado? Teria sido um deles a razão da Marca ter surgido na escola, ou Neville ou Luna, ou outro membro da AD? E, se fosse... ele é quem pedira a eles para patrulharem os corredores, quem pedira para deixarem a segurança de suas camas... seria novamente responsável pela morte de um amigo?

Quando sobrevoaram a estrada escura e serpeante que tinham descido a pé mais cedo, Harry ouviu, acima do assovio do ar noturno, os murmúrios de Dumbledore em uma língua desconhecida. Achou que entendia a razão daquilo, pois sentiu a vassoura vibrar um momento quando transpuseram os muros da propriedade: Dumbledore estava desfazendo os encantamentos que ele mesmo lançara em torno do castelo para que pudessem entrar. A Marca Negra brilhava imediatamente acima da Torre de Astronomia, a mais alta do castelo. Será que isto significava que a morte ocorrera ali?

Dumbledore já cruzara as ameias da torre, e estava desmontando; Harry pousou ao lado dele, segundos depois, e olhou para os lados.

As ameias estavam desertas. A porta para a escada espiral que levava ao castelo estava fechada. Não havia sinal de conflito, de combate mortal, de cadáver.

— Que significa isso? — perguntou Harry a Dumbledore, erguendo os olhos para a caveira verde com língua de serpente, refulgindo malignamente no alto. — É a Marca verdadeira? Alguém foi mesmo... professor?

À fraca claridade verde da Marca, Harry viu Dumbledore apertar o peito com a mão escura.

— Vá acordar Snape — disse ele com a voz fraca, mas clara. — Conte-lhe o que aconteceu e traga-o aqui. Não faça mais nada, não fale com mais ninguém e não tire a sua capa. Esperarei aqui.

— Mas...

— Você jurou me obedecer, Harry, vá!

Harry correu para a porta que abria para a escada espiral, mas, assim que sua mão tocou no anel de ferro da porta, ouviu gente correndo do outro lado. Ele olhou para Dumbledore, que lhe fez sinal para recuar. Harry se afastou, puxando ao mesmo tempo a varinha.

A porta se escancarou e alguém irrompeu por ela gritando:

— Expelliarmus!

O corpo de Harry se tornou instantaneamente rígido e imóvel, e ele se sentiu tombar contra a parede da Torre, escorado como uma estátua instável, incapaz de se mexer ou falar. Não conseguiu entender como acontecera, Expelliarmus não era um Feitiço Paralisante...

Então, à luz da Marca, ele viu a varinha de Dumbledore traçar um arco por cima das ameias e compreendeu... Dumbledore o imobilizara silenciosamente, e o segundo que levara para lançar o feitiço lhe custara a chance de se defender.

Encostado nas ameias, com o rosto muito branco, Dumbledore, ainda assim, não mostrava sinal de pânico ou aflição. Simplesmente olhou para quem o desarmara e disse:

— Boa noite, Draco.

Malfoy adiantou-se, olhando rapidamente ao redor para verificar se ele e o diretor estavam a sós. Seus olhos bateram na segunda vassoura.

— Quem mais está aqui?

— Uma pergunta que eu poderia fazer a você. Ou está agindo sozinho?

Harry viu os olhos claros de Malfoy se voltarem para Dumbledore, à claridade esverdeada da Marca Negra.

— Não — respondeu ele. — Tenho apoio. Há Comensais da Morte em sua escola esta noite.

— Bom, bom — comentou Dumbledore, como se Malfoy estivesse lhe mostrando um trabalho escolar ambicioso. — De fato muito bom. Você encontrou um meio de trazê-los para dentro, foi?

— Foi — replicou Malfoy ofegante. — Bem debaixo do seu nariz, e o senhor nem percebeu!

— Engenhoso. Contudo... me perdoe... onde estão eles? Você parece indefeso.

— Eles encontraram uma parte de sua guarda. Estão lutando lá embaixo. Não vão demorar... eu vim na frente. Tenho... tenho uma tarefa a fazer.

— Bem, então, não deve se deter, faça-a, meu caro rapaz — disse Dumbledore baixinho.

Fez-se silêncio. Harry continuava preso em seu corpo invisível e paralisado, observando os dois, apurando os ouvidos para os ruídos da luta distante que travavam os Comensais da Morte e, diante dele, Draco Malfoy só fazia olhar para Alvo Dumbledore que, inacreditavelmente, sorria.

— Draco, Draco, você não é um assassino.

— Como é que o senhor sabe? — replicou Draco prontamente.

Ele deve ter percebido como suas palavras soaram infantis; Harry viu-o corar à claridade verde da Marca.

— O senhor não sabe do que sou capaz — disse o garoto, com mais firmeza —, o senhor não sabe o que eu fiz!

— Ah, sei, sim — respondeu o diretor brandamente. — Você quase matou Katie Bell e Rony Weasley. Você tem tentado, com crescente desespero, me matar o ano todo. Perdoe-me, Draco, mas suas tentativas têm sido ineficazes... tão ineficazes, para ser sincero, que me pergunto se, no fundo, você realmente queria...

— Queria sim! — confirmou Malfoy com veemência. — Estive trabalhando nisso o ano todo, e hoje à noite...

De algum ponto nas profundezas do castelo, Harry ouviu um grito abafado. Malfoy se enrijeceu e espiou por cima do ombro.

— Alguém está resistindo com valentia — comentou Dumbledore em tom de conversa. — Mas você ia dizendo... sim, que conseguiu introduzir Comensais da Morte em minha escola, o que, admito, pensei que fosse impossível... como fez isso?

Mas Malfoy não respondeu: ainda tentava escutar o que estava acontecendo no andar de baixo, e parecia quase tão paralisado quanto Harry.

— Talvez você devesse continuar a tarefa sozinho — sugeriu Dumbledore.
— E se o seu apoio tiver sido rechaçado pela minha guarda? Como você talvez tenha percebido, há membros da Ordem da Fênix aqui hoje à noite, também. E, afinal, você não precisa realmente de ajuda... não tenho varinha no momento... não posso me defender.

Malfoy apenas olhava o diretor.

— Entendo — disse Dumbledore bondosamente, quando viu que Malfoy não se mexia nem falava. — Você tem medo de agir até que eles cheguem.

— Não tenho medo! — vociferou Malfoy, embora não fizesse movimento para atacar Dumbledore. — O senhor é quem deveria estar com medo!

— Mas por quê? Acho que você não vai me matar, Draco. Matar não é tão fácil quanto creem os inocentes... portanto, enquanto esperamos por seus amigos, me conte... como foi que você os trouxe clandestinamente para dentro? Parece que levou muito tempo para descobrir um meio de fazer isso.

Malfoy parecia estar reprimindo o impulso de gritar ou de vomitar. Engoliu em seco e inspirou profundamente várias vezes com o olhar fixo em Dumbledore, sua varinha apontando diretamente para o coração do diretor. Então, como se não conseguisse se conter, ele respondeu:

— Tive de consertar aquele Armário Sumidouro que ninguém usa há anos. Aquele em que Montague sumiu no ano passado.

— Aaaah.

O suspiro de Dumbledore foi quase um lamento. Ele fechou os olhos por um instante.

— Foi uma ideia inteligente... há um par, não é?

— O outro está na Borgin & Burkes — respondeu Malfoy —, e os dois formam uma passagem. Montague me contou que ficou preso no Armário de Hogwarts, suspenso no limbo, mas às vezes ele ouvia o que estava acontecendo na escola e, outras, o que estava acontecendo na loja, como se o Armário se deslocasse entre os dois pontos, mas não conseguia que ninguém o ouvisse... no fim, ele saiu aparatando, apesar de nunca ter passado no teste. Quase morreu na tentativa. Todo o mundo achou que era uma história realmente empolgante, mas eu fui o único que percebi o que significava, nem o Borgin sabia, fui o único que percebi que talvez houvesse um jeito de entrar em Hogwarts através dos Armários, se eu consertasse o que estava quebrado.

— Muito bom — murmurou Dumbledore. — Então os Comensais da Morte puderam passar da Borgin & Burkes para a escola e ajudá-lo... um plano inteligente, um plano muito inteligente... e como você diz... bem debaixo do meu nariz...

— É! — exclamou Malfoy que, bizarramente, parecia extrair coragem e consolo do elogio do diretor. — É, foi!

— Houve vezes, no entanto — continuou Dumbledore —, em que você perdeu a certeza de que conseguiria consertar o Armário, não é? E então lançou mão de recursos óbvios e mal avaliados como me mandar um colar maldito, que estava fadado a ir parar em mãos erradas... envenenar um hidromel que era pouquíssimo provável eu beber...

— É, mas, nem assim o senhor descobriu quem estava por trás disso, não é? — debochou Malfoy, enquanto Dumbledore escorregava um pouco pelas ameias, aparentemente perdendo as forças nas pernas, e Harry lutava sem sucesso, mudamente, contra o feitiço que o prendia.

— Na verdade, descobri. Eu tinha certeza de que era você.

— Por que não me deteve, então? — quis saber Malfoy.

— Tentei, Draco. O professor Snape tem vigiado você por ordens minhas...

— Ele não estava obedecendo às *suas* ordens, ele prometeu a minha mãe...

— Naturalmente isto é o que ele lhe diria, Draco, mas...

— Ele é um agente duplo, seu velho idiota, ele não está trabalhando para o senhor, o senhor é que pensa que está!

— Devemos concordar em discordar nesse ponto, Draco. Acontece que eu confio no professor Snape...

— Bem, então o senhor não está mais entendendo nem controlando nada! — desdenhou mais uma vez Malfoy. — Ele tem me oferecido muita ajuda... querendo toda a glória para ele... querendo um pouco de ação... "Que é que você anda fazendo? Mandou aquele colar, que idiotice, poderia ter estragado tudo..." Mas não contei a ele o que estive fazendo na Sala Precisa, ele vai acordar amanhã e tudo estará acabado, e ele não será mais o favorito do Lorde das Trevas, ele não será nada comparado a mim, nada!

— Muito gratificante — comentou Dumbledore brandamente. — Todos gostamos de receber aplausos pelos nossos esforços, é mais do que natural... mas você deve ter tido um cúmplice... alguém em Hogsmeade que pôde passar para Katie o... o... aaaah...

Dumbledore fechou outra vez os olhos e cabeceou como se estivesse prestes a cochilar.

— ... naturalmente... Rosmerta. Há quanto tempo ela está dominada pela Maldição Imperius?

— Enfim percebeu, não é? — caçoou Malfoy.

Ouviu-se um segundo grito vindo do andar de baixo, mais alto do que o anterior. Malfoy olhou mais uma vez, nervosamente, por cima do ombro e, em seguida, para Dumbledore, que continuou:

— Então a pobre Rosmerta foi forçada a se esconder no próprio banheiro e passar o colar para a primeira estudante de Hogwarts que entrou lá desacompanhada? E o hidromel envenenado... bem, naturalmente Rosmerta pôde envenená-lo para você antes de mandar a garrafa para Slughorn, acreditando que seria o meu presente de Natal... sim, muito esperto... muito esperto... o coitado do sr. Filch não pensaria, é claro, em verificar uma garrafa do hidromel de Rosmerta... mas, diga-me, como esteve se comunicando com a Rosmerta? Pensei que tínhamos todos os meios de comunicação de saída e entrada da escola monitorados.

— Moedas encantadas — respondeu Malfoy, como se sentisse uma compulsão de continuar falando, embora a mão com que segurava a varinha tremesse muito. — Fiquei com uma e ela com a outra e, assim, pude lhe mandar mensagens...

— Não foi esse o método secreto de comunicação que o grupo que se intitulava Armada de Dumbledore usou no ano passado? — indagou Dumbledore. Sua voz era descontraída e informal, mas Harry o viu escorregar mais uns dois centímetros pela parede enquanto falava.

— É, copiei a ideia deles — disse Malfoy, com um sorriso enviesado. — Tirei também a ideia de envenenar o hidromel da Sangue Ruim da Granger, ouvi quando ela disse na biblioteca que o Filch não era capaz de reconhecer poções...

— Por favor, não use essa palavra ofensiva na minha presença — pediu Dumbledore.

Malfoy deu uma gargalhada desagradável.

— O senhor ainda se incomoda que eu esteja dizendo "Sangue Ruim" quando estou prestes a matá-lo?

— Incomodo-me. — Harry viu os pés do diretor deslizarem ligeiramente pelo chão e ele tentar se manter de pé. — Quanto a estar prestes a me matar, Draco, você já teve longos minutos. Estamos sozinhos. Estou mais indefeso do que você poderia ter sonhado em me encontrar e, ainda assim, você não me matou...

Malfoy torceu a boca involuntariamente, como se tivesse provado alguma coisa muito amarga.

— Agora, quanto a esta noite — continuou Dumbledore —, estou um pouco intrigado como tudo aconteceu... você sabia que eu tinha saído da escola?

Mas, é claro – ele respondeu à própria pergunta –, Rosmerta me viu saindo, avisou-o usando suas engenhosas moedas, com certeza...

– Isto mesmo. Ela me disse que o senhor ia beber alguma coisa, que voltaria...

– Bem, sem dúvida eu bebi alguma coisa... e de certa maneira... voltei...

– murmurou Dumbledore. – Então, você decidiu montar uma armadilha para mim?

– Decidimos colocar a Marca Negra sobre a Torre e fazer o senhor voltar correndo para cá, para ver quem tinha sido morto. E deu certo!

– Bem... sim e não... Mas eu devo entender, então, que ninguém foi morto?

– Alguém morreu – respondeu Malfoy, e sua voz pareceu subir uma oitava. – Um dos seus... não sei quem, estava escuro... passei por cima do corpo... eu devia estar esperando aqui em cima quando o senhor voltasse, só que aquela sua Fênix se meteu no caminho...

– Elas fazem isso – confirmou Dumbledore.

Ouviu-se um estampido e gritos embaixo, mais altos que antes; parecia que as pessoas estavam lutando na escada de acesso ao lugar em que se encontravam Dumbledore, Malfoy e Harry, e o coração de Harry reboou inaudivelmente em seu peito invisível... alguém fora morto... Malfoy passara por cima do corpo... mas quem seria?

– De qualquer maneira, temos pouco tempo – disse Dumbledore. – Então vamos discutir as suas opções, Draco.

– *Minhas* opções! – exclamou Malfoy alto. – Estou aqui com uma varinha... prestes a matar o senhor...

– Meu caro rapaz, vamos parar de fingir. Se você fosse me matar, teria feito isso quando me desarmou, não teria parado para conversarmos amenamente sobre meios e modos.

– Não tenho opções! – respondeu Malfoy, e subitamente ficou tão pálido quanto Dumbledore. – Tenho de fazer isto. Ele me matará! Ele matará minha família toda!

– Eu avalio a dificuldade de sua posição. Por que pensa que não o confrontei antes? Porque eu sabia que você seria morto se Lorde Voldemort percebesse que eu suspeitava de você.

Malfoy fez uma careta ao ouvir aquele nome.

– Não me atrevi a falar antes sobre a missão que lhe fora confiada, prevendo que ele talvez usasse a Legilimência contra você – continuou Dumbledore. – Agora, finalmente, podemos falar às claras... não houve mal algum, você não feriu ninguém, embora tenha tido muita sorte que suas vítimas impremeditadas sobrevivessem... posso ajudá-lo, Draco.

— Não, não pode. — A mão de Malfoy que empunhava a varinha tremia muito fortemente. — Ninguém pode. Ele me mandou fazer isso ou me matará. Não tenho escolha.

— Venha para o lado certo, Draco, e podemos escondê-lo mais completamente do que pode imaginar. E, mais, posso mandar membros da Ordem à sua mãe hoje à noite, e escondê-la também. Seu pai no momento está seguro em Azkaban... quando chegar a hora posso protegê-lo também... venha para o lado certo, Draco... você não é assassino...

Malfoy arregalou os olhos para Dumbledore.

— Mas cheguei até aqui, não? — disse ele lentamente. — Acharam que eu morreria na tentativa, mas estou aqui... e o senhor está em meu poder... sou eu que empunho a varinha... sua vida depende da minha piedade...

— Não, Draco — respondeu Dumbledore baixinho. — É a minha piedade, e não a sua, que importa agora...

Malfoy não respondeu. Estava boquiaberto, a mão da varinha continuava a tremer. Harry achou que a vira baixar um nada...

Mas, de repente, passos atroaram escada acima e, um segundo depois, Malfoy foi empurrado para longe quando quatro pessoas de vestes pretas irromperam pela porta em direção às ameias. Ainda paralisado, assistindo sem piscar, Harry encarou com terror os quatro estranhos: pelo visto, os Comensais da Morte tinham vencido a luta lá embaixo.

Um homem pesadão, com um estranho sorriso enviesado e malicioso, deu uma risadinha asmática.

— Dumbledore encurralado! — exclamou ele, virando-se para uma mulherzinha atarracada que parecia ser sua irmã e ria ansiosa. — Dumbledore sem varinha, Dumbledore sozinho! Parabéns, Draco, parabéns!

— Boa noite, Amico — cumprimentou Dumbledore calmamente, como se lhe desse as boas-vindas ao seu chá festivo. — E trouxe Aleto também... que gentileza...

A mulher deu uma risadinha zangada.

— Então acha que suas gracinhas vão ajudá-lo no leito de morte? — zombou ela.

— Gracinhas? Não, não, são boas maneiras — respondeu Dumbledore.

— Liquide logo — disse o estranho parado mais próximo de Harry, um homem magro e comprido com espessos cabelos e costeletas grisalhos, cujas vestes pretas de Comensal da Morte pareciam desconfortavelmente apertadas. Tinha uma voz que Harry jamais ouvira igual: um latido rouco. O garoto sentiu nele um forte cheiro de terra, suor e, sem dúvida, sangue. Suas mãos imundas tinham longas unhas amarelas.

— É você, Lobo? — perguntou Dumbledore.

— Acertou — respondeu o outro, rouco. — Feliz em me ver, Dumbledore?

— Não, não posso dizer que esteja...

Fenrir Lobo Greyback riu, mostrando dentes pontiagudos. Um filete de sangue escorria pelo seu queixo, e ele lambeu os lábios, lenta e obscenamente.

— Você sabe como gosto de criancinhas, Dumbledore.

— Devo entender que você agora anda atacando, mesmo fora da lua cheia? Que insólito... você criou um gosto por carne humana que não pode ser satisfeito uma vez por mês?

— Acertou — disse Greyback. — Choca você isto, não, Dumbledore? Assusta você?

— Bem, não posso fingir que não me desgoste um pouco. E, sim, estou um pouco chocado que o Draco, aqui, convidasse logo você a vir a uma escola onde seus amigos vivem...

— Não convidei — sussurrou Malfoy. Ele não estava olhando para Greyback; parecia nem querer olhar para o lobisomem. — Eu não sabia que ele vinha...

— Eu não iria querer perder uma viagem a Hogwarts, Dumbledore — respondeu roucamente o lobisomem. — Não quando há gargantas a estraçalhar... uma delícia, uma delícia...

E Lobo ergueu uma de suas unhas amarelas e palitou os dentes da frente, olhando, malicioso, para Dumbledore.

— Eu poderia estraçalhar você de sobremesa...

— Não — interrompeu-o o quarto Comensal da Morte rispidamente. Tinha uma cara sombria e bruta. — Temos as nossas ordens. Draco é quem tem de fazer isso. Agora, Draco, e rápido.

Malfoy demonstrava menos determinação que nunca. Parecia aterrorizado ao encarar o rosto de Dumbledore, agora ainda mais pálido e mais baixo do que o normal, porque deslizara bastante pela parede da ameia.

— Ele não vai demorar muito neste mundo, se quer saber! — comentou o homem do sorriso enviesado, acompanhado pelas risadinhas asmáticas da irmã. — Olhem só para ele, que aconteceu com você, Dumby?

— Ah, menor resistência, reflexos mais lentos, Amigo — respondeu Dumbledore. — Em suma, velhice... um dia, talvez, lhe aconteça o mesmo... se você tiver sorte...

— Que está querendo dizer, que está querendo dizer? — berrou o Comensal da Morte, repentinamente violento. — Sempre o mesmo, não é, Dumby, fala, fala e não faz nada. Nem sei por que o Lorde das Trevas está se preocupando em matar você! Vamos, Draco, mate de uma vez!

Mas naquele momento ouviram-se de novo ruídos de luta lá embaixo, e uma voz gritou: "*Eles bloquearam a escada... Reducto! REDUCTO!*"

O coração de Harry deu um salto: então esses quatro não tinham eliminado toda a oposição, tinham apenas aberto caminho até o alto da Torre entre os grupos que lutavam, e, pelos ruídos, criado uma barreira às suas costas...

— Agora, Draco, rápido! — falou encolerizado o homem de cara brutal.

Mas a mão de Malfoy tremia tanto, que ele mal conseguia fazer pontaria.

— Eu farei isso — rosnou Greyback, andando em direção a Dumbledore com as mãos estendidas e os dentes à mostra.

— Eu disse não! — berrou o homem de cara bruta; houve um lampejo, e o lobisomem foi afastado com violência; ele bateu nas ameias e cambaleou, enfurecido. O coração de Harry batia com tanta força que parecia impossível que ninguém o ouvisse parado ali, aprisionado pelo feitiço de Dumbledore... se ao menos pudesse se mexer, poderia lançar um feitiço por baixo da capa.

— Draco, mate-o ou se afaste, para um de nós... — guinchou a mulher, mas naquele exato momento a porta para as ameias se escancarou mais uma vez e surgiu Snape, de varinha na mão, seus olhos pretos apreendendo a cena, de Dumbledore apoiado na parede aos quatro Comensais da Morte, incluindo o lobisomem enfurecido e Malfoy.

— Temos um problema, Snape — disse o corpulento Amico, cujos olhos e varinha estavam igualmente fixos em Dumbledore —, o menino não parece capaz...

Mas outra voz chamara Snape pelo nome, baixinho.

— Severo...

O som assustou Harry mais que qualquer coisa naquela noite. Pela primeira vez, Dumbledore estava suplicando.

Snape não respondeu, adiantou-se e tirou Malfoy do caminho com um empurrão. Os três Comensais da Morte recuaram calados. Até o lobisomem pareceu se encolher.

Snape fitou Dumbledore por um momento, e havia repugnância e ódio gravados nas linhas duras do seu rosto.

— Severo... por favor...

Snape ergueu a varinha e apontou diretamente para Dumbledore.

— *Avada Kedavra!*

Um jorro de luz verde disparou da ponta de sua varinha e atingiu Dumbledore no meio do peito. O grito de horror de Harry jamais saiu; silencioso e paralisado, ele foi obrigado a presenciar Dumbledore explodir no ar: por uma fração de segundo, ele pareceu pairar suspenso sob a caveira brilhante e, em seguida, foi caindo lentamente de costas, como uma grande boneca de trapos, por cima das ameias, e desapareceu de vista.

28

A FUGA DO PRÍNCIPE

H arry teve a sensação de que ele também estava sendo arremessado pelo espaço; *não tinha acontecido... não podia ter acontecido...*
— Fora daqui, rápido — disse Snape.

Ele agarrou Malfoy pelo cangote e forçou-o a sair pela porta, à frente dos outros; Greyback e os irmãos atarracados os seguiram, os dois ofegando agitados. Quando eles desapareceram pela porta, Harry percebeu que recuperara os movimentos; o que o mantinha agora paralisado contra a parede não era magia, mas choque e horror. Arrancou a Capa da Invisibilidade na hora em que o Comensal da Morte de cara bruta, o último a deixar o alto da Torre, ia sumindo pela porta.

— *Petrificus Totalus!*

O Comensal da Morte se dobrou como se tivesse sido atingido por algo sólido e caiu no chão, rígido como uma estátua de cera, mas mal acabara de bater no chão e Harry já passava por cima dele e descia correndo a escada escura.

O terror assaltava Harry... tinha de chegar a Dumbledore e tinha de pegar Snape... por alguma razão, as duas coisas estavam ligadas... poderia reverter o que acontecera se pudesse juntar os dois... Dumbledore não podia ter morrido...

Ele saltou os dez últimos degraus da escada espiral e parou onde aterrissara, a varinha em punho: o corredor mal iluminado estava cheio de poeira; metade do teto parecia ter cedido e, à sua frente, travava-se uma batalha violenta. Enquanto ele tentava distinguir quem enfrentava quem, ouviu a voz que odiava gritar: "*Acabou, hora de partir!*", e viu Snape virar no fim do corredor; ele e Malfoy pareciam ter aberto caminho entre os combatentes e escapado ilesos. Quando Harry se atirou no encalço deles, um dos bruxos se destacou do conflito e avançou para ele; era o lobisomem Greyback. Derrubou Harry antes que ele pudesse erguer a varinha: o garoto caiu de costas, sentindo os cabelos imundos no rosto, o fedor de suor, e o sangue na boca e no nariz, um bafo quente e voraz em seu pescoço...

— *Petrificus Totalus!*

Harry sentiu Greyback desmontar em cima dele; com um esforço descomunal, ele empurrou o lobisomem no chão na hora em que um jorro de luz verde veio em sua direção; ele desviou-se e mergulhou no meio dos combatentes. Seus pés bateram em alguma coisa mole e escorregadia no chão, e ele perdeu o equilíbrio: havia dois corpos caídos ali, de cara para baixo, em uma poça de sangue, mas não havia tempo para investigar. Harry viu uma cabeleira vermelha agitando-se como línguas de fogo à sua frente. Gina lutava contra o Comensal da Morte pesadão, Amico, que lançava feitiço sobre feitiço contra a garota, que se desviava; o bruxo ria, sentindo prazer no esporte:

— *Crucio... Crucio...* você não pode dançar para sempre, lindinha...

— *Impedimenta!* — berrou Harry.

Seu feitiço atingiu Amico no peito. Ele soltou um guincho porcino de dor ao ser arrebatado e arremessado contra a parede oposta, de onde deslizou para o chão e desapareceu atrás de Rony, da professora McGonagall e Lupin, cada qual enfrentando um Comensal da Morte; mais além, Harry viu Tonks dando combate a um enorme bruxo louro que lançava feitiços em todas as direções, fazendo-os ricochetear nas paredes em volta, rachar pedra e estilhaçar a janela mais próxima...

— Harry, de onde é que você veio? — gritou Gina, mas não havia tempo para responder. O garoto baixou a cabeça e prosseguiu disparado pelo corredor, escapando por um triz de algo que explodiu acima de sua cabeça, fazendo chover cacos de parede sobre todos. Snape não podia escapar, ele tinha de pegar Snape...

— *Isto é para você!* — gritou a professora McGonagall, e Harry viu de relance a mulher Comensal da Morte, Aleto, fugindo pelo corredor com os braços sobre a cabeça, o irmão em seus calcanhares. Harry disparou atrás dos dois, mas seu pé prendeu em alguma coisa e, no momento seguinte, ele estava caído sobre as pernas de alguém. Olhando para os lados, identificou o rosto pálido e redondo de Neville chapado no chão.

— Neville, você está...?

— Tô bem — murmurou ele, apertando a barriga. — Harry... Snape e Malfoy... passaram correndo...

— Eu sei, estou sabendo! — respondeu Harry no chão, mirando um feitiço no Comensal da Morte responsável por grande parte do caos. Atingido no rosto, o homem soltou um uivo de dor; virou-se, cambaleou e, então, bateu em retirada atrás de Amico e Aleto.

Harry se ergueu do chão e tornou a desembestar pelo corredor, sem dar atenção aos estampidos às suas costas, aos chamados dos outros para que voltasse e ao grito mudo dos vultos caídos, cujo destino ele ainda desconhecia...

Derrapou na curva, seus tênis sujos de sangue escorregavam; Snape levava uma enorme dianteira – era possível que já tivesse entrado no Armário na Sala Precisa, ou será que a Ordem tomara providências para fechá-lo e impedir que os Comensais da Morte se retirassem por ali? Harry não ouvia nada, exceto as batidas dos próprios pés correndo, do próprio coração ribombando enquanto acelerava pelo corredor seguinte, deserto. Então, ele viu marcas de sangue no chão indicando que pelo menos um dos Comensais da Morte fugitivos rumava para as portas de entrada – talvez a Sala Precisa estivesse, de fato, bloqueada...

Harry entrou derrapando por outro corredor, e um feitiço passou voando; ele mergulhou atrás de uma armadura que explodiu; viu, então, os irmãos Comensais que desciam correndo a escadaria de mármore e disparou feitiços contra os dois, mas atingiu apenas várias bruxas de peruca, em um quadro do patamar, que fugiram aos guinchos para os quadros vizinhos; quando transpunha os destroços da armadura, Harry ouviu mais gritos; outras pessoas no castelo pareciam ter acordado...

Lançou-se por um atalho, na esperança de ultrapassar os irmãos e alcançar Snape e Malfoy, que, àquela altura, certamente já teriam chegado aos jardins; lembrando-se de saltar o degrau que sumia na metade da escada secreta, ele irrompeu pela tapeçaria que havia embaixo e saiu em um corredor onde estavam parados vários alunos da Lufa-Lufa de pijama, desnorteados.

– Harry! Ouvimos um barulho, e alguém mencionou a Marca Negra... – começou Ernesto Macmillan.

– Sai do caminho! – berrou Harry, empurrando dois garotos e correndo em direção ao patamar e ao último lance da escadaria de mármore. As portas de carvalho na entrada tinham sido arrombadas; havia manchas de sangue no chão, e vários estudantes aterrorizados se encolhiam às paredes, uns dois deles cobriam o rosto com os braços; a enorme ampulheta da Grifinória fora atingida por um feitiço, e os rubis que continha ainda caíam, produzindo um ruído seco no piso lajeado...

Harry voou pelo Saguão de Entrada e saiu para os jardins escuros: mal conseguia divisar três vultos que corriam pelo gramado em direção aos portões, onde poderiam Aparatar – pelo jeito, o enorme Comensal da Morte louro e, mais à frente, Snape e Malfoy...

Harry sentiu o ar frio da noite dilacerar seus pulmões quando disparou atrás deles; ele viu um lampejo ao longe que momentaneamente recortou a silhueta dos fugitivos; apesar de não saber o que seria, continuou a correr, ainda não se aproximara o suficiente para fazer pontaria...

Outro lampejo, gritos, jorros de luz em resposta, e Harry entendeu: Hagrid saíra de sua cabana e estava tentando deter os Comensais da Morte em fuga e, embora cada hausto parecesse rasgar seus pulmões e a pontada em seu peito ardesse como uma labareda, Harry acelerou enquanto uma voz em sua cabeça dizia: *Hagrid não... Hagrid também não...*

Alguma coisa atingiu Harry, com força, nos rins, e ele caiu; seu rosto bateu no chão, o sangue espirrou das narinas: concluiu, mesmo enquanto se virava, com a varinha em punho, que os irmãos que ele ultrapassara ao pegar o atalho se aproximavam às suas costas...

– *Impedimenta!* – berrou ele, tornando a se virar, agachando-se rente ao chão escuro e, milagrosamente, seu feitiço atingiu um deles, que cambaleou e caiu, derrubando o outro; Harry ergueu-se de um salto e continuou a correr atrás de Snape...

E, à claridade da lua crescente que surgiu inesperadamente por trás das nuvens, ele viu a vasta silhueta de Hagrid; o Comensal da Morte louro alvejava-o com sucessivos feitiços, mas a imensa força de Hagrid e a pele dura que herdara da mãe giganta pareciam protegê-lo; Snape e Malfoy, no entanto, continuavam a correr; logo estariam fora dos portões, e poderiam Aparatar...

Harry passou, desembalado, por Hagrid e seu oponente, mirou nas costas de Snape e berrou:

– *Estupefaça!*

Errou; o jorro de luz vermelha passou ao largo da cabeça de Snape; o professor gritou: "*Corra, Draco!*", e virou-se; a uns dezoito metros de distância, ele e Harry se encararam antes de erguer simultaneamente as varinhas.

– *Cruc...*

Snape, porém, aparou o feitiço, derrubando Harry para trás antes que ele pudesse completar a maldição. O garoto rolou para um lado e tornou a se levantar na hora em que o enorme Comensal às suas costas berrou: "*Incêndio!*"; Harry ouviu uma forte explosão e uma luz laranja se derramou sobre todos: a casa de Hagrid estava pegando fogo.

– Canino está preso lá dentro, seu maligno...! – urrou Hagrid.

— Cruc... — berrou Harry pela segunda vez, mirando no vulto iluminado à luz das chamas, mas Snape tornou a bloquear o feitiço; Harry podia ver seu sorriso desdenhoso.

— Suas Maldições Imperdoáveis não me atingem, Potter! — gritou ele, sobrepondo-se ao ruído das chamas, aos gritos de Hagrid e aos ganidos alucinados de Canino. — Você não tem a coragem nem a habilidade...

— Incarc... — urrou Harry, mas Snape desviou o feitiço com um gesto quase indolente.

— Revide — gritou Harry. — Revide, seu covarde...

— Você me chamou de covarde, Potter? — gritou Snape. — Seu pai nunca me atacava, a não ser que fossem quatro contra um, que nome você daria a ele?

— Stupe...

— Bloqueado outra vez e outra e mais outra, até você aprender a manter a boca e a mente fechadas, Potter! — debochou Snape, desviando mais uma vez o feitiço. — Agora, venha! — gritou o professor para o Comensal da Morte às costas de Harry. — Está na hora de ir, antes que o Ministério apareça.

— Impedi...

Antes, porém, que Harry pudesse terminar o feitiço, sentiu uma dor excruciante; tombou no gramado, alguém estava gritando, ele certamente morreria de tormento, Snape ia torturá-lo até morrer ou enlouquecer...

— Não! — urrou Snape, e a dor parou tão subitamente quanto começara; Harry ficou enroscado no gramado escuro, apertando a varinha ofegante; em algum lugar no alto, Snape gritava: — Você esqueceu as suas ordens? Potter pertence ao Lorde das Trevas... temos de deixá-lo! Vá! Vá!

E Harry sentiu o chão estremecer sob seu rosto quando os irmãos e o enorme Comensal em obediência correram para os portões. O garoto soltou um grito inarticulado de raiva: naquele instante, não se importava se ia viver ou morrer; pondo-se em pé com esforço, ele cambaleou às cegas em direção a Snape, o homem que agora ele odiava tanto quanto odiava o próprio Voldemort...

— Sectum...

Snape acenou com a varinha, e o feitiço foi de novo repelido; mas Harry agora estava a poucos passos, e finalmente podia ver com clareza o rosto de Snape: ele já não ria desdenhoso nem caçoava; as labaredas mostravam um rosto enfurecido. Reunindo todo o seu poder de concentração, Harry pensou *Levi*...

— Não, Potter! — gritou Snape. Houve um forte estampido e Harry voou para trás, tornando a bater duramente no chão e, desta vez, a varinha escapou-lhe da mão. Ele ouvia os gritos de Hagrid e os uivos de Canino, quando Snape se aproximou e contemplou-o ali caído, sem varinha, indefeso como Dumbledore estivera. O rosto pálido do professor, iluminado pela cabana em chamas, estava impregnado de ódio, tal como estivera pouco antes de amaldiçoar Dumbledore.

– Você se atreve a usar os meus feitiços contra mim, Potter? Fui eu quem os inventei: eu, o Príncipe Mestiço! E você viraria as minhas invenções contra mim, como o nojento do seu pai, não é? Eu acho que não... não!

Harry mergulhara para recuperar a varinha; Snape lançou um feitiço na varinha, que voou longe, no escuro, e desapareceu de vista.

– Me mate, então – ofegou Harry, que não sentia o menor medo, apenas raiva e desdém. – Me mate como matou ele, seu covarde...

– NÃO... – gritou Snape, e seu rosto ficou inesperadamente desvairado, desumano, como se sentisse tanta dor quanto o cão que gania e uivava preso na casa incendiada às suas costas – ... ME CHAME DE COVARDE!

E ele golpeou o ar: Harry sentiu uma espécie de chicotada em brasa atingi-lo no rosto e foi atirado de costas no chão. Manchas luminosas explodiram diante de seus olhos e, por um momento, todo o ar pareceu ter fugido do seu corpo, então, ele ouviu um farfalhar de asas no ar e uma coisa enorme obscureceu as estrelas: Bicuço mergulhara contra Snape, que cambaleou para trás ao ser atacado por garras afiadíssimas. Enquanto Harry procurava sentar, a cabeça atordoada pelo último impacto contra o chão, ele viu Snape a toda velocidade, o enorme animal perseguindo-o, aos gritos, como Harry jamais o vira gritar...

O garoto levantou-se com dificuldade, procurando, às tontas, a varinha, na esperança de prosseguir em sua caçada, mas, mesmo enquanto apalpava a grama, catando gravetos, percebeu que seria tarde demais; de fato, até conseguir localizar a varinha e se virar, ele viu apenas o hipogrifo circulando sobre os portões. Snape conseguira Aparatar fora dos limites da escola.

– Hagrid – murmurou Harry, ainda atordoado, olhando para os lados. – HAGRID?

Ele cambaleava em direção à casa em chamas quando um enorme vulto emergiu da cabana, carregando Canino às costas. Com um grito de agradecimento, Harry caiu de joelhos; todos os seus membros tremiam, seu corpo doía inteiro, e sua respiração provocava pontadas dolorosas.

– Você tá bem, Harry? Você tá bem? Fala comigo, Harry...

O enorme rosto peludo de Hagrid pairava acima de Harry, escondendo as estrelas. O garoto sentia o cheiro de madeira e pelo de cachorro queimados; ele esticou a mão e tocou o corpo quente e vivo de Canino, agitando-se ao lado dele.

— Estou bem — ofegou Harry. — E você?

— Claro que estou... precisa mais do que isso para me liquidar.

Hagrid enfiou as mãos por baixo dos braços de Harry e ergueu-o com tal força que os pés do garoto abandonaram momentaneamente o chão, enquanto o gigante o punha de pé. Harry viu o sangue escorrendo pelo rosto do amigo, o corte profundo embaixo de um olho que inchava rapidamente.

— Devíamos apagar o incêndio em sua casa — disse Harry —, o feitiço é *Aguamenti*...

— Eu sabia que era alguma coisa assim — murmurou Hagrid, e erguendo um fumegante guarda-chuva rosa florido ordenou: — *Aguamenti*!

Um jorro de água saiu da ponta do guarda-chuva. Harry ergueu o braço da varinha que parecia de chumbo e também murmurou: "*Aguamenti*"; juntos, ele e Hagrid despejaram água na casa até que a última chama se extinguisse.

— Não tá muito ruim — comentou Hagrid esperançoso alguns minutos depois, olhando para o rescaldo fumegante. — Nada que Dumbledore não possa consertar...

Harry sentiu uma dor lancinante no estômago ao som desse nome. No silêncio e quietude, o horror despertou em seu íntimo.

— Hagrid...

— Eu estava enfaixando as pernas de uns tronquilhos, quando ouvi os Comensais vindo — disse Hagrid triste, ainda contemplando a cabana destruída. — Devem ter queimado os gravetos, os coitadinhos...

— Hagrid...

— Mas que aconteceu, Harry? Vi os Comensais da Morte descerem correndo do castelo, mas que diabos o Snape estava fazendo no meio deles? Aonde é que ele foi?... Estava perseguindo eles?

— Ele... — Harry pigarreou; a garganta seca com o pânico e a fumaça. — Hagrid, ele matou...

— Matou?! — exclamou Hagrid em voz alta, encarando Harry. — Snape matou? Do que você está falando, Harry?

— Dumbledore. Snape matou... Dumbledore.

Hagrid ficou olhando para ele, o pouco do seu rosto à mostra manifestava total incompreensão.

— Dumbledore o quê, Harry?

— Está morto. Snape o matou...

— Não diz isso — censurou-o Hagrid com rispidez. — Snape matar Dumbledore... não seja idiota, Harry. De onde tirou essa ideia?
— Vi acontecer.
— Não pode ter visto.
— Vi, Hagrid.

Hagrid sacudiu a cabeça; em seu rosto havia uma expressão incrédula mas simpática, e Harry percebeu que o amigo pensava que ele tivesse levado uma pancada na cabeça, que estivesse atordoado, talvez com sequelas de um feitiço...

— O que deve ter acontecido foi que Dumbledore deve ter mandado Snape acompanhar os Comensais da Morte — explicou Hagrid confiante.
— Imagino que ele precise manter o disfarce. Olhe, vamos levar você de volta à escola. Venha, Harry...

O garoto não tentou discutir nem explicar. Ainda tremia descontroladamente. Cedo Hagrid descobriria, cedo demais... Quando caminhavam para o castelo, Harry observou que agora havia luz em muitas janelas: podia imaginar nitidamente as cenas quando as pessoas fossem, de um aposento a outro, contar que os Comensais da Morte tinham entrado, que a Marca brilhava sobre Hogwarts, que alguém devia ter sido morto...

À frente, as portas de carvalho estavam abertas, inundando de luz a estrada e o gramado. Insegura e lentamente, pessoas vestidas com roupões desciam os degraus da entrada, procurando, nervosas, sinal dos Comensais da Morte que tinham se embrenhado na noite. Os olhos de Harry, porém, estavam fixos no gramado ao pé da torre mais alta. Imaginou ver caída ali uma massa escura, embora estivesse realmente muito longe para enxergar alguma coisa. Mesmo enquanto olhava em silêncio o lugar onde supunha que o corpo de Dumbledore estivesse, ele viu gente começando a se deslocar para lá.

— Que é que todos estão olhando? — perguntou Hagrid, quando os dois se aproximaram da fachada do castelo, Canino colado aos seus calcanhares.
— Que é aquilo caído no gramado? — perguntou Hagrid bruscamente, rumando para a Torre de Astronomia, onde ia se formando um pequeno ajuntamento. — Está vendo, Harry? Bem no pé da Torre? Embaixo do lugar onde a Marca... caramba... você acha que alguém foi atirado...?

Hagrid se calou, o pensamento parecia terrível demais para ser expresso em voz alta. Harry caminhava ao seu lado, sentindo o desconforto e as dores no rosto e nas pernas onde fora atingido por feitiços, na última meia hora, embora de um modo estranhamente neutro, como se outro alguém próximo a ele os sentisse. Real e inelutável era a sensação terrível que comprimia o seu peito...

Ele e Hagrid atravessaram, como em sonho, a multidão que murmurava até bem à frente, onde estudantes e professores estarrecidos tinham deixado uma clareira.

Harry ouviu o lamento de dor e surpresa de Hagrid, mas não parou; continuou a avançar até chegar onde Dumbledore jazia, e se agachou ao seu lado.

O garoto percebera que não havia esperança no instante em que o Feitiço do Corpo Preso que Dumbledore lançara sobre ele cessara; percebera que aquilo só poderia ter acontecido porque quem lançara o feitiço estava morto; contudo, ainda não tinha se preparado para vê-lo ali, de braços e pernas abertos, quebrado: o maior bruxo que Harry conhecera ou jamais conheceria.

Os olhos de Dumbledore estavam fechados; exceto pelo estranho ângulo dos braços e pernas, ele poderia estar dormindo. Harry estendeu a mão, acertou os oclinhos de meia-lua no nariz torto do diretor e limpou um filete de sangue de sua boca, com a manga das próprias vestes. Então, contemplou o rosto velho e sábio, e tentou absorver a enorme e incompreensível verdade: nunca mais Dumbledore falaria com ele, nunca mais poderia ajudar...

A multidão murmurava às costas de Harry. Decorrido o que lhe pareceu um longo tempo, ele tomou consciência de que estava ajoelhado em cima de algo duro, e olhou para baixo.

O medalhão que tinham conseguido roubar, havia tantas horas, caíra do bolso de Dumbledore e abrira-se, talvez em consequência da força com que batera no chão. E, embora Harry não pudesse sentir maior choque, horror ou tristeza do que já sentia, ele percebeu, ao apanhá-lo, que alguma coisa estava errada...

Revirou o medalhão nas mãos. Não era tão grande quanto o que vira na Penseira, nem tinha marcas distintivas, nenhum sinal do S caprichoso que supostamente era a insígnia de Slytherin. Além disso, não havia nada dentro a não ser um pedaço de pergaminho dobrado e encaixado à força onde devia haver um retrato.

Com um gesto automático, sem realmente pensar no que fazia, Harry tirou o fragmento de pergaminho, abriu-o e leu-o à luz das muitas varinhas agora acesas atrás:

Ao Lorde das Trevas
Sei que há muito estarei morto quando ler isto,
mas quero que saiba que fui eu quem descobriu o seu segredo.
Roubei a Horcrux verdadeira e pretendo destruí-la assim que puder.
Enfrento a morte na esperança de que, quando você encontrar um adversário à altura,
terá se tornado outra vez mortal.
R.A.B.

Harry não sabia o que significava aquela mensagem nem se importava com isso. Uma única coisa importava: aquilo não era uma Horcrux. Dumbledore se enfraquecera bebendo a terrível poção para nada. Harry amassou o pergaminho na mão e as lágrimas queimaram seus olhos no momento em que, às suas costas, Canino começava a uivar.

29

O LAMENTO DA FÊNIX

— Vem cá, Harry...
— Não.
— Você não pode ficar aí, Harry... agora vem...
— Não.
Ele não queria sair do lado de Dumbledore, não queria ir a lugar nenhum. A mão de Hagrid em seu ombro tremia. Então, outra voz disse:
— Harry, vamos.
Uma mão menor e mais quente envolvera a dele e puxava-o para cima. Ele cedeu à pressão, sem realmente pensar. Somente quando estava atravessando, às cegas, o aglomerado de pessoas percebeu, por um leve perfume floral no ar, que era Gina quem o levava de volta ao castelo. Vozes incompreensíveis o bombardearam, soluços, gritos e lamentos perfuraram a noite, mas Harry e Gina seguiram andando, subiram os degraus de pedra para o saguão: rostos flutuavam na periferia da visão de Harry, pessoas o espiavam, sussurrando, se questionando, e os rubis da Grifinória cintilavam no chão como gotas de sangue quando se dirigiram à escadaria de mármore.
— Vamos à ala hospitalar.
— Não estou ferido — respondeu Harry.
— São ordens da McGonagall — argumentou Gina. — Todos estão lá, Rony, Hermione, Lupin, todo o mundo...
O medo tornou a se agitar no peito de Harry; esquecera-se dos vultos inertes que deixara para trás.
— Gina, quem mais morreu?
— Não se preocupe, não foi nenhum dos nossos.
— Mas a Marca Negra... Malfoy disse que passou por cima de um corpo...
— Passou por cima de Gui, mas tudo bem, ele está vivo.

Havia, no entanto, alguma coisa na voz dela que Harry identificou como um mau agouro.

— Você tem certeza?

— Claro que tenho... ele está meio... meio avariado, é só. Greyback o atacou. Madame Pomfrey diz que ele não será mais o mesmo... — A voz de Gina tremeu um pouquinho. — Não sabemos realmente quais serão as sequelas... quero dizer, Greyback é um lobisomem, mas na hora estava sob forma humana.

— Mas os outros... vi outros corpos no chão...

— Neville está na ala hospitalar, mas Madame Pomfrey acha que vai se recuperar totalmente, e o professor Flitwick foi nocauteado, mas está bem, só um pouco abalado. Ele insistiu em sair para cuidar do pessoal da Corvinal. E há um Comensal morto, foi atingido por uma Maldição da Morte que o louro grandalhão estava lançando para todo lado... Harry, se não tivéssemos a sua Felix Felicis, acho que teríamos sido mortos, mas tudo parecia se desviar de nós...

Tinham chegado à ala hospitalar, quando empurraram as portas, Harry viu Neville deitado, aparentemente adormecido, em uma cama próxima. Rony, Hermione, Luna, Tonks e Lupin estavam agrupados em torno de outra cama, no extremo oposto da enfermaria. Ao ouvirem as portas se abrindo, todos se viraram. Hermione correu para Harry e abraçou-o; Lupin se adiantou também, ansioso.

— Você está bem, Harry?

— Estou ótimo... e o Gui?

Ninguém respondeu. Harry olhou por cima do ombro de Hermione e viu um rosto irreconhecível no travesseiro de Gui, tão cortado e despedaçado que parecia grotesco. Madame Pomfrey aplicava em seus ferimentos um unguento verde de cheiro acre. Harry lembrou-se de Snape fechando com simples acenos de varinha os ferimentos produzidos pelo *Sectumsempra* em Malfoy.

— A senhora não pode fechar os ferimentos com um feitiço ou outra coisa qualquer? — perguntou Harry à enfermeira.

— Não tem feitiço que dê resultado. Já experimentei tudo que sei, mas não há cura para mordidas de lobisomem.

— Mas ele não foi mordido na lua cheia — lembrou Rony, que fixava o rosto do irmão, como se pudesse forçar a cura só de olhar. — Greyback não estava transformado, então, com certeza, Gui não vai virar um... um verdadeiro...?

O garoto olhou inseguro para Lupin.

— Não, não acho que Gui vá virar um lobisomem de verdade — concordou Lupin —, mas isto não significa que não haja alguma contaminação. São ferimentos malditos. Provavelmente não cicatrizarão totalmente... e Gui talvez adquira alguma característica lupina daqui para a frente.

— Dumbledore talvez saiba alguma coisa que dê jeito — falou Rony. — Cadê ele? Gui lutou contra aqueles maníacos por ordem dele. Dumbledore tem obrigações para com ele, não pode deixar meu irmão assim...

— Rony... Dumbledore está morto — disse Gina.

— Não! — Lupin olhou desvairado de Gina para Harry, como se esperasse que o garoto a desmentisse, mas ao ver que Harry não o fez, Lupin desmontou em uma cadeira ao lado da cama de Gui, as mãos cobrindo o rosto. Harry nunca vira Lupin se descontrolar; teve a sensação de estar invadindo algo privado, indecente; ele virou a cabeça e deparou com Rony, com quem trocou um olhar silencioso que confirmava o que Gina acabara de dizer.

— Como foi que ele morreu? — sussurrou Tonks. — Como foi que aconteceu?

— Snape o matou — respondeu Harry. — Eu estava lá e vi. Voltamos direto para a Torre de Astronomia porque vimos a Marca lá... Dumbledore estava mal, fraco, mas acho que percebeu que era uma armadilha quando ouviu passos rápidos subindo a escada. Ele me imobilizou, não pude fazer nada, estava coberto pela Capa da Invisibilidade... então, Malfoy entrou e desarmou Dumbledore...

Hermione levou as mãos à boca, e Rony gemeu. A boca de Luna tremeu.

— ... chegaram mais Comensais da Morte... depois Snape... e Snape o matou. A Avada Kedavra. — Harry não conseguiu prosseguir.

Madame Pomfrey caiu no choro. Ninguém lhe deu atenção a não ser Gina, que sussurrou:

— Psiu! Escute!

Engolindo em seco, Madame Pomfrey apertou a boca com os dedos, olhos arregalados. Em algum lugar lá fora, na escuridão, uma fênix cantava de um jeito que Harry jamais ouvira: um lamento comovido de terrível beleza. E ele sentiu, como antes sentira ao ouvir o canto da fênix, que a música vinha de dentro e não de fora dele: era o seu próprio pesar que se transformava magicamente em canto, ecoava pelos jardins e entrava pelas janelas do castelo.

Quanto tempo ficaram ali escutando, ele não sabia, nem por que o som do próprio luto parecia aliviar um pouco sua dor, mas pareceu ter decorrido um longo tempo até a porta do hospital se abrir e a professora McGonagall entrar. Como os demais, ela apresentava marcas da batalha recente: tinha arranhões no rosto e as vestes rasgadas.

— Molly e Arthur estão a caminho — anunciou ela, e o encanto da música se quebrou: todos despertaram como se saíssem de um transe, tornaram a se virar para Gui, ou então esfregaram os olhos, ou sacudiram a cabeça.

— Harry, que aconteceu? Segundo Hagrid, você estava com o professor Dumbledore quando ele... quando aconteceu. Ele diz que o professor Snape esteve envolvido em alguma...

— Snape matou Dumbledore — respondeu Harry.

Ela o encarou por um momento, então seu corpo balançou de modo alarmante; Madame Pomfrey, que parecia ter se controlado, acorreu depressa, e, do nada, conjurou uma cadeira que empurrou para baixo de McGonagall.

— Snape — repetiu McGonagall com um fio de voz, desabando na cadeira. — Todos nos perguntávamos... mas ele confiava... sempre... *Snape*... não consigo acreditar...

— Snape era um Oclumente excepcionalmente talentoso — comentou Lupin, sua voz anormalmente áspera. — Sempre soubemos disso.

— Mas Dumbledore jurou que ele estava do nosso lado! — sussurrou Tonks. — Sempre pensei que Dumbledore soubesse alguma coisa de Snape que ignorávamos...

— Ele sempre insinuou que tinha uma razão inabalável para confiar em Snape — murmurou a professora McGonagall, agora secando as lágrimas nos cantos dos olhos com um lenço debruado em tecido escocês. — Quero dizer... com o passado de Snape... é claro que as pessoas duvidavam... mas Dumbledore me confirmou, de modo explícito, que o arrependimento de Snape era absolutamente sincero... não queria ouvir uma palavra contra ele.

— Eu adoraria saber o que Snape disse para convencê-lo — comentou Tonks.

— Eu sei — disse Harry, e todos se viraram, encarando-o. — Snape passou a Voldemort a informação que fez Voldemort caçar meus pais. Então, Snape disse a Dumbledore que não tinha consciência do que estava fazendo, que lamentava realmente o que tinha feito, lamentava que eles tivessem morrido.

— E Dumbledore acreditou nisso? — perguntou Lupin incrédulo. — Acreditou que Snape lamentava a morte de Tiago? Snape *odiava* Tiago...

— E achava que minha mãe também não valia nada porque tinha nascido trouxa... "Sangue Ruim", foi como a chamou...

Ninguém perguntou como Harry sabia disso. Todos pareciam estar absortos no horror da revelação, tentando digerir a verdade monstruosa do que acontecera.

— É tudo minha culpa — disse subitamente a professora McGonagall. Ela parecia desorientada, torcia o lenço molhado nas mãos. — Minha culpa. Mandei Filio chamar Snape esta noite, mandei buscá-lo para vir nos ajudar! Se eu não tivesse alertado Snape para o que estava acontecendo, talvez ele nunca tivesse se reunido aos Comensais da Morte. Acho que ele não sabia que estavam na escola até Filio lhe contar, acho que Snape não sabia que eles vinham.

— Não é sua culpa, Minerva — disse Lupin com firmeza. — Todos queríamos mais ajuda, ficamos contentes quando soubemos que Snape estava a caminho...

— Então, quando chegou ao lugar do confronto, ele se passou para o lado dos Comensais da Morte? — perguntou Harry, que queria saber cada detalhe da duplicidade e infâmia de Snape, reunindo febrilmente mais razões para odiá-lo, para lhe jurar vingança.

— Não sei exatamente como aconteceu — disse a professora McGonagall perturbada. — É tudo tão confuso... Dumbledore tinha nos dito que ia se ausentar da escola por algumas horas e que devíamos patrulhar os corredores só por precaução... Remo, Gui e Ninfadora viriam se reunir a nós... então patrulhamos. Tudo parecia tranquilo. Todas as passagens secretas para fora da escola estavam vigiadas. Sabíamos que ninguém poderia entrar pelo ar. Havia poderosos encantamentos sobre cada entrada do castelo. Continuo sem saber como é possível que os Comensais da Morte tenham entrado...

— Eu sei — interpôs Harry, e explicou brevemente a existência do par de Armários Sumidouros e a passagem mágica que formavam. — Eles entraram pela Sala Precisa.

Quase involuntariamente, ele olhou para Rony e Hermione, que pareciam arrasados.

— Meti os pés pelas mãos, Harry — disse Rony sombriamente. — Fizemos o que você pediu: consultamos o Mapa do Maroto e não vimos o Malfoy, e pensamos que devia estar na Sala Precisa, então eu, Gina e Neville fomos montar guarda... mas Malfoy conseguiu passar por nós.

— Ele saiu da Sala mais ou menos uma hora depois que começamos a vigiar — acrescentou Gina. — Estava sozinho, segurando aquele horrível braço seco...

— A Mão da Glória — explicou Rony. — Só o portador enxerga, lembram?

— De qualquer forma — continuou Gina —, ele devia estar conferindo se a barra estava limpa para deixar os Comensais saírem, porque, no momento em que nos viu, ele lançou alguma coisa no ar e ficou tudo escuro como breu... — Pó Escurecedor Instantâneo do Peru — esclareceu Rony, com amargura.

— Do Fred e do Jorge. Vou ter uma conversinha com eles a respeito das pessoas que eles deixam comprar os produtos da loja.

— Tentamos tudo: Lumus, Incêndio — explicou Gina. — Nada penetrou a escuridão; só nos restou sair tateando pelo corredor, enquanto ouvíamos gente passar correndo por nós. É óbvio que Malfoy estava enxergando por causa da tal Mão da Glória, e orientou os Comensais, mas não nos atrevemos a lançar feitiços nem nada, com medo de atingirmos a nós mesmos, e até chegarmos a um corredor iluminado, eles já tinham ido embora.

— Sorte a de vocês — disse Lupin rouco. — Rony, Gina e Neville toparam conosco quase em seguida e nos contaram o que tinha acontecido. Encontramos os Comensais da Morte minutos depois, a caminho da Torre de Astronomia. É óbvio que Malfoy não esperava que houvesse mais gente vigiando; pelo jeito, tinha esgotado o suprimento de Pó Escurecedor. Lutamos, eles se dispersaram e nós os perseguimos. Um deles, Gibbon, escapou e subiu a escada da Torre...

— Para lançar a Marca? — perguntou Harry.

— Deve ter feito isso, sim, eles devem ter combinado antes de deixarem a Sala Precisa — disse Lupin. — Mas acho que Gibbon não gostou da ideia de esperar lá em cima por Dumbledore, sozinho, porque voltou correndo para se juntar aos que estavam lutando e foi atingido por uma Maldição da Morte, que por pouco não me atingiu também.

— Então, enquanto Rony estava vigiando a Sala Precisa com Gina e Neville — perguntou Harry, virando-se para Hermione —, você estava...?

— Na porta do escritório de Snape — sussurrou Hermione, com os olhos cintilantes de lágrimas —, com Luna. Ficamos lá um tempão, e nada... não sabíamos o que estava acontecendo lá em cima, Rony tinha levado o Mapa do Maroto... já era quase meia-noite quando o professor Flitwick desceu correndo para as masmorras. Gritava que havia Comensais da Morte no castelo, acho que nem registrou que Luna e eu estávamos ali, adentrou o escritório de Snape e nós o ouvimos dizer ao professor que precisava acompanhá-lo para ir ajudar, então ouvimos um baque forte e Snape saiu disparado da sala e nos viu e... e...

— E aí? — instou Harry.

— Fui tão idiota, Harry! — lamentou Hermione num sussurro agudo. — Ele disse que o professor Flitwick tinha desmaiado e que devíamos cuidar dele, enquanto ele... enquanto ele ia ajudar a combater os Comensais da Morte... A garota cobriu o rosto, envergonhada, e continuou a falar por trás dos dedos, o que abafou sua voz.

— Entramos no escritório para ver se podíamos ajudar o professor Flitwick e o encontramos inconsciente no chão... e, ah, é tão óbvio agora, Snape deve ter estupefeito Flitwick, mas não percebemos, Harry, não percebemos, deixamos o Snape escapar!

— Não é sua culpa — disse Lupin com firmeza. — Hermione, se você não tivesse obedecido e saído do caminho, Snape provavelmente teria matado você e Luna.

— Então ele subiu — continuou Harry, que visualizava Snape correndo pela escadaria de mármore acima, suas vestes pretas esvoaçando às costas como sempre, puxando a varinha debaixo da capa enquanto subia — e encontrou o lugar onde todos lutavam...

— Estávamos num apuro, estávamos perdendo — disse Tonks em voz baixa. — Gibbon estava fora de combate, mas os outros Comensais pareciam dispostos a lutar até a morte. Neville tinha sido atingido, Gui, atacado ferozmente pelo Greyback... estava tudo escuro... voavam feitiços para todo lado... o garoto Malfoy desaparecera, devia ter saído despercebido e subido para a Torre... então outros Comensais correram para acompanhá-lo, mas um deles bloqueou a escada depois de passar com algum feitiço... Neville avançou para a escada e foi atirado no ar...

— Nenhum de nós conseguiu passar — disse Rony —, e aquele Comensal grandalhão continuava a disparar feitiços para todo lado, que ricocheteavam nas paredes e por um triz não nos atingiam...

— Então, Snape estava ali — completou Tonks — e em seguida não estava...

— Vi quando vinha correndo em nossa direção, mas logo depois o feitiço daquele enorme Comensal passou por mim, sem me atingir, me abaixei e perdi a noção do que estava acontecendo — contou Gina.

— Vi Snape atravessar correndo a barreira mágica como se ela não existisse — disse Lupin. — Tentei segui-lo, mas fui jogado para trás exatamente como Neville...

— Ele devia conhecer um feitiço que desconhecíamos — sussurrou McGonagall. — Afinal de contas... ele era o professor de Defesa Contra as Artes das

Trevas... presumi que estivesse correndo no encalço dos Comensais da Morte que tinham fugido para o alto da Torre.

— E estava — falou Harry com selvageria —, mas para ajudar, não para deter os Comensais... e aposto como era preciso ter uma Marca Negra para atravessar aquela barreira... então que aconteceu quando ele voltou?

— Bem, o Comensal grandalhão tinha acabado de disparar um feitiço que fez metade do teto ceder, e também desfez o feitiço que bloqueava a escada — relembrou Lupin. — Todos avançamos, pelo menos os que ainda estavam de pé, então Snape e o garoto saíram do meio da poeira, obviamente nenhum de nós os atacou...

— Simplesmente os deixamos passar — disse Tonks, quase inaudivelmente —, pensamos que estavam sendo perseguidos pelos Comensais, e, no momento seguinte, os outros Comensais e Greyback estavam voltando e recomeçando a lutar, pensei ter ouvido Snape dizer alguma coisa, mas não entendi...

— Ele gritou "Acabou" — disse Harry. — Tinha feito o que pretendia.

Todos se calaram. O lamento de Fawkes ainda ecoava pela propriedade às escuras. E, enquanto a música ressoava no ar, pensamentos involuntários, indesejáveis, invadiram, sorrateiros, a mente de Harry... será que já tinham retirado o corpo de Dumbledore do pé da Torre? Que será que aconteceria ao corpo em seguida? Onde será que repousaria? Ele apertou as mãos nos bolsos com força. Sentiu a pequenez fria da falsa Horcrux contra as juntas de sua mão direita.

As portas da ala hospitalar se abriram de repente, sobressaltando a todos: o sr. e a sra. Weasley vinham entrando pela enfermaria, Fleur logo atrás, seu belo rosto aterrorizado.

— Molly... Arthur... — disse a professora McGonagall, levantando-se, depressa, para cumprimentá-los. — Lamento muito...

— Gui — sussurrou a sra. Weasley, passando direto pela professora ao avistar o rosto desfigurado do filho. — Ah, Gui!

Lupin e Tonks tinham se levantado, ligeiros, e se afastaram para o casal poder se aproximar da cama. A sra. Weasley curvou-se para o filho e levou os lábios à testa dele.

— Você disse que Greyback o atacou? — perguntou o sr. Weasley, aflito, à professora McGonagall. — Mas não estava transformado? Então, que significa isso? Que acontecerá ao Gui?

— Ainda não sabemos — respondeu a professora, olhando desamparada para Lupin.

— É provável que haja certa contaminação, Arthur — explicou Lupin. — É um caso raro, provavelmente único... não sabemos qual será o comportamento dele quando acordar...

A sra. Weasley tirou o unguento de cheiro acre das mãos de Madame Pomfrey e começou a aplicá-lo nos ferimentos de Gui.

— E Dumbledore... — disse o sr. Weasley. — Minerva, é verdade... ele realmente...?

Quando a professora McGonagall confirmou, Harry sentiu um movimento de Gina ao seu lado e se virou. Os olhos da garota ligeiramente apertados estavam fixos em Fleur, que olhava Gui com uma expressão atemorizada no rosto.

— Dumbledore se foi — sussurrou o sr. Weasley, mas sua mulher só tinha olhos para o filho mais velho; ela começou a soluçar, as lágrimas caindo no rosto mutilado de Gui.

— É claro que a aparência não conta... não é r... realmente importante... mas ele era um g... garotinho tão bonito... e ia se... se casar!

— E qu é qu a senhorr querr dizerr com isse? — perguntou Fleur, repentinamente, em alto e bom som. — Qu querr dizerr com "el *ia* se casarr"?

A sra. Weasley ergueu o rosto manchado de lágrimas, parecendo espantada.

— Bem... só que...

— A senhorra ache qu Gui vai desistirr de casarr comigue? — quis saber Fleur. — A senhorra ache qu porr côse desses morrdides, el non vai me amarr?

— Não, não foi o que eu...

— Porrqu ele vai! — afirmou Fleur, empertigando-se e jogando seus longos cabelos prateados para trás. — Serrá prrecise mais qu um lobisome para fazerr Gui deixarrr de me amarr!

— Bem, claro, tenho certeza — respondeu a sra. Weasley —, mas pensei que talvez... visto que... que ele...

— A senhorr pensô qu eu non ia querrerr casarr com el'? U err' esse a su esperrance? — desafiou Fleur, com as narinas tremendo. — Qu me imporrte a aparênce del? Ache qu sou bastante bonite porr nós dois! Todes esses marrcas mostrram qu me marride é corrajose! E eu é qu vou fazerr isse! — acrescentou com ferocidade, empurrando a sra. Weasley para o lado e arrebatando o unguento das mãos dela.

A sra. Weasley recuou para junto do marido e ficou observando Fleur tratar dos ferimentos de Gui, com uma expressão muito curiosa no rosto.

Ninguém disse nada. Harry nem sequer ousou se mexer. Como os demais, ficou aguardando a explosão.

— Nossa tia-avó Muriel — disse a sra. Weasley após um longo silêncio... — tem uma linda tiara, feita pelos duendes... e estou segura que posso convencê-la a lhe emprestar para o casamento. Ela gosta muito do Gui, entende, e a tiara ficaria muito bonita em seus cabelos.

— Muite obrrigade — respondeu Fleur formalmente. — Tan certez de qu ficarrá bonite!

E então — Harry não viu direito como aconteceu — as duas mulheres estavam chorando e se abraçando. Completamente desnorteado, pensando que o mundo enlouquecera, o garoto se virou. Rony manifestava tanto aturdimento quanto o que Harry sentia, e Gina e Hermione trocavam olhares chocados.

— Está vendo! — exclamou uma voz cansada. Tonks olhava aborrecida para Lupin. — Ela ainda quer casar com Gui, mesmo que ele tenha sido mordido! Ela não se incomoda!

— É diferente — respondeu Lupin, quase sem mover os lábios, parecendo subitamente tenso. — Gui não será um lobisomem típico. Os casos são completamente diferentes...

— Mas eu também não me incomodo, nem um pouco! — retrucou Tonks, agarrando Lupin pela frente das vestes e sacudindo-o. — Já lhe disse isso um milhão de vezes...

E o significado da alteração no Patrono de Tonks e seus cabelos sem cor, e a razão por que viera correndo procurar Dumbledore quando ouvira falar que alguém fora atacado por Greyback, tudo se tornou repentinamente claro para Harry; afinal não tinha sido por Sirius que Tonks se apaixonara...

— E eu já disse a *você* um milhão de vezes — respondeu Lupin evitando os olhos dela, encarando o chão — que sou velho demais para você... pobre demais... perigoso demais...

— E tenho lhe dito o tempo todo que a sua atitude é ridícula, Remo — interpôs a sra. Weasley por cima do ombro de Fleur, em quem dava palmadinhas carinhosas.

— Não estou sendo ridículo — respondeu Lupin com firmeza. — Tonks merece alguém jovem e saudável.

— Mas ela quer *você* — interpôs o sr. Weasley com um sorrisinho. — Afinal de contas, Remo, os homens jovens e saudáveis não permanecem sempre assim. — Ele fez um gesto triste para o filho, deitado entre eles.

— Este não... não é o momento para discutir o assunto — replicou Lupin, evitando os olhares de todos e olhando, aflito, para os lados. — Dumbledore está morto...

— Dumbledore teria se sentido o mais feliz dos homens em pensar que havia um pouco mais de amor no mundo — disse secamente a professora McGonagall, no momento em que as portas da enfermaria tornaram a se abrir e Hagrid entrou.

A pequena parte de seu rosto que não estava sombreada por cabelos ou barba estava molhada e inchada; o pranto o sacudia, na mão trazia um enorme lenço manchado.

— Fiz... fiz o que mandou, professora — disse com a voz sufocada. — Re... removi ele. A professora Sprout fez a garotada voltar para a cama. O professor Flitwick está descansando, mas diz que logo estará bem, e o professor Slughorn diz que o Ministério foi informado.

— Obrigada, Hagrid. — A professora McGonagall se levantou imediatamente e voltou sua atenção para o grupo em torno da cama de Gui. — Terei de ver o pessoal do Ministério quando chegar, Hagrid, por favor avise os diretores das Casas... Slughorn pode representar a Sonserina... de que quero vê-los sem demora no meu escritório. Gostaria que você se reunisse a nós, também.

Ao ver Hagrid assentir, dar as costas e sair da enfermaria arrastando os pés, ela olhou para Harry.

— Antes de me reunir com o Ministério, eu gostaria de dar uma palavrinha rápida com você, Harry. Se quiser me acompanhar...

Harry se ergueu, murmurou um "vejo vocês daqui a pouco" para Rony, Hermione e Gina, e saiu da enfermaria com a professora McGonagall. Os corredores estavam desertos, e o único som era o distante canto da fênix. Passaram-se vários minutos até Harry tomar consciência de que não estavam seguindo para o escritório da professora McGonagall, mas para o de Dumbledore, e mais alguns segundos até ele se lembrar que, claro, ela era subdiretora... e, pelo visto, agora a diretora... portanto, a sala atrás da gárgula agora lhe pertencia...

Em silêncio, eles subiram a escada móvel em espiral e entraram no escritório redondo. Ele não sabia o que esperara: que a sala tivesse cortinas pretas, talvez, ou mesmo que o corpo de Dumbledore estivesse ali. De fato, a sala estava quase exatamente igual ao que era, quando ele e Dumbledore a deixaram apenas horas antes: os instrumentos de prata zumbiam e soltavam fumaça sobre as mesas de pernas finas, a espada de Gryffindor, em sua caixa de vidro, refulgia ao luar, o Chapéu Seletor estava na prateleira, atrás da escrivaninha. Mas o poleiro de Fawkes estava vazio; a fênix continuava a cantar o seu lamento nos jardins. E um novo retrato se reunira às fileiras de diretores e diretoras de Hogwarts já falecidos... Dumbledore dormia em uma moldura dourada sobre a escrivaninha, seus oclinhos de meia-lua encarapitados no nariz torto, parecendo em paz e despreocupado.

Depois de olhar uma vez para o retrato, a professora McGonagall fez um gesto estranho, como se estivesse se revestindo de coragem, e, em seguida, contornou a escrivaninha para olhar de frente para Harry, seu rosto tenso e enrugado.

— Harry — disse ela —, eu gostaria de saber o que você e o professor Dumbledore estiveram fazendo hoje à noite quando se ausentaram da escola.

— Não posso responder, professora. — Ele já esperava a pergunta e tinha a resposta pronta. Fora ali, naquela mesma sala, que Dumbledore lhe recomendara que não confiasse o teor de suas aulas a ninguém, exceto a Rony e Hermione.

— Harry, talvez seja importante.

— E é muito, mas ele não queria que eu contasse a ninguém.

A professora lançou-lhe um olhar penetrante.

— Potter — (Harry registrou o uso do seu sobrenome) —, à luz da morte do professor Dumbledore, acho que você deve entender que a situação mudou um pouco...

— Acho que não — respondeu Harry, encolhendo os ombros. — O professor Dumbledore nunca me disse que parasse de seguir suas ordens se ele morresse.

— Mas...

— Mas tem uma coisa que a senhora precisa saber antes que o Ministério chegue aqui. Madame Rosmerta está dominada pela Maldição Imperius, esteve ajudando Malfoy e os Comensais da Morte, foi assim que o colar e o hidromel envenenado...

— Rosmerta?! — exclamou a professora McGonagall incrédula, mas, antes que pudesse prosseguir, ouviram uma batida na porta e os professores Sprout, Flitwick e Slughorn entraram na sala, seguidos por Hagrid, que ainda chorava copiosamente, seu corpanzil sacudindo de pesar.

— Snape! — exclamou Slughorn, que parecia abaladíssimo, pálido e suado. — Snape! Fui professor dele! Pensei que o conhecia!

Antes, porém, que algum deles pudesse reagir, uma voz enérgica falou do alto da parede: um bruxo de rosto macilento e franja preta e curta acabara de regressar ao seu quadro vazio.

— Minerva, o ministro estará aqui dentro de segundos, ele acabou de desaparatar do Ministério.

— Obrigada, Everardo. — E a professora McGonagall se virou imediatamente para os professores. — "Quero falar sobre o que acontecerá com Hogwarts antes que ele chegue", disse depressa. "Pessoalmente, não estou convencida de que a escola deva reabrir no próximo ano. A morte do diretor pelas mãos de um de nossos colegas é uma mácula terrível na história de Hogwarts. É abominável."

— Tenho certeza de que Dumbledore teria querido manter a escola aberta — disse a professora Sprout. — Acho que se um único aluno quiser frequentá-la, a escola deverá estar aberta para este aluno.

— Mas será que teremos um único aluno depois disso? — perguntou Slughorn, agora secando a testa suada com um lenço de seda. — Os pais vão querer manter os filhos em casa, e não posso culpá-los. Pessoalmente, acho que não corremos maior perigo em Hogwarts do que em qualquer outro lugar, mas não se pode esperar que as mães pensem o mesmo. Vão querer manter suas famílias reunidas, o que é muito natural.

— Concordo — disse a professora McGonagall. — De qualquer forma, não é verdade que Dumbledore nunca tenha considerado uma situação em que Hogwarts pudesse fechar. Quando a Câmara Secreta reabriu, ele cogitou fechar a escola: e devo dizer que o homicídio do professor Dumbledore, para mim, é mais chocante do que a ideia do monstro de Slytherin vivendo à solta nas entranhas do castelo...

— Devemos ouvir o conselho diretor — propôs o professor Flitwick, com a sua voz fininha; tinha um grande hematoma na testa, mas, sob outros aspectos, parecia não ter sido afetado pela queda no escritório de Snape. — Precisamos seguir os procedimentos de praxe. Não se deve tomar uma decisão precipitada.

— Hagrid, você ainda não disse nada — observou a professora McGonagall. — Qual é a sua opinião, Hogwarts deve permanecer aberta?

Hagrid, que, durante a conversa, estivera chorando silenciosamente no grande lenço manchado, agora ergueu os olhos inchados e vermelhos e respondeu, rouco:

— Não sei, professora... os diretores das Casas e a diretora da escola é que devem decidir...

— O professor Dumbledore sempre prezou as suas opiniões — tornou a professora McGonagall gentilmente —, e eu também.

— Bem, eu vou continuar aqui. — Grandes lágrimas ainda vazavam pelos cantos de seus olhos e escorriam para a barba emaranhada. — É a minha casa, tem sido minha casa desde os treze anos. E se tiver garotos querendo aprender comigo, eu vou ensinar. Mas... não sei... Hogwarts sem Dumbledore...

Ele engoliu em seco e desapareceu mais uma vez por trás do lenço, e todos silenciaram.

— Muito bem — disse a professora McGonagall, espiando os jardins pela janela para ver se o ministro já vinha chegando —, então concordo com Filio que o certo será ouvir o conselho diretor, que tomará a decisão final.

"Agora, quanto a mandar os estudantes para casa... há razões em favor de antecipar em vez de adiar a partida. Poderíamos programar o Expresso de Hogwarts para amanhã se for necessário..."

— E os funerais de Dumbledore? — perguntou Harry, finalmente falando.

— Bem... — disse a professora McGonagall, perdendo um pouco de sua vivacidade ao sentir a voz tremer — eu... eu sei que era desejo de Dumbledore ser enterrado aqui, em Hogwarts...

— Então, é o que acontecerá, não? — perguntou Harry impetuosamente.

— Se o Ministério achar apropriado. Nenhum outro diretor jamais foi...

— Nenhum outro diretor jamais contribuiu tanto para esta escola — resmungou Hagrid.

— Hogwarts deveria ser a morada final de Dumbledore — disse o professor Flitwick.

— Sem a menor dúvida — concordou a professora Sprout.

— E, neste caso — argumentou Harry —, a senhora não deveria mandar os estudantes para casa até terminarem os funerais. Eles vão querer se...

A última palavra ficou presa em sua garganta, mas a professora Sprout completou a frase para ele.

— Despedir.

— Bem observado — esganiçou-se o professor Flitwick. — Realmente bem observado! Nossos estudantes deveriam prestar homenagens, seria acertado. Podemos providenciar o transporte para casa depois.

— Apoiado — bradou a professora Sprout.

— Presumo... sim... — disse Slughorn, agitado, enquanto Hagrid concordava, deixando escapar um soluço estrangulado.

— Ele está chegando — anunciou a professora McGonagall de repente, olhando para os jardins. — O ministro... e, pelo visto, trouxe uma delegação.

— Posso ir, professora? — perguntou Harry na mesma hora.

O garoto não tinha o mínimo desejo de ver Scrimgeour, ou ser interrogado por ele, essa noite.
— Pode, e vá depressa.
Ela andou até a porta e abriu-a para Harry. Ele desceu ligeiro a escada espiral e continuou pelo corredor deserto; deixara a Capa da Invisibilidade na Torre de Astronomia, mas não fazia diferença; não havia ninguém nos corredores para vê-lo passar, nem mesmo Filch, Madame Nor-r-ra ou Pirraça. Não encontrou vivalma até virar para o corredor que levava à sala comunal da Grifinória.
— É verdade? — sussurrou a Mulher Gorda quando ele se aproximou. — É realmente verdade? Dumbledore... morto?
— É.
Ela soltou um lamento e, sem esperar pela senha, girou para admiti-lo.
Tal como Harry suspeitara, a sala comunal estava lotada. E silenciou quando ele passou pelo buraco do retrato. Ele notou Dino e Simas sentados em um grupo próximo: isto significava que o dormitório devia estar vazio ou quase. Sem falar com ninguém, nem olhar diretamente para colega algum, Harry passou direto pela sala e pela porta que levava aos dormitórios dos garotos.
Conforme desejara, Rony o aguardava sentado na cama, e ainda vestido. Harry se acomodou na própria cama e, por um momento, eles apenas se encararam.
— Estão falando em fechar a escola — disse Harry.
— Lupin falou que fariam isso — comentou Rony.
Houve uma pausa.
— Então? — perguntou Rony muito baixinho, como se achasse que a mobília poderia estar ouvindo. — Vocês encontraram uma? Conseguiram pegá-la? Uma... uma Horcrux?
Harry sacudiu negativamente a cabeça. Tudo que se passara naquele lago escuro parecia agora um pesadelo muito antigo; teria mesmo acontecido, e apenas há algumas horas?
— Não conseguiram pegá-la? — Rony pareceu desconcertado. — Não estava lá?
— Não — respondeu Harry. — Alguém já tinha levado e deixado uma imitação no lugar.
— Já tinha levado...?
Em silêncio, Harry tirou o medalhão falso do bolso, abriu-o e entregou-o a Rony. A história completa poderia esperar... não tinha importância essa

noite... nada tinha importância exceto o fim, o fim de sua aventura sem sentido, o fim da vida de Dumbledore...

— R.A.B. — sussurrou Rony —, mas quem é?

— Não sei — respondeu Harry, deitando-se na cama inteiramente vestido e olhando para o teto estupidamente. Não sentia a menor curiosidade pelo tal R.A.B.; duvidava que voltasse a sentir curiosidade na vida. Deitado ali, ele percebeu subitamente que os jardins estavam silenciosos. Fawkes parara de cantar.

E ele soube, sem saber como sabia, que a fênix partira, deixara Hogwarts para sempre, da mesma forma que Dumbledore deixara a escola, deixara o mundo... deixara Harry.

30

O TÚMULO BRANCO

Todas as aulas foram suspensas, todos os exames adiados. Alguns estudantes foram retirados às pressas de Hogwarts, pelos pais, nos dois dias que se seguiram – as gêmeas Patil partiram antes do café na manhã após a morte de Dumbledore, e Zacarias Smith saiu do castelo acompanhado pelo arrogante pai. Por outro lado, Simas Finnigan recusou-se terminantemente a voltar para casa com a mãe; discutiram aos gritos no Saguão de Entrada, e só resolveram a questão quando a mãe concordou que ele ficaria para os funerais. Ela teve dificuldade em encontrar acomodação em Hogsmeade, Simas contou a Harry e Rony, porque acorriam à aldeia bruxos e bruxas, preparando-se para prestar as últimas homenagens a Dumbledore.

Houve alguma comoção entre os alunos mais jovens que nunca tinham visto aquilo, a carruagem azul-clara do tamanho de uma casa, puxada por doze enormes palominos alados, que surgiu no céu, no fim da tarde, antes dos funerais e aterrissou na orla da Floresta. Harry observou de uma janela uma mulher gigantesca e bela, de pele morena e cabelos pretos, descer os degraus da carruagem e se atirar nos braços de Hagrid, que a aguardava. Entrementes, uma delegação de funcionários do Ministério, inclusive o próprio ministro da Magia, foi acomodada no castelo. Harry evitava diligentemente o contato com qualquer de seus membros; tinha certeza de que mais cedo ou mais tarde tornariam a lhe pedir contas do último passeio de Dumbledore fora de Hogwarts.

Harry, Rony, Hermione e Gina passavam todo o tempo juntos. O tempo bonito parecia zombar deles; Harry imaginava como teria sido se Dumbledore não tivesse morrido e eles contassem com todo aquele tempo juntos no finalzinho do ano, os exames de Gina já concluídos, a pressão dos deveres escolares aliviada... e, hora a hora, ele adiava dizer o que sabia que devia dizer, fazer o que sabia que era certo fazer, porque era difícil abrir mão de sua maior fonte de consolo.

Eles visitavam a ala hospitalar duas vezes por dia: Neville recebera alta, mas Gui continuava sob os cuidados de Madame Pomfrey. As cicatrizes não indicavam melhora; na verdade, Gui agora apresentava uma nítida semelhança com Olho-Tonto Moody, embora, felizmente, tivesse os olhos e as pernas inteiras e sua personalidade continuasse o que sempre fora. O que parecia ter mudado é que agora ele passara a gostar muito de bifes malpassados.

– ... e é um sorrte que el vá se casarr comigue – disse Fleur, feliz, afofando os travesseiros de Gui –, porrque as brritanique cozinhe demás a carrne, eu semprre disse isse...

– Acho que simplesmente vou ter de aceitar que Gui vá mesmo casar com ela – suspirou Gina mais tarde naquela noite, quando ela, Harry, Rony e Hermione se sentaram ao lado da janela aberta da sala comunal da Grifinória contemplando os jardins ao crepúsculo.

– Ela não é tão ruim – comentou Harry. – Mas é feia – acrescentou depressa, quando Gina ergueu as sobrancelhas e deu uma risadinha relutante.

– Bem, suponho que se mamãe pode suportar, eu também posso.

– Morreu mais alguém que conhecemos? – perguntou Rony a Hermione, que passava os olhos no *Profeta Vespertino*.

Hermione fez uma careta ao ouvir a forçada frieza na voz dele.

– Não – respondeu em tom de censura, dobrando o jornal. – Ainda estão procurando Snape, mas nem sinal...

– Claro que não – retrucou Harry, que se irritava toda vez que tocavam neste assunto. – Não acharão Snape enquanto não acharem Voldemort, e, considerando que nunca conseguiram fazer isso até hoje...

– Vou me deitar – bocejou Gina. – Não tenho dormido bem desde... bem... estou bem precisada de um soninho.

Ela beijou Harry (Rony desviou o olhar oportunamente), fez um aceno com a mão para os outros dois e foi para o dormitório das garotas. Assim que a porta se fechou atrás dela, Hermione se curvou para Harry com uma expressão bem hermionesca no rosto.

– Harry, descobri uma coisa hoje de manhã na biblioteca...

– R.A.B.? – perguntou Harry se aprumando na cadeira.

Ele não se sentiu como tantas vezes antes, animado, curioso, doido para chegar ao fundo do mistério; ele simplesmente sabia que a tarefa de descobrir a verdade sobre a Horcrux genuína tinha de ser concluída antes que ele pudesse avançar pelo caminho escuro e tortuoso que se estendia à sua frente, o caminho que ele e Dumbledore tinham iniciado juntos, mas que, agora, ele sabia que teria de trilhar sozinho. Talvez ainda houvesse umas quatro Horcruxes em algum lugar lá fora, e cada uma precisaria ser encontrada e destruída para que houvesse sequer possibilidade de Voldemort ser liquidado. Ele não parava de recitar seus nomes mentalmente, como se listando-os pudesse trazer as Horcruxes para o seu alcance: "o medalhão... a taça... a cobra... alguma coisa de Gryffindor ou de Ravenclaw... o medalhão... a taça... a cobra... alguma coisa de Gryffindor ou de Ravenclaw..."

Este mantra parecia perpassar sua mente quando ele adormecia, e seus sonhos eram coalhados de taças, medalhões e objetos misteriosos que ele não conseguia pegar, embora Dumbledore lhe oferecesse prestimosamente uma escada de corda que se transformava em cobras no instante em que começava a galgá-la...

Ele mostrara a Hermione a nota no interior do medalhão na manhã seguinte à morte de Dumbledore, e, embora a amiga não tivesse reconhecido imediatamente as iniciais como pertencentes a algum bruxo obscuro sobre quem lera, desde então ela corria à biblioteca com maior frequência do que seria estritamente necessário a alguém que não tinha deveres de casa a preparar.

— Não, Harry, estou tentando — respondeu ela, triste —, mas ainda não encontrei nada... há uns dois bruxos razoavelmente famosos com essas iniciais: Rosalinda Antígona Bungs... Roberto Axebanger Brookstanton, o "Machadada"... mas aparentemente não se enquadram. Pelo bilhete, a pessoa que roubou a Horcrux conhecia Voldemort, e não consigo encontrar o menor indício de que Bungs ou Axebanger tenham tido qualquer relação com ele... não, na realidade, eu queria falar sobre.... bem, Snape.

Ela parecia nervosa até de mencionar aquele nome.

— Que tem ele? — perguntou sombriamente, recostando-se na cadeira.

— Bem, é que eu tinha certa razão naquela história do Príncipe Mestiço — começou ela hesitante.

— Você tem de insistir nesse assunto, Hermione? Como é que você acha que eu me sinto com relação a isso agora?

— Não... não... Harry, não me referi a isso! — apressou-se ela a corrigir, olhando em volta para verificar se havia alguém ouvindo. — É que eu tinha razão sobre a Eileen Prince ter sido dona do livro. Sabe... ela era a mãe do Snape!

— Eu bem que achei que ela não era grande coisa — comentou Rony. Hermione não lhe deu atenção.

— Continuei a examinar o resto dos *Profetas* antigos e encontrei uma pequena nota anunciando o casamento de Eileen Prince com um tal Tobias Snape, e mais tarde, outra anunciando que tinha dado à luz um...

— ... homicida — completou Harry com violência.

— Bem... é — concordou Hermione. — Então eu tinha certa razão. Snape devia sentir orgulho de ser "meio Príncipe", entende? Tobias Snape era trouxa segundo a informação do *Profeta*.

— É, isso se encaixa — admitiu Harry. — Ele daria destaque ao lado puro-sangue para poder fazer amizade com Lúcio Malfoy e os outros... ele é como Voldemort: mãe de sangue puro, pai trouxa... vergonha dos pais, tentando ser temido pelo uso das Artes das Trevas, arranjou um novo nome imponente... Lorde Voldemort, o Príncipe Mestiço, como é que Dumbledore não percebeu...?

Harry se calou, olhando para fora. Não conseguia deixar de pensar na confiança indesculpável de Dumbledore em Snape... mas, como Hermione inadvertidamente acabara de lembrá-lo, ele, Harry, também fora enganado... apesar da crescente maldade dos feitiços anotados, recusara-se a fazer mau juízo do garoto tão inteligente que o ajudara tanto...

Ajudara-o... era um pensamento quase insuportável agora...

— Eu ainda não entendo por que ele não denunciou você por estar usando aquele livro — comentou Rony. — Ele devia saber de onde você estava tirando tudo aquilo.

— Ele sabia — explicou Harry com amargura. — Soube quando usei o *Sectumsempra*. Não precisou realmente de Legilimência... talvez soubesse até antes, ouvindo o Slughorn comentar como eu era brilhante em Poções... ele não devia ter deixado seu antigo livro no fundo daquele armário, não é?

— Mas por que ele não denunciou você?

— Acho que ele não queria ser associado àquele livro — respondeu Hermione. — Acho que Dumbledore não teria gostado muito se soubesse. E o próprio Snape fingiu que o livro não tinha pertencido a ele, Slughorn teria reconhecido a caligrafia na mesma hora. De qualquer forma, o livro foi deixado na antiga sala de aula de Snape, e aposto como Dumbledore sabia que a mãe dele se chamava "Prince".

— Eu devia ter mostrado o livro a Dumbledore — concluiu Harry. — O tempo todo ele esteve me mostrando como Voldemort era maligno, mesmo quando frequentava a escola, e eu tinha uma prova de que Snape também era...

— "Maligno" é uma palavra forte — comentou Hermione baixinho.

— Era você quem vivia me dizendo que o livro era perigoso!

— O que estou tentando dizer, Harry, é que você está se culpando demais. Eu achei que o Príncipe tinha um senso de humor perverso, mas nunca imaginei que fosse um homicida potencial...

— Nenhum de nós poderia ter imaginado que o Snape... sabe — acrescentou Rony.

Os três silenciaram, cada qual absorto nos próprios pensamentos, mas Harry tinha certeza de que seus amigos, tal como ele próprio, estavam imaginando a manhã seguinte, quando Dumbledore seria enterrado. Harry nunca fora a um enterro; não tinha havido corpo para enterrar quando Sirius morreu. Ele não sabia o que esperar, e estava um pouco preocupado com o que poderia ver, com o que poderia sentir. Perguntou-se se a morte de Dumbledore seria mais real para ele quando terminassem os funerais. Embora houvesse momentos em que a brutal realidade do acontecido ameaçasse esmagá-lo, havia lacunas de insensibilidade durante as quais ele ainda encontrava dificuldade em acreditar que Dumbledore realmente partira, apesar de não falarem em outra coisa no castelo. Reconhecia que não procurara desesperadamente uma brecha, um jeito de Dumbledore voltar, ao contrário do que fizera no caso de Sirius... ele apalpou no bolso a corrente fria da falsa Horcrux, que agora carregava para toda parte, não como um talismã, mas como um lembrete do que custara e do que ainda faltava fazer.

No dia seguinte, Harry levantou cedo para fazer o malão; o Expresso de Hogwarts estaria partindo uma hora após os funerais. Embaixo, no Salão Principal, encontrou o ambiente anormalmente quieto. Todos usavam vestes formais, e ninguém parecia ter muita fome. A professora McGonagall deixara vazio o cadeirão ao centro da mesa dos professores. A cadeira de Hagrid também estava desocupada: Harry achou que ele talvez não tivesse conseguido enfrentar o café da manhã; o lugar de Snape, no entanto, fora ocupado, sem a menor cerimônia, por Rufo Scrimgeour. Harry evitou seus olhos amarelados esquadrinhando a sala; teve a incômoda sensação de que Scrimgeour o procurava. Na comitiva do ministro, Harry identificou os cabelos ruivos e os óculos de aros de tartaruga de Percy Weasley. Rony não demonstrou ter percebido a presença do irmão, exceto pela virulência com que espetava o peixe defumado.

À mesa da Sonserina, Crabbe e Goyle cochichavam. Corpulentos como eram, pareciam estranhamente solitários sem a companhia da figura alta e pálida de Malfoy entre os dois, despachando ordens. Harry não pensara muito em Malfoy. Toda a sua animosidade convergia para Snape, mas não esquecera o medo na voz de Malfoy no alto da Torre, nem o fato de que ele baixara a varinha antes de chegarem os outros Comensais da Morte. Harry não acreditava que Malfoy teria matado Dumbledore. Continuava a desprezar o garoto por sua fascinação pelas Artes das Trevas, mas uma minúscula gotinha de piedade já se misturava ao seu desagrado. Perguntava-se onde estaria Malfoy agora, e o que Voldemort estaria obrigando-o a fazer, sob ameaças de morte a ele e à família.

Seus pensamentos foram interrompidos por uma cotovelada de Gina em suas costelas. A professora McGonagall ficara de pé, e os murmúrios tristes no Salão Principal tinham cessado prontamente.

– Está quase na hora – começou ela. – Por favor, acompanhem os diretores de suas Casas até os jardins. Alunos da Grifinória, venham comigo.

Eles deixaram seus bancos disciplinadamente, quase em silêncio. Harry viu Slughorn, de relance, à frente da fila da Sonserina, trajando magníficas vestes verde-esmeralda, bordadas com fios prateados. O garoto nunca vira a professora Sprout, diretora da Lufa-Lufa, com uma aparência tão limpa; não havia um único remendo em seu chapéu e, quando chegaram ao Saguão de Entrada, encontraram Madame Pince parada ao lado de Filch, ela usando um véu preto e grosso até os joelhos, e ele, uma gravata e um terno antiquado cheirando fortemente a naftalina.

Todos seguiam, conforme Harry constatou ao descer os degraus de pedra da entrada, em direção ao lago. Ele sentiu o sol morno acariciar seu rosto, enquanto acompanhava em silêncio a professora McGonagall ao lugar em que tinham disposto centenas de cadeiras enfileiradas com uma passagem pelo centro; havia uma mesa de mármore à frente das cadeiras. Fazia um belíssimo dia de verão.

Uma variedade extraordinária de pessoas já se acomodara em metade das cadeiras; malvestidas e bem-vestidas, velhas e jovens. A maioria Harry nunca vira, mas reconheceu algumas, entre elas membros da Ordem da Fênix: Kingsley Shacklebolt, Olho-Tonto Moody, Tonks, seus cabelos milagrosamente tinham recuperado o tom rosa-berrante, Remo Lupin, com quem ela parecia estar de mãos dadas, o sr. e a sra. Weasley, Gui amparado por Fleur e seguido por Fred e Jorge, usando paletós pretos de pele de dragão. Estavam também presentes Madame Maxime, que, sozinha, ocupava duas cadeiras e meia, Tom, o taberneiro do Caldeirão Furado, Arabella Figg, a bruxa abortada vizinha de Harry, a guitarrista cabeluda do grupo bruxo As Esquisitonas, Ernesto Prang, motorista do Nôitibus, Madame Malkin, da loja de vestes no Beco Diagonal, e outras pessoas que Harry só conhecia de vista, como o barman do Cabeça de Javali e a bruxa do carrinho de lanches do Expresso de Hogwarts. Os fantasmas do castelo também estavam lá, quase invisíveis ao sol forte mas discerníveis quando se moviam, tremeluzindo incorporeamente no ar luminoso.

Harry, Rony, Hermione e Gina tomaram os últimos assentos na fila ao lado do lago. As pessoas sussurravam entre si; o som lembrava o farfalhar da brisa na grama, mas o canto dos pássaros se sobrepunha a tudo. A multidão continuava a crescer; sentindo um arroubo de afeição pelos dois, Harry viu Luna ajudando Neville a se sentar. Tinham sido os únicos de toda a Armada a responder à convocação de Hermione na noite em que Dumbledore morrera, e Harry sabia por quê: eram os que sentiam maior falta do grupo... provavelmente, os únicos que verificavam regularmente as moedas na esperança de que houvesse outra reunião...

Cornélio Fudge passou por eles em direção às filas mais à frente, com uma expressão de infelicidade, girando o chapéu-coco como era seu hábito; em seguida, Harry reconheceu Rita Skeeter, e enfureceu-o ver um bloco de notas naquelas mãos de garras vermelhas; e, com um surto de fúria ainda mais forte, Dolores Umbridge, com uma expressão de tristeza pouco convincente em sua cara de sapo, um laço de veludo preto no alto dos cachos azulados. Ao ver o centauro Firenze, que estava parado como uma sentinela à margem do lago, ela se sobressaltou e correu rápido para uma cadeira bem distante.

Os professores finalmente se sentaram. Harry viu Scrimgeour, com ar grave e digno, na primeira fila ao lado da professora McGonagall. O garoto questionava se Scrimgeour ou quaisquer daqueles figurões lamentava realmente que Dumbledore tivesse morrido. Ouviu, então, uma música estranha e sobrenatural e esqueceu sua antipatia pelo Ministério, olhando para os lados à procura de sua origem. Ele não foi o único: muitas cabeças se viraram, olhando um pouco assustadas.

– Lá dentro – sussurrou Gina no ouvido de Harry.

Então ele os viu nas águas verdes banhadas de sol, a centímetros da superfície, lembrando-o aflitivamente dos Inferi; um coro de sereianos cantava em uma língua que ele não entendia, seus rostos pálidos ondeando, seus cabelos arroxeados boiando à volta. A música deixou arrepiados os cabelos na nuca de Harry, embora não fosse desagradável. Falava muito claramente de perda e desespero. Ao olhar os rostos ferozes dos cantores, o garoto teve a sensação de que os sereianos, pelo menos, lamentavam a morte de Dumbledore. Então Gina tornou a cutucá-lo, e ele se virou para olhar.

Hagrid vinha andando pela passagem entre as cadeiras. Chorava silenciosamente, seu rosto brilhava de lágrimas, e trazia nos braços, envolto em veludo roxo salpicado de estrelas douradas, o que Harry sabia ser o corpo de Dumbledore. Ao vê-lo, o garoto sentiu uma dor aguda na garganta: por um momento, a música estranha e a consciência de que o corpo do diretor estava tão próximo pareceram roubar todo o calor do dia. Rony estava branco e chocado. Caíam lágrimas copiosas no colo de Gina e Hermione. Os garotos não conseguiam ver com clareza o que acontecia à frente. Hagrid parecia ter colocado o corpo cuidadosamente sobre a mesa. Agora retirava-se pela passagem, assoando o nariz ruidosamente e atraindo olhares escandalizados de algumas pessoas, inclusive, Dolores Umbridge... mas Harry sabia que Dumbledore não teria se importado. Ele tentou fazer um gesto simpático quando Hagrid passou, mas os olhos do amigo estavam tão inchados que era de admirar que conseguisse sequer ver aonde ia. Harry olhou para a última fila, à qual se encaminhava o amigo, e entendeu o que o orientava; ali, calça e paletó, cada peça do tamanho de uma tenda, encontrava-se o gigante Grope, sua enorme e feia cabeça de pedregulho curvada, dócil, quase humano. Hagrid sentou-se ao lado do meio-irmão, que lhe deu fortes palmadas carinhosas na cabeça, fazendo as pernas de sua cadeira enterrarem no chão. Harry sentiu um impulso momentâneo e maravilhoso de rir. Então, a música parou, e ele tornou a se virar para a frente.

Um homenzinho com os cabelos em tufos e simples vestes pretas se erguera e agora estava parado diante do corpo de Dumbledore. Harry não conseguia distinguir o que ele dizia. Chegavam-lhe palavras estranhas por cima das centenas de cabeças. "Nobreza de espírito... contribuição intelectual... grandeza de coração...", não significavam muita coisa. Não tinham muito a ver com o Dumbledore que Harry conhecera. De repente, o garoto se lembrou da versão de Dumbledore de algumas palavras: "pateta", "esquisitice", "choramingas" e "beliscão", e mais uma vez ele precisou reprimir o riso... que estava acontecendo com ele?

Houve um ruído de água revolvida à esquerda, e ele viu que os sereianos tinham vindo à tona para ouvir, também. Harry se lembrou de Dumbledore agachando à beira do lago dois anos antes, muito próximo do lugar em que Harry estava sentado, conversando em serêiaco com a líder desse povo. Harry se perguntou onde Dumbledore teria aprendido aquela língua. Havia tanta coisa que nunca perguntara, tanta coisa que deveria ter dito...

E, então, subitamente, a terrível verdade o devassou, mais completa e inegavelmente do que até aquele momento. Dumbledore estava morto, partira... ele apertou o medalhão com tanta força que doeu, mas não pôde impedir que lágrimas quentes saltassem dos seus olhos; desviou o olhar de Gina e dos outros e fixou-o ao longe, na direção da Floresta, enquanto o homenzinho de preto continuava a falar... percebeu um movimento entre as árvores. Os centauros tinham vindo prestar suas homenagens também. Não saíram a céu aberto, mas Harry os viu parados, quietos, meio encobertos pelas sombras, observando os bruxos, os arcos pendurados do lado do corpo. E Harry lembrou-se do pesadelo que fora sua primeira ida à Floresta, a primeira vez que encontrara a coisa que então era Voldemort, e como a enfrentara, e como, pouco tempo depois, ele e Dumbledore tinham discutido as razões de se travar uma batalha perdida. Era importante, dissera Dumbledore, lutar, e recomeçar a lutar, e continuar a lutar, porque somente assim o mal poderia ser acuado, embora jamais erradicado...

E Harry, sentado ali sob o sol quente, percebeu com muita clareza como as pessoas que gostavam dele tinham se colocado à sua frente, um por um, sua mãe, seu pai, seu padrinho e, finalmente, Dumbledore, todos decididos a protegê-lo; mas, agora, isso acabara. Não podia mais deixar ninguém ficar entre ele e Voldemort; tinha de abandonar definitivamente a ilusão que já devia ter perdido com um ano de idade: que a proteção dos braços paternos significava que nada poderia atingi-lo. Neste pesadelo não haveria despertar, não haveria sussurro tranquilizante no escuro dizendo-lhe que, na realidade, estava seguro, que era tudo sua imaginação; o último e maior de seus protetores morrera, e ele estava mais sozinho do que jamais estivera.

O homenzinho de preto parara finalmente de falar e retomara seu lugar. Harry aguardou que mais alguém se levantasse; esperava discursos, provavelmente do ministro, mas ninguém se mexeu.

Então várias pessoas gritaram. Vivas chamas irromperam em torno do corpo de Dumbledore e da mesa em que jazia: cada vez mais altas, ocultando seu corpo. Subiram espirais de fumaça branca no ar, desenhando estranhas formas: Harry pensou, por um momento de sustar o coração, que estava vendo uma fênix voar feliz para o infinito, mas, no segundo seguinte, o fogo desaparecera. Em seu lugar havia um túmulo de mármore branco, encerrando o corpo de Dumbledore e a mesa em que repousara.

Ouviram-se mais alguns gritos de espanto quando uma saraivada de flechas voou pelo ar, mas elas caíram muito aquém da multidão. Era, Harry entendeu, a homenagem dos centauros: viu quando eles deram as costas e tornaram a desaparecer entre as árvores sombrias. De modo semelhante, os sereianos imergiram lentamente nas águas verdes e desapareceram de vista.

Harry olhou para Gina, Rony e Hermione: o rosto do amigo estava franzido como se a claridade do sol o cegasse. O de Hermione estava vidrado de lágrimas, mas Gina já não chorava. Sustentou o olhar de Harry com aquela mesma expressão decidida e intensa que ele vira quando a garota o abraçara depois de conquistar a Copa de Quadribol em sua ausência, e ele soube que naquele momento os dois se compreendiam perfeitamente, e quando lhe contasse o que ia fazer agora, ela não diria "Cuidado" nem "Não faça isso", mas aceitaria sua decisão porque não esperava dele outra atitude. Então, ele se revestiu de coragem para dizer o que sabia que teria de dizer, desde que Dumbledore morrera.

– Gina, escute... – começou em voz muito baixa, em meio ao burburinho de conversas que crescia à sua volta e às pessoas que começavam a se levantar. – Não posso mais namorar você. Temos de parar de nos ver. Não podemos ficar juntos.

Ela disse, com um sorriso estranhamente enviesado:
– É por algum motivo nobre e idiota, não é?
– Essas últimas semanas com você têm parecido... parecido fazer parte da vida de outra pessoa – explicou Harry. – Mas não posso... não podemos... Tem coisas que preciso fazer sozinho agora.

Ela não chorou, olhou-o apenas.
– Voldemort usa as pessoas chegadas aos seus inimigos. Já usou você de isca uma vez, e foi só por ser irmã do meu melhor amigo. Pensa no enorme perigo que poderá correr se continuarmos a namorar. Ele saberá, ele descobrirá. Ele tentará me atingir através de você.
– E se eu não me importar? – perguntou Gina impetuosamente.
– Eu me importo. Como é que você acha que eu me sentiria se hoje fosse o seu enterro... e a culpa fosse minha...?

Ela desviou o olhar em direção ao lago.
– Eu nunca desisti de você. Não de verdade. Sempre tive esperança... Hermione me disse para tocar a minha vida, talvez sair com outra pessoa, me descontrair um pouco perto de você, porque eu nunca conseguia falar quando você estava na sala, lembra? E ela achou que talvez você prestasse um pouco mais de atenção em mim se eu fosse mais... eu mesma.
– Menina esperta, essa Hermione – comentou Harry tentando sorrir.
– Eu só queria ter convidado você para sair antes. Poderíamos ter tido séculos... meses... anos talvez...
– Mas você esteve muito ocupado salvando o mundo bruxo – replicou Gina, quase sorrindo. – Bem... não posso dizer que esteja surpresa. Eu sabia que isto aconteceria um dia. Eu sabia que você não seria feliz se não estivesse caçando o Voldemort. Vai ver é por isso que eu gosto tanto de você.

Harry não aguentou ouvir essas coisas, e achou que não manteria sua decisão se continuasse sentado ao lado de Gina. Viu que Rony abraçava Hermione e acariciava seus cabelos enquanto ela soluçava em seu ombro, e que escorriam lágrimas da ponta do seu nariz comprido. Com um gesto angustiado, Harry ficou de pé, deu as costas a Gina e ao túmulo de Dumbledore, e saiu andando pela margem do lago. Andar parecia bem mais suportável do que ficar sentado: da mesma forma que partir o mais cedo possível para procurar as Horcruxes e liquidar Voldemort o faria sentir-se melhor do que esperar para fazer isso...

— Harry!

Ele se virou. Rufo Scrimgeour vinha mancando ligeiro em sua direção, margeando o lago, apoiando-se na bengala.

— Eu estava na esperança de poder dar uma palavra... você se incomoda se eu caminhar um pouco com você?

— Não — respondeu Harry, com indiferença, retomando a caminhada.

— Harry, foi uma horrível tragédia — começou o bruxo em voz baixa. — Nem sei lhe dizer o horror que senti quando soube. Dumbledore era um bruxo extraordinário. Tínhamos as nossas desinteligências, como você bem sabe, mas ninguém melhor do que eu...

— Que é que o senhor quer? — perguntou Harry sem emoção.

Scrimgeour pareceu contrariado, mas, como antes, alterou rapidamente sua expressão para mostrar pesarosa compreensão.

— Naturalmente, você está arrasado. Sei que era muito ligado a Dumbledore. Imagino que você talvez tenha sido o aluno de quem ele mais gostou na vida. Os laços entre os dois...

— Que é que o senhor quer? — repetiu Harry, parando.

Scrimgeour parou também, apoiou-se na bengala e encarou Harry, sua expressão agora astuta.

— Dizem que você estava com Dumbledore quando se ausentou da escola na noite de sua morte.

— Quem diz?

— Alguém estupefez um Comensal da Morte no alto da Torre depois que Dumbledore morreu. Havia também duas vassouras lá. O Ministério sabe somar dois mais dois, Harry.

— Que bom ouvir isso. Bem, aonde eu fui com Dumbledore e o que fizemos é unicamente da minha conta. Ele não queria que as pessoas soubessem.

— Tal lealdade, naturalmente, é admirável — disse Scrimgeour, que parecia conter com dificuldade sua irritação —, mas Dumbledore se foi, Harry. Ele se foi.

— Ele só terá ido desta escola quando ninguém mais aqui for leal a ele
— respondeu Harry, com um sorriso forçado.
 — Meu caro rapaz... nem mesmo Dumbledore é capaz de ressurgir da...
 — Não estou afirmando que ele seja. O senhor não entenderia. Mas não tenho nada a lhe dizer.
Scrimgeour hesitou. Então, num tom que evidentemente pretendia que fosse gentil, disse:
— O Ministério pode lhe oferecer todo tipo de proteção, sabe, Harry. Eu teria prazer em colocar uns dois aurores a seu serviço...
Harry riu.
— Voldemort quer me matar pessoalmente, e os aurores não poderão detê-lo. Então muito obrigado pelo oferecimento, mas não vou aceitar.
— Então — disse Scrimgeour, seu tom frio —, o pedido que lhe fiz no Natal...
— Que pedido? Ah, sim... aquele para eu anunciar ao mundo que o senhor está fazendo um ótimo trabalho em troca de...
— Levantar o moral de todos! — concluiu Scrimgeour com rispidez.
Harry estudou-o por um momento.
— Já soltaram o Lalau Shunpike?
O rosto de Scrimgeour tingiu-se de um púrpura intenso que lembrou muito o do tio Válter.
— Vejo que você é...
— Por inteiro um homem de Dumbledore — completou Harry. — Com certeza.
Scrimgeour olhou-o aborrecido por mais um momento, deu-lhe as costas e se afastou, mancando, sem dizer mais nada. Harry viu Percy e o restante da delegação à espera do ministro lançando olhares nervosos na direção de Hagrid e Grope, que soluçavam ainda sentados. Rony e Hermione correram ao encontro de Harry e passaram por Scrimgeour, indo em direção oposta; o garoto se virou e continuou sua caminhada devagar, dando tempo para os amigos o alcançarem, o que finalmente aconteceu embaixo de uma bétula onde costumavam sentar em épocas mais felizes.
— Que é que Scrimgeour queria? — sussurrou Hermione.
— O mesmo que queria no Natal — respondeu Harry, sacudindo os ombros. — Queria que eu desse informações confidenciais sobre Dumbledore e virasse o novo garoto propaganda do Ministério.
Rony pareceu lutar intimamente por um momento, então anunciou em voz alta para Hermione:

— Olha, me deixa voltar para dar um murro no Percy.
— Não — disse ela com firmeza, segurando-o pelo braço.
— Mas eu vou me sentir melhor!

Harry riu. Até Hermione esboçou um sorriso, que desapareceu quando ela ergueu os olhos para o castelo.

— Não consigo suportar a ideia de que talvez nunca voltemos — disse ela baixinho. — Como é que Hogwarts pode fechar?

— Talvez não feche — falou Rony. — Não corremos maior perigo aqui do que em casa, não é? Está igual em toda parte. Eu diria até que Hogwarts está mais segura, há mais bruxos para defender o lugar. Que é que você acha, Harry?

— Não vou voltar nem que reabra.

Rony olhou-o boquiaberto, mas Hermione disse com tristeza:

— Eu sabia que você ia dizer isso. Mas, então, o que vai fazer?

— Vou voltar mais uma vez à casa dos Dursley, porque era o que Dumbledore queria. Mas será uma visita breve, e então partirei para sempre.

— Mas aonde é que você vai, se não voltar para a escola?

— Pensei talvez em voltar para Godric's Hollow — murmurou Harry. Vinha ruminando esta ideia desde a noite em que Dumbledore morrera. — Para mim, tudo começou ali. Tenho a sensação de que preciso ir até lá. E posso visitar os túmulos dos meus pais, gostaria de fazer isso.

— E depois? — perguntou Rony.

— Depois tenho de rastrear as outras Horcruxes, não é? — respondeu Harry, os olhos no túmulo branco de Dumbledore refletido nas águas do lago. — É o que ele queria que eu fizesse, por isso é que me contou tudo que sabia sobre elas. Se Dumbledore estiver certo, e tenho certeza de que está, ainda há quatro Horcruxes por aí. Preciso encontrar todas e destruí-las, e depois correr atrás da sétima porção da alma de Voldemort, a que ainda habita o corpo dele, e sou eu quem vai matá-lo. E se eu encontrar Severo Snape pelo caminho — acrescentou Harry —, tanto melhor para mim, tanto pior para ele.

Fez-se um longo silêncio. A multidão quase toda se dispersara, os poucos remanescentes guardavam uma imensa distância da figura de Grope consolando Hagrid, cujos uivos de dor ecoavam pelo lago.

— Estaremos lá, Harry — disse Rony.

— Quê?

— Na casa dos seus tios — respondeu Rony. — Então acompanharemos você, aonde for.

— Não — disse Harry depressa; não contara com isso, tentara fazer os amigos entenderem que ia empreender essa perigosíssima viagem sozinho.

— Você já nos disse uma vez — disse Hermione em voz baixa — que havia tempo para desistir, se a gente quisesse. Tivemos tempo, não é mesmo?

— Estamos com você para o que der e vier — afirmou Rony. — Mas, cara, você vai ter de passar na casa dos meus pais antes de qualquer outra coisa, até mesmo de Godric's Hollow.

— Por quê?

— O casamento de Gui e Fleur, lembra?

Harry olhou para ele, espantado; a ideia de que algo normal como um casamento ainda pudesse existir parecia inacreditável e, contudo, maravilhosa.

— Ah é, não devemos perder esta festa por nada — disse ele por fim.

Sua mão fechou automaticamente em torno da falsa Horcrux, mas, apesar de tudo, apesar do caminho escuro e tortuoso que ele via estender-se à sua frente, apesar do encontro final com Voldemort, que ele sabia que teria de ocorrer, fosse em um mês, um ano ou dez, ele sentiu um novo ânimo ao pensar que restava um último e dourado dia de paz para aproveitar com Rony e Hermione.

MARY GRANDPRÉ ilustrou mais de vinte livros para crianças, incluindo as capas das edições brasileiras dos livros da série Harry Potter. Os trabalhos da ilustradora norte-americana estamparam as páginas da revista *New Yorker* e do *Wall Street Journal*, e seus quadros foram exibidos em galerias de todo os Estados Unidos. GrandPré vive com a família em Sarasota, na Flórida.

KAZU KIBUISHI é o criador da série Amulet, bestseller do *New York Times*, e *Copper*, uma compilação de seus populares quadrinhos digitais. Ele também é fundador e editor da aclamada antologia Flight. As obras de Kibuishi receberam alguns dos principais prêmios dedicados à literatura para jovens adultos nos Estados Unidos, inclusive os concedidos pela prestigiosa Associação dos Bibliotecários da América (ALA). Ele vive e trabalha em Alhambra, na Califórnia, com a mulher Amy Kim, que também é cartunista, e os dois filhos do casal. Visite Kibuishi no site www.boltcity.com.